rororo

ro
ro
ro

Peter Høeg, 1957 in Kopenhagen geboren, studierte Schauspiel, Tanz und Literaturwissenschaften. Nach zahlreichen Reisen, vor allem in die Karibik und nach Afrika, gründete er eine Stiftung zugunsten von Frauen und Kindern in Entwicklungsländern. Peter Høeg lebt heute als freier Schriftsteller in der Nähe von Kopenhagen. Mit seinem Bestseller «Fräulein Smillas Gespür für Schnee» (rororo 23701), der auch als Verfilmung sehr erfolgreich war, wurde er international berühmt. Im Rowohlt Taschenbuch Verlag erschienen außerdem: «Von der Liebe und ihren Bedingungen in der Nacht des 19. März 1929» (rororo 22314), «Der Plan von der Abschaffung des Dunkels» (rororo 13790), «Vorstellung vom zwanzigsten Jahrhundert» (rororo 22769), «Die Frau und der Affe» (rororo 22315) sowie «Reise in ein dunkles Herz» (rororo 13511).

«Obwohl man schier außer Atem kommt, kann man nicht aufhören zu lesen. Man muss einfach wissen, wie es weitergeht. Die Handlung hüpft, springt und spurtet voran, bald Krimi, bald Märchen.» (Svenska Dagbladet)

«Unvergesslich bleibt, dass «Das stille Mädchen» auf dieselbe Weise wie Patrick Süskinds «Parfum» eine Wahrnehmung in den Mittelpunkt stellt: nicht den Geruchssinn, sondern den Gehörsinn. Wer diesen Roman gelesen hat, wird anders hören. Wann hat man zuletzt ein Buch mit solcher Wirkung gelesen?» (Politiken)

PETER HØEG
Das stille Mädchen

Roman | Deutsch von Peter Urban-Halle

Rowohlt Taschenbuch Verlag

Die dänische Ausgabe erschien 2006 unter dem Titel
Den stille pige bei Rosinante, Kopenhagen

6. Auflage Januar 2010

Veröffentlicht im Rowohlt Taschenbuch Verlag,
Reinbek bei Hamburg, Oktober 2008
Lizenzausgabe mit freundlicher Genehmigung
des Carl Hanser Verlages

Umschlaggestaltung ZERO Werbeagentur, München
(Fotonachweis: FinePic, München)
Satz DTL Documenta ST, InDesign,
bei Pinkuin Satz und Datentechnik, Berlin
Druck und Bindung CPI – Clausen & Bosse, Leck
Printed in Germany
ISBN 978 3 499 24707 1

Inhalt

ERSTER TEIL 9

ZWEITER TEIL 103

DRITTER TEIL 153

VIERTER TEIL 261

FÜNFTER TEIL 291

SECHSTER TEIL 331

SIEBTER TEIL 375

ACHTER TEIL 441

PERSONENVERZEICHNIS 491

0
1 km
Borups Allee
Jagtvej
Sjællandsgade
Jagtvej
Nordre Fasanvej
Kong Georgsvej
Ågade
Godhåbsvej
Falkoner Allee
Fabrikvej
Rosenørns
Allé
Smallegade
Gammel Kongevej
Frederiksberg
Søndre Fasanvej
Frederiksberg Allee
Zoologischer
Garten
Vesterbrogade
Roskildevej
Zoologischer
Garten
Gasværksvej

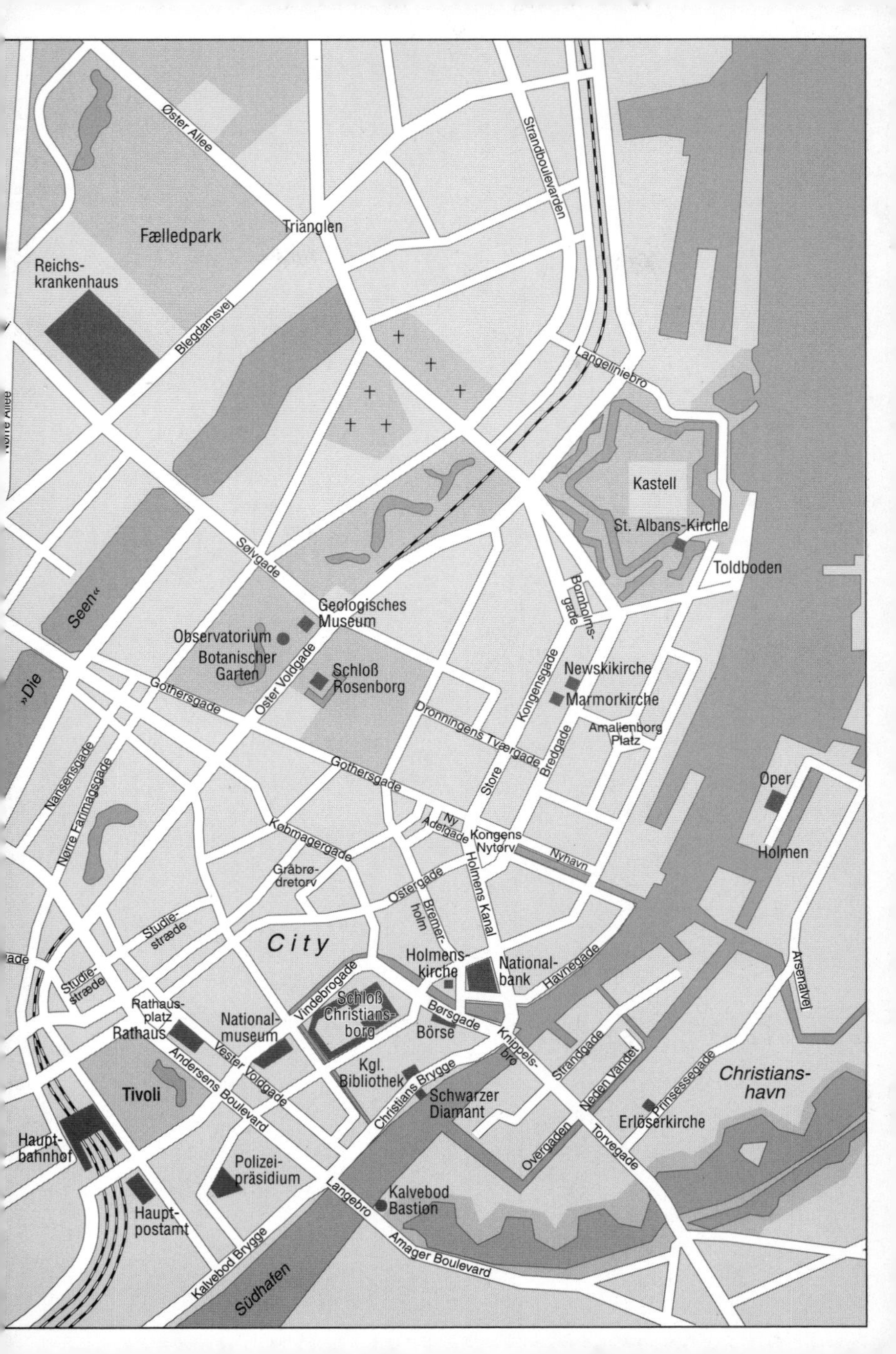

Øster Allee
Strandboulevarden
Fælledpark
Trianglen
Reichs-
krankenhaus
Blegdamsvej
Langeliniebro
Kastell
St. Albans-Kirche
Toldboden
Sølvgade
„Seen“
Geologisches
Museum
Observatorium
Botanischer
Garten
Øster Voldgade
Schloß
Rosenborg
Bornholms-
gade
Kongensgade
Newskikirche
Marmorkirche
»Die
Gothersgade
Dronningens Tværgade
Amalienborg
Platz
Bredgade
Store
Nansensgade
Nørre Farimagsgade
Gothersgade
Oper
Ny
Adelgade
Kongens
Nytorv
Købmagergade
Nyhavn
Holmen
Gråbrø-
dretorv
Østergade
Bremer-
holm
Holmens Kanal
Studie-
stræde
City
Studie-
stræde
Holmens-
kirche
National-
bank
Havnegade
Arsenalvej
Vindebrogade
Schloß
Christians-
borg
Rathaus-
platz
Rathaus
National-
museum
Børsgade
Børse
Knippels-
bro
Andersens Boulevard
Vester Voldgade
Strandgade
Neden Vandet
Prinsessegade
Christians-
havn
Kgl.
Bibliothek
Christians Brygge
Schwarzer
Diamant
Tivoli
Overgaden
Torvegade
Erlöserkirche
Haupt-
bahnhof
Polizei-
präsidium
Langebro
Kalvebod
Bastion
Haupt-
postamt
Amager Boulevard
Kalvebod Brygge
Südhafen

ERSTER TEIL

1 | Gott die Herrin hatte einen jeglichen Menschen in seiner eigenen Tonart gestimmt, und Kasper konnte sie heraushören. Am besten in den kurzen, ungeschützten Augenblicken, in denen sie schon in seiner Nähe waren, aber noch nicht ahnten, dass er lauschte. Deshalb wartete er am Fenster, auch jetzt.

Es war kalt. So kalt, wie es nur in Dänemark kalt werden konnte, und auch nur im April. Wenn die Leute in geistesverwirrter Verzückung über das Licht die Heizung ausgestellt, den Pelz beim Kürschner abgegeben, die langen Unterhosen vergessen hatten und ausgegangen waren. Und viel zu spät bemerkten, dass die Temperatur auf den Gefrierpunkt gefallen war, die Luftfeuchtigkeit neunzig Prozent betrug, der Wind aus Norden blies und Stoff und Haut durchdrang und sich ums Herz legte und es mit sibirischer Tristesse erfüllte.

Der Regen war kälter als Schnee und fein, dicht und grau wie ein Seidenvorhang. Durch diesen Vorhang rollte ein langer schwarzer Volvo mit getönten Scheiben heran. Dem Auto entstiegen ein Mann, eine Frau und ein Kind. Der Auftakt war verheißungsvoll.

Der Mann war groß und breit und schien gewohnt, seinen Willen durchzusetzen und seinen Mitmenschen, falls er ihn einmal nicht durchsetzen konnte, den Kopf zurechtzurücken. Die Frau war blond wie ein Gletscher, glich einem *one million dollar baby* und sah aus, als wäre sie clever genug gewesen, die Million selbst verdient zu haben. Das Mädchen trug teure Sachen und hatte Würde. Die Szene ähnelte dem Auszug der heiligen und hochvermögenden Familie.

Als sie etwa die Mitte des Hofs erreicht hatten, gewann Kasper einen ersten Eindruck von ihrer Tonart. Es war ein d-Moll in seiner schlimmsten Form. Wie in der *Toccata und Fuge in d-Moll.* Mächtige, schicksalsschwangere Säulen aus Musik.

Dann erkannte er das Mädchen. Zeitgleich mit dem Wiedererkennen trat die Stille ein.

Sie währte kurz, vielleicht eine Sekunde, vielleicht nicht einmal das. Aber während sie andauerte, riss sie die Mauern der Wirklichkeit nieder. Sie beseitigte den Hof, die Übungsmanege, Daffys Büro, das Fenster. Das schlechte Wetter. Den April. Dänemark. Die Gegenwart.

Dann war sie vorbei. Als hätte es sie nie gegeben.

Er hatte sich am Türrahmen festgehalten. Es musste sich eine natürliche Erklärung finden lassen. Unwohlsein hatte ihn ergriffen. Ein Blackout. Ein vorübergehender Blutpfropf. Niemand verbringt ungestraft zwei Nächte hintereinander von zehn Uhr abends bis acht Uhr morgens am Kartentisch. Oder war es ein Beben gewesen? Die ersten großen Erdbeben hatte man sogar hier draußen spüren können.

Vorsichtig blickte er sich um. Daffy saß hinter ihm am Schreibtisch, als wäre nichts geschehen. Auf dem Hof kämpften die drei Menschen gegen den Wind an. Die Erde hatte nicht gebebt. Es war etwas anderes gewesen.

Talent ist die Fähigkeit, die Spreu vom Weizen zu trennen. Im Aussondern hatte er 25 Jahre Erfahrung. Ein Wort, und Daffy würde seine Anwesenheit leugnen.

Er öffnete die Tür und streckte ihnen die Hand entgegen.

«Avanti», sagte er. «Kasper Krone. Herzlich willkommen!»

In dem Moment, in dem die Frau seine Hand ergriff, begegnete er dem Blick des Mädchens. Ganz schwach, nur für ihn wahrnehmbar, schüttelte es den Kopf.

Er begleitete sie in den Übungssaal, sie blieben stehen und sahen sich um. Ihre Sonnenbrillen waren ausdruckslos, aber ihr Klang

war angespannt. Sie hatten mehr Finesse erwartet. E'
Art des Großen Saals, in dem das Königliche Bal'
Etwas wie die Empfangsräume im Schloss Amalie.
Merbauholz und sanften Farben und vergoldeten Paneele.

«Sie heißt KlaraMaria», sagte die Frau. «Sie ist nervös. Si
ist angespannt. Sie wurden uns vom Bispebjerg-Krankenhaus empfohlen. Von der Kinderpsychiatrie.»

Selbst im System eines geübten Lügners ruft die Lüge ein feines Schnarren hervor. Auch bei ihr. Das Mädchen blickte zu Boden.

«Es kostet zehntausend pro Sitzung», sagte er.

Das war die Eröffnung. Protestierten sie, käme ein Dialog in Gang. Und er hätte die Möglichkeit, sich tiefer in ihre Systeme hineinzuhorchen.

Sie protestierten nicht. Der Mann zog eine Brieftasche hervor. Sie entfaltete sich wie der Balg eines Akkordeons. Kasper hatte solche Brieftaschen bei den Rosshändlern gesehen, als er noch auf Märkten auftrat. In dieser hier hätte jedenfalls ein kleines Pferd Platz finden können, sagen wir ein Fallabella. Ihr entstiegen zehn steife, druckfrische Tausendkronenscheine.

«Ich muss Sie leider um zwei Sitzungshonorare im Voraus bitten», sagte er. «Auf Anweisung meines Finanzberaters.»

Zehn weitere Scheine wurden zutage gefördert.

Er zog eine seiner alten Visitenkarten aus der Tasche, in Stahlstichdruck, und den Füllfederhalter.

«Übrigens hat gerade jemand abgesagt», sagte er, «zufälligerweise. Ich könnte sie dazwischenschieben. Ich muss sowieso erst den Muskeltonus und den Körperrhythmus untersuchen. Das dauert keine zwanzig Minuten.»

«In den nächsten Tagen», sagte die Frau.

Er schrieb seine Telefonnummer auf die Karte.

«Und ich muss dabei sein», sagte sie.

Er schüttelte den Kopf.

«Tut mir leid. Nicht, wenn man so intensiv mit den Kindern arbeitet.»

Es geschah etwas im Raum, die Temperatur fiel, die Anzahl der Schwingungen sank, alles erstarrte.

Er schloss die Augen. Als er sie wieder öffnete, nach fünfzehn Sekunden, lagen die Banknoten noch da. Er nahm sie an sich, ehe es zu spät war.

Sie drehten sich um. Gingen durch das Büro hinaus. Daffy hielt ihnen die Eingangstür auf. Sie überquerten den Hof, ohne zurückzublicken. Setzten sich in den Wagen. Der Wagen rollte in den Regen hinaus und verschwand.

Er lehnte seine Stirn an die kalte Scheibe. Er wollte den Füller in die Tasche stecken, in die warme Tasche zu dem Geld. Es war weg.

Vom Schreibtisch her kam ein Geräusch. Ein Rischeln. Wie wenn man ein neues Kartenspiel von Piaget mischt. Vor Daffy, auf der Tischplatte, lag der niedrige, mahagonibraune Stapel frischer Banknoten.

«In deiner rechten Außentasche», sagte der Verwalter, «stecken noch zweihundert Kronen. Für eine Rasur. Und eine warme Mahlzeit. Eine Nachricht ist auch noch drin.»

Die Nachricht war auf einer Spielkarte notiert, der Pikzwei. Auf der Rückseite stand, mit seinem eigenen Füller geschrieben: «Reichskrankenhaus. Aufgang 52.03. Nach Vivian fragen. Daffy.»

In dieser Nacht schlief er im Stall.

Es waren einige zwanzig Tiere dageblieben, Pferde und ein Kamel, die meisten waren alt oder wertlos. Der Rest war noch für die Wintersaison bei französischen oder süddeutschen Zirkussen.

Er hatte seine Geige dabei. Er legte das Laken und die Bettdecke in die Box zu Roselil, halb Berber, halb Araber. Sie war hiergeblieben, weil sie ausschließlich ihrem Kunstreiter gehorchte. Und nicht einmal ihm richtig.

Er spielte die *Partita in a-Moll.* Eine einsame Birne an der Decke warf ein weiches, goldenes Licht auf die lauschenden Tiere. Die spirituellsten Menschen stehen den Tieren am nächsten, hatte er bei Martin Buber gelesen. Ebenso bei Meister Eckhart. In *Das Reich Gottes ist nahe.* Gott soll man bei den Tieren suchen. Er dachte an das Mädchen.

Als er etwa neunzehn war, in der Zeit seines endgültigen Durchbruchs, hatte er entdeckt, dass mit der Fähigkeit, einen Zugang zur akustischen Essenz der Menschen zu finden, Geld zu machen war – besonders, wenn es sich um Kinder handelte. Er hatte sofort Kapital daraus geschlagen. Nach zwei Jahren hatte er zehn Privatschüler am Tag, so viele wie Bach in Leipzig.

Es waren Tausende von Kindern gewesen. Spontane Kinder, zerstörte Kinder, Wunderkinder, katastrophale Kinder.

Am Schluss kam das Mädchen.

Er legte die Violine in den Kasten, den er in seine Arme schloss wie eine stillende Mutter ihr Kind. Das Instrument kam aus Cremona, eine Guarneri, das Letzte, was ihm aus den großen Jahren geblieben war.

Er verrichtete sein Abendgebet. Die Nähe der Tiere hatte ihm einen großen Teil der Angst genommen. Er lauschte der Müdigkeit, sie strebte aus allen Richtungen gleichzeitig heran. In dem Augenblick, in dem er ihre Tonart bestimmen wollte, kristallisierte sie und ging in Schlaf über.

2

Er erwachte viel zu früh. Die Tiere bewegten sich. Die Glühbirne brannte noch. Aber das Morgengrauen hatte sie verblassen lassen. Vor der Box standen so etwas wie ein Kardinal und sein Ministrant. In langen schwarzen Mänteln.

«Mørk», sagte der Ältere. «Justizministerium. Wir würden Ihnen gern eine Mitfahrgelegenheit anbieten.»

Es war, als brächten sie ihn nach Moskau zurück. Anfang der achtziger Jahre hatte er drei Wintersaisons beim russischen Staatszirkus zugebracht. Er hatte im «Haus des Zirkus» gewohnt, Twerskaja, Ecke Gnesdnikowskistraße. Die vorrevolutionäre Klasse dieses Gebäudes hatte er im Palais der Kopenhagener Steuerverwaltung in der Kampmannsgade wiedergefunden. Es war nun schon das dritte Mal innerhalb der letzten sechs Monate, dass man ihn herbrachte. Aber es war das erste Mal, dass man ihm einen Wagen geschickt hatte.

Das Gebäude war dunkel und verriegelt. Aber der Kardinal hatte einen Schlüssel, mit dem er auch die obersten Etagen erreichen konnte; sie waren auf dem Tableau des Aufzugs nämlich nur per Schlüssel zu bedienen. Kierkegaard hatte irgendwo geschrieben, alle Menschen besäßen ein mehrgeschossiges Haus, aber keiner steige bis zur Beletage hinauf. Kierkegaard hätte an diesem Morgen dabei sein sollen, sie fuhren nämlich bis ins oberste Stockwerk.

Die marmorne Eingangshalle mit den elektrischen Bronzefackeln war nur ein Präludium gewesen. Der Aufzug öffnete sich auf einen Treppenabsatz, auf dem ein Turnierbillardtisch hätte Platz finden können, aus großen Dachfenstern flutete das frühe Licht herein. Zwischen Aufzug und Treppe befand sich ein Glaskasten, in dem ein junger Mann saß. Weißes Hemd und Schlips, schmuck wie Ole Lukøie bei Andersen. Aber der Klang, der ihm innewohnte, tönte wie ein Stechschritt. Ein elektrischer Türschließer summte, die Tür, vor der sie standen, ging auf.

Dahinter lag ein breiter, langer Flur. Mit Parkett und behaglichem Lampenlicht und hohen Flügeltüren, die in geräumige Nichtraucherbüros führten, in denen Menschen wie im Akkord arbeiteten. Was für ein Vergnügen zu sehen, dass das Geld der Steuerzahler nicht zum Fenster hinausgeworfen wurde, hier brummte es geschäftig wie auf einem Zirkusplatz beim Zeltaufbau. Was Kasper bedenklich stimmte, war der Zeitpunkt. Als sie am S-Bahnhof Nørrebro vorbeifuhren, hatte er eine Uhr gesehen. Sie zeigte drei Viertel sechs in der Früh.

Mørk öffnete eine der letzten Türen und ließ Kasper eintreten.

In einem Empfangszimmer mit der Akustik eines Kirchenvorraums saßen zwei breitschultrige Mönche im Anzug, der jüngere mit Vollbart und Pferdeschwanz. Sie nickten Mørk zu und erhoben sich.

Eine Tür stand offen, sie gingen hinein. Im Flur war die Temperatur angenehm gewesen, hier war es kalt. Das Fenster, das auf den Sankt-Jørgen-See hinausging, stand offen, der hereinströmende Wind kam wahrscheinlich aus der Äußeren Mongolei. Die Frau am Tisch glich einem Kosaken, muskulös, schön, ausdruckslos.

«Warum ist er denn dabei?», fragte sie.

Vor dem Schreibtisch standen im Halbkreis einige Stühle, sie nahmen Platz.

Die Frau hatte drei Mappen vor sich liegen. An ihrem Revers steckte ein kleines Abzeichen, das die auserwählten Glückspilze tragen dürfen, denen Ihre Majestät die Königin das Ritterkreuz verliehen hat. Auf einem Regal an der Wand hinter ihr waren heidnische Silberpokale mit ausgestanzten Pferdeleibern zur Schau gestellt. Kasper nahm die Brille ab. Sie waren im modernen Fünfkampf errungen worden. Mindestens ein Pokal stammte von einer Nordischen Meisterschaft.

Sie hatte sich auf einen schnellen Sieg gefreut. Ihr herrliches helles Haar war wie bei einem Samurai stramm zurückgebunden. Nun hatte sich eine leichte Verwirrung in ihr Klangsystem gestohlen.

Mørk nickte den Mönchen zu.

«Er hat die Rückgabe seiner dänischen Staatsbürgerschaft beantragt. Die Abteilung Ausländerkriminalität ist schon dabei, seinen Fall im Auftrag des Amtes für staatsbürgerliche Angelegenheiten zu prüfen.»

Als Kasper zum ersten Mal vorgeladen worden war, einen Monat nach seiner Ankunft in Kopenhagen, hatten sie ihm einen gewöhnlichen Gerichtsvollzieher zugewiesen. Beim nächsten Mal war es schon die Amtmännin Asta Borello. Bei ihrem ersten Termin waren sie beide allein gewesen, in einem kleinen Visitationszimmer, etliche Stockwerke tiefer. Er hatte gewusst, dass sie da nicht hingehörte. Hier war sie dagegen zu Hause. An ihrer Seite saß ein blondgelockter Jüngling im Anzug vor einem Textverarbeitungsgerät, der nur darauf wartete, das Protokoll aufnehmen zu dürfen. Das Büro war hell und groß genug, um eine Kunstfahrarena auf den Boden zu kreiden. Das Fahrrad stand an der Wand, ein graues Rennrad aus gebürstetem Leichtmetall. Weiter hinten standen niedrige Tische und Sofas für zwanglose und informelle Gespräche. Außerdem zwei rechtwinklige Stühle und zwei Tonbandgeräte in Studioqualität für Erklärungen, die in Anwesenheit von Zeugen abgegeben wurden.

«Wir haben die amerikanischen Zahlen erhalten», sagte sie. «Aus *The Commissioner of Internal Revenue*. Mit Hinweis auf das Doppelbesteuerungsabkommen vom Mai '48. Sie gehen bis 1971 zurück, dem Jahr, in dem er augenscheinlich sein erstes selbständiges Einkommen erhalten hat. Sie belegen Honorare von mindestens zwanzig Millionen Kronen. Wovon weniger als siebenhunderttausend in der Steuererklärung auftauchen.»

«Vermögen?»

Die Frage kam vom älteren der beiden Mönche.

«Hat er nicht. Seit '91 waren wir durch das Steuerkontrollgesetz befugt, auch sein im Ausland befindliches Vermögen einzufrieren. Als wir uns in der Sache an Spanien wenden, werden wir zunächst abgewiesen. Es heißt, Varietékünstler und Flamencotänzerinnen genießen eine Art gesetzeswidriger, diplomatischer Immunität. Aber dann sprechen wir mit einem internationalen Gerichtsentscheid erneut vor. Und es zeigt sich, dass er das bisschen Wohnungseigentum, das ihm noch blieb, liquidiert hat. Über die letzten Bankkonten, im Ganzen einige Millionen, haben wir mittlerweile die Kontrolle.»

«Kann er sonst noch irgendwo Geld haben?»

«Kann man nicht ausschließen. In der Schweiz ist Steuerbetrug kein Verbrechen. Eher eine religiöse Tugend. Aber er würde das Geld nicht nach Dänemark schaffen können. Die Nationalbank würde ihm die Transaktion nie und nimmer erlauben. Er wird nie wieder ein Bankkonto eröffnen können. Er wird nicht mal mehr eine Tankkarte bekommen.»

Sie faltete die Hände und lehnte sich zurück.

«Paragraph 13 des Steuerkontrollgesetzes sieht Geldbußen – in der Regel zweihundert Prozent der hinterzogenen Steuer – und Haftstrafen vor, wenn es sich um vorsätzliche oder grob fahrlässige Hinterziehung handelt. Der vorliegende Fall wird mit einem Jahr Gefängnis ohne Bewährung und einer kombinierten Buß-Rückzahlung von nicht unter vierzig Millionen Kronen geahndet. Im Oktober haben wir den Antrag auf Untersuchungshaft gestellt. Er wurde abgelehnt. Allerdings sind wir der Überzeugung, dass dieser abschlägige Bescheid nicht weiter aufrechterhalten werden kann.»

Es wurde still. Sie war am Ende angelangt.

Mørk beugte sich vor. Die Atmosphäre des Raums veränderte sich. Ein Aspekt von a-Moll breitete sich aus. Wenn es am stärksten ist. Insistierend und ernst. Im Gegensatz zu der Frau sprach der Beamte Kasper direkt an.

«Wir haben einen Ausflug nach London gemacht und zusammen mit Interpol mit der Anwaltskanzlei De Groewe gesprochen, die Ihre Verträge untersucht. Vor einem Jahr haben

Sie innerhalb von 24 Stunden sämtliche eingehenden Verträge gekündigt, und zwar aufgrund eines ärztlichen Attests, das die WVVF nicht anerkannt hat. Man hat stillschweigend alle größeren internationalen Bühnen für Sie gesperrt. Während man den Fall vorbereitet. Er wird in Spanien aufgerollt. Parallel zu der spanischen Steuersache. Unsere Experten sagen, dass beide Fälle eindeutig sind. Die Rückzahlungsforderung beläuft sich auf mindestens 250 Millionen. Zusätzlich werden Sie wegen Trunkenheit am Steuer belangt, Sie sind schon zweimal verurteilt worden, das letzte Mal mit sofortigem Entzug des Führerscheins. Das gibt mindestens fünf Jahre Haft ohne Bewährung. Die Sie in Alhaurín el Grande verbüßen werden. Man sagt, das Gefängnis hat sich seit der Inquisition nicht verändert.»

Die Frau war schockiert. Sie versuchte Ruhe zu bewahren. Es gelang ihr nicht.

«Steuerhinterziehung ist gewöhnlicher Diebstahl», rief sie. «Am Staat! Es ist unser Fall! Er muss hier vor Gericht!»

Die Gefühlsentladung offenbarte ihr wahres Wesen. Kasper konnte sie hören. Sie hatte schöne Seiten. Sehr dänische Seiten. Christliche. Sozialdemokratische. Ihr Hass auf den wirtschaftlichen Sumpf. Auf Exzesse. Übertriebenen Konsum. Wahrscheinlich hatte sie ihr Politologiestudium ohne Darlehen absolviert. Hatte auch schon für die Rente gespart. Fuhr mit dem Rad zur Arbeit. Ritterkreuz vor dem vollendeten vierzigsten Lebensjahr. Es war rührend. Er empfand uneingeschränkte Sympathie für sie, sie besaß eine ideale Charakterstruktur. Die er liebend gern selbst gehabt hätte.

Mørk ignorierte sie. Er konzentrierte sich ganz auf Kasper.

«Jansson hier hat einen Haftbefehl in der Tasche», sagte er. «Wir können dich auf der Stelle zum Flughafen bringen. Kurzer Abstecher nach Hause, Zahnbürste und Pass einpacken, und ab geht die Post!»

Der Klang der anderen ebbte ab. Die Jungs und die Polizeibeamten waren nur Staffage gewesen. Die Frau hatte die Kadenzen gespielt. Aber die Partitur hatte Mørk die ganze Zeit über in Händen gehalten.

«Vielleicht gäbe es da noch eine andere Möglichkeit», sagte der Beamte. «Angeblich sollst du ja jemand sein, zu dem die Menschen immer wieder zurückkehren. Du hattest eine kleine Schülerin namens KlaraMaria. Wir haben uns gedacht, dass sie vielleicht nochmal zu dir gekommen ist.»

Vor Kaspers Augen drehte sich alles. Wie nach einem dreifachen Purzelbaum, wenn man sich wieder aufrichtet. Orientierung bei weiteren Sprüngen vorwärts gleich null.

«Kinder und Erwachsene», sagte er, «kommen in Scharen wieder. Aber die einzelnen Namen ...»

Er lehnte sich zurück, zurück in die Ausweglosigkeit. Der Druck im Zimmer war ungeheuer. Gleich würde etwas bersten. Er hoffte, es werde nicht er sein. Er spürte, wie das Gebet von selbst einsetzte.

Es war die Frau, die stolperte.

«Siebzehntausend», sagte sie. «Für einen Anzug!»

Er war erhört worden. Es war eine minimale Blöße. Aber das würde ihm reichen.

Seine Finger schlossen sich um die Ärmel seiner Jacke. Maßgeschneiderte Jackenärmel haben echte Knöpfe am Handgelenk. Die Knöpfe an Konfektionsware sind dagegen nur Dekoration.

«Vierunddreißigtausend», sagte er sanft. «Die siebzehntausend waren für den Stoff. Das ist Casero. Das Nähen hat nochmal siebzehntausend gekostet.»

Die Verwirrung von eben breitete sich in ihrem System aus. Noch hatte die Frau sie unter Kontrolle.

Kasper nickte Mørk, den Polizisten und den beiden Jungs zu. Zum ersten Mal konnte er Astas Blick auffangen.

«Könnten die vielleicht mal für einen Moment den Raum verlassen?», fragte er.

«Sie sind unter anderem deshalb hier, um die Rechtssicherheit des Vorgeladenen zu garantieren.»

Ihre Stimme war tonlos.

«Es geht nur dich und mich etwas an, Asta.»

Die Amtmännin rührte sich nicht.

«Du hättest den Anzug nicht erwähnen sollen. Lediglich für Banken, Konten bei Privatunternehmen und Betriebe gilt die Auskunftspflicht über Schulden und Zinsen. Jetzt wissen sie es.»

Keiner sagte ein Wort.

«Dieses Doppelspiel!», sagte Kasper. «All diese demütigenden Treffen. Ohne dass wir einander berühren dürfen. Das schaffe ich nicht. Dazu habe ich keine Kraft mehr.»

«Das ist völlig absurd», sagte sie.

«Du musst darum bitten, von diesem Fall entbunden zu werden, Asta.»

Sie sah Mørk an.

«Ich habe ihn beschatten lassen», sagte sie. «Es wurde ein Bericht eingereicht. Ich verstehe nicht, wieso ihr ihn nicht einkassiert habt. Ich verstehe nicht, wieso uns Informationen vorenthalten wurden. Irgendjemand muss die Hand über ihn halten.»

Sie hatte ihre Stimme nicht mehr unter Kontrolle.

«Deshalb haben wir das mit dem Anzug gewusst. Aber ich habe nie privat mit ihm verkehrt. Niemals.»

Kasper stellte sich ihr Parfüm vor. Der Duft vom Leben in der Steppe. Mit einem Akzent auf den wilden Kräutern der Taiga.

«Ich habe mich entschieden», sagte er. «Du gibst deine Stelle auf. Wir studieren eine Nummer ein. Du nimmst fünfzehn Kilo ab. Und trittst im Netztrikot auf.»

Er legte seine Hand auf ihre.

«Wir heiraten», sagte er. «In der Manege. Wie Diana und Marek.»

Sie war wie gelähmt. Dann riss sie ihre Hand zurück. Wie vor einer Vogelspinne.

Sie stand auf, ging um den Tisch herum und trat auf ihn zu. Mit der körperlichen Sicherheit einer Athletin, aber ohne klares Motiv. Vielleicht wollte sie ihm die Tür weisen. Vielleicht wollte sie ihn zum Schweigen bringen. Vielleicht wollte sie nur ihrer Wut Luft verschaffen.

Sie hätte sitzen bleiben sollen. In derselben Sekunde, in der sie sich erhob, war sie chancenlos.

In dem Augenblick, als sie seinen Stuhl erreichte, kippte dieser nach hinten. Für die anderen sah es aus, als hätte sie ihn umgestürzt. Nur sie beide wussten, dass sie ihn nicht einmal gestreift hatte.

Er rollte über den Boden.

«Asta», sagte er, «keine Gewalt!»

Sie war in Bewegung, sie wollte ihm ausweichen, es gelang ihr nicht. Sein Körper wurde über den Boden geschleudert, für die Zuschauer sah es aus, als hätte sie ihn getreten. Er rollte gegen das Fahrrad, das auf ihn fiel. Sie griff danach. Es sah aus, als höbe sie ihn vom Boden hoch und schlüge ihn gegen den Türrahmen.

Sie riss die Tür auf. Vielleicht wollte sie hinaus, vielleicht wollte sie um Hilfe rufen, jetzt sah es aus, als schleuderte sie ihn durch das Vorzimmer. Sie folgte ihm. Griff nach seinem Arm. Hastig warf er einen prüfenden Blick auf die Türen, dann ließ er sich erst gegen die eine, dann gegen die andere prallen.

Sie gingen auf. Zwei Männer traten heraus. Weitere Leute aus anderen Büros. Auch Ole Lukøie war auf dem Weg.

Kasper rappelte sich auf. Strich seinen Anzug glatt. Er zog sein Schlüsselbund aus der Tasche, machte einen Schlüssel los und ließ ihn vor der Frau auf den Boden fallen.

«Hier», sagte er, «dein Wohnungsschlüssel.»

Sie spürte die Blicke ihrer Kollegen. Dann warf sie sich auf ihn.

Sie kam nicht so weit. Der Seniormönch hatte sie an dem einen Arm gepackt, Mørk an dem andern.

Kasper zog sich rückwärts auf den Treppenabsatz zurück.

«Meinen Körper, Asta», sagte er, «kannst du trotz allem nicht zum Pfand nehmen.»

Die Treppe erreichte man durch eine Tür in der Trennwand aus gehärtetem Glas gleich neben dem Kasten, Ole Lukøie hatte sie offen gelassen, er war mit auf den Treppenabsatz hinausgetreten.

Kasper kramte in seiner Tasche nach einem Stück Papier, er fand einen Hundertkronenschein. Er benutzte die Glaswand als Unterlage und schrieb auf den Schein: «Ich habe eine Geheimnummer bekommen. Ich habe mein Schloss ändern lassen. Ich schicke dir den Ring zurück. Lass mich in Ruhe. Kasper.»

«Das ist für Asta», sagte er. «Ich mache Schluss. Wie heißt dieses *set-up* hier eigentlich?»

«Abteilung H.»

An der Tür waren keine Schilder gewesen. Er reichte dem jungen Mann den Schein mit der Nachricht. Er war Ende zwanzig. Kasper dachte mit Wehmut an die Leiden, die einen jungen Menschen erwarten. Man konnte sie nicht einmal darauf vorbereiten. Konnte ihnen nichts ersparen. Höchstens versuchen, sie die bittren Erfahrungen, die man einst selbst hatte machen müssen, behutsam erahnen zu lassen.

«Nichts ist von Dauer», sagte er. «Nicht einmal die Liebe einer Amtmännin.»

Die Kampmannsgade war weißgrau vor Frost. Aber als er auf den Bürgersteig trat, traf ihn grelles Sonnenlicht. Die Welt lächelte ihm zu. Er hatte einen Tropfen lebendigen Wassers in den vergifteten Brunnen der Traurigkeit fallen lassen und ihn dadurch zum Heilquell gemacht. Wie Maxim Gorki so treffend über den großen Dressurclown Anatoli Anatoljewitsch Durow geschrieben hatte.

Er wollte sich in Trab setzen, aber ihm schwindelte. Er hatte in den letzten 24 Stunden nichts zu sich genommen. An der Ecke Farimagsgade war eine Lotterieannahmestelle mit Imbiss, er rettete sich hinein.

Durch die Palette der Pornomagazine in den Zeitschriftenständern konnte er die Straße beobachten, sie war leer.

Ein Verkäufer beugte sich zu ihm herüber. Er hatte noch einen Schein in der Tasche, er hätte sich ein Sandwich und eine Cola kaufen sollen, aber er wusste, dass er nichts herunterkriegen würde, nicht jetzt. Stattdessen kaufte er ein Achtellos der Dänischen Klassenlotterie.

Im Laufschritt erschienen die Mönche auf dem Bürgersteig, aber ihre Glieder waren noch steif, sie waren noch ganz benommen von den Ereignissen. Sie blickten die Straße hoch und runter. Der ältere sprach in ein Mobiltelefon, vielleicht mit seiner Mutter. Dann setzten sie sich in einen großen Renault und waren verschwunden.

Kasper wartete, bis am Bahngraben ein Autobus hielt. Dann überquerte er die Farimagsgade.

Der Bus war fast voll, er fand noch einen Platz auf der letzten Bank, wo er sich in die Ecke sinken ließ.

Er wusste, dass er keinen echten Vorsprung hatte. Er sehnte sich nach Musik, etwas Definitivem. Er fing an zu summen. Die Frau neben ihm rückte von ihm ab. Was man ihr nicht verdenken konnte. Es war der zerrissene Beginn der *Toccata in d-Moll.* Nicht der dorischen, sondern des Jugendwerks. Er spielte mit dem Lotterieschein. Die Dänische Klassenlotterie war ausgeklügelt. Hohe Prämien. Gewinnchance eins zu fünf. Ausschüttung 65 Prozent. Eine der weltbesten Lotterien. Der Schein war ein Trost. Ein kleines verdichtetes Feld von Möglichkeiten. Eine kleine Kampfansage an das Universum. Mit diesem Schein forderte er Gott die Herrin heraus. Um herauszufinden, ob es sie gab. Sie sollte sich als Gewinn outen. Inmitten der trostlosen statistischen Unwahrscheinlichkeit des Monats April.

3

Für das gewöhnliche Gehör und Bewusstsein breiten sich Kopenhagen und seine Vororte waagerecht aus. Für Kasper hatte die Stadt immer an der Innenwand eines Trichters gelegen.

Oben am Rand, wo Licht und Luft und die Meeresbrise waren, die in den Baumkronen raschelte, lagen Klampenborg und Søllerød und zur Not noch Holte und Virum. Schon bei Bagsværd und Gladsaxe begann der Abstieg, und mit Glostrup hatte man praktisch den Tiefpunkt erreicht. Über der Wüstenei knauseriger Parzellen herrschte ein klaustrophobisches Echo, mit Glostrup und Hvidovre bekam man einen Vorgeschmack auf Amager, so als sänge man geradewegs in das Trichterrohr hinein.

Die bedeutende polnische Nonne Faustina Kowalska hatte einmal gesagt, wenn man nur innig genug bete, könne man sich in der Hölle komfortabel einrichten. Das konnte die Heilige nur sagen, weil sie nie in Glostrup gewesen war, hatte Kasper früher immer gedacht. Jetzt wohnte er seit sechs Monaten hier. Und hatte es liebgewonnen.

Er liebte die Grillbars. Die Jitterbugtanzschulen. Die Gruppen von Hell's-Angels-Supporters. Die Sarggeschäfte. Die Bratwürste in den Fleischereien. Die Discountläden. Das besondere Licht über den Gärten der Einfamilienhäuser. Den existenziellen Hunger in den Gesichtern, die ihm auf der Straße entgegenkamen, den Hunger nach einem Sinn im Dasein, er kannte das von sich selbst. Manchmal versetzte ihn das in einen absonderlichen Glückszustand. Auch jetzt, am Rande des Abgrunds. Er stieg in Glostrup aus, maßlos glücklich, aber sehr hungrig. Es konnte nicht so weitergehen. Selbst Buddha und Jesus hatten bloß dreißig, vierzig Tage gefastet. Und hinterher gesagt, dann sei es auch echt nicht mehr lustig gewesen. Er blieb vor dem chinesischen Restaurant an der Ecke Siestavej stehen und warf einen diskreten Blick ins Innere. Heute arbeitete die älteste Tochter hinter der Theke. Er trat ein.

«Ich wollte auf Wiedersehen sagen», sagte er. «Mein Typ wird verlangt. In Belgien. Zirkus Carré. Varieté Zeebrügge. Und dann das amerikanische Fernsehen.»

Er lehnte sich über die Theke.

«Nächstes Frühjahr komme ich wieder und hole dich ab. Ich kaufe eine Insel. Bei Ryukyu. Ich baue dir einen Tempelpavillon. An einer murmelnden Quelle. Moosbewachsene Felsen. Schluss mit den Frittierpfannen. Und während wir uns den Sonnenuntergang über dem Meer ansehen, improvisiere ich.»

Er beugte sich zu ihr hinüber und sang:

Aprilmond schimmert
In Tropfen aus Tau
Ihr Kleid ist klamm
Sie beachtet es nicht
Lang spielt sie
Auf silberner Laute
Und fürchtet die einsame
Nacht im Gemach.

Zwei LKW-Fahrern blieb der Bissen im Halse stecken. Das Mädchen sah ihn ernst an, ein Blick unter weichen, gebogenen pechschwarzen Wimpern.

«Und was», sagte sie, «soll ich dafür machen?»

Er senkte den Kopf, sodass seine Lippen beinah ihr Ohr berührten. Ein weißes Ohr. Wie eine Kreideböschung. Geschwungen wie eine Muschel, gefunden bei Gili Trawangan.

«Einmal gebratenes Gemüse», flüsterte er. «Mit Reis und Tamari. Und meine Post.»

Sie stellte ihm das Essen auf den Tisch und entschwebte wie eine Tempeltänzerin am Hofe in Jakarta. Sie kam mit einem Brieföffner zurück und legte einen Stapel Umschläge neben seinen Teller.

Es war keine Privatpost dabei. Er machte die Briefe nicht auf. Aber jeden hielt er einen Moment in der Hand, ehe er ihn fallen ließ. Er lauschte seiner Freiheit, Beweglichkeit, Reiseerfahrung nach.

Eine Postkarte lud zu einer Ausstellung moderner italienischer Möbel, bei denen nicht einmal der Spumante darüber hinwegtäuschen konnte, dass man dermaßen schlecht darin saß, dass man von einem Chiropraktiker nach Hause begleitet werden musste. Es gab düster schimmernde Umschläge von Inkassobüros mit Absenderadressen im Kopenhagener Nordwesten. Es gab Premierenkarten für die neue Oper. Rabattofferten von amerikanischen Luftfahrtgesellschaften. Ein Schreiben eines englischen Verlags über das Nachschlagewerk *Great Personalities in 20th Century Comedy*. Er ließ alles fallen.

Ein Telefon klingelte. Das Mädchen erschien mit dem Apparat auf einem golden lackierten Tablettchen.

Sie sahen sich beide an. Kasper hatte eine private Postfachadresse im Gasværksvej. Von dort wurden ihm seine Briefe und Pakete zweimal die Woche hier ins Restaurant gebracht. Gemeldet war er c/o Zirkus Blaff am Grøndals Parkvej. Dort holte er sich alle vierzehn Tage die Behördenschreiben ab. Die private Postfachfirma unterlag der Schweigepflicht. Sonja im Grøndals Parkvej wäre für ihn auf den Scheiterhaufen gestiegen. Eigentlich hätte ihn niemand finden dürfen. Selbst das Finanzamt hatte das Handtuch werfen müssen. Nun hatte es doch jemand geschafft. Er hielt den Hörer ans Ohr.

«Würde es Ihnen passen, wenn wir in einer Viertelstunde vorbeikämen?»

Es war die Blondine.

«Ja, ausgezeichnet», sagte er.

Sie legte auf. Er blieb mit dem summenden Hörer in der Hand sitzen.

Er erreichte das Bispebjerg-Krankenhaus über die Auskunft. Er wurde mit der Kinderpsychiatrie verbunden. Zusammen mit der schulpsychologischen Beratungsstelle hatten sie so ziemlich alle Informationen über Kinder aus dem Bereich Groß-Kopenhagen.

Die Zentrale stellte ihn zu Dr. von Hessen durch.

Sie war Professorin für Kinderpsychiatrie, er hatte mit ihr zusammengearbeitet, es ging damals um einige schwere Fälle. Für die Kinder war der Prozess heilend gewesen. Für sie eher komplex.

«Hier ist Kasper. Ich habe Besuch von einem Mann, einer Frau und einem Kind bekommen, einem Mädchen, zehn Jahre alt. Sie heißt KlaraMaria. Sie sagen, du habest sie geschickt.»

Sie war zu überrascht, um Fragen zu stellen.

«Ein Kind mit diesem Namen hatten wir nicht. Nicht in meiner Zeit. Und wir würden nie jemanden überweisen. Nicht ohne Vereinbarung.»

Sie fing an zu rekapitulieren. Schmerzliche Teile der Vergangenheit.

«Jemanden an dich zu überweisen», sagte sie, «würden wir unter allen Umständen möglichst vermeiden. Ob mit oder ohne Vereinbarung.»

Irgendwo im Hintergrund spielte Schuberts *Klaviertrio in Es-Dur*. Im Vordergrund summte ein Computer.

«Elizabeth», sagte er, «schreibst du gerade eine Kontaktanzeige?»

Sie hielt den Atem an.

«Anzeigen haben eine viel zu begrenzte Reichweite», sagte er. «Die Liebe erfordert, dass man sich öffnet. Die Kontaktfläche muss größer sein als das Internet. Körpertherapie, das wäre was für dich. Und etwas mit der Stimme. Ich könnte dir Gesangsstunden geben.»

Sie schwieg. In der Stille erkannte er Isaac Stern an der Violine. Das Sanfte sehr sanft. Das Harte sehr hart. Die Technik kein Problem. Und die Trauer an der Grenze des Unerträglichen.

Er spürte, dass jemand neben ihm stand, es war das Mädchen. Sie legte ihm einen Bogen Papier hin. Er war weiß.

«Das Lied», sagte sie, «das Gedicht. Schreib's mir auf.»

4

Darf Blünows Stallungen und Ateliers bestanden aus vier Gebäuden, die einen großen Hof umschlossen: einem Verwaltungsgebäude mit drei kleinen Büros, zwei Ankleideräumen und einem Übungssaal, einer Probemanege, die wie ein achteckiger Turm gebaut war, einer niedrigen Halle, hinter der sich Ställe, Auslauf- und Longiergehege befanden, sowie einem Lagerhaus mit Werkstätten, Nähstube und Speichern.

Der Zementboden im Hof war von einer dünnen Schicht stillen, klaren Regenwassers bedeckt. Kasper blieb am Eingangstor stehen. Die Sonne zeigte sich, der Wind machte eine kurze Atempause. Die Wasserfläche erstarrte zu einem Spiegel. Wo der Spiegel endete, hielt der schwarze Volvo.

Er ging bis zur Mitte und blieb, bis zu den Knöcheln im Wasser, stehen. Schuhe und Strümpfe sogen sich voll wie Schwämme. Es war, wie wenn man am Ersten Mai am Zeltplatz bei Rørvig Havn in den Fjord hinauswatete.

Die Autotür ging auf, das Mädchen trippelte an der Hauswand entlang. Die Kleine trug eine Sonnenbrille. Hinter ihr die Dame mit den gletscherblonden Haaren. Er ging zu ihnen und machte ihnen auf.

Er betrat die Manege, die kleine Leuchte am Klavier brannte, er schaltete das Oberlicht an.

Es befand sich noch eine vierte Person im Raum, ein Mann, Daffy musste ihn eingelassen haben. Er saß sechs Sitzreihen weiter hinten, gleich neben dem Notausgang, die Feuerwehr hätte das nicht gern gesehen. Er hatte etwas am Ohr, das Licht war nicht sehr hell, vielleicht war es ein Hörgerät.

Kasper klappte einen Klappstuhl auf, hakte die Frau unter und führte sie an die Bande.

«Ich muss ganz nah dabeibleiben», sagte sie.

Er lächelte sie an. Und er lächelte das Kind und den Mann am Notausgang an.

«Sie setzen sich hier hin», sagte er ruhig. «Oder Sie müssen alle raus.»

Sie zögerte einen Moment. Dann setzte sie sich.

Er ging zum Klavier zurück, setzte sich davor, zog die Schuhe aus und die Strümpfe und wrang sie aus. Das Mädchen stand gleich neben ihm. Er klappte den Deckel hoch. Die Atmosphäre war leicht angespannt. Man muss Süße und Licht verbreiten. Er entschied sich für die Arie aus den *Goldbergvariationen*. Geschrieben, um die schlaflosen Nächte zu lindern.

«Ich bin entführt worden», sagte das Mädchen.

Sie stand so nah am Klavier, dass sie es fast berührte. Sie war weiß im Gesicht. Das Thema modulierte zu einer Art Fuge, rhythmisch wie ein Guanaco, einschmeichelnd wie ein Wiegenlied.

«Ich bringe dich von ihnen weg», sagte er.

«Dann tun sie meiner Mutter was an.»

«Du hast keine Mutter.»

Er fand, seine Stimme klang, als gehörte sie einem anderen.

«Du hast es nur nicht gewusst», sagte sie.

«Haben sie sie auch?»

«Sie können sie finden. Sie können alle finden.»

«Die Polizei?»

Sie schüttelte den Kopf. Die Frau richtete sich auf. Der kleine CD-Spieler, den er für das Morgentraining benutzte, stand auf dem Klavier. Er suchte eine CD aus und drehte das Gerät, damit der Mann und die Frau genau in der Stereolinie saßen. Er zog das Mädchen in den Schallschatten und kniete sich vor sie hin. Hinter ihm schlug Richter die ersten Akkorde an, als wollte er den Flügel mit Steinen pflastern.

«Wie hast du's geschafft, dass sie dich hergebracht haben?»

«Sonst hätte ich etwas nicht für sie getan.»

«Und zwar?»

Sie antwortete nicht. Er fing von unten an. Die Anspannung in Waden, Schenkeln, Gesäß und Unterleib war erhöht. Aber nicht krampfhaft. Ein sexueller Übergriff oder dergleichen lag jedenfalls nicht vor. Das hätte eine Stasis oder resignierte Unterspannung provoziert, sogar bei ihr. Aber ab dem Solarplexus, wo das Zwerchfell an der Bauchwand haftete, war alles dicht. Die Muskeln des doppelten Rückenstreckers waren gespannt wie zwei Stahltrossen.

Ihre rechte Hand, die dem Blick der Zuschauer entzogen war, suchte seine linke. In seiner Handfläche spürte er ein Stück fest zusammengefaltetes Papier.

«Du findest meine Mutter. Und dann kommt ihr mich holen.»

Die Musik verklang.

«Leg dich hin», sagte er. «Wo meine Finger dich berühren, tut es weh. Du machst dich mit dem Schmerz vertraut und lauschst ihm. Dann vergeht er.»

Der Ton kam wieder. Richter spielte, als wollte er die Tasten durch den Eisenrahmen schlagen. Die Frau und der Mann hatten sich erhoben.

«Wo halten sie dich fest», sagte er. «Wo schläfst du?»

«Nicht mehr fragen.»

Seine Finger fanden einen Muskelknoten, doppelseitig, unter der *scapula.* Er horchte hinein und vernahm Qualen, die einem Kind nicht bekannt sein sollten. Ein heller, gefährlicher Zorn stieg in ihm hoch. Die Frau und der Mann betraten die Manege. Das Mädchen richtete sich auf und blickte ihm in die Augen.

«Du tust, was ich gesagt habe», sagte sie still. «Sonst siehst du mich nie mehr wieder.»

Er hob seine Hände an ihr Gesicht und nahm ihr die Sonnenbrille ab. Ein Schlag hatte sie am Rand der Augenbraue getroffen, das Blut hatte sich unter der Haut oberhalb des Kieferknochens gesammelt. Das Auge schien unverletzt zu sein.

Sie begegnete seinem Blick. Ohne zu blinzeln. Sie nahm ihm die Sonnenbrille aus der Hand. Setzte sie auf.

Er machte ihnen die Tür auf.

«Kontinuität ist ganz wichtig, gerade am Anfang», sagte er. «Es wäre schön, wenn sie morgen wiederkommen könnte.»

«Sie muss in die Schule.»

«Man arbeitet am besten, wenn man die Zusammenhänge kennt», sagte er. «In welcher Situation befindet sie sich, sind Vater und Mutter geschieden, gibt es Schwierigkeiten? Ein paar Informationen würden schon helfen.»

«Wir begleiten sie nur», sagte die Frau. «Wir brauchen zuerst die Zustimmung der Familie.»

Das Gesicht des Mädchens war ausdruckslos. Kasper trat einen Schritt vom Auto weg, es rollte ins Meer hinaus.

Er steckte die Hand in die Tasche, um einen Zettel zu finden, auf dem er schreiben konnte. Er fand die Spielkarte. Mit dem Füller notierte er sich das Kennzeichen. Solange er sich noch daran erinnern konnte. Wenn man die Vierzig erreicht hat, lässt das Kurzzeitgedächtnis zunehmend nach.

Er spürte die Kälte von unten. Ihm fiel ein, dass er barfuß war. An seinen Fußsohlen klebte noch das Sägemehl der Manege.

5 |

Hinter der Manege, neben einer Reihe von Stromkästen und Wasseranschlüssen, stand das Wohnmobil. Er machte das Licht an und setzte sich aufs Sofa. Das Mädchen hatte ihm ein etliche Male gefaltetes, zu einem kleinen, harten Päckchen zusammengedrücktes DIN-A5-Blatt in die Hand gedrückt. Er faltete es ganz langsam auseinander. Es war eine Postquittung. Sie hatte die Rückseite beschrieben.

Es ähnelte einer Seeräuberkarte, entworfen von einem Kind. Sie hatte ein Haus gezeichnet mit einer Art Wirtschaftsgebäude auf jeder Seite; unter der Zeichnung stand «Krankenhaus». Darunter drei weitere Wörter: «Lone Hebamme» und «Kain». Mehr nicht. Er drehte den Zettel um und sah auf die Quittung. Der Absender war sie selbst, sie hatte nur ihren Vornamen vermerkt, KlaraMaria. Den Empfängernamen konnte er zunächst nicht entziffern, weil sein Gehirn aussetzte. Er schloss die Augen und bedeckte sein Gesicht mit den Händen. Dann las er den Namen.

Er stand auf. Aus dem Regal bei den Noten zog er eine kleine gebundene Ausgabe von Bachs *Klavierbüchlein* hervor und schlug sie auf. Es war nicht das *Klavierbüchlein*, es war ein Pass darin verborgen, zwischen den letzten Seiten lag ein Zettel mit mehreren Telefonnummern.

Er ging mit dem Telefon zum Couchtisch und wählte die erste Nummer auf dem Zettel.

«Rabiastift. Guten Tag.»

Es war eine junge Stimme, die er nicht kannte.

«Hier ist der Amtsarzt. Guten Tag», sagte er. «Ich möchte gern die stellvertretende Direktorin sprechen.»

Es verging eine Minute. Dann näherte sich ein Körper dem Telefon.

«Ja?»

Es war eine appetitliche Stimme. Die Frau, der sie gehörte, hatte er vor einem Jahr getroffen. Ein Bissen hätte einen sämtliche Zähne kosten können, in Ober- und Unterkiefer. Aber nicht heute. Heute war die Stimme heiser und beinah leblos vor Trauer.

Er legte auf. Er hatte nur das eine Wort gehört, das reichte. Es war eine Stimme, der ein Kind abhanden gekommen war.

Er wählte die nächste Nummer.

«Die Internationale Schule.»

«Hier Kasper Krone», sagte er, «Truppführer bei den *Freien Vögeln*, ich habe eine Nachricht für eine meiner jungen Pfadfinderinnen, KlaraMaria, eins unserer Treffen ist verlegt worden.»

Die Stimme räusperte sich, versuchte sich zu sammeln. Versuchte sich trotz des Schocks daran zu erinnern, was sie in einem solchen Fall zu sagen hatte.

«Sie ist zwei, drei Tage in Jütland. Bei Verwandten. Kann ich ihr was ausrichten, wenn sie wieder da ist, kann sie Sie irgendwie erreichen?»

«Bestellen Sie ihr nur einen Pfadfindergruß», sagte er. «Von der Einheit in Ballerup.»

Er lehnte sich im Sofa zurück. So blieb er sitzen. Bis alles normal war. Mit Ausnahme der Kälte und der Angst, die sich zu einem Punkt im Magen zusammengezogen hatten.

6

Seit sich James Stuart der Ältere Mitte des 19. Jahrhunderts im Pariser Zirkus Medranos hatte guillotinieren lassen und daraufhin seinen abgetrennten Kopf aufgehoben und die Manege unter apokalyptischem Applaus verlassen hatte, war es keinem mehr vergönnt gewesen, den Tod auf die Bühne zu bringen, es war das Allerschwierigste überhaupt. Kasper hatte es zwanzig Jahre lang erfolglos versucht. Die Machtlosigkeit übernahm das Ruder, auch jetzt wieder.

Er überquerte den Blegdamsvej und benutzte einen der Nebeneingänge zum Fælledpark. Das Reichskrankenhaus glich dem Backstage-Bereich eines grauen Zirkus in der Unterwelt: das gedämpfte Licht der weißen Vorhänge, die Nacktheit der Menschen, die uniformierten Beamten. Die Hierarchien. Die Charakterrollen. Die Ansammlung polierten Stahls. Das Geräusch einer unsichtbaren Maschinerie. Der Geschmack von Adrenalin im Speichel. Das Gefühl, an einer Grenzlinie zu stehen.

Er stieg aus dem Fahrstuhl. Mit der Spielkarte in der Hand buchstabierte er sich durch das weiße Labyrinth der Bettentrakte, suchte das richtige Zimmer und öffnete die Tür.

Draußen in den Fluren hatten Leuchtstoffröhren und Rauchverbot geherrscht. Jetzt schwammen vor ihm antike englische *Best-Lites* in einem Nebel aus blauem Tabaksqualm. Knapp über dem Boden, auf einem in einem breiten Rahmen aus Kirschbaumholz ruhenden Bett, hockte ein Mann im Schneidersitz, umgeben von einem Ring aus Seidenkissen, und rauchte eine Zigarette. Ohne Filter, aber mit seinen Initialen in Goldprägung.

«Ich muss in einer halben Stunde im Gericht sein», sagte er. «Komm rein und sag Vivian der Schrecklichen guten Tag.»

Die Frau war Mitte sechzig und trug einen Arztkittel. Die Haut war blass, fast transparent, sehr dünn, er konnte das Blut hindurchhören, Blut und Leben. Sie gab ihm die Hand, sie war trocken, warm und fest. Ihre Tonart war As-Dur, unter anderen Umständen hätte er ihr stundenlang zuhören können.

«Ist bloß fünf Monate her, dass du zuletzt hier warst», sagte der Kranke. «Ich hoffe, es bereitet dir nicht allzu große Umstände.»

«Ich habe gespielt. Im Süden.»

«Seit Monte Carlo bist du nirgendwo mehr angekündigt gewesen. Du hast Dänemark nicht verlassen.»

Kasper setzte sich auf einen Sessel. Auf dem Boden lag ein echter Karsamra, an der einen Wand standen Bücherregale, ein Kleinklavier gab es auch, an den Wänden hingen Richard Mortensens Zirkusbilder, und der Fernseher war so groß wie der Kasten der durchgesägten Dame.

«Ich sehe besser aus, als du dachtest, was?»

Kasper betrachtete seinen Vater. Maximillian Krone hatte mindestens fünfzehn Kilo verloren. Die Brille wirkte zu groß. Die Kissen waren nicht zu seiner Bequemlichkeit da, sondern, um ihn aufrecht zu halten.

«Ich habe vornehmen Besuch gehabt», sagte Maximillian. «Vom Justizministerium. Sah aus wie ein Leichenbestatter. Wollte deine Adresse. Ich bat ihn, sich zum Teufel zu scheren. Er behauptete, es laufe eine Steuersache gegen dich. Und noch was Schlimmeres in Spanien. Er sagte, die WVVF habe dich auf die schwarze Liste gesetzt. Stimmt das?»

Der Kranke musterte ihn fragend.

«Man konnte sich nie richtig auf dich verlassen. Aber ein Kamikazetyp warst du auch nicht ...»

Er hielt einige Papiere in der Hand.

«Das Reichskrankenhaus hatte Laboratorien und Nebengebäude in der Innenstadt. Und ich bin ja Rechtsberater in Versicherungsangelegenheiten. Nur deshalb kann ich hier in diesem Theater aus *Tausendundeiner Nacht* vor mich hin vegetieren. Während Vivians Patienten auf den Gängen verbluten. Ich habe eine Liste der Experten mitgehen lassen, die vom Staat und von der Stadt in der Angelegenheit konsultiert worden sind.»

Es waren fünf Seiten mit vielleicht zweihundert Namen, dänischen und ausländischen, Unternehmen und Einzelpersonen wild durcheinandergewürfelt. Ein Name war unterstrichen.

Kasper las ihn und reichte das Blatt zurück. Er stand auf, ließ die Hände über die Requisiten des Zimmers gleiten. Den Palisander des Bücherregals, die Krümmung der Lampen. Die weißlackierten Rahmen der großen Leinwände.

«Das muss sie sein», sagte Maximillian.

Es waren neue Gardinen aufgehängt worden, wie Rideaus. Kasper raffte den schweren Brokat zwischen den Fingern.

«Was bedeutet Abteilung H?», fragte er.

Ein zarter Ton der Angst begann irgendwo im Raum zu singen, als wäre eine Stimmgabel angeschlagen worden.

«Die gibt es nicht, das ist ein Gerücht, wer hat dir das denn erzählt? Sie soll in den neunziger Jahren eingerichtet worden sein. Entstanden aus der Zusammenarbeit zwischen der Abteilung für Wirtschaftskriminalität, der mobilen Ermittlungsgruppe, der Finanzaufsicht und der Zoll- und Steuerbehörde. Außerdem den Finanzämtern und dem Amt für Wettbewerbsaufsicht. Zusammen mit der Kontrollabteilung der Kopenhagener Effektenbörse. Nach den großen feindlichen Übernahmen und Unternehmenszerschlagungen. Um den neuen Formen dieser Art von Profitkriminalität entgegenzutreten. Angeblich haben sie etwas entdeckt. Etwas Großes. Was geheimgehalten wurde. Weswegen ein Sonderbüro eingerichtet wurde. Ich glaube keinen Fatz von der ganzen Sache. Und sie hätten sich bestimmt nicht in die banalen Steuersachen eines kleinen Hochstaplers eingemischt. Wo hast du das bloß her?»

Die großen Krankheiten beginnen jenseits des Physischen, Kasper hatte es schon früher gespürt, bisweilen Monate bevor es durchbrach. Auch bei Maximillian. Irgendetwas hatte sich verändert, etwas Fremdes hatte sich in seinem Klangbild eingenistet.

«Wie sieht es mit Gewalt gegen Kinder aus, wie hart darf man eigentlich zuschlagen?», fragte Kasper.

«Paragraph 387 vom 14. Juni 1995 mit einem Nachtrag von 1997: ‹Das Kind muss mit Respekt für seine Person behandelt werden und darf keiner körperlichen Bestrafung oder einer anderen kränkenden Handlung ausgesetzt werden.› In der Praxis bedeutet das, dass du den Polizeigriff anwenden darfst. Aber keinen Handkantenschlag. Erwartest du ein Kind?»

«Es geht um eine Schülerin.»

«Eine neue kleine Footit?»

Der englische Clown Tudor Hall, alias Footit, war der Erste gewesen, der damit Geld verdient hatte, dass er ein Kind, seinen dreijährigen Sohn, in die Manege mitnahm.

Kasper stand auf.

«Wie viel ist es?», sagte Maximillian. «Wie hoch sind deine Schulden? Ich weiß es. Der Leichenbestatter hat's mir verraten. Vierzig Millionen. Ich bezahle das. Ich verscheuere den ganzen Dreck. Vierzig Millionen kriege ich zusammen. Ich bekomme meine Bestallung wieder zurück. Ich gehe für dich vor Gericht. Mit Tropf und allem Drum und Dran, mir egal. Ich werde sie schon kleinkriegen.»

Kasper schüttelte den Kopf.

Maximillian ließ seine Hand auf die Papiere fallen.

«Die buchten dich ein! Die weisen dich aus! Du schaffst es nicht, du wirst nicht an sie rankommen!»

Er drückte sich an der Bettkante hoch. Wie ein Reckturner, der sich in den Handstand hochstemmen will.

«Du hast ein schlechtes Herz», sagte er heiser. «Nicht gut für einen Clown. Pisst auf die Hand, die ihm entgegengestreckt wird. Vergeigt die Chance. Nachdem sie einem Schädiger wie dir jahrelang nicht mehr ausgesetzt gewesen war.»

Er wandte sich an die Frau.

«Wenn er stirbt – und irgendwann kommt er auch an die Reihe –, dann lässt er sich Räder unter den Sarg montieren. Damit er selber aus der Kapelle ins Krematorium rumpeln kann. Und keinen um Hilfe bitten muss.»

Sein Zorn war monumental. So war er immer gewesen. Aber

die körperliche Grundlage war nicht mehr da. Der Kranke musste husten, tief, lebensbedrohlich.

Die Ärztin ließ ihn aushusten, dann richtete sie behutsam seinen Oberkörper auf. Kasper legte die Spielkarte auf die Bettkante.

«Falls du immer noch», sagte er, «jemanden kennst, der Zugang zum zentralen Kraftfahrzeugregister hat. Dann könntest du die Adresse herausfinden. Die zu dieser Nummer passt.»

Maximillian hatte die Augen geschlossen. Kasper ging zur Tür.

«Wir haben die Übertragung aus Monte Carlo gesehen», sagte der Kranke. «Die Verleihung und deinen Auftritt.»

Kasper blieb stehen. Maximillian langte hinter sich. Ergriff die Hand der Frau. Um die Augen herum wurde sein Gesicht so glatt wie bei einer spanischen *graciosa* im Theater.

«Wir haben uns gewünscht, es würde nie zu Ende gehen. Es war wie in meiner Kindheit. Es ist das Einzige, das nie vergehen darf. Die Liebe. Und die großen Vorstellungen.»

Vater und Sohn sahen sich in die Augen. Ohne Maske. Der Kranke ertrug es einige Sekunden, dann wurde es ihm zu viel.

Er hob die Hände an sein Haar. Es war rot. Widerborstig wie ein Dachsfell. Er hob es ab. Es war eine Perücke. Darunter war er kahl wie eine Wassermelone.

«Enttäuschend, was? Habe ich mir nach der Chemotherapie machen lassen. Mit meinem eigenen Haar. Hut ab. Vor einem großen Künstler!»

Kasper trat ans Bett. Umfasste den mächtigen, kahlen Schädel und zog ihn an sich. Er lauschte der Tragik, welche die meisten Menschen umlagert. Dem Geräusch all dessen, das werden könnte und nie wird.

Als Kasper ihn berührt hatte, war Maximillian erstarrt. Dann machte er sich los.

«Genug», sagte er. «Ich fühle, ich bin Lazarus. Die Hunde

lecken mich ab. Wann sehe ich dich wieder? In sechs Monaten?»

Die Ärztin hielt Kasper die Tür auf.

«Das Mädchen», sagte Maximillian auf seinem Bett. «Die Schülerin. Du bist eigentlich nur wegen ihr gekommen? Oder?»

Die Tür schloss sich hinter Kasper, die Ärztin stand neben ihm.

«Ich fahre dich nach Hause», sagte sie.

7 |

Die weißen Superclowns, die auf höchstem Niveau, deren Triumphe Kasper miterlebt hatte, gründeten ihren Erfolg darauf, dass ihr Partner von unten zu ihnen hinaufspielte. Ausschließlich auf sich selbst beruhende Autorität ist äußerst selten. Die Frau vor ihm besaß sie. Sie strahlte sie aus. Räumte Flure frei und öffnete Türen.

Sie wollte etwas von ihm, sie kam nicht damit heraus. In der Tiefgarage blieb sie reglos hinterm Steuer sitzen und wartete auf die Worte, sie kamen nicht.

Das Auto war lang wie ein Eisenbahnwagen. Kasper liebte die Art, mit der die Reichen Witterung voneinander aufnahmen. Wie Romeo und Julia. Noch bei der heißesten Leidenschaft und Liebe auf den ersten Blick gab es in der obersten rechten Ecke ein kleines freies Feld für den Kontostand.

Er gab ihr die Schatzkarte, die das Mädchen gezeichnet hatte. Sie entzifferte sie problemlos, ohne Fragen.

«Es gibt dreizehn Kreiskrankenhäuser und Hospitäler», sagte sie. «Køge, Gentofte, Herlev, Glostrup, Hvidovre, das Reichskrankenhaus, Frederiksberg, Amager, Roskilde, Hillerød, hinzu kommen die mit den eingeschränkten Diensten in Hørsholm, Helsingør und Frederikssund. Keines davon liegt am Wasser. Auch die Privatkrankenhäuser nicht.»

«Kliniken?»

«Im Norden von Kopenhagen und im Süden von Avedøre Holme, alles in allem vielleicht hundert medizinische Zentren und Spezialkliniken. Wie alt war das Kind, das die Karte gezeichnet hat?»

«Zehn Jahre.»

Sie wies auf die beiden Häuser rechts und links, die er als Nebengebäude gedeutet hatte.

«Das könnten Gebäudeflügel sein. Kinder fangen an, perspektivisch zu denken, wenn sie ungefähr acht sind. Für private Arztpraxen wären sie zu groß. Nein, es entspricht keiner Lokalität, die mir bekannt ist.»

Sie ließ den Motor an.

«Wie viele Hebammen gibt's in Kopenhagen?»

«Fünfzehnhundert vielleicht.»

«Und wie viele heißen Lone?»

«Sie sind im Hebammenverband registriert. Ich kann das herausfinden.»

«Innerhalb einer Stunde?»

Sie nickte.

Sie überquerten die Seen und fuhren die Gothersgade hinunter. Er lauschte in sie hinein, sie wusste nicht, wo sie gerade entlangfuhr. Sie hielt an der Seite, irgendetwas blendete sie. Sie blieb sitzen und fingerte nervös am Lenkrad. Er stieg aus, um ihr Zeit und Ruhe zu gönnen. Sie standen vor dem Sperrgebiet.

Ein Zaun aus wasserfestem Sperrholz, wie man es zum Umzäumen von Bauplätzen benutzt, grenzte einen Teil der Fahrbahn und eine Reihe von Häusern zur Gammel Mønt hin ab. Fünfzig Meter weiter vorn war er von einem Glashäuschen und einem Tor unterbrochen, davor standen zwei Polizisten in Schutzkleidung.

Er ging zu dem Häuschen, hinter der Sprechmembran saß eine Frau in Zivilschutzuniform.

«Ich möchte eine kurze Nachricht für eine Bekannte hinterlassen», sagte er. «Aus dem engsten Familienkreis. Es geht um Leben und Tod.»

Sie schüttelte den Kopf.

«Wir haben hier 700 Journalisten rumschwirren. Aus der ganzen Welt.»

«Darf ich sie vielleicht anrufen?»

Sie schüttelte den Kopf. Aus dem Augenwinkel entzifferte er den obersten Namen eines Schildes, auf dem die Bergungsgesellschaften, Nothilfeorganisationen und Bauunternehmer verzeichnet waren.

«Ich bin der Sohn vom alten Hannemann», sagte er. «Er ist eben gerade Ehrenmitglied im Golfklub Søllerød geworden. Der Lebenstraum eines greisen Mannes!»

«Das wird er wohl leider nicht mehr zu würdigen wissen. Er ist nämlich in den achtziger Jahren gestorben.»

Kasper betrachtete sein Gesicht in der Scheibe. Es war so weiß, als wäre er in voller Maske. Die Augen der Frau sahen auf einmal besorgt aus.

«Soll ich Ihnen einen Wagen rufen?»

Ihr Mitgefühl ging ihm ins Blut wie eine Glukoseinjektion. Am liebsten hätte er sich auf ihren Schoß gesetzt und sich bei ihr ausgeweint. Er deutete mit dem Kopf in Richtung Auto.

«Da hinten wartet mein Chauffeur und Leibarzt.»

«Haben Sie außer Hannemann noch einen andern Namen für mich?»

«Stine Claussen. Ingenieurin.»

«Dunkle Haare?»

Er nickte.

«Irgendwas mit?»

«Sie besteht aus Wasser.»

Sie schaute auf einen Ausdruck, der vor ihr lag.

«Sie steht auf der Abholliste. Für die Taxiunternehmen. Das

ist eine Vereinbarung extra für die VIP's. Das heißt, sie wohnt im Hotel. Im *Royal* oder im *Tre Falke*. Wenn rauskommt, dass Sie das von mir haben, werd ich gefeuert.»

Er atmete tief durch.

«Engel», sagte er, «können nicht gefeuert werden.»

Er setzte sich neben die Ärztin. Sie saß noch genauso da, wie er sie verlassen hatte.

«Er stirbt jetzt», sagte sie.

Das war es, was sie loswerden wollte, er hatte es gewusst. Für ihn persönlich war es kein Problem. Er hatte sich längst mit dem Tod versöhnt. Pater Pio hatte einmal gesagt, aus einer übergeordneten Perspektive lägen wir doch alle in den letzten Zügen. Der einzige Unterschied sei, dass manche in noch letzteren Zügen lägen als die anderen.

Also passierte hier nichts mit ihm, nein, das Drumherum veränderte sich. In dem einen Augenblick war die Stadt eine entspiegelte Ansichtskarte, in dem anderen segelte das Auto durch ein schalltotes Untergangspanorama.

«Er sah gesund aus.»

«*Prednison*. Eine sozusagen chemische Kontoüberziehung.»

«Weiß er es?»

Sie hatten den Zoologischen Garten und den Solbjerger Friedhof passiert. Ihm war schleierhaft, wie sie überhaupt zum Roskildevej gekommen waren.

«In der Regel gibt es einen Teil von einem selbst, der es weiß. Und einen größeren Teil, der es nicht wissen will.»

Sie nahm den Ring Richtung Glostrup, bog ins Industriegebiet ab, parkte hinter dem Platz.

Sie begann zu weinen. Still, aber hemmungslos und mit strömenden Tränen. Sie deutete auf das Handschuhfach, er reichte ihr eine Packung Papiertaschentücher.

Was das Geld anging, hatte er sich geirrt. Ihre Trauer kam von sehr weit unten, sie saß tiefer als das Wertpapierdepot.

Sie schnaubte sich die Nase.

«Erzähle mir was von ihm», sagte sie. «Aus der Zeit, als du klein warst.»

Er horchte in seine Kindheit hinein, er hörte das Geräusch von Kartoffeln.

«Ich war zehn, wir wohnten in Skodsborg. Sie waren immer Nomaden gewesen, auch nachdem er angefangen hatte, Geld zu verdienen. Sie haben immer für jeden ein Zimmer eingerichtet plus meines, genau wie im Wohnwagen. Der Rest blieb verschlossen, um Heizung zu sparen. Wir zogen jedes Jahr um, Skodsborg war unser Rekord, da wohnten wir fast vier Jahre, da gab es aber auch drei Fluchtmöglichkeiten: den Sund, die Küstenbahn und den Strandvej. In Skodsborg habe ich mit dem Jonglieren angefangen. Ich habe mit Kartoffeln geübt. Ich habe Bettdecken und Plaids auf dem Boden ausgebreitet, trotzdem gab es immer eine kleine Erschütterung, wenn ich danebengriff. Eines Tages muss er es gehört haben, denn plötzlich stand er in der Tür.»

Er schloss die Augen und sah die Szene vor sich.

«Wir befinden uns in den frühen siebziger Jahren, richtiggehende Armut gab es eigentlich nicht mehr, aber er hatte sie noch erlebt. Als Junge hatte er gehungert und Nelken verkauft und in den Höfen gesungen, er ist nie darüber hinweggekommen, das ist wie bei den Künstlern, die während des Krieges im Konzentrationslager gewesen waren, das geht nie vorbei. Deshalb gab er den Zirkus auf, er sah nur einen Ausweg: eine hervorragende Ausbildung und sichere Einkünfte. Und jetzt stand er also in der Tür. Die Schulbücher lagen auf dem Tisch, ich hatte sie nicht aufgeschlagen. Er sah mich an. Es ist mehr als dreißig Jahre her. Er hätte mich nach Herlufsholm ins Internat stecken können, er hätte mich in die Farbenhändlerlehre schicken können, er hätte mich wirklich zur Schnecke machen können. Aber er blieb einfach in der Tür stehen, ganz still. Und dann habe ich gemerkt, was in ihm vorging. Wir konnten es beide merken. Dass er verstand, dass die Sehnsucht zuweilen größer ist als der Mensch. Und der Mensch zugrunde geht, wenn man sie stoppt. Er ging also hinaus, rückwärts, ohne etwas zu sagen, und schloss die Tür, ganz still. Wir haben nie darüber gesprochen. Aber er ist nie wieder in mein Zimmer gekommen, ohne vorher anzuklopfen.»

Sie hing an seinen Lippen. Wer sich mit fünfundsechzig verliebte, empfand offensichtlich das Gleiche wie ein Fünfzehnjähriger. Wenn er ihr Dias gezeigt und Anekdoten von Maximillian erzählt hätte, wäre sie drei Monate lang zu seinen Füßen sitzen geblieben.

«Für Momente wie diese liebe ich ihn», sagte er.

Die Situation war gewissermaßen volltönend. Und wenn's am schönsten ist, soll man gehen. Er stieg aus dem Wagen.

Sie stieg auf ihrer Seite aus und ging um den Kühler herum.

«Und außerhalb dieser Momente», sagte sie, «was war da?»

In puncto Verliebtsein hatte er sich wohl doch geirrt. Wer fünfundsechzig ist, will mehr, ein größeres Ganzes.

«Da versuchten sie sich gegenseitig den Kopf abzureißen», sagte er. «Außerhalb dieser Momente gab es Mord und Totschlag ohne Ende.»

Er war ein paar Schritte gegangen, sie hatte zu ihm aufgeschlossen.

«Kannst du ihm nicht verzeihen, wie sieht's aus?»

«Es ist dreißig Jahre her. Ich habe alles verziehen.»

Sie ergriff seinen Arm.

«Du hast ihm nur einen Bruchteil verziehen. Wenn wir den Prozentsatz ein wenig erhöhen könnten, wäre es für eine glückliche Kindheit noch nicht zu spät.»

Er wollte sich losmachen, es gelang ihm nicht, sie hatte einen Griff wie ein Feuerwehrmann.

«Das geht mir zu nahe», sagte er. «Er und ich, wir sind beide schwer traumatisiert.»

«Ihr seid zwei Streithammel. Ihr habt euch vierzig Jahre gefetzt. Jetzt habt ihr höchstens noch drei Wochen, um Frieden zu schließen.»

Sie ging zum Auto zurück. Er folgte.

«Drei Wochen?»

Sie setzte sich in den Wagen.

«Er ist stark wie ein Brauereipferd», sagte er.

«Ich leite das Hospiz des Reichskrankenhauses. Ich habe fünfzehnhundert Tode mitverfolgt. Ihm bleiben höchstens drei Wochen.»

Sie wollte die Tür zuziehen, er hinderte sie daran.

«Der Tod ist kein Abschluss. Ich bin tief religiös. Nach dem letzten Atemzug kommt eine Generalpause. Danach kommt das Bewusstsein in einem neuen Körper zum Ausdruck, und die Musik spielt wieder.»

Sie blickte ihm in die Augen.

«Was nutzt mir», sagte sie, «wenn ich allein in meinem Bett liege, das Wissen, dass es irgendwo auf der Welt einen Säugling gibt, der die Brust kriegt, und dass in diesem Säugling das Bewusstsein meines Geliebten wohnt?»

Er stützte sich am Auto ab.

Auf den unbebauten Flächen lag noch Reif auf dem Gras.

«Ich liebe ihn», sagte er.

«Ich auch», sagte sie.

Er beugte sich zu ihr hinunter.

«Könnte der Umstand, dass wir uns in dieser tiefen Empfindung einig sind, eventuell die Grundlage für einen Kredit von fünftausend Kronen bilden?»

Sie suchte ihr Portemonnaie, öffnete es und gab ihm zwei Tausendkronenscheine. Zog die Tür zu und ließ das Fenster herunter.

«Was ist mit dem Kind?», fragte sie. «Und der Zeichnung?»

Ihre Augen waren geräumig. Er hätte sich mit seiner ganzen

Trauer in ihnen niederlassen können, und es wäre immer noch Platz darin gewesen. Er schüttelte den Kopf.

«Täusche dich nicht in mir», sagte sie. «Ich will Zinsen. Diskont plus zwei Prozent.»

Das Fenster ging zu, das Auto sprang an und beschleunigte. Wie auf der Zielgeraden auf dem Jütlandring. Er empfand eine unfreiwillige Bewunderung für seinen Vater. Dafür, dass sich Maximillian trotz seiner Abweichlerpsychologie ein Elefantenweibchen hatte kapern können.

8

Er betrat das Büro und legte Daffy die zweitausend Kronen auf den Tisch.

«Ein Abschlag auf die Miete», sagte er.

Der Verwalter überreichte ihm einen Brief, ohne Marke, abgestempelt von einem Botendienst. Und einen Brieföffner.

Der Umschlag besaß eine übersinnliche Finesse, die nicht naturwissenschaftlich erklärt werden kann, sondern dann entsteht, wenn sich ein Brief darin befindet, der mit einem Scheck verbunden ist. Der Brief bestand aus zwei maschinengeschriebenen Zeilen.

«Hiermit möchten wir Ihnen mitteilen, dass KlaraMaria nicht mehr zum Unterricht erscheint. Anbei 20 000.»

Keine Unterschrift. Es war ein Bankscheck.

Er setzte sich auf einen Stuhl. Wenn man den Tiefpunkt erreicht hat, kann man nicht mehr tiefer fallen. Das ist immerhin ein Vorteil.

Die Tür öffnete sich. Der Junge mit den Weihrauchgefäßen hielt sie auf. Mørk trat ein.

«Du wirst ausgewiesen», sagte er. «Du hast achtzehn Stunden, um deine Sachen zu packen. Morgen früh wirst du in eine Maschine nach Madrid gesetzt.»

Vielleicht gibt es gar keinen Tiefpunkt. Vielleicht gibt es nur einen ewigen Fall. Kasper stand auf. Öffnete die Tür. Trat auf den Hof.

Er streifte seine Jacke ab. Zog das Hemd aus. Zwei Gruppen von Handwerkern hockten auf den Bänken vor den Lagerhäusern herum. Einige Kostümnäherinnen, die freihatten, saßen an einem der Tische und tranken Kaffee. Er zog Schuhe und Strümpfe aus. Und die Hose. Nun hatte er nur noch die Boxershorts am Leib. Mit Harlekinmuster. Aus Seide. Er hatte eine Schwäche für Seide. Wie Wagner.

«Alles muss weg», sagte er zu den Näherinnen. «Darum geht's: Man muss alles weggeben. Der reiche Mann im Gleichnis tat es. Liszt tat es. Wittgenstein. Longchen Rabjam tat es siebenmal. Wenn einem nichts mehr weggenommen werden kann, ist man frei.»

Er wartete. Vielleicht hatte er Mørk erschreckt. Ausweisungen müssen auch schriftlich vorliegen, um juristisch Bestand zu haben.

Papier raschelte, Mørk stand hinter ihm.

«Sagt dir der Name Kain etwas?»

«Ist mir durchaus vertraut. Aus der biblischen Geschichte.»

«Josef Kain.»

Kasper sagte nichts.

«Die Ausweisung», sagte der Beamte. «In deiner Jacke liegt ein Taxigutschein. Mit einer Telefonnummer. Falls dir noch was einfällt. Zu der kleinen Schülerin.»

Kasper schloss die Augen. Als er sie wieder aufmachte, war Mørk verschwunden. Jemand legte eine Decke um seine Schultern, es war Daffy.

Sie saßen sich am Schreibtisch gegenüber. Kasper war in die Decke gehüllt, sie war lang wie ein Ballkleid. Er spürte nichts. Vielleicht war es die Kälte.

Vor Daffy lag der Brief, er musste ihn gelesen haben.

«Diese Schülerin bedeutet mir etwas», sagte Kasper. «Sie schulden mir Geld, sie kommen nicht zurück. Ich habe keine Adresse, keine einzige Spur.»

Der Verwalter hob seine Hand. Sie war leer. Er drehte sie um. Dahinter war auch nichts. Er bewegte sie über den Tisch. Aus der Tischplatte wuchs eine Karte empor.

«Die hohe. Der Kaiser. Er hatte sie in seiner Brieftasche.»

Kasper sah sich die Karte an. Es war ein Name aufgedruckt: Aske Brodersen. Darunter war mit Blei eine Telefonnummer notiert, die mit 70 anfing. Er drehte die Karte um. Auf der Rückseite hatte derselbe Bleistift einen Namen, oder einen Ortsnamen, aufgeschrieben: «Bohrfeldt».

«Bei der Auskunft gibt es den Namen nicht», sagte Daffy. «Und die Nummer ist auch nicht eingetragen.»

In Kaspers Kindheit wurden Zeltarbeiter und Handwerker «Zirkusspezialisten» genannt. Es waren Dänen. Am Anfang der Saison tauchten sie urplötzlich auf, im Oktober waren sie dann wie vom Erdboden verschluckt. Später hießen sie «technical workers». Es waren Scharen von Polen oder Marokkanern, die unter der Führung eines Vorarbeiters durch Europa zogen wie hochspezialisierte Schiffsbesatzungen. Wenn der Zirkus ins Dock ging, heuerten sie halt beim nächsten an. Ihre Melodie war noch die gleiche, sie klang nach Disziplin, fachlicher Selbstsicherheit und roher Effektivität. Er hatte sie immer geliebt, schon bei seiner ersten Begegnung mit Daffy hatte er sie hören können, auch jetzt wieder.

Aber es hatte noch einen anderen Ton gegeben, er hatte ihn überhört. Bis jetzt.

Der Verwalter stellte ihm das Telefon hin. Kasper blickte aus dem Fenster.

«Wann wohl die Sonne untergeht?», sagte er.

Daffy drehte sich zum Regal um, in dem viele Handbücher

standen. Zu viele für einen Verwalter, der höchstens sieben Jahre die Schulbank gedrückt hatte. Er zog einen Reisekalender heraus und schlug ihn auf.

«In fünfzehn Minuten», sagte er.

«Dann möchte ich gern fünfzehn Minuten warten. Bei Sonnenuntergang kann ich mich besser ausdrücken.»

Der Verwalter hob die Hände. Führte sie über die Tischplatte. Aus dem Nichts erschienen Füllfederhalter, Visitenkarten, Kleingeld. Der Lotterieschein. Die Schlüssel. Minus den, welchen Kasper Asta Borella gegeben hatte.

«Mont Blanc Legend», sagte Daffy. «Für die großen Unterschriften. Aber es gibt kein Gegengewicht in den andern Taschen. Keine Kreditkarten. Kein Portemonnaie. Die Geldscheine fliegen ungeordnet herum. Das Geld ist auf der Durchreise. Kein Führerschein. Keine feste Adresse. Ein wurzelloser Mensch. Vom fachlichen Standpunkt aus betrachtet. Aber bitte nicht persönlich nehmen!»

Gegen seinen Willen stand Kasper auf. Er wäre lieber sitzen geblieben. Es war diese orangefarbene unpersönliche Wut, die von Kritik hervorgerufen wird, die ins Schwarze trifft.

Die Entfernung zur Tischplatte betrug knapp einen Meter. Auf kurze Entfernung war er schnell wie ein Tischtennis-Chinese.

Er schaffte es nicht. Daffys Rechte löste sich auf. Rematerialisierte sich auf der Stelle. Mit einem lederbezogenen konischen Stab, so lang wie zwei Drittel eines Billardqueues. Gearbeitet wie eine Reitgerte. Am Ende eine blanke Kugel, groß wie ein Glasauge.

Es war ein Dompteurstock, Kasper kannte ihn noch aus den frühen sechziger Jahren, bevor die Raubtierschauen verboten wurden. Ein Mann mit einer guten Vorhand, der wusste, welche Stelle er zu treffen hatte, konnte einem Löwen damit den Schädel einschlagen.

Er hielt inne. Es waren die verfeinerten Töne, die er bei Daffy überhört hatte. Wie beim jungen Beethoven. Erst jetzt war die Welt dabei, ihn zu entdecken. Die leisen Schätze waren in den späteren Highlights untergegangen.

Die Hände des Verwalters verschwanden aus seinem Blickfeld. Kamen wieder zum Vorschein. Mit einem Laborstativ, einer Schale Rohdiamanten, einer Schachtel Streichhölzer, zwei Gläsern, einer Flasche Sliwowitz. Er spannte einen Diamanten in das Stativ, füllte ein Glas mit Alkohol, erwärmte es in den Händen, entzündete ein Streichholz. Hielt es an den Flüssigkeitsspiegel. Eine blaue, gierige, rastlose Flamme kroch am Rand des Glases entlang. Er schob es unter den Diamanten. Die Flamme leckte an dem Mineral, das zu schmelzen begann und ins Glas tropfte. Es war Kandis.

Kasper lauschte dem Sonnenuntergang. Er zog das Telefon zu sich heran, sammelte sich und wählte die Nummer auf der Karte.

«Ja?»

Es war eine Frau Anfang vierzig.

«Ich bin ein guter Freund von Aske», sagte er. «Ich hatte einen Traum, den ich ihm gern erzählen möchte.»

Sie legte den Hörer hin und entfernte sich, sie war fünfzehn Sekunden weg. Er hätte auflegen können, er hatte die Information, die er brauchte. Die Ohnmacht und eine absurde Hoffnung, irgendwo aus dem Hintergrund KlaraMarias Stimme zu hören, veranlassten ihn, am Telefon zu bleiben.

Sie kam zurück.

«Er ist verreist.»

«Höchstens bis zur Herrentoilette», sagte er. «Und meiner Meinung nach sollten Sie ihn da runterholen. Es handelt sich hier um einen vielsagenden Traum, er würde es absolut nicht goutieren, darauf verzichten zu müssen.»

Er musste danebengestanden haben, er übernahm den Hörer.

«Du hast dein Geld bekommen. Woher hast du die Nummer?»

«Das Mädchen, ich will mit ihr sprechen.»

Er vernahm seine eigene Stimme, als stünde er neben sich. Sie gehörte einem Menschen, der die Besinnung zu verlieren drohte.

«Sie ist geschlagen worden», sagte er. «Gewaltanwendung ist strafbar, ich habe mit einem Anwalt gesprochen.»

Es wurde aufgelegt.

Der kochend heiße Zucker tröpfelte zischend in den Sliwowitz. Daffy schob ihm ein Glas hin.

«Das Vagabundendasein funktioniert bis zum vierzigsten Lebensjahr», sagte der Verwalter. «Danach braucht man eine feste Adresse, um die Talfahrt zu stoppen. Vor allem, wenn sie so rasant ist wie deine.»

Kasper trank. Er schloss die Augen. Es war ein physischer Auftrieb, wie ihn die mächtigen Raubvögel empfinden müssen, wenn sie sich in die Lüfte erheben. Die konzentrierte Frucht, der Alkohol, der Zucker und die tropische Hitze jagten durch seinen Körper bis in die fernsten Kapillargefäße. Vertrieben Hunger, Kälte und Müdigkeit. Badeten das Leiden in goldenem Licht.

«Und diese tiefschürfende Philosophie», sagte er, «hat dir also zu einer kometenhaften Karriere als Hausmeister in Glostrup verholfen.»

Daffy lächelte. Das sah Kasper zum ersten Mal. In den sechs Monaten, die er den Mann kannte.

«Das Gericht gab mir eine Chance. Vier Jahre wurden zur Bewährung ausgesetzt. Unter der Bedingung, dass ich den Beruf wechsle.»

Kasper sammelte seine Sachen zusammen, nahm das noch heiße Glas in die Hand und legte den Scheck auf den Tisch.

«Kannst du von meinen Schulden abziehen», sagte er.

Daffy kam hinter seinem Tisch hervor und öffnete ihm die Tür.

«Wieso bei Sonnenuntergang? Wieso drückt man sich bei Sonnenuntergang besser aus?»

Kasper sah auf die Hände des Verwalters. Daffy hätte berühmt werden können wie Bach erst nach seinem Tode. Wohlhabend, wie Richter es nie geworden ist. Und jetzt hielt er einem die Tür auf.

Er zeigte auf den Sonnenuntergangshimmel über der Stadt.

«Horch», sagte er.

Es war kein lauter oder deutlicher Ton. Es war ein gedämpfter, komplexer Klangteppich: Es waren die Kirchenglocken der Stadt, welche die Sonne herunterläuteten.

«Der Ton, in dem sie gestimmt sind, wird zum Grundton eines Dur- oder Moll-Dreiklangs. Ein Oberton, der eine Oktave plus eine kleine oder große Terz darüberliegt, schwingt zusammen mit dem Grundton. Die Stadt ist eine Tonkarte. Die Grundtvigskirche, in D gestimmt. Und darüber geht das Fis genauso kräftig durch. Die Kirche hat nur die eine große Glocke. Das Glockenspiel der Erlöserkirche, unverwechselbar. So ist jede für sich einzigartig. Wenn man also bei Sonnenuntergang telefoniert und an der Stimme vorbeihorcht und die Flachheit des Schallbilds kompensieren kann, dann bekommt man eine Vorstellung davon, an welcher Stelle auf der Tonkarte sich der Gesprächspartner befindet.»

9

Er setzte sich aufs Bett. Er trank langsam. Die dunkle bernsteinfarbene Flüssigkeit hatte alles: Sie beruhigte und sättigte, sie besaß Klarheit und Ekstase. Sie betäubte die schwachen Nerven und stimulierte die gesunden. Er hob das Glas und ließ es das letzte Licht brechen, das durchs Fenster fiel. Nichts glich dem Licht des Aprils. Es hatte eine charmante, optimistische Unzuverlässigkeit wie eine überreizte Hand beim Pokern. Es gab ein Versprechen auf den Frühling ab, ohne sicher zu sein, es einlösen zu können.

Er zog eine Schublade auf, quadratisch, flach und groß, Architekten bewahren in solchen Schubläden ihre Zeichnungen auf. Es war Stines Schublade, er hatte die Tischlerei *Rud. Rasmussen* beauftragt, sie für sie anzufertigen.

Davor hatte sie nie etwas bei ihm zurückgelassen. Morgens hatte sie alles eingesammelt, systematisch, oft genug wenn er noch schlief. Wenn er dann aufwachte, war alles weg, keine physische Spur mehr von ihr, nur der Klang war noch da.

Er hatte nach ihr gesucht, wenn sie weg war. Im Badezimmer, er hatte gehofft, sie hätte vielleicht eine Creme vergessen, eine Zahnbürste. Nichts. Eines Abends, beim Essen, hatte er es ihr gesagt.

«Ich könnte im Schrank zwei Bretter für dich freiräumen.»

Sie hatte Messer und Gabel weggelegt und sich den Mund abgewischt, was sie mit Feingefühl tat, aber gleichzeitig wie ein Tier, wie eine Katze, die sich wäscht, in der Art, in der ein Jaguar feinfühlend ist.

«Du hast doch von Voodoo gehört», sagte sie. «Vor einigen Jahren haben wir das Grundwasser in Haiti gereinigt. Von den COWI-Beratern, vom Abteilungsleiter, wurde uns eingeschärft, niemals persönliches Eigentum zu hinterlassen. Wenn dir ein Zauberer etwas Böses will und etwas von dir in die Hand bekommt, gewinnt er Macht über dich.»

Das Essen in seinem Mund verwandelte sich in Spachtelmasse.

«Wenn du so von mir denkst», sagte er, «können wir uns nicht mehr sehen. Erniedrigung kann ich nicht ertragen. Wir kennen uns seit anderthalb Monaten. Ich habe allergrößten Respekt gezeigt. Dir gegenüber. Und gegenüber allen Frauen. Wie der kleine Bub. Der über die Hecke lugt und das Mädchen von nebenan beobachtet. Aber nie hinüberspringt. Immer darauf wartet, dass sie mit ihm spielen will.»

«Der aber im Innern», sagte sie, «einen Plan ausheckt. Den Plan, das ganze Villenviertel zu übernehmen.»

Eine Woche später hatte er ihr die Schublade zimmern lassen. Er hatte vorher nichts verraten, sie kam, und das Möbel war in die Wand des Wagens eingebaut worden, die Lade war herausgezogen. Sie hatte ihre Hände übers Holz gleiten lassen, sie ganz aufgezogen und wieder zugeschoben, wortlos. Die Maße entsprachen den Schubläden in ihrer Wohnung. Sie waren einem Messtischblatt haargenau angepasst.

Beim nächsten Mal brachte sie eine Mappe mit. Ohne etwas zu sagen, hatte sie ein Messtischblatt, einen Zirkel und Kopierpapier dagelassen. Seitdem lagen sie dort.

Er nahm den Zirkel und die Karten, eine von ihnen zeigte den Hafen von Kopenhagen im Maßstab 1:25000. Er rief sich das Klangbild aus dem Telefon ins Gedächtnis.

Im Vordergrund ertönten die Glocken der Marmorkirche, elektrisch verstärkt, aber doch sordiniert, um Amalienborg nicht zu wecken. In freier Umgebung nimmt der Schalldruck, jedes Mal wenn sich der Abstand zur Schallquelle verdoppelt, um sechs Dezibel ab. Mit dem Zirkel maß er an der Maßstabsangabe am unteren Rand der Karte viereinhalb Kilometer ab. Mit diesem Abstand als Radius schlug er einen Kreis, dessen Mittelpunkt die Kirche bildete.

Die Grundtvigskirche lag zwar weit im Hintergrund des Klangbildes, war aber deutlich zu vernehmen. Die große Glocke schien ganz allein, vibrierend, «Es läutet nun zum Weihnachtsfest» zu spielen, das Lied war auch in D, der Komponist hatte den Glockenton nachgeahmt. Das alles ließ vermuten, dass sich der Telefonapparat hoch über dem Erdboden befunden haben musste, wo es keine Hindernisse mehr gab. Jedenfalls mehr als zwanzig Meter, denn so hoch reichten die Hausdächer in Østerbro und Nørrebro. Er schätzte die Entfernung auf fünf Kilometer. Er hörte das Glockenspiel der Erlöserkirche. Am Rande des Klangbildes lagen die Rathausglocken, er musste ihren Viertelstundenschlag erwischt haben. Sie waren aus Eisenerz anstatt aus Bronze, ihr Klang war hart und die Frequenz nicht so rein wie die der Kirchenglocken. Ihr Abstand zum Telefon betrug fünf Kilometer. Mit der Grundtvigskirche als Mittelpunkt schlug er einen neuen Kreis mit demselben Radius. Wo sich die beiden Kreise überschnitten, grenzten sie ein gemeinsames Areal ein, welches das gesamte äußere Østerbro umfasste.

Er horchte wieder. Er identifizierte die englische Kirche und die Jakobskirche, ihre Interferenz bildete eine Korona aus angedeuteten Durtonarten, von A bis D. Er schlug zwei weitere Kreise.

Sie schnitten die ersten beiden Kreise fünfzig Meter vor der Küste. Nördlich der Einfahrt zum Kopenhagener Hafen. Vor der Landspitze Tippen, in zwölf Metern Tiefe. Er hatte falsch gehört.

Er trank aus seinem Glas. Mitten in der Niederlage erschienen ihm alle Geräusche ganz nah. Kein Monat hatte solche Geräusche wie der April. Die Bäume noch nackt. Kein Laub, das Widerhall und Streuung dämpfte. Er hörte den letzten Berufsverkehr aus Glostrup. Das ferne Summen vom Ring 4. Die Vögel im Moor. Die Stimmen der Näherinnen. Die Verheißung des Sonnenuntergangs. Des Feierabends. Zugleich nicht ganz anwesend. Ein Teil ihres Systems war bereits auf dem Heimweg. Die meisten hatten Kinder. Wenn Frauen Kinder bekamen, wurden ihre Stimmen schwer. Es war eine ostinate Schwere.

Am ersten warmen Tag, an dem man ein Viertelstündchen in einer windgeschützten Ecke draußen sitzen konnte, war er in der Mittagspause über den Hof gegangen. In weiter Entfernung hatte er die Stimmen der Frauen gehört. Nicht die einzelnen Worte, nur den Klang, sie sprachen über Kinder. Sie hatten ihn herbeigerufen, er hatte sich zu ihnen auf die Bank gesetzt. Ihre Blicke waren zärtlich und neckend, ein risikofreier Flirt, der aus dem Wissen entstand, dass zu Hause ein Mann auf sie wartete. Normalerweise liebte er solche Flirts wie ein warmes Wannenbad. Eine der Frauen hatte ihn gefragt, warum er keine Kinder habe.

Sie war ihm schon früher aufgefallen.

«Ich habe nicht die richtige Frau gefunden.»

Sie lächelten, er lächelte, sie verstanden nicht, dass er die Wahrheit sagte.

«Das ist die eine Erklärung», sagte er. «Die andere ist, dass wir bald fort sind, bald sind die Kinder alt, stellt euch vor, sie sind achtzig, die Ehegatten sind tot, keine Zeugen mehr für die ersten dreißig Jahre ihres Lebens, und dann sind sie selbst weg, das ist die andere Erklärung.»

Sie rutschten von ihm weg. Es war wieder die Frau von eben, die etwas sagte.

«Ich dachte, du seist ein Clown.»

Er war aufgestanden.

«Ich bin Musiker», sagte er. «Ich habe einen Deal mit Gott der Herrin. Ich soll alle Noten spielen. Auch die schwarzen.»

Die latente Erotik war nach diesem Gespräch etwas abgekühlt. Zwar war sie später wieder etwas aufgeflammt, aber das Verhältnis war nicht mehr dasselbe.

Er legte ein Buch auf das Glas. Um das Verdampfen zu mindern. Es waren C. G. Jungs Erinnerungen. Jung hatte geschrieben, im Alkohol suche der Mensch seine eigene Spiritualität. Jung musste gewusst haben, wovon er sprach. Er musste gewusst haben, wie es sich anfühlte, auf zwei Kästen *Krug Magnum* zu sitzen und nach dem ersten Kasten nicht aufhören zu können.

Alkohol ist eine Geige, man kann nicht von ihm lassen. Er legte das Buch weg und leerte das Glas.

Er wechselte den Sitzplatz. Er setzte sich auf den Sessel gegenüber dem Sofa. Gegenüber dem Platz, auf dem KlaraMaria gesessen hatte. Bei ihrer ersten Begegnung.

10 |

Es war vor genau einem Jahr gewesen.

Er war etwas später als gewöhnlich von einer Vorstellung nach Hause gekommen, es war April, Mitternacht. Das Wohnmobil hatte auf einem von Fichten umsäumten Grundstück bei Vedbæk gestanden, das er seit zwanzig Jahren besaß, ohne je eine Baugenehmigung beantragt zu haben. Zehntausend Quadratmeter Queckengras bis hinunter zum Strand.

Der Wagen stand mitten im Gras, er fuhr heran, hielt, machte die Tür auf und lauschte.

Die Natur spielt immer ein Thema, manchmal auch mehrere, womöglich war es aber auch nur Einbildung. In jener Nacht war es das Ricercare aus dem *Musikalischen Opfer* in Anton Weberns Orchestrierung mit dem Text von Tagore: «Nicht Hammerhiebe, sondern der Tanz des Wassers rundet den Kiesel zur Schönheit.»

Es war Jahre her, dass Stine verschwunden war. Den Sinn des Lebens hatte sie nicht mitgenommen, der war aus eigenem Antrieb ausgewandert, viel früher schon. Aber sie hatte den Prozess verlangsamt.

Aus dem Wohnmobil war ein Geräusch gedrungen, das nicht dahingehörte. Er ließ sich aus dem Auto auf den Boden gleiten. Man erlebt nicht zwanzig Jahre sanften Aufschwungs im Showbusiness, ohne ein Opfer von Projektionen zu werden.

Auf allen vieren kroch er zur Tür. Unter dem Wagen tastete er nach dem Schlüssel. Er war weg.

Jeder Mensch, der in seiner Entwicklung einen gewissen Reifegrad erreicht hatte, hätte das Weite gesucht. Oder auf die Knöpfe gleich neben der Tür gedrückt. Die Versicherung für Zirkusartisten hatte ihm eine direkte Verbindung zur Falck-Ambulanz und zur Securitas-Wachgesellschaft eingerichtet. Aber wir sind nun mal nicht reifer, als wir sind. Aus zwei Klammern unter der Treppe angelte er ein 75 Zentimeter langes Wasserrohr hervor, eines aus der guten alten Zeit, als sie noch aus Blei waren.

Geräuschlos gelangte er in den Vorraum. Er konnte nur eine Person hören, einen Ruhepuls zwischen achtzig und neunzig Schlägen, ein Zirkuszwerg.

«Komm rein.»

Es war ein Kind, ein Mädchen. Er wusste nicht, wie sie ihn beim Eintreten gehört haben konnte.

Sie war schätzungsweise acht oder neun Jahre alt. Sie hatte kein Licht angeschaltet, aber die Fensterläden standen offen, sie saß im Mondschein mit gekreuzten Beinen auf dem Sofa. Wie ein kleiner Buddha.

Er blieb stehen und lauschte. Die Kriminalgeschichte kennt genug Beispiele von kleinen Kindern, die mit erwachsenen Männern mit fragwürdiger Moral zusammengearbeitet haben. Er hörte nichts. Er setzte sich ihr gegenüber.

«Wie hast du den Schlüssel gefunden?»

«Ich hab's erraten.»

Er lag vor ihr auf dem Tisch. Er hatte einen so verborgenen Spalt dafür gefunden, dass er ihn bisweilen selbst nicht finden konnte. Die Chance, sein Versteck zu erraten, war mehr als gering.

«Seit wann bist du hier?»

«Noch nicht lange.»

«Und wie bist du hergekommen?»

«Mit Bus und Zug.»

Er nickte.

«Selbstverständlich», sagte er. «So um Mitternacht stehen einem in der Großstadt ja Tür und Tor offen. Besonders einem kleinen Mädchen von acht Jahren.»

«Neun», sagte sie. «Und umsonst. Bus und Zug. Unter zwölf braucht man nicht zu zahlen.»

Irgendetwas stimmte nicht mit ihrem System. Seine Intensität entsprach nicht ihrem Alter.

Nicht, dass andere Kinder keine Energie hätten. Er hatte fünfunddreißig Jahre lang mit den Kindern anderer Artisten Tür an Tür gelebt. Diese Kinder starteten morgens um halb sieben auf Anhieb im vierten Gang. Vierzehn Stunden später stürzten sie mit zweihundert Stundenkilometern unmittelbar in den Schlaf, ohne abzubremsen. Wenn man ihnen Elektroden ansetzen und sie direkt hätte anzapfen können, wäre ein Vermögen mit ihnen zu verdienen gewesen.

Aber das System dieser Kinder war sozusagen defokussiert gewesen, es war der reinste Flohzirkus. Das Mädchen dagegen ruhte vollkommen in sich.

«Ich habe dich im Zirkus gesehen. Ich habe gespürt, dass es dir guttun würde, mit mir zu sprechen.»

Er traute seinen Ohren nicht. Sie sprach wie eine Königin. Ohne sie aus den Augen zu lassen, suchte seine rechte Hand die Schublade mit den Premierengeschenken, zog sie auf und holte eine Kiloschachtel Neuhaus-Pralinen hervor, die er auf den Tisch stellte.

«Hier, nimm dir ein Kinderverführerleckerli», sagte er. «Und wieso sollte mir das guttun?»

«Du bist krank im Herzen.»

Es war ihr bitterernst.

Sie wickelte ihre Schokolade aus. Schloss die Augen und ließ sie im Mund zergehen.

«Vielleicht bist du ja ein Doktor», sagte er. «Was ist denn los mit meinem Herzen?»

«Du musst unbedingt diese Dame wiederfinden. Die dich verlassen hat. Und das ist nur der Anfang.»

Es gab keine Briefe. Keine Fotos, die sie hätte sehen können. Keine fünf Menschen, die etwas wussten. Und keiner von ihnen hätte einem Kind gegenüber den Mund aufgemacht.

«Wo sind deine Eltern?»

«Ich habe keine.»

Ihre Stimme klang unbeteiligt wie bei einer Lautsprecherdurchsage.

«Wo wohnst du denn?»

«Das darf ich nicht sagen. Ich hab's versprochen.»

«Und wem hast du das versprochen?»

Sie schüttelte den Kopf.

«Nicht drängen!», sagte sie. «Ich bin erst neun.»

Nur ein geringer Teil seiner Aufmerksamkeit achtete auf ihre Worte. Es war ihr Klang, den er zu bestimmen suchte. Und der war nicht konstant. Jedes Mal wenn sie nicht sprach, geschah etwas mit ihm. Er wusste nicht genau, was es war. Aber es war etwas, was er nie zuvor gehört hatte.

«Woher hast du meine Adresse?»

Sie schüttelte den Kopf. Er registrierte eine Angst in sich, die er nicht verstand. Er dekonzentrierte sein Gehör, er lauschte in alle Richtungen, scannte die Umgebung.

Er hörte den Strandvej. Die Wellen und den Sand am Meeresufer. Den Wind in den Fichten. Im welken Gras. Sonst nichts. Es gab nur ihn und sie.

«Spiel mir was vor», sagte sie.

Er setzte sich ans Klavier. Sie folgte ihm. Sie nahm die Schokolade mit. Sie rollte sich im Sessel zusammen. Zog die Decke über sich.

Er spielte das Ricercare, und zwar das ganze, vielleicht neun Minuten. Sie hatte aufgehört zu kauen. Sie sog die Töne in sich auf, sobald sie das Klavier verlassen hatten.

Als er fertig war, wartete sie lange, länger als ein Konzertpublikum. Länger, als Menschen normalerweise warten.

«Hast du das gemacht?»

«Bach.»

«Ist er auch im Zirkus?»

«Er ist tot.»

Sie überlegte. Nahm noch ein Stück Schokolade.

«Warum hast du keine Kinder?»

Sie streckte die Hand aus und schaltete eine Glühbirne ein, die hinter einer Platte aus Mattglas angebracht war. Auf der Platte war eine Kinderzeichnung befestigt. Mit Metallklammern. Vor Jahren hatte er jeden Monat Hunderte von Zeichnungen bekommen. Er hatte die Aufhängevorrichtung installiert, jede Woche wurde die Zeichnung gegen eine andere ausgetauscht, bisweilen öfter.

«Ich habe keine Frau gefunden, die Mutter werden wollte.»

Sie sah ihn an. Es war der aufdringlichste Blick, den er je bei einem Kind gesehen hatte. Vielleicht überhaupt bei einem Menschen.

«Du lügst. Und das einem kleinen Kind gegenüber.»

Er fühlte, wie seine Unruhe zunahm.

«Ich könnte bei dir einziehen», sagte sie.

«Ich habe keinen Platz. Nur das hier. Und zurzeit ziemlich wenig Geld.»

«Ich esse nicht so viel.»

Er hatte es schon mit allen Arten von Kindern zu tun gehabt. Jugendlichen Verbrechern, fünfzehnjährigen Desperados mit zweischneidigen Dolchen, die unter der Tarnanzughose an der Wade festgeschnallt waren, denen man Bewährungsstrafen wegen schwerer Körperverletzung aufgebrummt hatte. Es war für ihn kein Problem gewesen. Er hatte sie die ganze Zeit an der kurzen Leine gehalten. Das Mädchen war ein anderes Kaliber. Er fing an zu schwitzen.

In der einen Sekunde war ihr Gesicht rein und streng wie das eines Engels. In der andern zeigte sie ein dämonisches Lächeln.

«Ich teste dich bloß», sagte sie. «Ich ziehe hier nicht ein. Du würdest mit Kindern gar nicht zurechtkommen. Außerdem stimmt es nicht, dass ich nichts esse. Ich esse wie ein Scheunendrescher. Die Wirtschafterin nennt mich den ‹Bandwurm›.»

Sie war aufgestanden.

«Du kannst mich jetzt nach Hause fahren.»

Unterwegs schwieg sie, außer wenn sie den Weg beschrieb. Sie war konzis wie ein Navigationssystem, vom Strandvej bogen sie auf den Skodsborgvej und fuhren landeinwärts.

Die Straße verlief auf einer Grenze, zwischen der Stadt und den Wäldern, zwischen Autobahnen und einsamen Gegenden, zwischen Reihenhäusern und Gutshöfen. Sie kamen durch Frederiksdal.

«Rechts rein», sagte sie.

Sie schwenkten zum See hinunter. Nach einem Kilometer gab sie das Zeichen zum Halten.

Es war ein Uferweg ohne Bebauung.

Schweigend saßen sie nebeneinander. Das Mädchen blickte in den nächtlichen Himmel hinauf.

«Ich würde gern Weltraumfahrer sein», sagte sie. «Und Pilot. Was wolltest du denn werden? Als du klein warst.»

«Clown.»

Sie sah ihn an.

«Das bist du ja auch geworden. Das ist wichtig. Dass man das wird, was man am liebsten sein will.»

In der Tiefe des Nachthimmels bewegte sich ein winziger Lichtpunkt, vielleicht war es eine Sternschnuppe, vielleicht ein Satellit, vielleicht ein Flugzeug.

«Ich bringe dich an die Tür», sagte er.

Sie stieg aus dem Wagen, er machte seine Tür auf. Als er ums Auto gegangen war, war sie verschwunden.

Er fühlte mit dem Gehör. Hinter ihm befanden sich die Einfamilienhäuser, die nach Bagsværd führten, dahinter wiederum hörte man das nächtliche Rauschen der großen Verkehrsadern. Rechts von ihm der Wind in den Sendemasten des Lyngbyer Radios. Vom See das Geräusch des letzten Eises, das geborsten war und am Ufer klirrte wie Eiswürfel im Glas. Aus der Richtung des Regattapavillons hörte er Hunde bellen, die sich gegenseitig geweckt haben mussten. Er hörte das Schilfrohr, das aneinanderrieb. Das Nachtgetier. Den Wind in den Wipfeln drüben im Schlosspark. Eine einsame Stimme irgendwo in einem Garten. Einen Otter, der in der Kanalverbindung zum Lyngbysee fischte.

Aber von dem Mädchen keinen Laut. Sie war weg.

Plötzlich wurde ein starker Motor angelassen, irgendwo vor der Baumschule. Er fing an zu laufen. Trotz seiner tragisch miesen Form konnte er die hundert Meter noch in unter dreizehn Sekunden bewältigen. Das steckte einfach in ihm drin. Er hatte den Hang gerade überwunden, als das Auto vorbeifuhr. Am Steuer saß eine Frau. Womöglich hätte ein äußerst feines Ohr das auf dem Rücksitz zusammengekauerte Mädchen hören können. Seines konnte es nicht. Trotzdem merkte er sich das Kennzeichen. Er zog den Füller hervor und eine Karte.

Fast eine Viertelstunde lang spazierte er am Seeufer auf und ab. Um sie vielleicht doch noch zu hören. Um zu Atem zu kommen. Keines von beidem gelang.

Er setzte sich ins Auto. Wählte die Nummer seines Vaters. Maximillian antwortete umgehend. Er flüsterte.

«Ich bin im Kasino, man muss hier seine Handys ausschalten, warum rufst du mich an, verdammt nochmal, willst du mir erzählen, dass du ins Bett gemacht hast?»

«Deiner Hinfälligkeit zum Trotz», sagte er, «kommst du doch nach wie vor ins zentrale Kraftfahrzeugregister rein.»

Er gab Maximillian die Autonummer. Das Telefon wurde ausgeschaltet. Dann war er langsam nach Hause gefahren.

11 | Ein Ton zerriss die Erinnerungen und holte ihn in das Wohnmobil zurück, es war das Telefon. Zunächst hörte man nur einen heiseren Atem, als brauchte da jemand dreißig Sekunden, um die Sauerstoffgebühren zu begleichen, die einen so ein Anruf kostet.

«Freitag bin ich wieder auf dem Damm», sagte Maximillian. «Ich habe den besten philippinischen Heiler ausfindig gemacht, er kann einzigartige Ergebnisse vorweisen, ich lass ihn einfliegen, und in einer Woche bin ich entlassen.»

Kasper sagte nichts.

«Ich weiß nicht, was es da zu flennen gibt», sagte Maximillian. «Im Sommer springen wir am Strand den Salto seitwärts.»

Sie hörten sich gegenseitig beim Atmen zu.

«Das Kennzeichen», sagte der Kranke, «du weißt ... das du mir gegeben hast. Ist gesperrt. Im Kraftfahrzeugregister. Mit dem Vermerk ‹gestohlen›, ‹Untersuchung erfolgt›. Und mit einem Link zum Reichspolizeichef. Und zum Polizeilichen Nachrichtendienst.»

Wieder ein paar Sekunden heiseres Atmen.

«Josef Kain?», sagte Kasper.

Als Junge hatte er von seinem Vater Großartiges über Improvisation gelernt. Maximillian Krone konnte sich nach apokalyptischen Streitigkeiten mit Kaspers Mutter erheben oder von einem Abendessen mit den Schützenbrüdern, das zwölf Gänge gehabt und sechs Stunden gedauert hatte, und dann ohne Mucken ins Gericht oder in den Industrierat gehen.

Aber jetzt war er still.

Vater und Sohn hörten sich gegenseitig beim Atmen zu.

«Okkultes», sagte Maximillian. «Angeblich war es was in der Richtung, weswegen sie die Abteilung H eingerichtet haben. Meine Güte. Das zeigt doch nur, wie schwachköpfig unsere Polizei inzwischen ist.»

«Und gibt's was Okkultes im Zirkus?»

«Das gibt's nirgendwo.»

«Es gab da eine Frau. Du und Mutter, ihr habt sie beide erwähnt. Sie war damals schon alt. Irgendwas mit Vögeln. Und einem besonderen Gedächtnis.»

Sein Vater schien ihn gar nicht zu hören.

«Vivian steht hier neben mir», sagte Maximillian. «Sie sagt, wir müssten miteinander reden. Was zum Teufel hab ich mit dem Klapskopp zu quatschen, sage ich. Der kriegt doch einen Kollaps. Der ist so weich wie ein Hundeschiss. Aber sie drängelt.»

«Sie sagt, du bist krank.»

«Sie leitet das Hospiz. Sie hat ein berufliches Interesse daran, die Menschen von ihrem nahen Tod zu überzeugen.»

Wieder ein paar Sekunden heiseres Atmen.

«Sie will mit dir sprechen.»

Der Hörer wechselte die Hand.

«Es gab keine Lone im Verzeichnis des Hebammenverbands», sagte die Frau. «Aber dann ist mir was eingefallen. Es gab mal eine Hebamme, die, glaub ich, Lone hieß. Vor fünfzehn Jahren. Blutjung. Begabt. Eine Menge origineller Ideen. Viel Kritik am System. Richtete alternative Entbindungsstationen ein. Abteilungen für sanfte Geburt hier am Reichskrankenhaus. Unterwassergeburten in Gentofte. Irgendwann studierte sie Medizin. Wurde sehr jung Chefärztin. Obstetrik. Deshalb habe ich nicht mehr an sie gedacht, weil sie keine Hebamme mehr ist. Denkt sehr ökonomisch. Verließ das öffentliche Krankenhauswesen. Fing bei der Pharmaindustrie an. Soweit ich weiß, arbeitet sie da immer noch. Aber daneben hat sie eine sehr exklusive und besondere – und sehr gefragte – Geburtsklinik in Charlottenlund aufgemacht. Meinst du, sie könnte es sein?»

«Wie hieß sie mit Nachnamen?»

«Das ist so lange her. Ich glaube, Bohrfeldt oder so.»

Kasper sah auf seine Knöchel. Sie waren weiß wie bei einem Gerippe. Er lockerte den Griff.

«Ich weiß nicht», sagte er. «Die Chancen stehen nicht sehr gut. Aber trotzdem danke.»

Er legte auf.

Er suchte im Telefonbuch und in den Gelben Seiten. Nichts. Doch dann fand er die Adresse unter den gewerblichen Rubriken, es war der einzige Eintrag unter «Geburtshäuser».

Es lag am Anfang des Strandvej. Die Gebäude waren auf einem kleinen Foto zu sehen. Er faltete KlaraMarias Zeichnung auseinander und legte sie unter das Telefonbuch. Sie hatte eine Menge Details erfasst. Die Krümmung der Treppe, die zu einem Teil hinaufführte, der das Hauptgebäude eines Palais gewesen sein musste. Die Anzahl der Fenster. Ihre charakteristische Einteilung in sechs Felder.

Der Adresse waren fünf Nummern zugeordnet: Sekretariat, Bereitschaftsdienst, Kinderarzt, Laboratorien, Bettentrakt.

Einen Augenblick lang dachte er daran, die Polizei anzurufen. Dann bestellte er ein Taxi.

Aus dem Schränkchen über der Toilette holte er ein beeindruckendes Pillenglas, dem er zwei oblatengroße Tabletten entnahm, zweimal zwölfhundert Milligramm Koffein, mit heißen Grüßen von Herrn La Mour, Arzt des Königlichen Theaters. Er füllte ein Glas mit Wasser. In einer Viertelstunde würden die Dinger anfangen, über die in sich gekehrte Kontrapunktik des Alkohols und der Erschöpfung eine weltoffene, bigbandartige Wachheit zu legen.

Zur Sicherheit nahm er zwei Pillen zusätzlich. Er prostete dem Spiegel zu. Auf alle Ärzte, die uns wie Lone Bohrfeldt dabei behilflich sind, auf die Welt zu kommen. Auf alle, die uns im Hospiz des Reichskrankenhauses begleiten, wenn wir sie wieder verlassen. Und auf diejenigen, die uns wie La Mour und von Hessen helfen, die Wartezeit zu ertragen.

Von der Ringstraße bog ein Auto ein. Er meinte, acht Zylinder zu hören, eine Taxe konnte es nicht sein. Aber es drosselte die Geschwindigkeit, als ob der Fahrer etwas suchte. Er spülte die Tabletten hinunter. Stellte das Glas mit der Öffnung nach unten auf die Ablage.

Zweimal hatte er mit Tati die Garderobe geteilt, zuletzt in Stockholm, nachdem der Meister sein Vermögen mit *Playtime* verloren hatte und zum Varieté zurückgekehrt war. Nach dem Abschminken hatte er sein Glas auch so abgestellt, und Kasper hatte nach dem Grund gefragt.

«Staub, *la poussière*!»

«Wir sind doch morgen wieder da.»

Der Mimiker hatte gelächelt. Seine Augen lächelten nicht.

«Darauf können wir hoffen», sagte er. «Aber können wir auch darauf bauen?»

12 |

Einen Jaguar mit Taxischild hatte er noch nie gesehen, die Hintertür sprang auf wie von selbst, der Fond umarmte ihn wie eine Geliebte. Der Wagen duftete nach Kernleder, wie teures Pferdegeschirr, aber das Licht war sonderbar. Der Chauffeur war ein großer Junge mit Prälatenkragen, Kasper versuchte, ihn nach seinem Klang zu bestimmen, vermutlich Kleinbauernsohn von der Insel Mors, Theologiestudent, keine finanzielle Unterstützung von zu Hause. Tagsüber die theologische Fakultät, nachts auf dem Bock, brauchte jede Krone, die er zusammenkratzen konnte.

«Zum Strandvej», sagte Kasper. «Und von mir aus brauchen Sie die Uhr nicht einzuschalten.»

Bei einem neuen Dirigenten wusste er nach fünfzehn Sekunden, ob er Biss hatte, bei Taxifahrern war es genauso, der hier stand haushoch über dem Durchschnitt, er war ein Furtwängler des Droschkengewerbes, das Auto strömte voran wie ein Fluss Richtung Meer, hinter ihnen zerschmolz der Fabriksvej im Dunkel.

«Christus bleibet ewiglich», erklärte der Fahrer. «Sagt Johannes. Alles andere ändert sich. Man hat Sensoren in die Sitze eingebaut. Und mit den Taxametern gekoppelt. Schwarzfahren ist nicht mehr.»

Kasper schloss die Augen. Er liebte Taxen. Selbst wenn sie von einem Dorftrottel gelenkt wurden. Es war wie eine feudale Kutsche mit Fahrer, nur besser. Denn wenn die Fahrt vorbei war, verschwand der Kutscher, verschwanden die Werkstattrechnungen, verschwand die Schrottkiste. Und man blieb auto- und verantwortungsfrei zurück.

Der Fahrer pfiff einen Melodiefetzen, ganz rein, das war sogar unter Musikern selten. Auch die Melodie war selten, BWV Anhang 127, einer von Bachs zwei oder drei Märschen, in Es-Dur, so gut wie nie gespielt, besonders in dieser Version, einer Zirkusorchestrierung von John Cage. Kasper war zwei Saisons in den USA gewesen, mit Barnum & Bailey, die Orchestrierung war seine Erkennungsmelodie gewesen.

«Wir haben alle deine fünf Nachtvorstellungen gesehen», sagte der Fahrer. «In Potters Field. Um 23.30 Uhr sind wir von der Bühne gegangen. Haben die Schminke an einem Handtuch abgewischt. Haben einen Mantel übers Kostüm gezogen. Draußen hatte ich ein klasse Auto stehen. Einen Mustang. Wenn ich ihn mit Vaseline geschmiert hatte und mich rechts hielt, konnte ich von der 14. bis zur 42. Straße fahren, ohne einmal Rot zu haben. Die Polizei lässt den Verkehr fließen. Wenn man die Autobahn und den Riverside Drive meidet, kann man jahrelang fahren, ohne auch nur den Schatten einer Geldbuße zu sehen.»

Der Prälatenkragen war kein Kragen. Es war ein feinziseliertes Narbengespinst, als wäre dem Körper ein neuer Kopf aufgepflanzt worden.

«Fieber», sagte Kasper. «Franz Fieber.»

Er war Stuntman gewesen. Dreifacher Salto von der Rampe. In einem umgebauten Volkswagen. Zum ersten und letzten Mal in der Weltgeschichte, als komische Nummer. Kasper hatte es sorgsam vermieden, etwas darüber zu lesen, er war weniger als zehn Meilen entfernt gewesen, als der Unfall geschah. Beide Partner waren dabei umgekommen.

Er bewegte seinen Kopf einen Zentimeter. Der sonderbare Lichtschein stammte von einem Teelicht, das zwischen dem Schaltknüppel und einer kleinen Ikone der Jungfrau Maria mit dem Jesuskind brannte.

Der Junge hatte die Bewegung bemerkt.

«Ich bete unaufhörlich. Es war wie ein Stempel, der sich mir aufgedrückt hat. Ich habe es schon gemerkt, bevor es passierte. Als ich im Beatmungsgerät aufwachte, betete ich immer noch. Und habe seitdem nicht mehr aufgehört. Ich bete unaufhörlich.»

Kasper beugte sich vor. Um sich in das System vor ihm hineinzuhorchen. Anerkennend streichelte er das Sitzpolster.

«Zwölf Zylinder», sagte der Junge. «Davon gibt's nur sieben auf der ganzen Welt, die als Mietwagen fahren. So weit bekannt. Mir gehören alle sieben.»

«Du hast dich also wieder aufgerappelt.»

«Ich habe mit einem Town Car angefangen. Für 2400 Dollar. Und einer gefälschten Konzession. Als ich aus dem Krankenhaus entlassen wurde. Nächstes Jahr werden mir 75 Prozent aller PKW-Mietwagen in Kopenhagen gehören.»

«Deine Einsicht in die Dinge muss tief gewesen sein ...»

Junge Menschen sind unfähig, Komplimenten zu widerstehen. Der Rücken vor Kasper straffte sich.

«Damals wurde mir so klar, was Paulus meinte, als er sagte, im Leiden werden wir mit Jesus eins.»

«Genau wie Eckhart», sagte Kasper. «Ich weiß nicht, ob du Meister Eckhart kennst. ‹Das schnellste Ross ins Himmelreich ist das Leiden.› Natürlich war es diese Sensibilität, mit der du meine Bestellung erkannt hast.»

Sie verließen die Ringstraße und bogen nach Vangede ein und von Vangede nach Gentofte. Die Geräuschkulisse änderte sich, Gentofte hatte einen alten Klang, den Klang eines porösen Optimismus. Selbst wenn die Polkappen schmelzen und die Brücken-Viertel untergehen, erwartet man hier einfach, dass das Gebiet zwischen Gova-Markt und Blidah Park wie ein Badereifen oben schwimmen wird.

Das Auto wendete und hielt an, es war ein diskreter Parkplatz, im Dunkeln, auf einem der Sträßchen, die zur Trabrennbahn führen. Fünfzig Meter von ihnen entfernt lag die Klinik.

Kasper zog Brille, Füller und Mørks Taxibon hervor, trug einen maximalen Betrag ein, unterschrieb, riss den Gutschein durch und hielt dem Jungen eine Hälfte hin.

«Ich bin zwanzig Minuten weg, höchstens. Kannst du hier halten, wenn ich rauskomme?»

«Das ist eine Geburtsklinik.»

«Ich soll bei einer Geburt dabei sein.»

Der Junge nahm den gelben Zettel.

«Das muss ein großes Erlebnis sein», sagte er. «Für das Kind. Und die werdende Mutter.»

Kasper sah ihm in die unverschämten gelben Augen.

«Ich habe das Taxi per Handy bestellt», sagte er. «Aus steuerlichen Gründen ist das Telefon nicht auf meinen Namen eingetragen. Er erschien also nicht auf dem Bildschirm. Die Frage ist daher: Wie hast du mich gefunden? Und warum?»

Er überquerte den Strandvej und durchschritt die Geräusche seiner Grundtraumata. Die salzige Kühle vom Öresund, die parkgleiche Stille der Gegend, die Kindheitserinnerungen von zwölf verschiedenen Adressen zwischen der Festung Charlottenlund und dem Hafen in Rungsted. Die schalltote Last im Wohlstand der Häuser, im Granit, Marmor, Messing. Seine eigene ungeklärte Beziehung zum Reichtum.

Die Tür war aus Glas, schwer wie eine Tresortür, der Boden war aus Mahagoni, kein Plantagenholz, sondern die dunkle Sorte, die zweihundert Jahre auf ihren Wurzeln gestanden und auf den Karneval in Santiago de Cuba hinuntergeschaut hat. Die Lampen waren von Poul Henningsen. Die Frau hinter dem Schreibtisch hatte eisengraue Augen und eisengraues Haar: Um sicher sein zu können, dass sie ihn vorbeiließ, hätte er ihr zweihunderttausend Kronen hinschieben und zwei Jahre vor der Schwangerschaft einen Termin bestellen müssen.

Sie war eine Projektion jenes Teils des Archetypus «Böse Mutter», den er noch nicht integriert hatte. Es ist zutiefst deprimierend, 42 Jahre alt zu sein und noch immer zwischen den Überbleibseln seiner Eltern aufzutreten, die noch nicht aus der Manege geschafft worden waren.

«Die Pausen zwischen den Wehen betragen keine Minute mehr», sagte er. «Wie können wir Frau Bohrfeldt erreichen?»

«Sie hat ihren Dienst beendet. Haben Sie angerufen?»

Ein Teil ihres Systems hatte sich horchend in Richtung des Flurs verschoben, der sich zu ihrer Linken auftat. Vielleicht hatte Lone Bohrfeldt ihren Dienst beendet, aber sie weilte noch unter den Anwesenden.

«Meine Frau ist hysterisch», sagte er. «Sie will nicht mehr hier rein. Sie sitzt draußen im Auto.»

Sie erhob sich. Mit einer Autorität, die in vierzig Jahren noch keine Hysterie angetroffen hatte, die nicht neutralisiert werden konnte. Sie durchquerte die Eingangstür. Er drückte sie hinter ihr zu und schloss sie ab. Sie drehte sich um und starrte ihn durch die Scheibe an.

Die Schreibtischplatte war leer, aber gleich im ersten Schubfach lag die Telefonliste. Er fand Lone Bohrfeldts Durchwahlnummer und rief sie an. Es wurde sofort abgenommen.

«Hier ist die Anmeldung», sagte er. «Ich habe hier einen vertrauenerweckenden jungen Mann mit einer Wertsendung. Ich schicke ihn rein.»

Er legte auf. Unter der Nummer stand ihre Privatadresse, der Zustellbezirk war Rådvad, er schrieb sie auf den Lottoschein. Die Frau vor der Tür verfolgte seine Bewegungen. Er winkte ihr beruhigend zu. Man muss den Kontakt zum Herzen immer offen halten. Für die äußeren Manifestationen unseres Unbewussten, die abzuspalten wir uns zeitweilig genötigt sehen.

Von dem Korridor gingen Eichentüren mit Schildchen ab, auf denen Namen mit vielen Titeln standen, und der marmorne Boden hatte eine Akustik, als trüge man Steppeisen und käme irgendwie ungelegen. Was einen zu der Frage führte, ob tatsächlich alles Fortschritt genannt werden konnte, was sich seit der Geburt des Erlösers in einem Stall ereignet hatte. Der Gang endete an einer Doppeltür, er trat ein und schloss sie hinter sich ab.

Neunundneunzig von hundert Frauen haben Angst vor fremden Männern, die zu ihnen hereinkommen und die Tür hinter sich abschließen. Die Frau am Schreibtisch war Nummer hundert. Nicht einmal ein Hauch von Besorgnis war in ihrem System festzustellen. Er hätte sich die Hose aufknöpfen und ihr einen Steifen zeigen können, sie hätte nicht mal die Füße vom Tisch genommen.

«Ich arbeite mit Kindern», sagte er. «Ich habe eine kleine Schülerin, die von Ihnen gesprochen hat.»

Sie war perfekt. Sie hatte die Vierzig noch nicht erreicht. Sie hatte das richtige Alter, sie hatte Selbstvertrauen, eine hervorragende Ausbildung, Titel, Geld, das Unternehmen, und obgleich sie in locker sitzende, schwarze Wollsachen gekleidet war und die Füße hochgelegt hatte, fühlte er: mit diesem Körper konnte sie sich jederzeit in einer Kollektion knapper Badeanzüge auf dem Laufsteg sehen lassen. Was sie glatt getan hätte, wenn sie es auf die Rechnung hätte setzen können.

Nur die beiden langen Furchen, die sich zehn Jahre vor der Zeit von den Nasenflügeln zu den Mundwinkeln hinunter eingegraben hatten, erzählten von dem Preis, den jeder von uns bezahlen muss.

«Wir haben hier alle sehr viel zu tun», sagte sie. «Normalerweise lässt man sich hier einen Termin geben. Man ruft an. Oder schreibt uns.»

«Sie heißt KlaraMaria. Heimkind. Aus dem Rabiastift. Sie wurde entführt. Man weiß nicht, von wem. Sie hat eine Nachricht herausgeschmuggelt. Darauf stand Ihr Name. Und eine Zeichnung von diesem Gebäude.»

Sie nahm die Füße vom Tisch.

«Vielleicht klingelt bei dem Namen was bei mir», sagte sie. «Können Sie ihn noch einmal wiederholen?»

Es klingelte nicht. Es wurde Alarm ausgelöst. Er sagte nichts.

«Ich glaube, es gab da eine Vorarbeit für eine Untersuchung. Bei der Stiftung. Für den Forschungsrat. Ist schon Jahre her. Eventuell war ein Mädchen, das so hieß, Teil der Empirie. Daran muss sie sich aus irgendeinem Grund erinnert haben. Persönlichen Kontakt gab es kaum.»

«Was für eine Untersuchung?»

«Das ist lange her.»

«Kann man sie lesen?»

Normalerweise hätte sie nicht geantwortet, aber der Schock hatte sie gesprächig gemacht.

«Sie wurde nie fertig.»

«Trotzdem.»

«Es ist nur ein Entwurf, ein Haufen Papier.»

Er setzte sich auf den Schreibtisch. Wenn er ein Kleid getragen hätte, hätte er den Saum hochgezogen. Um ein Stück Schenkel zu zeigen.

«Ich bin steinreich», sagte er. «Ledig. Hemmungslos. Wie wär's, wenn Sie mich nach Hause einladen würden? Auf eine Tasse Tee. Und sechzig Seiten Entwurf aus der Schublade?»

Die beiden Furchen wurden schwarz. Sie schob den Bürostuhl vom Schreibtisch weg. Damit er ihre Figur sehen konnte.

«Sie sprechen mit einer Frau, die im achten Monat schwanger ist!»

Ihr Bauch hatte nur um den Fötus selbst zugenommen. Er sah aus wie ein Ei des Vogels Rock.

«Das soll uns nicht hindern», sagte er.

Ihr Unterkiefer klappte nach unten. Er kniete sich zwischen ihre Beine und legte das Ohr an den Bauch.

«Ein Junge», sagte er. «Puls ein wenig schnell, um die 130, Des-Dur. Mit einer Vorahnung von D-Dur. Wo die Zwillinge in den Krebs übergehen. Sie erwarten ihn um den Johannistag herum.»

Sie rollte ihren Stuhl zurück, sie versuchte, von ihm abzurücken. Er folgte ihr.

«Warum hat sie deinen Namen notiert?»

Er hörte Schritte, eine Frau und zwei Männer. Kaum will sich eine Blase der Vertrautheit um einen Mann und eine Frau schließen, fällt es der Welt ein, störend einzugreifen, Oberschwestern, wütendes Mannsvolk, das kollektive Unbewusste – es ist tragisch.

«Es bleibt nicht mehr viel Zeit», sagte er. «Die Behörden haben keine Spur. Du bist unsere letzte Chance.»

Er legte seine Hände auf die Stuhllehnen, sein Gesicht befand sich nah an ihrem, er sprach leise.

«Falls sie sie abschlachten. Und du weißt, du hättest es verhindern können. Jedes Mal wenn du dein Kind siehst, würdest du daran denken müssen.»

Sie stemmte sich aus ihrem Stuhl. Ihre Maske hatte schon überall Risse, sie war kurz davor, sie zu lüften.

«Wer ist Kain?», fragte er.

Die Türklinke wurde heruntergedrückt. Ohne sie aus den Augen zu lassen, versuchte er, eine Glastür zu öffnen, sie war nicht abgeschlossen. Sie führte auf einen Balkon. So ein Balkon, an dem Romeo und Julia sehr viel Freude gehabt hätten. Solange es andauerte.

Jemand machte den Versuch, die Tür einzudrücken, er misslang, ein Schlüssel wollte geholt sein, Schritte entfernten sich.

In acht Stunden säße er in der Maschine nach Madrid. Er beugte sich über sie. Ihr Gesicht wurde transparent. Auf einmal verstand er, dass sie zu viel Angst hatte, um zu sprechen. Er ließ von ihr ab.

Er durchsuchte seine Taschen, fand den Lottoschein, riss eine Ecke ab und notierte seine Nummer im Wohnmobil. Sie rührte sich nicht, er öffnete ihre Hand und legte den Fetzen hinein.

Ein Schlüssel wurde ins Schloss gesteckt, er machte die Tür zur Terrasse auf und schwang sich über die Balustrade.

Romeo hatte bessere Karten gehabt, er musste sich nicht mit Seenebel und saurem Regen herumschlagen. Das Kupfer war von Grünspan überzogen, das Marmorgeländer von zentimeterdicken Grünalgen bedeckt, er rutschte aus wie auf Schmierseife.

Der Länge nach stürzte er auf den Rasen, es schlug ihm die Luft aus den Lungen. Wenn man sechs Jahre alt ist und es zum ersten Mal geschieht, denkt man, man müsse sterben. Mit 42 weiß man, so leicht kommen wir nicht davon. Er fixierte den Sternenhimmel, um das Bewusstsein nicht zu verlieren. Knapp über dem Horizont stand der Stier, seine eigene beharrliche Konstellation. Mit einem Fernrohr und zu einer anderen Jahreszeit hätte er, in den mitfühlenden Fischen, Uranus sehen können, den Planeten des plötzlichen Einfalls.

«Die Untersuchung», hauchte er, «die war nicht nur medizinisch. Und du warst nicht allein. Da war noch jemand dabei.»

Sie schaute zu ihm herab. Wegen des Aufpralls fehlte ihm noch die Stimme. Dennoch hatte sie ihn gehört.

Neben ihr erschienen drei fremde Gesichter, der Jüngste sprang auf die Balustrade. Er verlor den Halt und knallte auf den Boden wie ein *basejumper*, dessen Schirm sich nicht öffnet. Einen Meter rechts von Kasper, wo der Rasen aufhörte und die Fliesen aus Naturstein ihren Anfang nahmen. Kleine Unterschiede im Karma des Menschen, die entscheiden, ob wir uns erheben oder liegen bleiben.

«Eine Freundin», sagte Kasper, «blond wie die Kreidefelsen von Møn. Kühl wie ein Eiswinter. Scharf wie ein deutsches Rasiermesser.»

Über ihm glich sie Ophelia. Gegen Ende des vierten Akts. Wo der Prozess unumkehrbar geworden ist. Er hatte ins Schwarze getroffen.

Er kam auf die Beine. Wie Bambi auf dem Eis. Er wäre gerne gerannt. Aber zu mehr als einem *powerwalk* fehlten ihm die Kräfte.

13

Er rollte sich über die Gartenmauer und ließ sich in einen der schmalen Durchgänge zwischen Strandvej und Kystvej fallen. Er kam hoch, erreichte die Straße, die Taxe war weg. Er überquerte die Fahrbahn und erhöhte die Geschwindigkeit. Fürs Erste musste er sich in die Dunkelheit an der Trabrennbahn flüchten. In der Tiefe einer Einfahrt flammten Scheinwerfer auf, er tauchte in die Finsternis ab. Der Jaguar hatte bis vor das Haus zurückgesetzt, die Tür flog auf, er ließ sich auf den Rücksitz fallen.

«Ich habe das Radio auf 71 Megahertz eingestellt», sagte Franz Fieber. «Die Polizei ändert ihren Code einmal im Monat. Taxifahrer knacken ihn innerhalb von 24 Stunden. Sie haben das Revier in Gentofte angerufen, es hat zwei Wagen losgeschickt.»

Eine Funkstreife fuhr an der Einfahrt vorbei, bremste vor der Klinik, drei Beamte liefen ins Haus, eine Frau und zwei Männer. Dann hielt ein zweiter Wagen hinter dem ersten.

«Lass uns beten», sagte Kasper.

Die gelben Augen starrten ihn im Rückspiegel an. Voller Angst. Wenn junge Leute keinen Ausweg mehr sehen, drohen sie innerlich zu zerfallen.

«Die Frau, die du ausgesperrt hast. Sie hat gesehen, wie ich hier reinfuhr.»

«Eine Minute», sagte Kasper.

Er lehnte sich zurück. Betete. Im Stillen. Synchron mit dem Herzschlag. Herr, erbarme dich meiner. Er begegnete seiner Erschöpfung. Und der Angst um das Kind. Dem Hunger. Dem Alkohol. Dem Koffein. Dem Schmerz wegen des Sturzes. Dem Aufgeben. Der Demütigung, als 42-jähriger auf der Fahndungsliste zu stehen und durch Straßen und Gassen wetzen zu müssen. Und er begegnete dem naturwidrigen Trost des Gebets.

Ein Fingerknöchel klopfte an die Scheibe. Der Junge erstarrte. Kasper drückte auf den Schalter, das Fenster senkte sich.

Es war eine Frau um die Sechzig, die ihr Haar auf französische Art hochgesteckt hatte. Wegen der Dunkelheit war nicht zu erkennen, was sie trug, aber selbst wenn sie in Sack und Asche gegangen wäre, hätte sie einer Aristokratin in nichts nachgestanden.

«Ich kann mich nicht erinnern, einen Wagen bestellt zu haben», sagte sie.

«Der Tag kann kommen», entgegnete Kasper, «an dem Sie wünschten, Sie hätten es getan.»

Sie lächelte. Sie hatte einen prachtvollen Mund. Er sah aus, als hätte er sechzig Jahre lang das Lächeln und Küssen geübt und hätte es darin bis zur Perfektion gebracht.

«Und wenn es so weit ist, versprechen Sie mir, dass Sie dann hier sein werden?», fragte sie.

Das Licht einer Taschenlampe huschte über die Torpfosten. Es gab keinen Ausweg.

«Ich versuche, ein Kind zu retten», sagte er. «Ich hab jetzt keine Zeit, ins Detail zu gehen. Durch einen Irrtum wird nach mir gefahndet.»

Sie starrte ihm in die Augen. Wie ein Augenarzt, der untersucht, ob man schielt. Dann richtete sie sich plötzlich auf und drehte sich um. Und ging den Polizisten entgegen.

Sie bewegte sich wie eine Primaballerina, die *à la couronne* ging. Sie erreichte die Torpfosten. Stellte sich den Beamten in den Weg und versperrte ihnen die Sicht. Sagte etwas. Gab einen graziösen Befehl. Drehte sich um.

Die Beamten überquerten den Strandvej, ohne sich umzublicken. Franz Fieber fiel hinterm Steuer ein Stein vom Herzen.

Kasper lehnte sich aus dem Fenster.

«Wenn meine Mission erfüllt ist», sagte er zu ihr, «und meine spanische Haftstrafe abgesessen, komme ich wieder. Und spendiere Ihnen ein Abendessen.»

«Und was soll ich meinem Mann sagen?»

«Können wir das nicht für uns behalten?»

Sie schüttelte den Kopf.

«Aufrichtigkeit ist das Entscheidende. Vor zehn Jahren hatten wir Silberhochzeit. Wir wollen noch die goldene feiern.»

Auf dem Bürgersteig standen zwei Polizisten. Wieder war der Ausgang versperrt.

«Ein großzügiges Herz wie das Ihre», sagte Kasper, «kennt die Nachbarn. Auch Lone Bohrfeldt von gegenüber.»

«Seit zwanzig Jahren», sagte sie. «Noch bevor sie berühmt wurde. Und hierherzog.»

«Sie hat bei allen Geburten meiner vier Jungs geholfen», sagte er. «Meine Frau und ich haben oft darüber gesprochen: Was treibt so eine Frau an? Bei den Geburten? Warum will man zweitausendmal dabei sein?»

Sie biss sich auf die Lippe.

«Es könnte das Geld sein», sagte sie. «Und die zu früh Geborenen. An denen ist sie sehr interessiert.»

Die Polizisten setzten sich in ihren Wagen und zogen ab, Franz Fieber ließ den Jaguar an. Der Weg war frei.

«Aber ein Autogramm ...», sagte sie.

Er durchwühlte seine Taschen, den Bon konnte er nicht entbehren, und Lottoscheine sollte man auch nicht ohne Not aus der Hand geben. Er riss seine Jackentasche heraus. Auf Stoff schrieb der Füllfederhalter ausgezeichnet.

«Auf meiner Seidenunterwäsche», sagte er. «In Sonntagsschrift.»

«Ich werde es auf der nackten Haut tragen.»

Der Jaguar machte einen Satz.

«Bleib da in der Einfahrt stehen», sagte Kasper. «Ich muss ihr die Hand küssen.»

Das Auto hielt. Er beugte sich aus dem Fenster und küsste ihr die Hand. Und schaute auf das Klingelschild. Es war ausgetauscht worden. Gegen ein «Zu verkaufen»-Schildchen. Er sah die Straße hinauf. Fünfzig Meter weiter in Richtung Trabrennbahn hielt ein dunkler Ford.

«Wenn du gleich mal hinter der Ecke halten könntest», sagte er.

Der Jaguar fuhr um die Ecke und hielt an. Kasper stieg aus, ging zurück und lugte vorsichtig über die Mauer. Der Ford hatte den Motor gestartet und rollte vorwärts. Die bejahrte Ballerina kam aus der Einfahrt, sie lief wie eine Zwanzigjährige und setzte sich neben den Fahrer.

Kasper rannte zum Jaguar zurück.

«Jemand ist hinter uns her», sagte er. «Der deine Kräfte übersteigt.»

Wie von einer Riesenhand ergriffen, sprang der Jaguar vorwärts. Hinter ihnen fegten Scheinwerferlichter über die Villen, die an der Promenade standen. Der Motor des Jaguars begann ein Crescendo, Franz Fieber riss das Steuer nach rechts, die Welt machte *tilt*, das Auto raste die Böschung zum Schlosspark hinauf und durchbrach die Hecke. Kaspers Hände fanden zwei Bügel, er schnallte sich damit an, Bäume und Büsche überall. Er beobachtete den Jungen vor sich, der einen konzentrierten, aber entspannten Eindruck machte. Hände und Beine tanzten über Pedale und Tasten, so muss es gewesen sein, wenn man Helmut Walcha zuschaute, der an der großen Orgel von St. Laurens in Alkmaar die *Kunst der Fuge* einspielte. Hunderte pneumatischer Hämmer bearbeiteten von außen die Karosserie. Der Jaguar machte eine Vollbremsung, die mit einem prasselnden Geräusch endete, als wären sie kopfüber im Reißwolf gelandet. Alles wurde schwarz.

Aber in der Finsternis erschienen einige Lichtpunkte, die sich zu einem kleinen runden Feld verdichteten, das Auto stand inmitten eines Rhododendrons, der Busch war geräumig wie eine Garage.

An dem Lichtfeld fuhr suchend der dunkle Ford vorbei.

«Wir hätten uns das Genick brechen können», sagte Kasper.

«Ich bete ohne Unterlass. Jesus erhört mich.»

Jedes Auto hat eine akustische Signatur, Kasper hörte den Ford zurückkommen, er musste gewendet haben, er rollte langsam an ihnen vorbei.

«Du bist doch vom Fach», sagte Kasper. «Wenn jemand zu

einem bestimmten Termin vom Sperrgebiet abgeholt werden soll – könntest du dann rauskriegen, wo und wann genau?»

«Wenn du mir einen Namen gibst.»

Er nannte ihm Stines Namen. Franz Fieber sprach kurz in sein Handy.

«Die Gewerkschaften verfügen über Taxigesellschaften. Cafeterien, Spielautomaten, nackte Gerüchte, solche Sachen. Und Informationen. Wir haben sie in ein paar Minuten.»

Kasper horchte auf den Verkehr auf dem Strandvej. Hier befand man sich doch in einer ganz anderen Galaxie als in Glostrup. Hier war der Sound geschmackvoll und gedämpft. Das weiche Klicken der Pumpe in der Hydraulik eines Rolls-Royce. Das komplexe und gleichzeitig sanft gezügelte Ungestüm eines Achtzylinder-Common-Rail-Motors. Automobile, die nicht gemacht werden, um gehört zu werden, sondern in Erscheinung zu treten, plötzlich, aus der Stille. Und wenn die Stille einmal gestört wird, dann durch etwas Persönliches, das animalische Knurren eines Ferraris oder das nostalgische, obertonähnliche Geheul vom luftgekühlten Vierzylinder-Boxermotor eines alten Käfers.

Und zwischen den Häusern war Platz für den Schall, der Nachklang nimmt proportional zum Raumvolumen zu, Kasper schloss die Augen. Er hätte Autos wie Charlie Chaplin besitzen können. Wie Bhagwan. Er hätte Leute anstellen können, um sie zu fahren und zu reparieren. Stattdessen hockte er hier.

Es wurde langsam Zeit, ein goldenes Ei zu legen.

«Das Glück», sagte er, «handelt nicht so sehr davon, was man zusammengekratzt und auf die Beine gestellt hat, sondern was man hat loslassen können.»

Er hörte einen fast lautlosen Dieselmotor, einen Mercedes, das schweigsamste aller Autos. Er hörte das stille Wirbeln des Windes um ein Verdeck. Ein Mercedes Coupé. Ein Wagen, wie er ihn auch gekauft hätte, wenn er Lone Bohrfeldt hieße. Er fuhr langsam und stoßweise. Wie er auch gefahren wäre, wenn er eine Verabredung mit sich selbst gehabt hätte. Und danach mit der Polizei.

Das Auto kam ins Lichtfeld und fuhr am Café *Jorden Rundt* vorbei, am Steuer saß eine Frau. Kasper setzte die Brille auf. Auf dem Nummernschild war ein kleines weißes Kreuz.

Kasper machte ein Zeichen, der Junge verstand augenblicklich. Der Jaguar kroch aus dem Gebüsch, dann gab er Gas. Kasper konnte sich nicht erklären, welchen Sinn der Junge dabei benutzte, alles war finster. Das Auto rammte die Hecke, rutschte über den Fahrradweg und verharrte einen Moment auf der Fahrbahn, zwischen dem Restaurant *Ved Stalden* und Dänemarks Aquarium. Auf der gläsernen Terrasse saßen zweihundert Menschen und hatten plötzlich das Kauen vergessen. Der Jaguar setzte sich wieder in Bewegung und bog auf den Strandvej, sie lagen fünf Autos hinter dem Coupé.

Franz Fieber telefonierte.

«Sie soll in einer Dreiviertelstunde abgeholt werden», sagte er. «Und ich habe die Fahrt übernommen.»

Bis zum Strandboulevard hielt der Jaguar Abstand. Das Auto vor ihnen setzte den linken Blinker, wegen Straßenarbeiten wurde der Verkehr nur auf einer Spur weitergeleitet, sie waren zehn Autos von dem kleinen Mercedes entfernt, und als sie an die Middelfartsgade kamen, war er weg.

Kasper konnte sich gut an die Gegend erinnern. Zur Zeit der ersten Zirkusvorstellungen im alten Gaswerk, wo es kaum Garderoben gegeben hatte, hatte er hier, um seinen Ohren Erholung zu gönnen, kurze Spaziergänge unternommen. Er gab dem Jungen ein Zeichen, der Jaguar machte in einem schönen u-förmigen Bogen kehrt, rollte am Gaswerksgelände entlang und hielt an.

Kasper war schon draußen, ehe das Auto zum Stillstand gekommen war. Er sprang über den Zaun, kletterte die steile, lehmige Eisenbahnböschung hinauf und erreichte den hochgelegenen Gleiskörper. Er lief in nördlicher Richtung, sprang von Schwelle zu Schwelle, bis zu seiner Linken der offene Sportplatzbereich lag. Dort ging er in die Hocke.

Er hörte sie, noch ehe er sie sah. Sie war nicht auf das Freihafengelände abgebogen, sondern fuhr den Skudehavnsvej hinaus.

Das Auto verschwand hinter dem Bürogebäude am Containerhafen. Aber er wusste ungefähr, wohin sie wollte. Sie wollte zur Landspitze Tippen.

Doch die Tippen gab es nicht mehr. Sie war verschwunden, seit er Dänemark zuletzt verlassen hatte. Dafür stand da jetzt etwas anderes.

Die Neubauten versperrten die Sicht aufs Meer. Aber zwischen zwei Häusern hindurch konnte er die Auffüllung erkennen. Sie war vor einen Komplex mit vierstöckigen Bürogebäuden geschüttet worden und reichte fünfzig bis hundert Meter ins Meer hinaus.

Es war die Stelle, an der sich die Kreise auf Stines Messtischblatt überschnitten hatten. Er hatte doch richtig gehört.

Er ging langsam zurück. Vor ihm erstreckte sich Kopenhagen. Die langen, gelblichen Lichterketten der Ausfallstraßen. Ein kalziumweißer und diodenblauer Schimmer über der Innenstadt, mit dem schwarzen Loch über dem Sperrgebiet, ein Lichtvakuum. Dahinter, von Halogenscheinwerfern beleuchtet, die weißen Mauern der Müllverbrennungsanlagen, monumental wie Tempel. Hinter ihnen Amager wie eine orangefarbene Druckplatte aus Licht. Eingerahmt von den langen Bahnen der Anfluglichter von Kastrup, wie einige Meter über dem Meer schwebende Brücken aus Licht.

Er rutschte die Böschung zum Drahtzaun hinunter, der das Sportplatzgelände umgab, auf diese Weise gelangte er hinter dem Jaguar auf die Middelfartsgade. Geduckt lief er auf das Auto zu. Neben der Fahrertür richtete er sich auf. Und legte die Ellbogen in das offene Seitenfenster.

«Ich habe ein bisschen was von meinem jugendlichen Gehör bewahrt», sagte er. «Vorhin, als du telefoniert hast und die Info bekamst, wo sie abgeholt werden soll, ja? Da war keiner am anderen Ende. So, wir haben jetzt also zwei Vertrauensbrüche. Das und die Frage, wie du eigentlich meine Bestellung erhalten hast. Das tut mir im Herzen weh.»

Er riss die Tür auf, packte den Fahrer am Hemd und zog ihn aus seinem Sitz. Zwanzig Zentimeter konnte er den Körper anheben, dann saß er fest. Kasper schaute nach unten, beide Beine waren unter den Knien amputiert und an verlängerten Pedalen befestigt. In der Tür steckten zwei Plastikprothesen und zwei ineinandergeschobene Krücken.

Er ließ den Torso fallen. Franz Fieber rutschte in seinen Sitz zurück. Die gelben Augen leuchteten.

«Du bist selber Artist gewesen», sagte der Junge. «Ich weiß alles über dich. Ein bisschen technisches Pech, und es hätte dich erwischen können. Dann säßest du hier mit einer Behindertenkonzession. Du siehst dich selbst, wenn du mich anschaust.»

Kasper drehte sich um und ging in Richtung Strandboulevard. Der Jaguar schloss gemächlich zu ihm auf.

«Sie soll in dreißig Minuten abgeholt werden. Und nur Taxen dürfen hinein. Das heißt, entweder kannst du dein geknicktes Herz nach Glostrup tragen. Oder du steigst ein. Zu einem groben Lügner.»

Kasper stieg ein.

An der Kreuzung Århusgade hielten sie bei Rot.

«Was wurde auf Tippen gebaut», fragte Kasper.

«Eine Art Bank. Zu der wollte die Ärztin. Ich habe sie hingefahren. Zweimal.»

«Du kannst dich geirrt haben.»

Franz drückte seinen Rücken durch wie der Tapfere Landsoldat.

Kasper sah auf die Uhr im Armaturenbrett.

«Schaffen wir es in dreißig Minuten bis zum Meer?»

Vom Osloplatz wälzte sich ihnen eine wahre Blechlawine entgegen. Kurz bevor sie von ihr überrollt wurden, überfuhr der Jaguar die rote Ampel und bog ab.

14

Sie fuhren durch die Einfahrt des Freihafens. An der Rentenversicherungsanstalt und dem Restaurant *Paustian* vorbei. In Kaspers Kindheit hatten kleinere Zirkusse ihr Winterquartier im Nord- und Südhafen aufgeschlagen. Damals hatte über dem Gebiet ein Klang von nicht geschmierten Spills, Kohlenkränen, Holzschuhstiefeln, Zweitakter-Dieselmotoren, Dampfpfeifen gehangen. Jetzt hörte er sausende Aufzüge. Schallgedämpfte Ventilationssysteme. Das kosmische Flüstern von tausend Tonnen Informationstechnologie.

Sie bogen nach Osten ab. Auf der andern Seite des Kalkbrennereihafens erhob sich das Svanemøllewerk wie eine elektrische Kathedrale. Der Jaguar fuhr an die Seite.

«Willkommen daheim», sagte Franz Fieber. «Dort, wo das Geld wohnt.»

Damals hatten an Tippen noch ein paar olle Kutter vor sich hin gerostet, auf einem Grasfeld, das zu einem Strand hinabgeführt hatte. Seitdem hatte sich einiges geändert.

Die Straße, auf der sie hielten, war neu und schnurgerade. Der Asphalt hatte den satten Glanz einer mattschwarzen Perle. Richtung Norden, zum Öresund hin, waren Bürodomizile erbaut worden. Kostbar und zeitlos, in Glas und Granit, wie sieben Stock hohe Grabsteine. Linker Hand lagen Geschäfte und Restaurants, eben eröffnet, einige wenige waren noch nicht verpachtet. Der Jaguar stand vor einer fünf mal acht Meter großen Scheibe ohne Sprossen, einem ungeteilten Stück Spiegelglas, hinter dem auf dunklem Grund eine Krawatte hing, einsam und von Spots bestrahlt. Das Nachbargeschäft war eine Chocolaterie. In vier Vitrinen vor dunkelblauem Hintergrund thronten hundert mal fünfundsechzig Zentimeter große gefüllte Ostereier auf halbkugelförmigen Messingböden, die in Kästen aus Edelholz ruhten.

Kasper lauschte der Musik, die der Ort ausstrahlte. Die Restaurants. Die Menschen. In einigen Stunden würde sie verstummen. Aber im Moment war sie auf ihrem Höhepunkt.

«Jesus», sagte Franz Fieber, «trieb die Händler zum Tempel hinaus.»

«Er hatte einen schlechten Tag», sagte Kasper. «Wahrscheinlich hatte er sein Taschengeld verjubelt.»

Auf seinen Wink rollte der Jaguar langsam vorwärts. Kasper betrachtete die Firmenschilder. Die Gebäude beherbergten Werbeagenturen, Wirtschaftsprüfer, große Anwaltskanzleien. IT-Unternehmen.

Der Wagen hielt an.

«Dort», sagte Franz Fieber.

Er zeigte auf die Bauten, die Kasper von den hochgelegenen Bahngleisen aus gesehen hatte. Ein Komplex aus schwarzen und dunkelgrauen Gebäuden, die sich teilweise bis zur Auffüllung hin erstreckten. Der Bereich war von einer Mauer umgeben, niedrig genug, um nicht festungsartig zu wirken. Aber hoch genug, um einen Stabhochspringer abzuhalten. Und einem die Aussicht zu nehmen. Am Ufer stand ein Turm, hoch wie die Schornsteine des Svanemøllewerks, seine Sockel strebten empor, als wollte der Turm vom Boden abheben. Er hätte die Gralsburg im *Parsifal* abgeben können.

«Konon», sagte Franz Fieber, «eine Art Bank. Sie arbeiten rund um die Uhr. Wir haben ständig Fahrten hier raus.»

«Der Name gefällt mir», sagte Kasper. «Hat was mit Ganzheit zu tun. Für unsereinen, der fließend Latein spricht.»

Ein Streifenwagen rollte an ihnen vorbei, wurde noch langsamer, setzte seine Fahrt aber, durch das Taxischild beruhigt, fort. Ein Lieferwagen von Jonex überholte sie suchend. Kasper betrachtete die Gebäude. Zwei Drittel der Fassaden bestanden aus Glas.

«Wir müssen aufpassen, wo der Wagen reinfährt», sagte er.

Der Jaguar schlich hundert Meter vorwärts. Der Lieferwagen bog um die Ecke, sie fuhren langsam an der Straße vorbei, es war eine Magnolienbaumallee, die bis zum Wasser hinunterführte. Fünfzig Meter weiter schwenkte ein Stück Mauer zur Seite, der Lieferwagen fuhr hinein. Kasper erkannte ein doppeltes Gittertor, Überwachungskameras und Männer in grünen Uniformen. Und weiter drinnen im Dunkeln etwas, das ein Mercedes Coupé sein konnte.

«Als ich klein war», sagte er, «übernahmen die Artistenkinder jede Arbeit, die gerade anfiel. Bis sie alt genug waren, um selbst aufzutreten. Ich hatte ein Klettertalent. Also putzte ich Fenster. Die ganze Ausrüstung kam damals schon von der Jonex AG in Vesterbro. Erst deine Generation und die noch Jüngeren haben alles geschenkt bekommen.»

Der Jaguar wendete. Die Mauer war noch offen. Aus dem Tor fuhren nacheinander zwei Kastenwagen heraus, schwarz und gepflegt, sie sahen aus wie Leichenwagen. Auf dem schwarzen Lack stand in goldenen Buchstaben *Leisemeer Catering.*

Kasper ließ das Fenster herunter und lauschte, während sie das Gebäude passierten. Er hörte einen kräftigen Elektromotor. Gummi gegen Glas. Er brauchte ein Weilchen, um die Geräuschquelle zu orten. Es war der Korb eines Fensterputzers. Es war keine angenehme Arbeitszeit. Aber es war notwendig. Über den Daumen gepeilt, bestanden die Fassaden aus mindestens sechstausend Quadratmetern Glas. Und der Nachtimbiss war lecker.

«Ich arbeite seit meinem zwölften Lebensjahr», sagte Franz Fieber. «Bis heute. Ohne Pause.»

Sie fuhren zum Berlingske Hus hinunter. Franz Fieber reichte eine Decke nach hinten. Kasper legte sich auf den Wagenboden und zog die Decke über sich. Der Jaguar hielt, er hörte gedämpfte Stimmen, sie rollten langsam weiter, hielten, fuhren, hielten, der Motor wurde ausgeschaltet. Kasper setzte sich auf. Sie hielten auf einem kleinen, unbeleuchteten Parkplatz, der von einer Sperrholzabsperrung umgeben war. Die Erde vibrierte, die Erschütterungen wurden von einem Geräusch begleitet, das er nicht bestimmen konnte. Er sah auf die Uhr am Armaturenbrett. Noch zehn Minuten.

Franz Fieber reichte eine flache Flasche nach hinten, Kasper schnupperte und trank, es war Armagnac. Wie bei Gurdieff. Nicht so viele Obertöne wie ein Kognak. Aber mit dem rustikalen, weichen Bass der doppelt fortgesetzten Destillation. Franz Fieber schenkte aus einer Thermoskanne in einen Papierbecher ein, Kasper trank. Brühheißer Espresso, brutaler als der Schnaps.

«Was hört man, wenn man der Stadt lauscht?»

Nur wenige Menschen wussten genug, um ihm diese Frage zu stellen, der Junge sollte eigentlich nicht dazugehören.

«Leben und fröhliche Tage.»

«Und dahinter?»

Das unverschämte Leuchten war verloschen. Die Frage kam aus dem tiefsten Innern. Wenn Menschen aus dieser Tiefe fragen, muss man antworten.

«Angst», sagte Kasper. «Dieselbe Angst wie bei jedem einzelnen Menschen. Aber malgenommen mit anderthalb Millionen.»

«Und hinter der Angst?»

«Wer sagt, dass dahinter noch was ist? Vielleicht ist die Angst das Letzte.»

Kasper stieg aus dem Auto.

«Wir haben dir unsere Karte hochgeschickt», sagte Franz Fieber. «Nach der Vorstellung. An allen fünf Abenden. Wir hätten dir gern die Hand geschüttelt.»

Die Tür flog auf. Franz Fieber befreite sich von den Pedalen, schnallte die Prothesen an, zog die Krücken auseinander und stellte sich hin. Alles in einer einzigen fließenden Bewegung.

«Die wurden nicht weitergegeben», sagte Kasper.

«1999 habe ich dich zum ersten Mal gesehen. Im *Zirkusgebäude* in Kopenhagen. Das war einer der Gründe, warum ich zum Varieté übergewechselt bin. Nicht nur wegen des Geldes. Es waren zweitausend Zuschauer. Du hast jeden Einzelnen von uns gehört.»

Kasper wich zurück.

«Niemand kann zweitausend Menschen hören», sagte er.

Franz Fieber folgte ihm.

«Nach etwa zwanzig Minuten kam ein besonderer Augenblick. Vielleicht zwei Minuten lang. Das war Liebe. Du hast jeden Einzelnen von uns geliebt.»

«Du bist nicht ganz dicht», sagte Kasper. «Niemand kann so viele Menschen lieben.»

Er stieß mit dem Rücken gegen die Sperrholzwand. Der Junge stand direkt vor ihm.

«Ich kenne das. Deshalb bin ich auch Rennen gefahren. Weißt du, was mein Prinzip war? Die Kurven. Ich fing dort an zu bremsen, wo die anderen Spuren endeten. Ich konnte hören, wie zwanzigtausend Menschen nach Luft schnappten. Und dann schrien. Sie wussten, ich hatte es für sie getan. Nicht nur für das Geld und mich selber. Dafür habe ich gelebt. Das war Liebe. Ich bin ein Suchender. Auf der Suche nach der Liebe.»

Er lächelte. Das Lächeln hätte ihn Kaspers Meinung nach den Führerschein kosten sollen.

Der Junge hatte einen Sicherheitsschlüssel in der Hand. Er schloss eine Tür in der Absperrung auf. Wies nach links.

«Fünf Minuten. Pass auf sie auf!»

Ohne das Gleichgewicht zu verlieren und ohne die Krücken fallen zu lassen, zog er die Jacke mit den Taxiabzeichen aus und gab sie Kasper. Das gelbe Warnlicht blitzte wieder in seinen Augen auf.

«Denk daran, wie viel berühmte Künstler bei Verkehrsunfällen umgekommen sind», sagte er. «Du verlässt einen Bürgersteig. Bis zur andern Straßenseite sind es nur zehn Meter. Und du kommst nie an.»

Er wandte sich um.

«Ich dachte, du suchst nach Liebe.»

«Gottes Liebe», sagte der Junge, ohne sich noch einmal umzudrehen. «Den einzelnen Menschen kann man entbehren.»

Kasper starrte dem Rücken hinterher, der sich entfernte. Es ist gar nicht schön für einen großen Artisten, auf die Abschiedsreplik verzichten zu müssen.

«Denk an das Gebet», sagte er. «Denn eines Tages kommt plötzlich wieder etwas, das sich dir wie ein Stempel aufdrückt.»

Er zog die Taxifahrerjacke an und trat durch die Tür.

15 |

Natürlich hatte er schon Tausende von Bildern gesehen, aber dieser Anblick brachte ihn aus der Fassung. Er hielt inne. Mit wehem Herzen. Angesichts seiner Schönheit und seiner Tragik.

Das Meer hatte Kopenhagen überflutet. Die Kanäle, die Bürgersteige, die Fahrbahn, alles verschwunden. Vor seinen Füßen erstreckte sich ein endloser Wasserspiegel von Holmens Kanal bis zu den Renaissancefassaden an der Strandgade.

Auf diesem Spiegel schwamm die Börse. Und Schloss Christiansborg. Und, wie ein großer Eichenstamm, die Holmenskirche.

Er stand neben dem Gebäude der Treuhand. Vor ihm, das musste die Verwerfungslinie gewesen sein, jetzt war es eine Böschung, die vielleicht drei Meter sachte zum Wasserspiegel abfiel, aus der allerdings Stümpfe zertrennter Kabel und Gasleitungen ragten.

Die Akustik traf ihn unmittelbar ins Herz. Stille Wasserflächen reflektieren stark. Der Raum vor ihm hatte einen so reichen Klang wie der Saal des Musikvereins in Wien, nur hundertmal mehr. Befreit vom Verkehr. Wie Venedig.

Das Gebiet war von Arbeitslampen erhellt. Jetzt nahm er auch die Erschütterungen unter sich wahr. Sie mussten von Hunderten hydraulischer Entwässerungspumpen herrühren.

Ihr tiefer Bass wurde regelmäßig von einem hellen Knallen unterbrochen, scharf wie eine Explosion. Auf der Höhe der Nationalbank waren mehrere Arbeitstrupps in orangefarbener Warnkleidung damit beschäftigt, von einer schwimmenden Plattform aus Spundwände in den Grund zu rammen.

Ein schweres Glasfiberboot mit niedriger Reling setzte eine der orangefarbenen Gestalten an Land, die gleich einer Flamme auf Benzin die Böschung hinaufhuschte. Kasper trabte los.

Der Bootsführer blickte unruhig zu ihm herüber, die Gesichtshaut des Mannes hatte die Farbe frischgekochter roter Bete, in die als Augen zwei Türkise gesteckt worden waren. Kasper zeigte auf seine Taxiabzeichen, der Mann nickte.

Die orangene Gestalt hatte nur eine Minute Vorsprung, als er die Baucontainer erreichte, die an der Böschung aufgestapelt waren, vor einer Hauswand, die einst zum Königlichen Theater gehört haben musste. Die Treppe unter ihm gab keinen Mucks von sich. Die Tür war nicht abgeschlossen, er trat ein.

Die Atmosphäre triefte von Wasser. Die Luft war heiß, feucht und undurchdringlich wie in einem Dampfbad. Das Plätschern des Wassers verschluckte seine Schritte. Verschluckte das leise Klicken, als er die Tür hinter sich zuzog. Das Göttliche hat eine Vorliebe für Saunen. Bei Gurdieff in Le Prieuré hatte es ein Dampfbad gegeben. Im Valamokloster drei Saunen. Ein russisches Bad bei der Newskikirche in der Bredgade. Und Schwitzhütten bei den Schamanen.

Im Nebel leuchtete etwas auf. Am Ende des Gangs wurde ein Overall abgestreift.

Die Gestalt vor ihm trat zurück. Es war eine Frau.

Ohne sich umzudrehen, nahm sie ein Handtuch und ging in den Baderaum. Er folgte ihr langsam.

Der Raum hatte sechs Duschen. Aus allen lief heißes Wasser. Der Dampf war so dicht, dass er im Hals brannte. Zuerst konnte er sie nicht sehen. Dann trat sie rückwärts aus der Dusche. Mit einer langen, gebogenen Holzbürste seifte sie sich ein. Methodisch. Nach und nach löste sie sich unter einer dünnen Schicht aus Blasen auf. Sie trat in den Dampf zurück, die Auflösung war vollkommen, sie war verschwunden.

Er rührte sich nicht. Auf einmal wurde das Wasser abgedreht. Ein Entlüfter saugte den Dampf ab. Der Raum war leer.

Er registrierte eine Berührung. Wie eine Liebkosung. Ein Handtuch wurde ihm von hinten um die Knöchel gelegt. Dann wurden ihm die Beine weggezogen.

Er konnte gerade noch die Hände vors Gesicht reißen. Trotzdem war es ein harter Sturz. Nur mit Mühe konnte er sich aufsetzen.

«Haben Sie sich verirrt?»

Sie hielt die schwere, gebogene Bürste in der Hand.

Dann erkannte sie ihn. Sie wich zurück, als hätte sie einen Schlag erhalten. Aus ihrem nassen Haar lief Wasser über ihr Gesicht, für einen kurzen Moment erinnerte sie an eine Ertrinkende. Dann fing sie sich wieder.

«Ich muss mit dir sprechen», sagte er.

«Ausgeschlossen.»

Jemand klopfte an die Tür.

«Journalisten», sagte er. «Sie sind hinter mir her.»

Sie wurde noch blasser als ohnehin schon.

«Deine Telefonnummer», sagte er. «Eine Adresse. Bitte!»

«Es ist Schluss. Verstehst du, absolut Schluss.»

«Ich bin ein neuer Mensch. Wiedergeboren. Es ist alles anders geworden.»

Sie bleckte die Zähne. Wie ein Tier. Langsam verlor er die Kontrolle über die Situation.

«Ich werfe mich in die Arme der Presse», sagte er. «Ich erzähle ihnen alles. Meine wilde Sehnsucht. Wie ich den bewaffneten Wachen trotzte. Den Bluthunden. Dem elektrischen Zaun. Nur, um dir eine Karte zu geben, eine lebenswichtige Nachricht. Wie du mich rausgeworfen hast. Und die Henker gerufen hast. Wir kommen auf die Titelseite.»

In ihren Augen zeigte sich Verwunderung.

«Du bringst das fertig», sagte sie. «Du würdest das wirklich tun!»

«Eine halbe Stunde. Nur eine halbe Stunde!»

Sie holte einen Zimmermannsstift aus dem Overall. Er gab ihr den Lottoschein. Ihre Hände zitterten beim Schreiben.

Es wurde an die Tür gehämmert. Sie hüllte sich in ein Handtuch, führte ihn durch den Duschraum und öffnete ihm die Tür, die er übersehen hatte. Sie betraten einen schmalen Gang, von dem eine weitere Tür auf die Überreste einer Straße führte, die einmal die Tordenskjoldsgade gewesen war. Hinter ihnen wurde eine Tür aufgeschlossen.

Sie hatte sorgfältig vermieden, ihn auch nur zu streifen. Jetzt hielt sie die Spitze des Zimmermannsstifts wie ein Springmesser an seine Wange.

«Eine halbe Stunde», hauchte sie. «Und dann sehe ich dich nie wieder.»

16| Zwischen dem letzten Bus in der Nacht und dem ersten am Morgen liegt ein gefährliches schwarzes Loch von zwei verfrorenen Stunden, er war nicht hineingefallen, er hatte den letzten Nachtbus erreicht. Er war in einem Bogen über das Industriegelände gegangen und war am Zaun stehen geblieben. Alles Lebendige hinterlässt ein Echo, er hatte nichts gehört. Bis die Ausweisung in Kraft trat, blieben noch zwei Stunden, er hätte essen und schlafen sollen, er tat es nicht. Er hatte seine Trainingssachen herausgeholt und zog sich um.

In der Manege schaltete er Richter an und auf dem Klavier die Leuchte am Notenpult.

Er begann mit den Balanceübungen. Dreißig Jahre lang hatte er sie jeden Morgen durchgeführt, ohne sie auch nur einmal zu überspringen. Zuerst die zähen, algebraisch festgelegten, vertikalen Bewegungen des klassischen Ballettunterrichts an der Stange. Dann lange, gleitende *legato*-Serien an der Bande entlang. Zuletzt wollte er seine Zirkusschuhe anziehen. Für ihn genäht. Größe 54. Groß, ohne anmaßend zu sein.

Beim Balancieren und Beten wird man mit sich selbst konfrontiert. Hinter der muskulären und geistigen Anspannung muss es einen Punkt unbeschwerter Ruhe geben. In diesem Punkt begegnet man sich selbst.

Das Gebet begann spontan, zunächst synchron mit dem Herzschlag, gleich würde es sich davon frei machen. Er fühlte Dankbarkeit. Er war am Leben. Er hatte einen Körper. Er hatte Richters Einspielung des *Wohltemperierten*. Er hatte noch zwei Stunden. Und was am meisten zählte: Er hatte eine Telefonnummer. Einen Fuß in der Tür. Die zu ihr führte.

Und irgendwo hatte er noch ein Publikum. «Das Publikum ist die Hälfte meiner Persönlichkeit.» Hatte Grock gesagt. Er wandte sich zu den Zuschauerplätzen und breitete die Arme aus. Er liebte sie alle. Auch jetzt, wo sie gar nicht da waren.

Doch, sie waren da. Der Raum war nicht leer.

Durch die giftige Kombination aus Sand und Zeltplane haben die meisten Zirkusmanegen eine trockene Akustik. Die große, depressive Lebensaufgabe des Musikclowns besteht in dem Versuch, bis in die obersten Reihen hinaufzuspielen. Dieser Raum war anders. Die Wände bestanden aus furnierten hohlen Platten, sie absorbierten die tiefen Töne, was eine Menge waagerechter Echos ergab. In diesem Raum hatte er sich immer wie eine Fledermaus orientieren können, auch jetzt.

Er schaltete Richter aus, ging rückwärts zu der Säule mit den elektrischen Sammelschaltern, machte das Licht an.

Es waren zwei. Der Mann mit dem Hörgerät saß da, als hätte er seinen Platz am Notausgang nie verlassen. Der andere, groß und blond, eilte mit ausgestreckter Hand durch den Mittelgang.

«Es ist mir eine Ehre. Als ich Sie das erste Mal sah, war ich noch ein kleiner Junge. Seitdem habe ich Sie immer wieder gesehen.»

Kasper trat zur Seite und lehnte sich ans Klavier. Damit es zwischen ihnen stand.

«Wir kommen aus einem erfreulichen Anlass», sagte der Blonde. «Wir vertreten den Vorstand einer gemeinnützigen Stiftung. Sie vergibt Ehrenstipendien an Artisten. Und der Vorstand hat Ihnen ein Stipendium von 25000 Kronen gewährt.»

Kaspers Hände tasteten nach der Klavierabdeckung. Fünfzehn Kilo Palisander mit einer Messingkante, scharf wie die Klinge einer altmodischen Brotmaschine.

Ein Bündel Tausendkronenscheine häufte sich auf dem Klavier.

«Was für eine Stiftung?»

«Der Vorstand möchte gerne anonym bleiben. Wenn Sie bitte quittieren wollen.»

Ein Blatt Papier wurde ins Licht gelegt, oben auf das Geldbündel. Ohne Briefkopf. Kasper setzte sich die Brille auf. Er hob das

Blatt in die Höhe, damit er die beiden Männer beim Lesen im Auge behalten konnte.

Es war eine eidesstattliche Versicherung. Dass KlaraMaria, als er sie im April unterrichtete, gesund und munter und ohne jedes Zeichen eines leiblichen Schadens gewesen sei.

«Geben Sie mir eine Adresse?», fragte er. «An die ich Premierenkarten schicken kann?»

Der Blonde schüttelte den Kopf.

Kaspers Hände suchten die Tasten. Entlockten dem Klavier eine Choralbearbeitung von *Jesu bleibet meine Freude.* Man musste Bach für seinen Realitätssinn bewundern. Dafür, dass er Darsteller und Komponist war, ohne zu vergessen, dass er davon auch leben musste. Es war ein Balanceakt gewesen. Sämtliche Talente bis zum Äußersten gespannt. Und im innersten Innern ein Punkt in vollkommener Ruhe. Ein Punkt, der weiß, dass wir, einerlei, was im Augenblick geschieht, auch morgen noch in der Lage sein müssen, uns satt zu essen.

Dennoch. Der Choral schlängelte sich zwischen seinen Fingern. Zu einer solchen Musik konnte man keinen Meineid leisten. Nur Liebeserklärungen abgeben.

«Ich arbeite mit Numerologie», sagte er. «Quantennumerologie. An ungeraden Tagen unterschreibe ich nichts.»

Der blonde Mann lächelte.

«Vielleicht fehlen noch fünfzehntausend», sagte er.

«Vielleicht.»

Er legte noch ein Bündel Geldscheine aufs Klavier.

«Hat nicht geholfen», sagte Kasper.

Das Lächeln vor ihm wurde merklich dünner. Der Mann mit dem Hörgerät hatte sich erhoben.

Ohne etwas anderes als die Finger zu bewegen, hob Kasper den Deckel aus den Scharnieren. Lehnte ihn an den Notenhalter.

«Du behältst es trotzdem», sagte der Blonde.

Die beiden Männer gingen langsam zum Ausgang. Kasper balancierte den Deckel auf den Tasten. Folgte ihnen.

Sie waren durch das Tor gekommen, das an der Eisenbahn lag, das Kettenschloss war mit einem Bolzenschneider geknackt worden und lag im Gras. Draußen stand ein BMW. Lang, niedrig, königsblau. Wie die Farbe, in welcher der Himmel nun aufleuchtete.

Kasper hielt die Tür auf. Sie stiegen ein. Der Mann mit dem Hörgerät hatte den Blick nicht von ihm genommen.

«Er starrt mich an», sagte Kasper.

«Du hast ein bekanntes Gesicht. Für so was hat Ernst eine Ader. Und du hast ein ehrliches Gesicht. Dem noch nie jemand etwas zuleide getan hat.»

Die Tür fiel ins Schloss. Das Autofenster senkte sich.

«Was wir kaufen», sagte der blonde Mann, «ist: Schluss mit den Anrufen! In der Schule und so.»

Harlekin kann eine endlose Reihe von Demütigungen ertragen. Wer ohne Stolz ist, ist unverwundbar, Harlekin war ein Ideal. Aber noch weit weg.

«Ich überlege mir, in Johnny Reimars Schlümpfe-Show einzusteigen», sagte Kasper. «Mit dem Geld vom Stipendium. Ich bräuchte dann noch 'ne menschliche Füllung. Für die Schlumpfkostüme. Ihr könntet direktemang auf die Bühne gehen. Sagt mir einfach Bescheid. Wenn ihr auf der Straße steht.»

Das Fenster fuhr hoch, der Wagen rollte an. Kasper verneigte sich und grüßte höflich.

Es war das mindeste, was man tun konnte. Bach hätte es auch getan. Für vierzigtausend.

17 | Seine Beine zitterten, als er zurückging. Er hatte die Hand an der Tür, als er das Auto hörte, einen Ford Granada Kombi.

Er ging hinein, machte den CD-Spieler aus, sammelte das Geld ein, löschte das Licht und schloss die Tür ab.

Das Wohnmobil zu erreichen war unmöglich, er rannte in den Stall, raffte die Bettwäsche zusammen, stieg die Leiter zur Luke hinauf, wälzte sich auf den Dachboden. Er zog die Leiter zu sich herauf, klappte die Falltür zu.

Der Boden erstreckte sich über die ganze Länge des Gebäudes. Abgesehen von einem schmalen Durchgang an der Abseite entlang, war er von Schräge zu Schräge mit Stapeln aus zusammengefaltetem gummierten Kanevas bedeckt, aus dem zusammen mit den Stahl- und Holzteilen zwei mittelgroße Zelte errichtet werden konnten. Vor dem Giebel befand sich in Bodenhöhe eine Reihe Stallfenster, von dort konnte er sein Wohnmobil sehen.

Es waren sechs Männer plus Daffy, alle in Zivil. Mørk, die beiden Mönche aus der Ausländerabteilung und drei Techniker mit dicken schwarzen Diplomatenkoffern. Der eine trug vier Ständer mit Fotolampen.

Sie klopften, aber sie wussten, dass er nicht da war. Kasper sah Daffy protestieren. Der Verwalter hatte einen Mantel an, den Kasper noch nie gesehen hatte, aus Kamelhaar, höchst lautstark, ein Exhibitionistenmantel für einen Werbeagenturchef. Sie knackten die Tür mit einer Pickpistole, Daffy musste ihnen den Schlüssel verweigert haben, er drängelte sich hinter den Technikern mit hinein, einen Augenblick später wurde er hinausgeführt.

Kasper bereitete sich ein Lager aus Kanevas. Wickelte sich in die Decke.

Die Mönche kamen heraus und setzten sich auf die Bank. Die

Techniker zapften den Strom für die Lampen an einem der Kästen. Kasper stellte den Weckalarm an seiner Armbanduhr ein. Holte sein Telefon aus der Tasche. Und den Lottoschein, den Stine beschrieben hatte. Wählte ihre Nummer.

Sie nahm sofort ab. Sie hatte nicht schlafen können. Trotzdem klang ihre Stimme nicht müde, keine Spur.

Er sah zu seinem Wagen hinüber. Sie hatten die Lampen angeschaltet. Das Licht drang durch die Läden, weiß und strahlend.

«Gerne bei dir», sagte er. «Bei mir sind die Handwerker.»

«Es muss ein Lokal sein», sagte sie. «Es müssen andere Menschen da sein.»

Er nannte ihr eine Adresse.

«Ist es dort anonym?»

«Wie in einer Espressobar.»

«Um acht», sagte sie.

Dann legte sie auf.

Kasper wählte die Nummer auf dem Taxigutschein. Dreißig Meter von ihm entfernt trat Mørk aus dem Wohnmobil, das Handy am Ohr.

«Erzählen Sie mir was über Kain», sagte Kasper.

Erst war es still.

«Was bekomme ich dafür?», fragte der Beamte.

«Eine Information über das Mädchen.»

Der andere schwieg, aber Kasper hörte, wie er darüber nachgrübelte, wer wohl die besseren Karten hatte.

«Seit 2006 untersucht Europol die Kriminalität in Europa. Ein durchgehendes Muster ist, dass die internationale Kriminalität nicht mehr hierarchisch strukturiert ist. Sie ist in Zellen organisiert, die sich untereinander nicht kennen. Aber irgendwo laufen die Fäden zusammen. Kain ist so eine Stelle. Und jetzt zum Mädchen.»

«Vorgestern sucht sie mich auf. Begleitet von zwei Erwachsenen. Sagt, sie sei entführt worden. Sie kommen in einem gestohlenen Volvo. Seitdem habe ich sie nicht mehr gesehen.»

Durch das Fenster beobachtet Kasper, dass Mørk einem der Mönche ein Zeichen gibt. Jetzt würden sie versuchen, den Anruf zu lokalisieren. Er unterbrach die Verbindung.

Er lehnte sich gegen die Zeltbahn hinter sich. Es wäre sicherer gewesen, sich in einer Menschenmenge zu verstecken. Aber dazu hatte er nicht die Kraft. Er musste unbedingt schlafen. Er machte die Augen zu. Sprach sein Abendgebet. Die Worte lauteten *Herz und Mund und Tat und Leben*, die Musik war von Bach, Kantate BWV 147, Kaspers Favoritin unter den Mühlhausener Kantaten. Auf dieser Rutsche glitt er in den Schlaf.

An der Pforte zum Schlaf saß KlaraMaria. So, wie sie dagesessen hatte, als er ihr zum zweiten Mal begegnet war.

ZWEITER TEIL

1 | Es war Nacht gewesen, finstre Seelennacht. Der C.F. Richsvej war menschenleer, hinter zugezogenen Gardinen schliefen sorglose Eltern und rotwangige Kinder, sein Publikum, nicht wissend, dass hier draußen Kasper Krone seine *via dolorosa* durchschritt, durchgefroren und ohne Geld für ein Taxi, nachdem er zum ersten Mal seit zehn Jahren beim Pokern verloren hatte.

Poker war Kaspers Spiel und war es immer gewesen. Poker hatte eine Tiefe und Komplexität wie Bachs Musik, ein sicher angesagtes und rhythmisch gespieltes Blatt dauerte etwa so lange wie eine der kleinen Choralbearbeitungen, Bach hätte einen großartigen Pokerspieler abgeben können, wenn er nicht so beschäftigt gewesen wäre. Mehr als 1500 Werke, und eine Vielzahl von ihnen wurde bis zu seinem Tod ständig umgearbeitet.

Kasper hatte in allen großen Hauptstädten gespielt, aber für ihn gehörte das Pokerspiel nach Frederiksberg in Kopenhagen, in den C.F. Richsvej. Wo der Portier kein Fremdenlegionär oder Serienkiller war, sondern ein ehemaliger Boxer mit Fäusten wie Zuckerrüben. Und wo man sich gegenseitig kannte wie in einer Schrebergartenkolonie. Und eine Konzentration herrschte wie auf einer Probe der Radiosymphoniker, jeder über sein Notenblatt gebeugt.

Aber heute Nacht hatte er verloren, am Schluss den Saab, er war wie versteinert gewesen, als er die Autoschlüssel aushändigte, doch seine Demut war nicht groß genug, um sich Geld fürs Taxi zu borgen. Im Bus und auf dem Weg durch den Wald ging er noch einmal sein Spiel durch, er fand keinen Fehler, es war ihm schleierhaft.

Als er den Strandvej überquerte, bemerkte er Licht in seinem Wohnmobil. Er näherte sich im Halbkreis, das Licht flackerte, als rührte es von einem Feuer her. Als er das Bleirohr aus seiner Verankerung holen wollte, erkannte er die Tonlage, es war Es-Dur, glücklich, spielend, selbstvergessen wie der erste Satz der *Triosonate in Es-Dur*, er legte das Rohr zurück und trat ein.

KlaraMaria stand mit dem Rücken zu ihm. Sie war offenbar damit beschäftigt gewesen, den Ofen anzumachen, und hatte dann innegehalten vor dieser wogenden Welt glühender Scheite. Das Licht der kleinen Flammen flackerte über ihr Gesicht, sie wandte sich nicht um.

«Du hast mich gefunden», sagte sie. «Erzähl mir, wie du das gemacht hast.»

«Ich habe einen Kreis gezeichnet», sagte er.

Es war am Morgen nach ihrer ersten Begegnung, nachdem er sie am Bagsværdsee aus den Augen verloren hatte.

Er hatte nur zwei, drei Stunden geschlafen, er nahm sich eines der Messtischblätter vor. Und Stines Zirkel. Mit der Stelle am Seeufer, wo er sie abgesetzt hatte, als Mittelpunkt beschrieb er einen Kreis mit einem Radius, der fünf Kilometern entsprach. Vielleicht war sie von dem Auto abgeholt worden. Aber sie war darauf eingestellt gewesen, den Weg zu Fuß zurückzulegen, er hatte es spüren können.

Kein gewöhnliches Kind setzt sich um zwei Uhr nachts bei vier Grad minus am Rande von Bagsværd in Marsch. Sie war kein gewöhnliches Kind.

Der Kreis umschloss Bagsværd, Lyngby, einen Teil von Vangede, eine Ecke von Gentofte, den südlichen Teil von Virum, des Furesees, Hareskovby und ein Stückchen von Gladsaxe. Es war sieben Uhr morgens, er hatte die Geige genommen und den Anfang von Beethovens Opus 131 gespielt. Es beginnt wie eine Fuge im Finstern, aber dann klettert es empor bis ins Paradies. Als es hell geworden war und die Bürozeiten angefangen hatten, war er zum Telefon gegangen.

Er hatte das Sozialministerium anrufen wollen, aber als er den Hörer in der Hand hielt und noch nicht gewählt hatte, konnte er sich plötzlich selbst hören, so als stünde er neben sich. Alleinstehender, mittelaltriger Herr fahndet nach kleinem Mädchen, ohne dafür einen Grund angeben zu können, nicht einmal sich selbst gegenüber. Er hatte ein schlechtes Blatt und hartgesottene Gegenspieler. Er legte den Hörer auf, nahm zwei Exemplare seiner letzten CD, eine Einspielung der Solopartiten und Sonaten, aufgenommen im Mariakloster bei Lübeck. Dann hatte er sich ins Auto gesetzt und war zum Grøndals Parkvej gefahren. Zum Zirkus Blaff. Zu Sonja.

Sonja hatte ganz unten angefangen, Kasper hatte sie kennengelernt, als sie blutjung waren, in den Varietés *Sans Souci* in Kolding und bei der Dynastie Stefansen im Damhuskro. Von Anfang an hatte ihm sein Gehör gesagt, dass sie von irgendetwas getrieben sein musste. Ihr System gab einen Ton von sich wie ein Motor, der nicht ruhen kann, sondern weiterläuft, bis er ausgebrannt ist, es war der Ton, an dem die Desperados des Daseins einander erkennen. Ihre Desperation war gegen den Wohlstand gerichtet. Sie hatte sich aus dem Zirkus verabschiedet, hatte Politologie studiert und war zum Zirkus zurückgekehrt. Das Gebäude am Grøndals Parkvej hatte drei Stockwerke, vierhundert Angestellte, beherbergte die Administration von vier Zirkussen, mehreren Varietés und Theatern, eine Vorverkaufsstelle, eine Werbeagentur, die Dinge anpackte, an die sich seit dem Marktschreier Stockmarr in den Fünfzigern keiner mehr herangewagt hatte. Und ein Steuerberatungsbüro. Und sie war die Eigentümerin. Von allem.

Sie war etwas älter als er. Etwas größer, etwas schwerer. Sie hatte drei Kinder. Einen prachtvollen Ehemann, tief und vital und in C-Dur, wie Mozarts letzte Symphonie. Nebenher noch Liebhaber.

Vor zwanzig Jahren hatten Sonja und Kasper ein Verhältnis gehabt und seither nie ernsthaft den Kontakt verloren, das wollten sie weiter so halten, bis dass der Tod sie schiede. Einige Menschen sagen Gott der Herrin Lebensgefährten nach, Brahms hatte Clara Schumann bekommen, Mozart den Klarinettisten Anton Städtler als lebenslangen Partner im Kegelbillard, vielleicht hat das etwas mit dem zu tun, was man Liebe nennt.

Sonjas Büro ähnelte dem Verteidigungskommando in Vedbæk, wo Kasper mehrmals aufgetreten war, das Militär liebt Clowns, Hitler hat Grock zweimal empfangen. Alles hatte seinen festen Platz, ihre Befehle standen nicht zur Debatte. Auf dem Fensterbrett lag ein großer Feldstecher, der Zirkusplatz in Bellahøj lag gegenüber, und Sonja hielt sich gerne auf dem Laufenden. Auf dem Schreibtisch standen vier Telefonapparate und die Reste eines italienischen Mittagessens mit einer ganzen Flasche Brunello. Er legte ihr das Messtischblatt und die CD hin und erklärte ihr die Lage.

Sie drehte die CD in der Hand.

«Du standest nie auf kleine Mädchen», sagte sie, «du bist etwas für erwachsene Damen. Also was kann sie, hat sie eine bestimmte Begabung, hat es mit Geld zu tun?»

Er hatte Sonja nicht verlassen, und sie hatte ihn nicht verlassen. Sie hatten es zur gleichen Zeit gewusst.

Sie hatte damals eine Wohnung im Kong Georgs Vej gehabt. In der letzten Nacht war er gegen zwei Uhr morgens geweckt worden, von der Atmosphäre der Stadt, es hatte sich angefühlt wie eine Pustel auf dem Hirn und auf dem Herzen, er hatte sich aufsetzen und die *arpeggio*-Passage aus dem BWV 4, «Christ lag in Todes Banden», summen müssen. Martinus hatte einmal gesagt, er müsse unablässig beten, um die Tatsache, in Frederiksberg zu wohnen, ertragen zu können.

Sonja war bereits wach gewesen, sie waren beide Anfang zwanzig, er fand kein passendes Wort dafür, aber er hatte gewusst, sie hatten beide gewusst, dass sie sich auf eine Windstärke eingelassen hatten, die zu überstehen schwierig sein würde.

«Wir sind dem nicht gewachsen», sagte sie, «ich möchte bald Kinder, auch einen Hund, eine Hündin, und Feuer im Kamin, und dann möchte ich irgendwann das Hörgerät ausmachen und sagen können, jetzt wird der Ton nicht mehr besser.»

Er war aufgestanden und hatte sich angezogen. Sie hatte ihn zur Tür begleitet, ungezwungen, sie hatte sich, ob sie nackt war oder nicht, eigentlich immer ungezwungen durchs Leben bewegt.

«Da du doch an etwas glaubst», sagte sie, «kannst du dann nicht für uns beten, um Hilfe?»

«Man kann nicht um etwas beten», sagte er, «jedenfalls nicht um andere Noten. Nur darum, diejenigen, die man hat, so gut wie möglich zu spielen.»

Es war ein würdiges Schlusswort und ein würdiger Abgang gewesen, tränenblind war er in die Nacht hinausgestrebt, es hatte sich angefühlt, als sänge er Wotans Abschiedsszene mit Brunhilde. Danach hatte der Morgen gegraut, und er hatte entdeckt, dass die Liebe nicht vergeht, wenn sie erst einmal da ist, wenn die Sonne aufgeht und der Vorhang fällt, sie dauert an. Jetzt waren zwanzig Jahre vergangen, und irgendwie hielten sowohl die Freude darüber, dass es sie gab, als auch die Trauer darüber, dass nicht mehr daraus werden konnte, unvermindert an.

Er hatte die Hände auf den Stadtplan vor sich gelegt.

«Ich habe immer nach etwas gesucht», sagte er.

«Und hat sie es?»

Er schüttelte den Kopf.

«Sie ist neun Jahre alt. Aber sie weiß etwas. Wo man es finden kann.»

Sie stellte keine Fragen mehr. Sie zog eines der Telefone zu sich herüber und gab ihm einen Kopfhörer zum Mithören. Aus einer Schublade holte sie einen Stapel grüner Bücher.

«Mostrups Gemeinde-Wegweiser, wir brauchen die Stadt Kopenhagen.»

Sie schlug nach und notierte beim Sprechen. Im Innern des Kreises, den er auf der Karte gezogen hatte, lagen zwei Kinderheime.

«Wir können nicht direkt anrufen, das sind Auskünfte, die dem Datenschutz unterliegen. Da kriegen wir eine glatte Abfuhr. Wir müssen über die Sozial- und Gesundheitsverwaltung der Stadt gehen. Haben wir irgendeine Story auf Lager?»

Er horchte in sich hinein, die notwendigen Lügen kamen von dort, woher auch die Ideen in der Manege kamen, von irgendwo jenseits des Weltraums.

«Wir haben – nach einer Vorstellung – eine kleine Tasche gefunden. Aus Brokat. Mit Federn dran. Wie kleine Mädchen sie lieben. Es war eine Wohltätigkeitsveranstaltung. Für Kinderheime. In der Tasche stand ‹KlaraMaria›. Wir möchten sie ihr gerne schicken. Ob sie uns die Adresse geben könnten.»

Sie rief an. Die Dame am anderen Ende war sehr entgegenkommend. Kasper konnte ihr Mitgefühl hören, mit Kindern und Erwachsenen. Wie schon so oft sehnte er sich danach, in einer Welt zu leben, die zu einem größeren Teil von Frauen gemanagt würde. Der Tag war warm, die Frau am Telefon hatte ein Fenster offen stehen …

«Leider», sagte sie. «Wir haben insgesamt 47 Kinder. Aber keine KlaraMaria. Könnte sie vielleicht in einer Pflegefamilie leben?»

Kasper schrieb auf Sonjas Zettel: «Wirtschafterin».

«Es müsste dort eine Wirtschafterin geben.»

«Das könnten Kinder sein, die in einer Art betreuter Wohngemeinschaft leben, ich gebe Ihnen mal die Nummern der Pflege- und Sozialverbände.»

Übers Telefon erkannte Kasper das Geräusch, das durch das offene Fenster hereindrang. Es war das Geräusch von Glostrup. Er stand auf und sah Sonja über die Schulter. Die Adresse der Sozial- und Gesundheitsverwaltung war die der Kreisverwaltung in Glostrup.

«Zehn Nummern!», sagte Sonja.

«14 000 Kinder sind außerhalb ihres Elternhauses untergebracht. Ich gebe Ihnen auch die Nummern der Internate, es ist schwer, sie gesammelt zu bekommen, sie sind auf die einzelnen Gemeinden verteilt.»

Eine Viertelstunde lang schlug Sonja nach, telefonierte, notierte. Kasper rührte sich nicht. Sie legte auf. Schob den Apparat weg.

«Achthundert Kinder. Verteilt auf zwei Kinderheime, achtzehn Pflegefamilien, drei Internate und ein Kinderkrankenhaus. Aber keine KlaraMaria.»

«Könnte es vielleicht irgendeine Art von Einrichtung geben, die wir nicht kennen? Die woanders registriert ist?»

Sie rief noch einmal bei der Kreisverwaltung an. Sprach mit der Dame. Legte auf.

«Alle privaten Einrichtungen erhalten Zuschüsse vom Amt oder sind zumindest unter amtlicher Aufsicht. Und sind deshalb auch beim Amt eingetragen. Die einzige Ausnahme sind die Einrichtungen, die – besonders seit dem 11. September – als mögliche Terrorziele ausgewiesen wurden. Deren Nummern und Adressen werden nur von der Polizei freigegeben. Sie glaubt aber nicht, dass eine solche Einrichtung in unserem Gebiet liegen könnte.»

Kasper stand auf. Sie waren am Ende angelangt. Dann setzte er sich wieder.

«Ruf die Polizei an!»

Sonja rief an, die Nummer gehörte zum Polizeipräsidium. Sie wurde dreimal verbunden, dann hatte sie eine Frau in ihrem Alter am Apparat. Die Stimme der Frau barg ein Geheimnis, aber haben wir nicht alle eins? Sie bedaure, in dem angegebenen Gebiet habe die Polizei keine Einrichtung dieser Art registriert. Auch ihr Fenster stand offen, sie legte auf.

Sonja begleitete ihn zur Tür, das Büro war so groß, dass der Weg dorthin zu einer richtiggehenden Fußreise wurde. Sie gab ihm seine Post, eines der Schreiben war ein Fensterbrief. Er öffnete ihn mit einem leisen Unbehagen, oft kommt das Unbewusste mit der Post und nicht selten in einem Umschlag mit Fenster. Er war von Maximillian, ein DIN-A4-Blatt mit einem Frauennamen und einer Adresse. Erst verstand er überhaupt nichts, er drehte den Umschlag um, er war in der Hauptabfertigung in der Bernstorffsgade abgestempelt worden, mit Datum von heute. Dann fiel der Groschen. Maximillian war im zentralen Kraftfahrzeugregister gewesen. Er holte die Brille heraus, der Ausdruck stammte aus der Datenbank einer der großen Versicherungsgesellschaften, nun hatten die also auch schon Zugang zum Kraftfahrzeugregister, ebenso die Zoll- und Steuerbehörde. Mit der Liberalisierung der großen Register wird das dänische Nationalgefühl immer intimer, bald wissen wir allesamt alles voneinander.

Maximillian musste aufs Hauptpostamt gegangen sein, um ihn möglichst augenblicklich zu erreichen. Er sah sich den Namen an.

«Andrea Fink», las er vor. «Sagt uns das was?»

Sonjas Gesicht wurde leer.

«Das ist der Name der Frau», sagte sie. «Von der Polizei. Mit der wir eben gesprochen haben.»

Er ging zum Tisch zurück, ließ sich auf einem Stuhl nieder und setzte sich die Kopfhörer auf.

«Wir erzählen jetzt», sagte er, «wir seien verheiratet. Der Welt sind Ledige nicht geheuer.»

Sonja rief an.

«Ich bin's nochmal. Mein Mann hört auch mit. Es gibt nirgendwo eine KlaraMaria.»

«Und was meinen Sie, soll ich jetzt tun?»

Das Geheimnis war eine Tragik in c-Moll, es hatte mit Kindern zu tun, sie war kinderlos, der A-Dur-Perfektionismus war nicht aufgeweicht. Mit zunehmendem Alter integriert der Mensch die im Quintenzirkel gegenüberliegende Tonart, es ist die akustische Entschädigung für das, was wir Reife nennen. Irgendetwas hatte diesen Prozess bei ihr gehemmt.

«Meine Frau und ich haben sie getroffen», sagte Kasper. «Nach der Vorstellung. Sie hat uns tief beeindruckt. Auch unsere drei Kinder.»

Sonja hatte die Augen geschlossen. Unter den großen Pokerspielern gibt es nur wenige Frauen. Keine Frau mag es, wie jetzt, einen Herz-Royal-Flush zu bluffen. Einem gutgläubigen Mitspieler gegenüber. Mit einem Blatt, so dünn wie Würfelbrühe.

«Auf einmal», sagte er, «beschlich uns alle fünf in unserer Familie das – vielleicht völlig absurde – Gefühl, wir könnten ihr ein neues Zuhause geben.»

Zuerst war es still. Er stellte sein Gehör auf den Verkehrslärm durch das offene Fenster ein. Sie hatte eine Wasserfläche vor dem Fenster, sehr nahe, das Präsidium lag nicht so dicht am Wasser. Draußen hörte er Verkehr auf einer Brücke, auf zwei Brücken. Eine Polizeisirene heulte, die Schallverschiebung des Dopplereffekts vermittelte ihm eine Vorstellung von der Länge der nächstgelegenen Brücke. Das konnte die Knippelsbro sein. Die Frau räusperte sich.

«Unsere Abmachungen», sagte sie, «in Bezug auf die Institutionen haben damit zu tun, wie wir die Bedrohung einschätzen.

Falls beispielsweise Diplomatenkinder involviert sind, würde das eine Verschärfung der Sicherheitsstufe bedeuten.»

«Ich bin Clown», sagte Kasper. «Hör ich mich wie ein Terrorist an?»

«Ich weiß nicht, wie sich Terroristen anhören. Nero soll den Zirkus angeblich geliebt haben. Und Heliogabal.»

«Dürften wir mal bei Ihnen vorbeischauen?», fragte er. «Damit Sie unsere Vertrauenswürdigkeit *live* erleben können.»

«Rufen Sie morgen nochmal an!»

Sie legte auf.

Er zog ein Stück Papier zu sich herüber und holte den Füller heraus. Er zeichnete die Knippelsbro. Die Langebro. Die Königliche Bibliothek, das Nationalmuseum, den «Schwarzen Diamanten». Neben die Ministerien an der Straße Christians Brygge setzte er ein Kreuz. Und schob das Papier zu Sonja hinüber.

«Was hat die Polizei hier?»

Ihr Klang wurde unruhig.

«Den Polizeilichen Nachrichtendienst», sagte sie. «Der Großteil liegt vis-à-vis dem Polizeirevier in Gladsaxe. Aber ein Teil der Verwaltung liegt hier auf der Schlossinsel. Sie genehmigen die Sicherheitsvorkehrungen im Zirkus. Bei den Galavorstellungen. Wenn Königshaus und Regierung kommen.»

Er hatte den Feldstecher vom Fensterbrett genommen. Hatte sich braunes Packpapier und Klebeband ausgeborgt und eine CD eingepackt. Sonja hatte keine Fragen gestellt.

«Da darfst du alleine hingehen», sagte sie. «Ich hab die Manege verlassen.»

Er wollte gehen, sie versperrte ihm den Weg.

«Ich habe mehr als du», sagte sie. «Kinder. Ein Zuhause. Ordnung in den Büchern. Mehr Liebe. Dein Talent, im normalen Leben Zufriedenheit zu finden, ist nicht immens. Aber deine Sehnsucht. Um die beneide ich dich manchmal.»

Sie umarmte ihn.

Berührung hilft nichts, wir erreichen uns ja doch nie.
Und trotzdem –

2| Er parkte hinter der Börse. Als er ausstieg, umschloss ihn die Stadt wie eine Schallmauer. Keine Harmonie, keine konzentrischen Wellen, kein klangliches Zentrum. Anderthalb Millionen Menschen mit je ihrem – unkoordinierten – Refrain.

Er ging zur Christians Brygge und bog nach rechts ab, das Gebäude hatte eine verschlossene Glastür mit einer Gegensprechanlage mit Codetasten. Seine Kindheit hatte er als eine Zeit im Gedächtnis, in der man alles problemlos besuchen konnte, Menschen wie Institutionen. Seitdem war abgesperrt worden, jetzt überwachen wir uns alle gegenseitig. Aber womöglich spielte ihm sein Gedächtnis auch einen Streich. Mit vierzig plus arbeiten wir alle an der Vergoldung unserer Erinnerungen.

Hinter dem Eingang befand sich ein Glaskasten mit einem Zivilbeamten; er wünschte, er hätte einen Verbündeten, die vor ihm liegende Aufgabe war kein Solo. Er ging den Frederiksholms Kanal entlang, lief nach rechts über den Reichstagshof, an seinem eigenen Auto vorbei und wieder zurück. Neben dem Zeughausmuseum und dem Istedlöwen lag ein Kindergarten, hinter der Pforte stand ein Junge von fünf oder sechs Jahren.

«Wo willst du hin?», fragte der Junge.

«Ich gehe einen kalten Engel wärmen.»

In den Pupillen des Kleinen flammten bunte Lämpchen auf.

«Darf ich mitkommen?»

Der Klang von Kindern war interessant. Es war selten, dass die Welt ihrer Offenheit einen Riegel vorschieben konnte, bevor sie sieben oder acht Jahre alt waren. Kasper sah die Christians Brygge hinauf und hinunter, sie war wüst und leer.

«Die Erwachsenen werden dich vermissen.»

«Es ist gerade Mittagsruhe. Ich bin der Einzige, der draußen ist.»

Sein eigenes und das System des Jungen interferierten. Trotzdem. Man soll sich seine Partner mit Sorgfalt auswählen.

«Und wenn ich nun einer bin, der Kinder verführt?»

«Die sind anders», sagte der Knirps. «Ich bin schon mal einem begegnet.»

Kasper beugte sich vor und hob ihn über den Zaun.

Er drückte auf den Knopf an der Tür, eine Stimme, die hinter vielen Schichten Glas zu ihm herausdrang, bat ihn, sich auszuweisen. Er tat, als wäre die Anlage defekt, nahm den Jungen auf den Arm und zeigte auf ihn, die Anwesenheit von Kindern wirft immer einen legitimierenden Schein auf Erwachsene, der Türöffner summte, sie waren drinnen.

Kasper setzte den Jungen auf den Tresen am Empfang.

«Andrea Finks Sohn», sagte er. «Er hat hohes Fieber. Drüben im Kindergarten dachten wir, es könne vielleicht Mäusetyphus sein. Wir haben eben angerufen und mit Andrea vereinbart, dass wir ihn sofort vorbeibringen.»

Der Beamte schob seinen Stuhl zurück, weg von dem Ansteckungsherd. Die Lage war unklar, sie konnte sich in alle möglichen Richtungen entwickeln. An der Wand hinter ihm hing ein Verzeichnis der Büros, Andrea Finks lag im dritten OG.

«Ich möchte zu meiner Mama», jammerte der Kleine. «Und ich bin überall ganz heiß. Mir ist so schlecht. Ich muss brechen.»

Der Beamte langte nach dem Telefon. Kasper schüttelte den Kopf.

«Sie sitzt in einer wichtigen Besprechung. Da darf sie nicht gestört werden. Sie sagte, wir sollten direkt hochgehen, sie kommt dann raus.»

Er klopfte und trat ein, ohne eine Antwort abzuwarten. Die Frau hinterm Schreibtisch war überrascht, aber gefasst. Der Raum entsprach nicht seinen Vorurteilen über den PND, es war ein großes, freundliches Zimmer mit einer mannshohen Palme. Die Wände zeigten einen Stich ins Rosafarbene. Auf dem Schreibtisch stand eine Buddhafigur.

Er setzte den Jungen auf den Schreibtisch, neben die Figur und das Telefon, als er ihn losließ, lösten seine Finger den Klemmstecker der Telefonleitung. Wenn der Beamte aus seinem Glaskasten gleich hier anriefe, käme er nicht durch.

«Ich bin Kasper Krone», sagte er. «Ich habe eben angerufen, wegen KlaraMaria.»

Die Frau legte zwei aufgeschlagene Bücher aufeinander und schob sie weg. Ihr Gesicht wurde kalt. Die Raumtemperatur sank auf Grade ab, die nach Pudelmützen und Fausthandschuhen verlangten.

«Ich habe mich über Sie kundig gemacht», sagte sie. «Sie sind nicht verheiratet. Und Kinder haben Sie auch nicht.»

Ein Teil ihres Bewusstseins war an den aufgeschlagenen Büchern hängen geblieben. Er musste unbedingt einen Blick darauf werfen. Er nahm den Jungen auf den Arm. Fuhr mit dem Finger über die Buddhafigur.

«Eine der Lehren Buddhas», sagte er, «von der ich sehr viel halte, lautet, dass jedes Lebewesen einmal die Mutter des anderen gewesen sei. In ihren früheren Leben. Und dass sie es wieder sein werden. Ich habe darüber nachgedacht. Das muss auch bedeuten, dass jeder der Geliebte des anderen gewesen ist. Und es wieder werden wird. Auch Sie und ich.»

Sie wurde rot, ganz leicht, wie die Wände. «Ich weiß nicht, wie Sie reingekommen sind», sagte sie. «Aber jetzt heißt es raus!»

Draußen vor der Tür setzte er den Jungen auf den Boden und kniete sich neben ihn.

«Meinst du, du kannst sie aus ihrem Zimmer locken?», fragte er ihn. «Und sie ein Weilchen aufhalten?»

Der Junge machte die Tür auf. Kasper verbarg sich dahinter.

«Ich muss mal Pipi», hörte er das Kind sagen. «Mein Vater ist einfach ohne mich weggegangen. Ich mach mir schon in die Hosen.»

Die Frau rührte sich nicht.

«Darf ich in die Pflanze machen?»

Kasper hörte, wie er den Reißverschluss herunterzog. In die Frau kam Bewegung.

«Ich bringe dich auf die Toilette.»

Sie liefen den Gang hinunter. Kasper huschte in das Büro.

Die beiden Bücher, die sie weggeschoben hatte, waren Kraks Straßenatlas von Kopenhagen und eine Art Adressenverzeichnis.

Hinter dem Schreibtisch standen ein kleiner Bildscanner und ein Kopierer, beide eingeschaltet. Er legte die aufgeschlagenen Seiten auf das Gerät, faltete die beiden Kopien zusammen und steckte sie in die Tasche. Er hörte eine Toilettenspülung. Er trat auf den Gang und ging der Frau und dem Kind entgegen. Sie war blass. Er nahm das Kind bei der Hand und ging auf die Treppe zu.

«Ich rufe jemanden, der Sie hinausbegleitet», sagte sie.

Die Tür zu ihrem Büro fiel ins Schloss.

Kasper zwinkerte dem Jungen zu. Legte den Finger an die Lippen. Er streifte seine Schuhe ab, schlich auf Socken über das Fischgrätenparkett und legte das Ohr an ihre Tür.

Sie war dabei, auf ihrem Handy eine Nummer zu wählen. Jede Drucktaste hat einen eigenen Ton, ein hinreichend feines Gehör hätte sowohl die gewählte Nummer als auch die Stimme am anderen Ende erkennen können. Seines war nicht fein genug.

Aber er verstand ihr Flüstern.

«Er war hier», sagte sie. «Er ist eben weggegangen.»

Am andern Ende wurde etwas erwidert.

«Höchstens Puccini», sagte sie. «Auf mich wirkt er wie ein etwas harmloserer *latin lover*. Ich habe ihn weggeschickt. Jetzt sind wir ihn erst mal los.»

Kasper schlich zu dem Jungen zurück. Schlüpfte in seine Schuhe.

Der Beamte aus dem Glaskasten stand hinter ihnen. Kasper nahm den Jungen auf den Arm. Die Glastür ging automatisch auf.

Sie waren wieder im Freien, die Stadt klang besser als vorhin – hören wir, wenn man es gründlich bedenkt, überhaupt etwas anderes als unsere eigene Stimmungslage?

«Warum hältst du eigentlich keinen Mittagsschlaf?», fragte Kasper.

«Ich kann nicht still liegen», antwortete der Junge.

«Warum nicht?»

«Weiß man nicht. Es wird gerade untersucht. Vielleicht habe ich ADHS. Oder Wasser im Kopf.»

Manche Kinder sind keine Kinder, sie sind altklug. Vor ungefähr zwanzig Jahren hatte Kasper es zum ersten Mal gehört. Manche Kinder waren vergreiste Seelen mit einem dünnen Firnis Infantilität. Der Junge vor ihm war mindestens 1200 Jahre alt, er hatte einen Klang wie die großen Stücke von Bach.

Kasper hob ihn über den Zaun.

«Du warst ziemlich gut», sagte er. «Für einen Fünfjährigen. Mit Wasser im Kopf.»

«Sechs», sagte der Junge. «Ich bin sechs. Und Kinder zu loben ist eine feine Sache. Aber Bargeld auch.»

Seine Augen waren schwarz, vielleicht aus Erfahrung. In den letzten zwanzig Jahren hatte es nicht einen Tag gegeben – ausgenommen die drei Monate mit Stine vielleicht –, an dem Kasper sich nicht gewünscht hatte, den Bettel hinzuschmeißen. Den Sparstrumpf zu plündern und auf die Fidschis zu fahren. Sich zum regelmäßigen Opiumraucher zu entwickeln. Die Cellosonaten aufzulegen und am Strand allmählich zu verglühen.

Augen wie die vor ihm hatten ihn dann zum Weitermachen ermuntert. Es hatte sie immer gegeben. Im Publikum, in ihm selbst. Stines Augen waren manchmal so gewesen.

Er grub in seinen Taschen, Bargeld fand er keins, nur den Füllfederhalter. Er reichte ihn über den Zaun.

Im Auto breitete er die beiden Fotokopien auf dem Armaturenbrett aus. Die Karte zeigte die Gegend um den Bagsværd- und Lyngbysee und das südliche Ende des Furesees. Die andere Kopie führte mehr als vierzig Adressen auf, aber nur eine lag im Zustellbereich der Karte, und sie war nur ein Fragment: 3. Spur, 2800 Lyngby. Daneben stand eine Telefonnummer. Weder der Name einer Einrichtung noch der Straßenname oder die Hausnummer. Er rief über Handy die Auskunft an, die Nummer war nicht eingetragen. Er schlug in seinem eigenen Straßenatlas nach, «Spur 1–3» hatte zwar Koordinatenangaben, aber keine Straßenbezeichnung. Erst konnte er auf der Karte nichts finden, dann machte er mit Mühe drei nadeldünne Streifen aus. Er öffnete die Autotür und hielt den Atlas ins Sonnenlicht. Ab dem vierzigsten Lebensjahr rücken Altersheim und Leselupe jeden Tag ein Stückchen näher. Spur 1–3 waren drei parallele Pfade, die in den Wald zwischen Bagsværdsee und Furesee hineinführten.

Er hatte KlaraMaria die letzten Holzscheite aus der Hand genommen und den Ofen zugemacht. Sie hatte sich auf das Sofa gesetzt. Er hatte ihr von Sonja erzählt und seinem Besuch auf der Schlossinsel. Und von der Frau vom PND. Regungslos hatte sie zugehört, absorbiert.

«Und die Schwestern?», fragte sie.

«Ich bin sofort hingefahren», sagte er. «Ich habe mich nach der Karte gerichtet.»

3

Er hatte am Kinderheim Nybrogård geparkt, hatte Sonjas Feldstecher und die eingepackte CD genommen und war am See entlanggegangen. Die Schilder, die die Ruderregattabahnen nummerierten, waren frischgestrichen. Er war schon mal hier gewesen, zweimal, in seinen guten Zeiten. Im Schloss Sophienholm hatte er eine Ausstellung von Zirkusgemälden eröffnet, zusammen mit der Königin. Und er hatte den Startschuss für eine internationale Regatta gegeben.

Die dritte Spur war ein Schotterweg nördlich von Sophienholm, eine Feuerwehrzufahrt, die in den Hang geschnitten worden war, um die Steigung für die Spritzenwagen zu mindern. Die Seiten waren steil, ein entgegenkommendes Fahrzeug hätte ihn gesehen. Er suchte Schutz im Wald und kreuzte einen Wildwechsel oberhalb des Wegs.

Von der Karte hatte er drei bebaute Halbinseln in Erinnerung, allerdings waren die Gebäude von Baumbestand verdeckt. Als er sich der dritten Halbinsel näherte, entdeckte er einen Abhang, er legte die Jacke auf den Boden und kroch bis an den Rand.

Sein Mund war trocken vor Angst. Er hätte nicht erklären können, warum, es war das Klangbild, es hatte etwas Unwirkliches. Er lauschte in alle Richtungen, es gab einfach keinen Grund für seine Unruhe. Gen Osten lag die Dienstvilla des dänischen Staatsministers, offen wie ein großes Sommerhaus. Hinter ihm lag der Furesee, dahinter die geschützten Wälder Nord-Seelands mit ihrem Wildbestand gemästeter und beringter Enten auf gemähten Grünflächen. Vor ihm der See, dahinter die Einfamilienhausviertel. Hinter diesen die niedrige und überschaubare Großstadt. Alles ruhte. Um ihn herum, in einem

Radius von fünf Kilometern, lebten und atmeten in diesem Moment zwanzigtausend Menschen, die Bagsværd und Dänemark für ein kleines Schlaraffenland hielten und glaubten, dass nicht wir sterben müssen, sondern immer die andern.

Er zog sich bis an den Rand heran.

Das ursprüngliche Gebäude war eine große Villa, vielleicht hundert Jahre alt. Die Anbauten waren modern, flach, weiß, rechtwinklig. Er vernahm das leise Summen einer kleinen Umspannstation, irgendwo unter der Erde vibrierte eine große Naturgasheizung. Ein kleines Maschinengebäude hatte einen Schornstein, der hoch genug war für einen dieselgetriebenen Notgenerator, der auf Krankenhausfunktionen hindeutete.

Die Angst hatte zugenommen. Das würde noch ein Weilchen so weitergehen, die Idylle war dabei, sich zu verdichten, bald würde sie eine Oktave springen und zerfallen.

In seinem rechten Blickfeld spielte eine Gruppe Kinder. Dort würde es geschehen.

Die Haare standen ihm zu Berge. Er konnte die einzelnen Kinder nicht erkennen, er konnte nur das gesammelte Schallbild hören. Es war vollkommen harmonisch.

Sie hatten eine Art Familie gegründet oder vielleicht eine Stammesgemeinschaft. Auf ein Brett, das auf zwei Böcken lag, hatten sie zwei Schalen gestellt, vermutlich aus Ton. Dort, wo der Boden aus Sand bestand, war eine Höhle gegraben worden. Alle elf Kinder waren beschäftigt. Erwachsene waren nicht in Sichtweite. Das Spiel war spontan und ohne feste Ordnung, es wurde vor ihm improvisiert.

Er blickte auf das Unmögliche hinunter. Und kein anderer Mensch hätte ihn verstanden, außer eventuell Stine. Und nicht einmal bei ihr war es sicher.

Spielen ist ein Interferenzphänomen. Zwei spielende Kinder sind eine ausbalancierte, binäre Opposition. Drei Kinder bilden einen eher fließenden, aber auch dynamischeren Einklang. Vier

Kinder polarisieren sich wiederum zu zwei Doppeleinheiten, stabiler als das Dreieck. Fünf sind wieder fließend, sechs ist normalerweise die höchste Anzahl, in der Kinder ein Spiel improvisieren können, bei dem sich kein Führer unter ihnen herauskristallisiert. Sieben Kinder hatte Kasper nur ein einziges Mal ausbalanciert und gleichgewichtig miteinander spielen sehen, es waren Artistenkinder gewesen, die einen ganzen Sommer lang miteinander gereist waren, es war am Ende der Zirkussaison, sie wussten, dass sich ihre Wege nun trennten, und ihr Spiel hatte keine Stunde gedauert. Mehr als sieben Kinder brauchten Regeln, die von Erwachsenen aufgestellt und überwacht werden mussten, wie ein Ballspiel zum Beispiel.

Dort unten waren keine Erwachsenen. Es gab keinen dominanten Klang in der Gruppe. Es waren elf Kinder. Und das Spiel war vollkommen harmonisch.

Er hatte den Feldstecher hingelegt. Ohne ihn konnte er die Gesichter nicht sehen, aber er würde die Kinder so unmittelbar wie möglich spüren. Die meisten waren zwischen neun und zwölf. Zwei waren Afrikaner, drei oder vier Asiaten, zwei, drei vielleicht aus dem Nahen Osten. Er hörte vereinzelte englische Worte, auch Satzfetzen, die arabisch sein konnten, sie sprachen nicht dieselbe Sprache.

Ihr Klang war babyhaft weich, vollkommen offen, wie der Klang einer Krabbelgruppe in der Krippe. Und zugleich war er unnatürlich intensiv, er wehte ihn an wie eine steife Brise, er hätte die obersten Zuschauerränge eines Fußballstadions erreichen können. Es war das gleiche Phänomen wie bei dem stillen Mädchen, er war sich ganz sicher. Und er hatte keine Ahnung, was es damit auf sich hatte.

Die Natur hat, wegen der Abwesenheit senkrechter Flächen, in der Regel einen trockenen Klang. In der Natur gibt es keine laterale Fraktion, keine waagerechte Schallenergie, die Szenerie da unten war eine Ausnahme, vielleicht wegen der Bäume, vielleicht wegen der Gebäude, er hörte alles ganz deutlich. Und was er hörte, ließ ihm die Haare zu Berge stehen.

Normalerweise ist das Geräusch, das wir hören, ein direktes Signal der Geräuschquelle plus im Prinzip unendlich vielen Echos von den Gegenständen in der Umgebung. Nicht so bei dem Geräusch, das von den Kindern ausging.

Zu der Rasenfläche, auf der die Kinder spielten, führte eine Holzterrasse, darauf erschien eine Frau in der blauen Tracht einer Krankenschwester. Die Kinder sahen sie kommen, sie hielten inne.

Aufmerksam. Zeitgleich. Ohne ihre gegenseitige Interferenz zu verlieren, nie hatte er Kinder auf diese Weise innehalten sehen. Er hörte, wie sich ihr Klang änderte. Er sah, wie die Frau die Hand hob und den Mund öffnete, um sie zu rufen.

Dann trat die Stille ein.

Die Frau auf der Terrasse blieb stehen, mit erhobener Hand und geöffnetem Mund, vollkommen reglos.

Eine Reglosigkeit, die Kasper nie zuvor gesehen hatte. Sie stand nicht da wie eine Wachspuppe. Nicht wie eine französische Pantomimin. Sie stand da wie in einem Film, der durch einen Defekt des Projektors abrupt angehalten wird, sodass ein Einzelbild auf der Leinwand stehen bleibt.

Am Fuß der Treppe zum Rasen hin hangelte sich eine Kletterrose zur Terrasse hinauf, wahrscheinlich brauchte sie noch einen Sommer, um ganz hinaufzugelangen. Ihre Blätter hätten sich im Wind bewegen müssen. Sie rührten sich nicht.

Hinter den Kindern standen Buchen mit dem zarten Ton frisch ausgeschlagener Blätter. Sie rührten sich ebenfalls nicht.

Dann bewegten sich die Kinder. Erst dachte er, es würde die Situation verändern, aber nein. Es vertiefte die Unwirklichkeit sogar. Sie drehten sich gleichzeitig, wie Tänzer in einer strengen Choreographie, wandten sich einander zu und nahmen das Spiel wieder auf, als wäre es nie unterbrochen gewesen. Aber die Bewegung der Kinder erlöste die Frau nicht, sie blieb stehen. Die Blätter rührten sich nicht. Aus dem Dach über der Terrasse ragte der Abzug der Naturgasheizung, ein rostfreies Schornsteinrohr mit einem feinen Dampfstrahl. Die Wolke darüber war regungslos, sie hatte die Richtung verloren und verharrte unbeweglich über dem Dachfirst.

An der Mauer hing eine Uhr, unübersehbar, wie auf einem Bahnhof, schwarze Zahlen auf weißem Grund, roter Sekundenzeiger. Er stand still.

Kasper richtete seine Aufmerksamkeit auf den See, weit draußen sah er ein feines Interferenzsystem kleiner Kräuselungen auf der Wasseroberfläche. Das Phänomen vor ihm war lokal begrenzt, das weiter entfernte Wasser bewegte sich.

Er wollte seinen Arm beugen, um auf seine eigene Uhr zu schauen, die Bewegung war möglich, aber qualvoll langsam, die Beziehung zwischen Bewusstsein und Körper hatte sich verändert. Über ihm und vor ihm gab es einen Bereich, in dem das Laub erstarrt war. Der Bereich war kugelförmig.

Er versuchte, sein Gehör auf das Geräusch der Kinder einzustellen. Es setzte aus. Er versuchte es noch einmal. Es setzte aus. Es gab nichts zu hören. Es gab nur Stille.

Die Kinder sandten gewöhnliche Geräusche aus, physische Geräusche wie alle Kinder, wie alle Menschen. Aber hinter diesen Geräuschen hatte sich eine andere Ebene aufgetan. Eine Ebene, die in die Stille hineinreichte. In dieser Stille beeinflussten sich die Systeme der Kinder wechselseitig, Kasper konnte es hören.

Es war eine Interferenz in Form von Herzlichkeit. Aber nicht die Herzlichkeit wie auf diesen Faltblättchen der Zeugen Jehovas, wo der Löwe mit dem Lamm in einer Landschaft weidet, die wie der Schlosspark Frederiksberg aussieht. Es war eine Wechselwirkung in einem Medium von gewaltiger Intensität.

Das gewöhnliche physische Geräusch ist energiearm, es variiert den generellen Druck der Atmosphäre nur minimal. Nicht einmal ein hundert Mann starkes Symphonieorchester, das mit einer volldröhnenden Wagner-Passage Amok läuft, produziert in einer Stunde genügend Schallenergie, um eine Tasse Kaffee aufzuwärmen.

Mit den Kindern da unten verhielt es sich anders. Sie hatten die besondere Stille in einem kugelförmigen Bereich von etwa fünfzig Metern Durchmesser um sich herum ausgebreitet. Innerhalb dieses Bereichs hatte, das wusste Kasper, die akustische Aufteilung der Wirklichkeit in Zeit und Raum aufgehört.

Das Spiel der Kinder war zu Ende. Es brauchte kein Zeichen, urplötzlich richteten sich alle auf und legten ihre Rolle in der unausgesprochenen, synchronen Gewissheit ab, dass es nun vorbei war. Die Frau auf der Terrasse öffnete den Mund und rief, sanft. Die Rosenblätter bewegten sich, das Buchenlaub erzitterte, über dem Dachfirst stieg der weiße Dampf senkrecht in die Höhe.

Kasper registrierte ein Prickeln im Körper, einen Schmerz, wie wenn eine Betäubung nachlässt, eine heftige Angst, wahnsinnig geworden zu sein. Er entdeckte, dass er sich vor Schreck in die Hose gemacht hatte.

Die Kinder bewegten sich vorwärts, alles war normal, er hatte verkehrt gehört, er hatte Erscheinungen gehabt. Ein Kind war stehen geblieben, ein Mädchen, es nahm etwas ins Visier, es war die Uhr an der Hauswand.

Während das Mädchen und Kasper auf das Zifferblatt starrten, begann der rote Sekundenzeiger sich zu bewegen, zunächst ruckweise, dann schneller. Und dann der große Zeiger.

Das Mädchen holte die anderen ein. Kasper legte seine Handflächen auf die geschlossenen Augen. Er blieb liegen, bis sein Atem zur Ruhe gekommen war.

Unter etwas privateren Umständen hätte er sich die Hose ausgezogen, aber in Anbetracht der Lage wäre dies keine zweckdienliche Selbstdarstellung gewesen, jetzt band er sich die Jacke vor wie eine Zimmermädchenschürze.

Dann ging er zum Tor hinunter.

Es war abgeschlossen, aber es gab eine Gegensprechanlage und eine Klingel, Kasper lehnte sich dagegen.

Eine Minute verging, dann kam sie. Die Frau von der Terrasse. Aus nächster Nähe konnte er hören, dass sie keine gewöhnliche Krankenschwester war. Sie hatte einen jungen Klang, vielleicht Mitte zwanzig. Aber verdichtet.

Er reichte die CD durch die Gitterstäbe des Tores.

«Ich glaube, da steht KlaraMaria», sagte er.

Sie war tatsächlich nicht älter, als sie klang. Sie nahm die CD entgegen, das hätte sie nicht tun sollen, man soll von Fremden nichts annehmen, in Sonderheit nicht von den großen Clowns. Auch ihr Zögern verriet ihm, was er wissen wollte. Dass KlaraMaria irgendwo hinter diesem Tor war. Oder gewesen war.

«Wir haben ein Postfach», sagte sie, «wir holen unsere Briefe selbst ab.»

«Ich bin die Paketpost», sagte er. «Wir bringen die Pakete bis an die Tür und legen sie unseren Kunden in den Schoß.»

Er drehte sich um und ging, nach der ersten Biegung rannte er senkrecht den Hang hinauf zu der Stelle zurück, an der er gelegen hatte, warf sich auf den Bauch und kroch an den Rand.

Sie bewegte sich auf das Haus zu, sie ging wie gedopt, die Tür wurde aufgemacht, eine andere Frau kam heraus, auch in Schwesterntracht. Eine Afrikanerin, groß. Sie sprachen miteinander, er konnte nicht hören, was sie sagten, weil sein Herz so hämmerte, die Afrikanerin nahm die CD in Empfang.

Er hatte sie solide eingepackt, so ein Klebeband benutzte die Post auch, es könnte sogar das Gewicht eines Erwachsenen aushalten. Die Afrikanerin ergriff das Packpapier und schälte das flache Päckchen wie eine Banane. Sie sah sich das Cover an. Wandte das Gesicht zu der Stelle, wo er verschwunden war. Sie stand da wie ein Totempfahl. Er hatte keinerlei Unruhe in ihrem System feststellen können.

4 |

Es dauerte drei Wochen, ehe sie kamen.

In dem Frühjahr war er mit Benneweis im Kopenhagener *Zirkusgebäude* gewesen. Als sie kam, war er gerade dabei, sich abzuschminken, in der grünen Garderobe.

Die grüne war Rivels Garderobe gewesen. Und Grocks. Und Buster Larsens, wenn er als dummer August aufgetreten war. Hier hatte sich Tardi umgezogen. Die Callas. Birgit Nilsson. Irene Papas. Wenn Castaneda einen Sinn für die Oper gehabt hätte, hätte er sie einen musikalischen *power spot* genannt. Selbst die Stadt Kopenhagen war bei der Renovierung behutsam zu Werke gegangen, als sie das Gebäude in den achtziger Jahren übernommen hatte.

Es hatte auch Stines Vibration bewahrt.

Zu den Vorstellungen war sie häufig mitgegangen, sie musste in den drei Monaten über zwanzig gesehen haben. Danach war sie in die Garderobe gekommen. Sie hatte, ohne etwas zu sagen, im Dunkeln hinter ihm gestanden, während er sich abschminkte. Und gelegentlich, ohne besonderen Grund und ohne Vorwarnung, war sie auf ihn zugegangen, hatte ihm die Hände über die Augen gelegt und ihn an sich gedrückt.

Bei den ersten Malen hatte er noch gedacht, jetzt kriegt sie Pudercreme und Nasenkitt auf ihren Pashmina-Schal, und das geht beim Waschen nicht raus, aber irgendwann hatte er das Denken eingestellt. Das war eines der Dinge, die er allmählich von ihr lernte, nicht mehr zu denken und sich fallen zu lassen, er war schon drauf und dran gewesen, es zu begreifen. Und dann war sie weg gewesen.

Nun stand sie wieder da. Für ein Tongedächtnis wie das seine gab es keinen Unterschied zwischen Vergangenheit und Gegenwart. Genau das machte den Schmerz aus, nie konnte die Sehnsucht abklingen, es war tragisch, aber auch wundervoll sentimental, an seinem Todestag wäre es noch genauso schlimm, oder schlimmer.

Über ihrem Klang lag eine fünfstufige Tonleiter, fremdartig. Wie Trommeln aus dem Fieberdschungel, auch tiefe Atemzüge wie von einem Schmiedebalg im Freilichtmuseum. Stine war es nicht. Er war nicht alleine.

Er drehte den Stuhl, es war die Afrikanerin. Sie stand dort, wo Stine immer gestanden hatte, im Dunkel und genau neben der Tür.

Sie war graziös wie ein Fotomodell. Groß wie eine Ruderin, teuer und geschäftsmäßig gekleidet wie ein Aufsichtsratsmitglied in Aktion.

Die Tür wurde ohne Anklopfen aufgerissen, es war Madsen, er war in Panik. Die Frau zog sich tiefer ins Dunkel zurück.

Madsen war zwei Meter groß und breit wie ein aufrecht stehendes Klavier, seit zwanzig Jahren war er für die Sicherheit im *Zirkusgebäude* verantwortlich, und noch nie war hier etwas Wesensfremdes eingedrungen. Wenn Macbeth Madsen hätte engagieren können, hätte man sich nicht so sicher sein können, dass Banquos Gespenst hindurchgeschlüpft wäre.

Jetzt war er weiß wie ein Pierrot und spreizte den kleinen und den Ringfinger der rechten Hand ab, als hielte er eine Champagnerschale.

«Die sind gebrochen», sagte er. «Es war eine Frau. Eine Schwarze. Wollte mit dir sprechen. Ich sagte, sie könne eine Nachricht hinterlegen. Ich wollte sie hinausweisen. Sie ist noch irgendwo im Gebäude!»

«Ich schließe mich ein», sagte Kasper.

Die Tür ging wieder zu. Er schloss ab. Er und die Frau sahen sich an.

«Wir haben Tonbandmitschnitte», sagte sie. «Von deinem Anruf bei uns und den beiden beim Polizeilichen Nachrichtendienst. Wir haben Zeugen für deinen Besuch auf der Schlossinsel. Wir haben prima Anwälte. Du erhältst mindestens eine polizeiliche Verwarnung. Wir spielen die Bänder der Presse in die Hände. Die werden Eindruck machen. Auf die neun Zehntel deines Publikums, die aus Kindern und deren Eltern bestehen.»

«Sie hat mich aufgesucht», sagte er.

Sie hörte ihn nicht. Das war der Nachteil bei Totempfählen, die Kommunikation verlief immer nur in eine Richtung.

«Du schreibst eine Mitteilung», sagte sie. «Und zwar jetzt sofort. An KlaraMaria. Du schreibst ihr, du habest einen Job bekommen, du müssest verreisen, seiest lange weg, womöglich ein Jahr. Aber du wollest versuchen, den Kontakt nicht abbrechen zu lassen. Danach hältst du dich fern. Für immer und ewig. Und alle freuen sich.»

Er nahm ein großes Glückwunschkuvert vom Tablett, schrieb wie verlangt mit einem Lippenstift auf die Rückseite. Reichte der Frau den Umschlag.

«Im Film», sagte er, «stecken die Frauen derlei parfümierte Billets in ihren Ausschnitt. Dürfte ich eventuell dabei behilflich sein?»

Es war ein Versuch, ihr System zu öffnen, damit er in sie hineinhorchen konnte. Es gelang nicht. Sie sah ihn nur nachdenklich an, das war alles. Mit einem Blick, mit dem Männer mit Motorsägen die Bäume fixieren, die sie zu fällen gedenken.

Er hielt ihr die Tür auf, zeigte ihr den Weg zum Ausgang und ließ sie vorausgehen.

Sie ging, wie ein Seepferdchen schwimmt, abgetaucht in dreißig Grad warmem Meereswasser und im Takt eines Mambos, den nur sie hörte.

«Was ist mit diesen Kindern?», fragte er. «Was ist das für eine Gabe, die sie haben?»

Sie antwortete nicht, er öffnete den Notausgang zur Studiestræde.

«Warum ausgerechnet hier?», fragte er. «Warum nicht zu Hause?»

Sie machte eine halbkreisförmige Bewegung, die die Restaurants, die Palads-Kinos und den Verkehr auf dem H.C. Andersen-Boulevard umfasste. Und den Strom der Menschen auf dem Weg ins Nachtleben.

«Genau hier», sagte sie, «kann man sich bestens vorstellen, welches Gefühl es sein muss, auf der Titelseite der Morgenzeitungen zu erscheinen, mit einem Pädophiliefall am Hals.»

Sie betrat den Bürgersteig.

«Und die Finger, die du Madsen verdreht hast?», sagte er.

«Sie sind nicht gebrochen», sagte sie.

Sie sah auf ihre Hände hinunter. Sie waren größer als Kaspers, es waren Pianohände, jede von ihnen hätte eine ganze Oktave plus eine verminderte Quinte greifen können.

«Kleine notwendige Tricks», sagte sie. «Um als schwarze Frau zu leben. In einer Welt des weißen Mannes.»

Die nächsten drei Wochen durchlebte er in einer Art Paralyse, ganz und gar gegenwärtig war er nur in der Manege. Am Ende der dritten Woche gewann er in dem Augenblick seine Besinnung zurück, als er gerade ein Geschäft betreten wollte, in dem Fernseher verkauft wurden. Da verstand er, wie ernst die Lage war. Irgendwo hat Jung geschrieben, der schnellste Weg in die Psychose führe über das Fernsehen. Er hatte kehrtgemacht.

Gerade in depressiven Phasen ist es wichtig, an seinen gesunden Freizeitinteressen festzuhalten. Am selben Abend ging er zum C.F. Richsvej. Und verlor beim Pokern. Zwei, drei Stunden später stand er vor dem stillen Mädchen.

5| «Ich habe Besuch bekommen», sagte er. «Von der Afrikanerin.»

«Schwester Gloria?»

«Der Name ist verkehrt», sagte er. «Er bedeutet ‹Ehre›.»

«Was ist Ehre?»

«Das ist, wenn man etwas Nettes tut. Sie hat nichts Nettes getan. Sie zwang mich zu lügen. Dir zu schreiben, ich würde verreisen.»

«Ich habe ihr nicht geglaubt», sagte sie. «Ich habe sie durchschaut.»

Sie sah ihm in die Augen. Es war ein Blick, der alles durchdrang, den Schädel, das Hirn, den Wagen. Ihr Klang veränderte sich, die Wirklichkeit begann zu weichen, ihm standen die Haare zu Berge, und dann war es vorüber, alles war wieder beim Alten.

«Ich habe Hunger», sagte sie.

Er machte ihr etwas zu essen.

Das Kochen hatte ihm Stine beigebracht. Er hatte auf dem Sofa gesessen, auf dem KlaraMaria jetzt saß, Stine hatte an den Kochplatten gestanden, sie kannten sich seit vierzehn Tagen, und dann hatte sie es gesagt.

«Du musst das auch mal lernen.»

Er verstand nicht, was sie meinte.

«Du bist nie richtig zu Hause ausgezogen», sagte sie. «Du wohnst weiterhin in einem Campingwagen, und die Frauen haben das Essen für dich gemacht. Immer wieder hast du deine Mutter dazu gebracht, aus dem Grabe aufzustehen und sich an die Töpfe zu stellen. Das werden wir jetzt mal ändern.»

Er hatte sich erhoben und einen Schritt auf sie zu gemacht. Mit beiden Händen hatte sie den Griff der schweren Schmorpfanne umfasst, die sie am Anfang mitgebracht hatte. Fünf Kilo

Gusseisen plus ein Pfund Gemüse in zweihundert Grad heißem Öl. Er wich zurück, drehte sich um, entfernte sich so weit von ihr, wie es ging, es waren keine fünf Meter. Im nächsten Augenblick würde er gepackt haben und auf dem Weg zum Flughafen sein, aber in dieser Sekunde war ihm schwarz vor Augen. Er fing an zu beten. Die Erde möge sich auftun und sie verschlingen, und Gott die Herrin möge sie aus dem Libretto streichen. Aber nichts geschah, es war ihm nie gelungen, dass ein Gebet auf diese Art und Weise funktionierte.

Der Nebel hatte sich gelichtet, er stand mit der Nase im Bücherregal, vor seinen Augen erstreckten sich Kierkegaards gesammelte Werke, eine Fuge über das eine Thema, das da lautet: Niemand von uns ist gewillt, in sich selbst hineinzuhorchen, denn was er da hörte, wäre infernalisch.

Er hatte sich umgedreht und sie angesehen. Kierkegaard hätte sich nie näher als diese fünf Meter an sie herangewagt. Aber seit seiner Zeit hatte es Fortschritte gegeben. Wenn auch kleine.

Er war zum Tisch zurückgegangen und hatte sich neben sie gestellt. Sie hatte ihm eine Handvoll Topinamburen hingelegt. Und eine harte Bürste.

Für KlaraMaria schnitt er Gemüse, Mohrrüben, Stangensellerie und Porree, er gab einen Spritzer Bouillon dazu, dann Kräuter. Stine und er hatten das Essen immer schweigend vorbereitet, Stine hatte verstanden, dass seine Energie verbraucht war, Probleme hatte er genug. Das Unbehagen, sich wie ein Lehrling zu fühlen, wo man gerade gedacht hatte, nie mehr die Schulbank drücken zu müssen. Die entsetzliche Vorstellung, die Öffentlichkeit könne ihn so sehen, mit umgebundener Küchenschürze. Kasper Krone, der einzige Artist, der keine Frau hatte finden können, die ihm das Essen servierte, wenn es fertig war.

Hin und wieder hatte sie doch etwas gesagt. Lapidares. Grundsätzliches, das er nie wieder vergessen hatte.

«Intensität», sagte sie, «in Geschmack und Duft erreicht man nur durch frische Kräuter.»

Am nächsten Tag hatte er ein Plastiktablett auf den Fazioli gestellt, darauf Töpfe mit Koriander, grünem und blauem Basilikum, griechischem Thymian, gekräuselter und Blattpetersilie, Dill, Schnittlauch, Zitronengras, Majoran. Es sah aus, als trüge der Flügel eine grüne Perücke, auch jetzt noch, da sie seit einer Ewigkeit verschwunden war. Den gefüllten Kühlschrank hatte er beibehalten. Es war wie ein Mantra, immer die Dinge zu kaufen, die auch sie gekauft hatte. Anderen wäre es wie eine Zwangshandlung vorgekommen. Für ihn war es eine Art Gebet, ein Weg in ihr Hologramm.

Er füllte seine Hände mit den Kräutern und vergrub einen Moment lang sein Gesicht in ihnen.

Das Mädchen betrachtete ihn, unaufhörlich.

«Die Dame», sagte sie, «die Frau, hat sie das auch immer gemacht?»

Er nickte. Immer musste Stine den Duft aller Dinge einsaugen. Alles musste sie mit den Lippen berühren. Kräuter, Stoffe, seine Haut, sein Haar, Blumen. Sogar die Noten hat sie vor ihr Gesicht gehalten.

Er gab einen Klecks Butter auf die Pasta, deckte den Tisch, ließ Wasser in eine Karaffe laufen. Er holte ein Einweckglas aus dem Kühlschrank, zuoberst lagen drei Eier, darunter Reiskörner. In dem Reis waren drei große weiße Trüffeln vergraben. Stine hatte Trüffeln geliebt. «Das Problem ist ihre Kraft», hatte sie gesagt. «Sie ist sehr, sehr flüchtig, wie die schnellsten Kohlenwasserstoffe. Wenn du sie so aufbewahrst, durchziehen sie innerhalb weniger Tage den Reis und dringen durch die Eierschalen. Und du bewahrst ihre Intensität.»

Und während sie sprach, hatte sie das Glas gefüllt, er war den Bewegungen ihrer Hände gefolgt, umsichtige, vollkommen exakte Bewegungen. Und zugleich mit der Stärke und Sicherheit eines Handwerkers. Wie wenn ein Zimmermann Holz berührt, ein Werkzeugmacher Metall. Oder Richter die Klaviatur.

Er raspelte ein kleines Stück Trüffel über die Pasta.

«Was wolltest du von mir?», fragte das Mädchen. «Weshalb hast du nach mir gesucht?»

Er setzte sich an den Tisch. Sie setzte sich ihm gegenüber. Sie fingen an zu essen. Sie aß vollkommen konzentriert, er konnte die Wachstumsprozesse ihres Körpers hören, den Aufbau des Gewebes, die bevorstehende Umprogrammierung des Hormonhaushalts, es war noch einige Jahre hin, hatte aber schon begonnen. Der Teller war leer, sie leckte die Gabel ab und das Messer und wischte mit dem letzten Stück Brot den Teller sauber, jetzt war er weiß und blank und brauchte nur noch in den Schrank gestellt zu werden.

«Menschen machen Geräusche», sagte er. «Ihr Körper lärmt. Aber auch ihre Gedanken. Und ihre Gefühle, wir machen alle Lärm. Ich höre gut, ungefähr wie ein Tier, seit meiner Kindheit, das ist nicht immer lustig, weil man es nicht einfach abstellen kann. Am leichtesten ist es, wenn Menschen schlafen. Deshalb bin ich in der Nacht häufig wach. Dann ist die Welt am stillsten. Aber der Lärm verschwindet nie ganz, ich habe oft Menschen gelauscht, die schliefen.»

«Auch der Dame?»

«Ihr auch. Wenn Menschen schlafen, machen sie ein Geräusch, das vielleicht von den Träumen verursacht wird, es klingt, als hätte man das ganze Orchester weggenommen und oben wäre nur eine dünne Flöte übrig geblieben, kannst du dir das vorstellen?»

Sie nickte.

«Sogar der Tod macht ein Geräusch», sagte er. «Ich bin mindestens zehnmal dabei gewesen, als Menschen starben. Selbst wenn sie ihren letzten Atemzug getan hatten, wurde es nicht still, es hörte nicht auf, man stirbt nicht, wenn man stirbt.»

Er horchte in sie hinein, während er sprach. Er bemerkte keine Veränderung, als er den Tod erwähnte.

Er scannte seine Umgebung. Draußen den Wind, die ganz schwache Reibung des Reifens auf dem Boden. Die Böen in der Plane über dem Lotus Elise, für den er die Zulassung immer noch nicht bezahlt hatte, man hörte es am Klang, dieses blecherne Scheppern der provisorischen Nummernschilder. Er hörte, wie es in den Profilbrettern der Wände arbeitete. Das kleine Schnalzen, mit dem das Weißbuchenholz im Ofen verglühte.

Dahinter lag ein anheimelnder Klang. Die Arie aus den *Goldbergvariationen.*

Familien hatte er immer anders aufgefasst, als die Leute es normalerweise tun, was er hörte, war ihre ausgewogene Intensität. Wie die *Goldbergvariationen*, es war nie eine Musik zum Einschlafen gewesen. Die wirklichen Möglichkeiten einer Familie lagen nicht in der Geborgenheit, nicht in der Monotonie, nicht in der Voraussagbarkeit. Die wirklichen Möglichkeiten lagen darin, dass es zeitweise keine Fronten gab, keine Masken, keine Vorbehalte, plötzlich hatten alle den Gehörschutz abgesetzt, es war still, man konnte die anderen so hören, wie sie waren. Genau deshalb hatte Bach keine Zeit verloren und sich bald eine Frau genommen und ausreichend Kinder gezeugt, um damit einen Kammerchor auf die Beine zu stellen.

Vielleicht war es ein Scherz, den sich Gott die Herrin erlaubt hatte, dass ausgerechnet er, Kasper, dies hören konnte. Er, dem es nie gelungen war, eine Familie zu gründen.

«Solange Menschen leben, gibt es nicht eine Sekunde Stillstand», sagte er. «Aber dein System ist anders. Hin und wieder machst du eine Pause. Hin und wieder wirst du ganz still. Ich möchte echt gerne wissen, warum. Und wie. Ich habe nach dieser Stille gesucht. Mein Leben lang.»

Ihr Gesicht wurde leer. Vielleicht hatte er sich in ihr getäuscht.

Sie hatte leere Augen. Rattenschwänzchen. X-Beine. Sie war wie jedes andere Mädchen von neun Jahren auch.

«Wie wär's mit Ohropax?», sagte sie.

Er musste sich zu einer Antwort zwingen.

«Lärm gäbe es trotzdem. Lärm vom Körper, Lärm von dem, was die Menschen so denken. Von dem, was ich selbst denke. Die Stille, nach der ich suche, ist eine andere. Es ist die Stille hinter jedem Lärm. Die Stille, die herrschte, bevor Gott die Herrin die erste CD einlegte.»

Ihr Gesicht war leerer als leer.

«Sind wir fertig?», fragte sie.

«Womit?»

«Mit dem Essen.»

Er tat ihr noch etwas auf.

«Wirklich ärgerlich», sagte sie, «dass du die Blaue Dame nicht treffen kannst.»

Er fuhr sie im Elise nach Hause. Den Skodsborgvej erkannte er nur an den Schildern, die Landschaft erschien ihm fremd, die Waldränder waren still, weiß und starr vor Kälte, der Frühling hatte noch eine sibirische Nacht im Ärmel gehabt.

«Passt gut zu mir, ein Sportwagen», sagte sie.

Im Auto war es warm. Die Klimaanlage klang wie das Feuer im Bekkasin-Ofen, der Motor spielte die *Goldbergvariationen*, er hatte keine Lust, sie abzusetzen, er wollte weiterfahren, stundenlang, das Mädchen neben sich. Zum ersten Mal in seinem Leben hatte er eine leise Ahnung davon, wie es sich anfühlen musste, ein Kind zu haben.

«Du fährst gern Auto», sagte sie.

«Kein Telefon, keiner, der mich erreichen kann. Stille. Man kann fahren, wohin man will. Ohne Grenzen. Bis ans Ende der Welt. Sollen wir?»

«Das bildest du dir nur ein», sagte sie. «Du träumst. Du kannst deinen Abmachungen nicht einfach davonfahren. Und dem

Geld. Du hast dich im Geld verheddert. Und den Menschen, die du gern hast, kannst du auch nicht davonfahren. Viele sind es ja nicht. Die Dame. Dein Vater. Vielleicht noch ein oder zwei. Mager. Wenn man so alt ist wie du. Aber immerhin.»

Einen Augenblick lang hatte er die Befürchtung, einen Unfall zu bauen. Von Maximillian hatte er ihr nichts gesagt. Zu einer solchen Grobheit hatte er sie nicht eingeladen. Ein Kind. Er betete. Er möge die Kraft haben, ihr nicht eins aufs Dach zu geben.

Er wurde erhört, die Wut verging. Aber die Musik war weg.

«Ich teste dich», sagte sie. «Schaue, was du aushältst.»

Er parkte an der Feuerwehrzufahrt, der Frost war schon so stark, dass er ihn bis in die Fußsohlen spürte. Das Mädchen musste einen anderen Stoffwechsel haben als er, sie bewegte sich in ihrem dünnen Jäckchen, als trüge sie den Sommer mit sich herum.

Das Anwesen war dunkel, nicht einmal die Eingangsbeleuchtung war eingeschaltet. Nur in zwei Giebelfenstern der Villa brannte Licht.

«Um diese Zeit ist alles zugeschlossen», sagte sie. «Machst du mir eine Räuberleiter?»

«Wer ist die Blaue Dame?», fragte er.

Sie schüttelte den Kopf.

«Du siehst mich bestimmt nicht mehr wieder. Ich wollte dir nur Lebewohl sagen.»

Er bekam kaum Luft. Sie trat auf seine gefalteten Hände, stieß sich ab, sie wog nichts, sie flog durch die Luft wie ein Schmetterling, landete schwerelos auf der anderen Seite.

Er kniete sich hin. Ihre Gesichter berührten sich fast. Aber zwischen ihnen war der Drahtzaun.

«Hast du mich fliegen sehn?», fragte sie.

Er nickte.

«Irgendwie möchte ich dich gerne mitnehmen. Beim Fliegen. Ins All. Kannst du mir dabei helfen, Astronautin zu werden?»

«Ich brauche nur mit den Fingern zu schnipsen.»

Sie starrten sich an. Dann hellte sich ihr Gesicht auf. Der Mund fing an, er lächelte, riss das Gesicht mit, dann den ganzen Kopf, und den Körper.

«Du könntest dir nicht mal selber über den Zaun helfen», sagte sie.

Der Ernst kehrte zurück.

«Seltsam», sagte sie. «Du bist so nah dran. Sie sitzt da oben hinter den Fenstern. Die erleuchtet sind. Sie ist die Einzige, die zu dieser Zeit noch wach ist. Es ist ihr Zimmer. So nah dran. Und trotzdem wirst du sie nie sehen.»

Sie steckte die Finger durch das Drahtgeflecht und berührte sein Gesicht.

«Schlaf gut», sagte sie. «Und träume süß.»

Dann war sie weg.

Er war noch am Gitter stehen geblieben, nachdem KlaraMaria verschwunden war. Die Nacht war still gewesen. Bei Frost wird alles starr und still. Stine hatte ihm den Grund verraten. Alle geräuschreflektierenden Oberflächen wurden gleichzeitig hart und elastisch, wie Eis und Glas. Daher das Koan der Frostnächte: Alles ist hörbar und nirgends ein Laut.

Er betete, er wollte ein Zeichen. Nichts kam. Vielleicht war es mit Gott der Herrin wie mit Mobiltelefonen. Der Empfang ist nicht immer der beste.

Er hatte den Drahtzaun umklammert. Und war gesprungen. Wie ein Gibbon.

6

Er stieß auf keinen Widerstand. Die Tür, durch die er das Haus betrat, war nicht abgeschlossen, der Gang dahinter war erleuchtet. Er führte an einer Großküche vorbei. Und an einem friedlichen Aufzug, der in einem Glasschacht schlummerte. An der Decke verliefen Stromschienen und Lichtmodule, aber sie waren ausgeschaltet, das Licht stammte von Kerzen in Nischen, die in einigen Metern Abstand in die Wand eingelassen waren.

Der Korridor endete an einer dunklen Tür. Er machte sie auf, ohne anzuklopfen.

Es war das Giebelzimmer. An einem Schreibtisch vor den dunklen Fenstern saß die Oberschwester. Direkt aus dem OP, noch mit blauer Schürze und dem weißen Häubchen im Haar.

«Ich lese gerade deine Unterlagen», sagte sie. «Du bekommst mindestens drei Jahre Haft. Wie man es auch wendet. Du sitzt nicht zwischen den Stühlen. Du sitzt in einem Abgrund.»

Sie war in h-Moll.

Bach hatte h-Moll für seine große Messe gewählt. Beethoven auch. Für den letzten Teil der *Missa solemnis*. Und an einer Stelle hatte er geschrieben, immer wenn er auf Goethe gestoßen sei, habe er ihn in D-Dur gehört, der Paralleltonart. H-Moll war tief. Dramatisch, in sich gekehrt, spirituell. Bläulich an der Grenze zum Schwarz. Die Frau vor ihm war schwarzblau. Nicht nur ihre Tracht, auch ihr Wesen. Die Farbe tiefen Wassers. Er hatte sie noch nie gesehen.

«Spanien wird nie Europa», sagte sie. «Europa hört an den Pyrenäen auf. Spanien ist der Nahe Osten. Die Steuergesetzgebung beruht auf dem fünften Buch Mose. Alles über fünf Millionen Peseten ist schwere Steuerhinterziehung und bringt zwei Jahre. Dazu kommt das *asset stripping* deiner Off-Shore-Gesellschaften in Gibraltar. Unsere Anwälte sagen, dass der Untersuchungsrichter in Torremolinos vermutlich schon auf dich wartet.»

«Wo bin ich?», sagte er.

«Im Rabiastift. Einem Nonnenkloster. Vom Orden der Betenden Schwestern. Das Hauptkloster liegt in Audebo. Das Mutterkloster in Alexandria.»

Für Kasper gehörten Nonnen nach Südeuropa. Von der Münchner Marienkirche an und weiter südlich. Wo die Religion ein Zirkus war. Ein himmelhoher Raum, das Publikum im Sonntagsstaat, Weihrauch, Bühnenbeleuchtung, ein Zirkusdirektor in Weiß und Gold, jeden Abend ausverkauft. Die dänische Kirche war dagegen das reinste Kulissendepot.

Sie fuhr fort, als blätterte sie in seinem Bewusstsein.

«In Dänemark gibt es zwischen vierzig und fünfzig Nonnenorden. Die Zisterzienserinnen in Sostrup Slot. Die Clarissa-Klöster in Randers und Odense. Die Lioba-Schwestern der Benediktiner in Frederiksberg und Ordrup. Die Karmeliterinnen in Hillerød. Die Béatitudes in Brønderslev und Århus. Jesu Kleine Schwestern im Øm-Kloster. Und in der Vesterbrogade. Die Focoler-Schwestern auf Møn und Langeland. Die Charismatikerinnen auf Bornholm und in Århus. Die Missionarinnen der Liebe in Nørrebro. Die Schwestern der Kommunität des kostbaren Bluts in Birkerød. Nicht einmal der Herr kenne die Zahl der Kongregationen, sagt man. Dazu noch drei orthodoxe Klöster in Råsted, Gislinge und Blommenslyst. Die orthodoxe Kirche ist in Dänemark seit 1866 vertreten. Als Dagmar, eine Tochter Christians IX., mit dem Großfürsten, ab 1881 Zaren, Alexander III. von Russland verheiratet wurde. Die Newskikirche in der Bredgade stammt aus dieser Zeit.»

«Und alle», sagte er, «sind sie Experten in spanischem Strafrecht?»

«Wir haben sechs Klöster an der Costa del Sol. Kinderkrankenhäuser. Beratungsstellen für illegale Einwanderer aus Marokko. Wir haben unsere eigenen Juristen in der Verwaltung von Torremolinos. Zusammenarbeit mit der katholischen Kirche. Und mit dem Patriarchat in Paris.»

Sie musste Ende sechzig sein, aber sie trug ihre früheren Altersstufen mit sich. Hinter ihrer Magerkeit und den tiefen Falten steckte die Vitalität einer jüngeren Frau. Und in ihren Bewegungen die Impulsivität eines Kindes.

«Die Kinder», sagte er. «Was ist mit den Kindern? Dem Mädchen, KlaraMaria?»

«Was ist dir aufgefallen», sagte sie. «Als du ihr gegenübergesessen hast?»

«Sie ist still. Wie die andern Kinder. Zeitweilig sind sie still. Nicht wie normale Kinder. Oder normale Menschen.»

Sie erhob sich und ging im Zimmer auf und ab. Er kam nicht in ihren Klang hinein, er war unzugänglich, Kasper fehlte das akustische Passwort.

«Ich habe an die tausend Kinder getauft», meinte sie. «Was sagst du zu der Vorstellung, dass manche Kinder mit der Begabung geboren werden, sich Gott schneller nähern zu können als andere?»

Er sagte nichts.

«KlaraMaria könnte ein solches Kind sein», sagte sie. «Vielleicht auch einige der anderen.»

Er konnte spüren, warum sie sich bewegte. Es war ein Überschuss an Energie. Kein gewöhnlicher Überschuss, keine ordinäre muskuläre Unruhe, etwas anderes. Ein feines Zittern umgab sie wie ein Transformatorenhäuschen. Als wäre sie eine Orgelpfeife, als berge sie eine stillstehende Welle.

«Wir würden dich gerne einweihen», sagte sie. «Es geschieht nicht so häufig, dass Menschen von draußen kommen und selbst etwas beobachtet haben. Aber das hat keine Zukunft. Nimm es mir nicht übel. Aber du hast schlechte Karten. Bei uns in Dänemark sind sie dabei, eine Steuersache gegen dich in Stellung zu bringen. In Spanien wartet eine Vorladung auf dich. Die Lage ist hoffnungslos. Du bist weg in null Komma nichts.»

«Ich lege Berufung ein», sagte er. «Beim Landgericht in Granada. Dann vergehen nämlich Jahre, bevor die Verhandlung angesetzt wird.»

«Sie werden dich wegen Bestechungsversuchs anklagen. Des Fiskus in Torremolinos. Nach den großen Skandalen in den neunziger Jahren haben Bestechungsfälle höchste Priorität. Unsere Anwälte sagen, bis zum Sommer bist du verurteilt.»

Er sagte nichts. Dem war nichts hinzuzufügen.

«Eine verzweifelte Situation», sagte sie. «Trotzdem gibt es vielleicht eine Hoffnung. Wir haben darüber gesprochen. Die Schwestern glauben, dich zu kennen. Sie wollen nichts lieber, als einem großen Künstler zu helfen. Es könnte gehen, wenn Kräfte innerhalb der Kirche Fürbitte für dich einlegen. Wenn wir das Urteil von Granada an den Obersten Gerichtshof in Madrid bekommen. Der bezieht zwar keine Stellung zur Strafzumessung. Hat aber die letztendliche Entscheidung in der Schuldfrage. Wenn sich der Patriarch von Paris in deinem Namen an das Begnadigungsbüro in Madrid wendet. Der König hat Begnadigungsrecht. Wenn wir dokumentieren können, dass du einen Großteil der unterschlagenen Gelder unseren Klöstern vermacht hast. Wenn wir alle hier Fürbitte für dich einlegen.»

Ein Gefühl der Dankbarkeit überschwemmte ihn. Was ihm da von diesem wildfremden Menschen entgegenströmte, glich der christlichen Nächstenliebe, die aus den Kantaten floss.

Er kniete nieder und drückte seine Stirn auf ihre Hand. Altmodisch vielleicht. Aber für den, dessen Liebe spontan ist, gibt es keine Grenzen.

«Ich glaube, wir machen das», sagte sie. «Da ist nur noch eine ganze Kleinigkeit, um die wir dich bitten. Als Gegenleistung.»

Er erstarrte. Langsam zog er sich rückwärts auf den Stuhl zurück.

«Was ist los?», fragte sie.

«Meine Grundtraumata liegen bloß.»

«Die Schwestern und ich», sagte sie, «kommen ohne fremde Hilfe aus. Aber wir brauchen einen Mann.»

«Die Liebe ist nie bedingungslos», sagte er. «Immer kommt noch das Kleingedruckte.»

«Wir machen uns Sorgen um die Kinder», sagte sie.

«Vor einem Jahr», sagte sie, «verschwand eine unserer Laien-Novizinnen, Schwester Lila, sie arbeitete eng mit mir zusammen in Fragen der Kinder. Sie wurde in ein Auto gezerrt und entführt, mit verbundenen Augen. Sie war zwei Tage weg. Sie wurde gefesselt und misshandelt. Geschlagen. Nach den Kindern ausgefragt. Nach den zwei Tagen wurde sie auf den Wiesen auf Amager ausgesetzt. Sie hat sich immer noch nicht richtig erholt. In dem, was du Stille nennst, steckt eine Reihe von Fähigkeiten. Wir befürchten, dass jemand versucht, sie auszunutzen.»

«Die Polizei», sagte er.

«Ist informiert. Das Stift wurde zum möglichen Terrorziel erklärt. Das bedeutet, es gibt Pläne für den Ernstfall. Und zweimal die Woche rollt ein Streifenwagen an unserer Ausfahrt vorbei. Das ist alles, was man an Schutz bekommen kann. Man muss sie auch verstehen. Wir haben nichts Konkretes in der Hand.»

«Wo kommen die Kinder eigentlich her?»

«Aus Familien mit Verbindung zum Laienorden an verschiedenen Orten der Welt, wo die Ostkirche eine lange Tradition hat: Jerusalem, Äthiopien, Australien. An manchen Orten im Osten. In Frankreich. Die Familien legen keine Gelübde ab und tragen keine Tracht. Sie können sich aussuchen, wie eng die Verbindung zum Kloster sein soll.»

«Und was machen die Kinder hier?»

Sie blickte aus dem Fenster. Als wartete sie darauf, dass Gott die Herrin ihr soufflierte.

«Man könnte es ein Trainingslager nennen», sagte sie. «Eine erweiterte internationale Sonntagsschule. Wir rufen sie einmal im Jahr zusammen. Für dieses Jahr ist jetzt Schluss. Aber um das nächste Jahr machen wir uns Sorgen.»

Er versuchte, an der Stimme vorbeizukommen. Im Augenblick war sie heiser, grobkörnig wie Perlkies auf dem Transportband eines Steinbruchs. Und sie war definitiv. Es war eine Stimme abschließender Mitteilungen, einer Segnung oder eines Banns. Er konnte sie nicht öffnen.

«Wir sind ein modernes Kloster. Wir sind gut gerüstet für viele Herausforderungen. Wirklich viele. Aber nicht für diese.»

«Sie müssen bewacht werden», sagte er. «Ich kann Ihnen einen Kontakt vermitteln.»

Sie kam hinter ihrem Schreibtisch hervor, zog einen Stuhl zu ihm heran und setzte sich. Sie saß sehr nahe vor ihm, er hatte Lust, ein wenig von ihr abzurücken. Aber das Signal vom Gehirn zu den Muskeln kam nicht richtig durch.

«Es sind keine gewöhnlichen Kinder», sagte sie. «Es sind auch keine gewöhnlichen Kriminellen. Wir wissen nicht, was das da draußen ist, aber es ist umfassend.»

Es gelang ihm, den Stuhl nach hinten zu schieben.

«Ich bin Künstler», sagte er. «Ich muss an mein Publikum denken. Meine Schulden wachsen mir über den Kopf. Ich habe Verträge für die nächsten zweieinhalb Jahre. Außerhalb Dänemarks.»

Er wusste nicht, ob sie ihn gehört hatte.

«In der orthodoxen Kirche arbeiten wir mit Rollenmodellen», sagte sie. «Das sind die Heiligen. Nach dem Vorbild des Erlösers haben sie sich gebären lassen, um unter Sündern und Räubern zu wandeln. In Asien werden sie Boddhisatvas genannt. Was wir hier brauchen, wäre ein kleiner Heiliger. Der Reflex eines Heiligen. Ein Mensch, der sich von diesen Leuten kontaktieren ließe. Wer sie auch sind. Und der die Situation klären könnte. Der zwischen uns und den Behörden vermittelt. So einen brauchen wir.»

Er rückte den Stuhl noch ein wenig zurück.

«Ihr braucht einen Polizeispitzel», sagte er. «Ich bin ein Mann mit einer internationalen Karriere. Und zu der Zeit habe ich eine Tournee an der Côte d'Azur.»

«Nicht, wenn du die noch nicht erfüllten Verträge kündigst. Das würde dich stigmatisieren. In der Öffentlichkeit. Du würdest einem gefallenen Engel gleichen. Vielleicht würden sie versuchen, dich zu benutzen. Wer sie auch sind. Du bist dafür bekannt, mit Kindern gut umgehen zu können.»

Die Stimmung war anheimelnd. Wie in den *Goldbergvariationen*. Sie sprach, als kennten sie sich schon lange. Sie sprach wie eine große Schwester. Tödlich unumwunden.

«Es sind die beiden größten Varietéketten in Spanien», sagte er. «Und an der Côte d'Azur. Sie würden Entschädigungsansprüche geltend machen.»

«Es ginge um stattliche Summen», sagte sie.

«Ich käme auf die schwarze Liste», sagte er.

«In fast allen Ländern.»

Sie mussten beide lachen.

«Ich komme also her», sagte er. «Wir sind jetzt ein Jahr weiter. Ich habe meine Karriere zur Strecke gebracht.»

«Tötung aus Mitleid. Sie liegt ohnehin im Sterben. Der höhere Teil von dir sucht nach etwas Tieferem.»

«Meine Zukunft ist ohne Zukunft. Drohende Prozesse hier und in Spanien. Ich komme also her. Und dann?»

«Du wartest. Wir treten an dich heran. Oder KlaraMaria. Sie ist völlig gefesselt von dir. Ich war dabei, als sie dich das erste Mal sah, im *Zirkusgebäude*. Sie wollte überhaupt nicht mehr nach Hause. Du wirst ganz in der Nähe sein. Wenn wir dich brauchen. Und du wirst einer gescheiterten Existenz gleichen. Sie werden dich kontaktieren. Wir müssen eine Möglichkeit finden, wie wir sie auf dich aufmerksam machen.»

«Ihr wollt mir den Judaskuss geben.»

«Wir wollen einfach in deine Richtung schauen. Vielleicht kommen sie. Vielleicht nicht. Entscheidend ist, dass du in der Nähe bist. Für den Fall, dass wir um Hilfe bitten.»

«Hilfe bei was?»

Sie schüttelte den Kopf.

«Ich bin eine *Igumenja*. Das entspricht einer Äbtissin. Und gelegentlich fungiere ich als *Stariza*, als Mentorin. Aber das hier, das ist nicht mein Gebiet. Aber die Schwestern glauben an dich.»

«Und hinterher?»

«Es gibt zwei Möglichkeiten. Wir gehen nach Plan vor. Fürbitte. Schreiben an das Begnadigungsbüro. Beteiligung an deinem Bußgeld durch unseren karitativen Fonds. Wir setzen Himmel und Erde in Bewegung. Der weißrussische Metropolit wird beim dänischen Justizministerium vorstellig. Du tust Abbitte. Es kommt zu einer gütlichen Einigung. Du gehst auf Gastspielreise, verspätet, aber immerhin. Die Bühne hat dich wieder.»

«Und die zweite Möglichkeit?»

«Dass alles nichts nützt. Weder die Varietés noch das Ministerio de Hacienda, noch das Finanzamt wollen auf einen Vergleich eingehen. Das heißt, du verbringst trotz allem fünf Jahre in Alhaurín el Grande.»

Sie lächelte nicht mehr.

«Und wenn ich da sitze», sagte er. «Was erzähle ich mir dann in den langen andalusischen Winternächten, was der Grund für das ganze Schlamassel war?»

«Die Stille», sagte sie, «war der Grund für das ganze Schlamassel.»

Sie begleitete ihn hinaus, er dankte es ihr, allein wäre er nicht zurechtgekommen. Er hatte die Orientierung verloren, äußerlich und innerlich. Sie durchquerten eine Großküche, eine Kantine.

Die Kerzen hatten sich von selbst erneuert und vom Mond Verstärkung erhalten.

«Die Terrazza», sagte sie. «Der Speisesaal.»

Sie schlug eine Tür auf, sie führte in den Klostergarten. Er hatte einen Klang, dass man selbst jetzt, bei minus acht Grad, Lust verspürte, sich auf einer Steinbank niederzulassen und einfach sitzen zu bleiben.

Er war von vier Flügeln umgeben, der vierte war eine Kirche, winzig und gepflegt, wie eine größere Gartenlaube. Der Grundriss war kreuzförmig, in der Mitte eine große Zwiebelkuppel, die im Mondschein glitzerte.

Er lauschte in die Szenerie hinein, alles war von Sorgfalt durchdrungen.

«Es ist ein Teil der Übung», sagte sie. «Man versucht, das Alltägliche heilig zu machen. Den Garten. Die Instandhaltung. Man betet, während man auf dem Klo sitzt.»

Er merkte, wie eine Sehnsucht aufstieg. Anscheinend in seinem eigenen Herzen, aber sie war so umfassend, dass sie sich auf die Umgebung ausbreitete. In Form einer dissonanten Spannung.

«Den größten Teil meines Lebens», sagte er, «war ich auf der Suche. Nach der Stille. In mir selbst und unter den Menschen. Ich weiß, es gibt sie. Ich war selbst nie ganz darin, aber ich weiß, dass es sie gibt. Du hast sie. Du stehst in ihr, deine Stimme kommt aus der Stille, ich höre es. Das Mädchen auch, KlaraMaria, es ist in der Nähe des gleichen Phänomens. Ich will da hinein. Sonst werde ich wahnsinnig.»

Sie lauschte ihm. Er fühlte, wie seine Knie leicht aneinanderschlugen.

«Es stimmt vermutlich», sagte sie, «dass du wahnsinnig wirst. Wenn du nicht ans Ziel gelangst.»

Sie schloss die Tür, sie gingen auf den Ausgang zu. Er ließ sich zurückfallen. Er war so gut wie gelähmt vor Zorn. Sie war

Christin. Und hatte nicht ein Wort der Barmherzigkeit für ihn übrig. Keinen Segen. Nicht einmal einen bescheidenen Kuss auf die Wange.

Trotzdem musste er ihrem Körper lauschen. Sie ging, wie Jekaterina Gordejewa getanzt hatte. Mit der Bewegungsfreude einer Zwölfjährigen. Der Staatszirkus hatte sie in einer Eisnummer eingesetzt, während der beiden Saisons, die er in Moskau verbracht hatte. Trotzdem hatte die Frau vor ihm eine andere Art von *flow*. Als ruhte sie nicht unmittelbar in ihrem Körper, sondern darum herum. Sein ganzes Leben hatte er Körpern zugehört, aber so etwas hatte er noch nie erlebt.

«Die Afrikanerin», sagte er. «Sie hat mir gedroht. Ich solle mich fernhalten.»

«Ich dachte, das Vorsprechen sei sowohl im Zirkus als auch im Theater üblich, oder habe ich das falsch verstanden? Um diejenigen zu finden, die es ernst meinen.»

Er blieb stehen. Frost steckte ihm im Körper. Trotzdem ließ er seine Stimme schnurren wie eine siamesische Katze.

«Äbtissin zu sein», sagte er, «muss ein hohes Maß an Zuverlässigkeit erfordern.»

Sie wandte sich zu ihm um. Er hatte in südeuropäischen Cafés gesessen und den vorbeigehenden Nonnen gelauscht. Die meisten hatten eine Menge Monteverdi in sich, vom Scheitel bis zum Herzen. Aber von da an abwärts war alles zugeschnürt. Die Frau vor ihm war ein anderes Phänomen.

«Im Idealfall», sagte sie. «Realiter sind wir alle nur kleine Menschen.»

«Dann muss ich leider um etwas Schriftliches bitten», sagte er. «Mit allem Drum und Dran. Mit dem Bischof und dem Patriarchen. Und der Fürbitte und den fünf Millionen.»

Sie saßen wieder im Eckzimmer, sie schrieb schnell und konzentriert, ging in den Nebenraum, ein Fotokopierer summte, sie kam zurück, reichte ihm das Dokument, er las und unterschrieb. Er hatte in seinem Leben schon viele Verträge unterschrieben, aber noch keinen wie diesen.

«Vertraust du mir?», fragte sie ihn.

Er nickte.

Sie hielt ihm die Tür auf. Gab ihm die Hand. Er nahm sie. Sie blieben in der Türöffnung stehen.

Die Geräusche rundum veränderten sich. Zuerst wurden sie klarer. Er hörte seinen eigenen Körper und ihren. Er registrierte das kaum vernehmbare Flüstern eines elektronischen Geräts im *Stand-by*. Er hörte das Gebäude, die ewige, minimale Setzung von Stein und Beton. Die Vibration schlafender Menschen.

Er hörte, wie die Geräusche sich harmonisierten. Eine gemeinsame Tonart fanden. Er war Zeuge einer bestimmten Form von Orchestrierung.

Er konnte den Grundton der Frau nicht mehr hören. Er sah sie an. Sie hatte alle Farbe verloren. Er wusste, sie reisten gerade aufrecht stehend durch alle Bläsermündungen und Klangkörper, sie waren auf dem Weg in jenes Etwas, das er immer erreichen wollte, sie waren auf dem Weg in die Stille.

Sehnsucht und Schrecken machten sich gleichzeitig bemerkbar, wie ein Paukenschlag. Um ein Haar hätte er aufgeschrien. Im selben Augenblick war das Phänomen überstanden.

Er lehnte sich an die Wand. Er brauchte eine Weile, ehe er die Sprache wiedergefunden hatte.

«Ein Jahr ist eine lange Zeit», sagte er. «Ihr könntet die Abmachung vergessen haben.»

«Es kann auch sein, dass wir uns daran erinnern», entgegnete sie.

«Kann sein, dass ihr euch geirrt habt. Dass gar keiner hinter den Kindern her ist. Dann hätte ich mein Leben ruiniert.»

«Was die Großen auszeichnet», sagte sie, «Männer wie Frauen, ist ihre Bereitschaft, beim Roulette alles auf eine Zahl zu setzen, wenn es drauf ankommt. Die Zahl des Erlösers. Und ohne Gewähr, dass sie dann auch kommt.»

Die Umgebung drehte sich vor Kaspers Augen wie ein Karussell, ein Klosterkarussell.

«Das wird ein langes Jahr», sagte er. «Und nicht das einfachste in meinem Leben. Hast du einen Rat für mich?»

Sie sah ihn an.

«Hast du jemals versucht zu beten?»

«Ich habe gefordert. Die meiste Zeit meines Lebens.»

«Deshalb bist du nicht weitergekommen.»

Der Zorn raubte ihm wieder den Atem.

Das Geräusch nahm die Gestalt der Arie in den *Goldbergvariationen* an. Familienartig. Er konnte merken, dass sie ihn mochte. Wie nur wenige, vielleicht sehr wenige. Er hatte es auch bei KlaraMaria gemerkt. Bei Stine. Menschen, die den Lärm seines Systems ertragen konnten. Und mehr als das.

Liebe macht die Menschen gleichwertig. Einen Augenblick lang befanden er und sie sich auf exakt gleicher Höhe.

«Zu wem soll ich beten», sagte er, «wer sagt, dass da draußen jemand ist, wer sagt, dass das Universum nicht nur ein einziger großer Leierkasten ist?»

«Vielleicht ist es nicht notwendig, zu jemandem zu beten. Die frühen Wüstenmütter sagten, Gott sei ohne Form, Farbe oder Inhalt. Vielleicht bedeutet Gebet nicht unbedingt, zu jemandem zu beten. Vielleicht ist es eine aktive Methode aufzugeben. Vielleicht brauchst du genau das: aufgeben, ohne unterzugehen.»

Sie öffnete die Tür.

«Die Worte sind im Prinzip egal», sagte sie, «wenn sie nur zum Herzen sprechen. Zum Beispiel könnten sie aus Bachs Kantaten stammen.»

Er bemerkte eine Bewegung, hinter ihm stand die Afrikanerin.

Sie begleitete ihn hinaus und machte das Tor auf. Hier drehte er sich um und betrachtete das Gebäude.

«Der Gästeflügel», sagte die Afrikanerin.

Er hatte drei Stockwerke, er zählte sieben Fenster pro Etage, jedes hatte einen kleinen Balkon.

«Gastfreundlich», sagte er.

«*Philoxenia.* Die Liebe zum Fremden birgt die Liebe zu Christus.»

Langsam ging er auf den Frederiksdalsvej zu. Sie blickte ihm durch das offene Tor hinterher.

Er erlebte ihren Klang, ihre Reaktion auf ihn. Was sie sah, ließ sie wie einen Menschen klingen, der nach dem *Rien ne va plus* am Roulettetisch steht und sich seine Chancen ausrechnet und weiß, da es sich ja um Roulette handelt, dass sie in jedem Fall niedriger als fünfzig Prozent stehen.

Möglicherweise war es auch nur Einbildung, besonders in mondhellen Frostnächten wird die Welt leicht zu einem Bildschirm, auf dem jeder von uns sein eigenes Heimvideo anschaut. Er ging zu seinem Auto, das Auto hatte er immer als losgelösten, aber völlig geborgenen Teil seines Wohnzimmers empfunden, mit zwei Sesseln und einem Sofa.

Aber selbst als er Klampenborg erreicht hatte und es warm geworden war und andere Nachtschwärmer die Straßen bevölkerten, hörte er weiterhin, aus den Sitzen und dem Motor und der Karosserie und dem Verkehr und den Vororten ringsum, das einfache und zugleich unbegreiflich komplexe Thema aus den *Goldbergvariationen.* So, wie es klingt, wenn man in den Variationen schon ein Stück vorangekommen ist und allmählich merkt, nun kann man nicht mehr abspringen, nun hat Bach einen gepackt, nun ist man gezwungen dabeizubleiben, ungeachtet dessen, wohin es einen führt.

DRITTER TEIL

1 | *Copenhagen Dolce Vita* befand sich in einem Hochparterre an dem Platz, der einst der Kongens Nytorv gewesen war.

Für Kasper hatte es nie einen Zweifel gegeben, dass spirituelle Sehnsucht und Essen zusammengehörten und es dabei prinzipiell zwei Stilarten gab: Ins Paradies konnte man sich entweder hineinhungern oder -fressen.

Die großen religiösen Traditionen hatten beide Extreme perfektioniert. Die frühen Wüstenväter und -mütter hatten zeitweise ausgesehen, als trügen sie ihr Skelett außen auf den Kleidern, die Taoisten hatten gesagt: *«Empty the mind and fill the belly»*, und nicht wenige tibetische Fixsterne aus Dzogchen und Mahamudra waren den Präsidiumsmitgliedern des Klubs der Vielfraße zum Verwechseln ähnlich gewesen. Buddha hatte einen möglichen Weg zwischen beiden Extremen vorgeschlagen, Kasper suchte ihn, heute Abend und viele Male zuvor, hier bei Bobech Leisemeer, wo das Essen wie ein Zirkus in alten Zeiten war, durchspiritualisiert, schockartig und auf der Grenze zwischen Äquilibristik und Unverantwortlichkeit.

Trotzdem gab es einen Punkt zwischen Herz und Solarplexus, der sich partout nicht entspannen wollte und in diesem Leben auch nicht mehr dazu kommen würde. Und zwar derjenige Punkt, der weiß, dass ein geborener Zigeuner in einem Ambiente wie diesem, zwischen Gold und Weiß und Damast und Menschen, für die ein Jahreseinkommen von einer Million schon einem Hungerlohn gleichkam, fehl am Platze war.

Und trotzdem war er immer wiedergekommen. Denn das Essen war nun einmal unbeschreiblich, und wer das Höchste sucht, darf keinen Weg außer Acht lassen. Und weil Kasper sich im Küchenchef immer selbst hatte hören können: der Proletarierjunge, der zum Gaukler auf Marktplätzen geboren war und den Rest seines Lebens zu verstehen suchte, warum ihn das Schicksal in eine weiße Uniform und eine Kochmütze gesteckt und zum Darling der Oberschicht gemacht und ihn als eine Art Hohepriester vor einen Altar des Essens gestellt hatte.

Kasper blickte über das Wasser.

Zwei Stunden zuvor war er aufgewacht, um ihn herum war es stockfinster gewesen.

Er war vom Boden heruntergeklettert und hatte sich zum Wohnmobil geschlichen, es war leer. Er wollte aufschließen, er fühlte einen Stahldraht am Türgriff, er riss ein Streichholz an, an dem Stahldraht saß eine Plombe, in die «Polizei Kopenhagen» gestanzt war.

Er brach die Plombe auf. Im Wagen zündete er noch ein Streichholz an. Sie hatten hinter sich aufgeräumt. So, wie man eine Leiche balsamiert, von außen sieht es gut aus, aber innen ist nichts mehr drin. Seine Geige war weg, der flache Geldschrank war geöffnet, die Papiere waren nicht mehr da. Das *Klavierbüchlein* stand nicht mehr im Regal.

Aber seine Kleidungsstücke hatten sie ihm gelassen. Er raffte Anzug, Schuhe, Handtuch und Waschzeug zusammen. Er riss eine Ecke aus dem kartonierten Umschlag von Carl Nielsens Buch über seine Kindheit auf Fünen. Er blies das Streichholz aus, stieg aus dem Wagen, klemmte das Stückchen Karton in Kniehöhe ein. Setzte die beiden Hälften der Plombe so gut es ging zusammen.

Im Waschgebäude duschte er und rasierte sich, zuerst mit dem Elektro-, dann mit dem Nassrasierer. Das Gesicht, das ihn aus dem Spiegel ansah, war durch das Alter in Mitleidenschaft gezogen worden – und von fünf- bis siebentausend Vollmasken in dreißig Jahren.

Einmal hatte Stine hinter ihm gestanden. Hatte sein Gesicht mit den Händen umschlossen. Ihn im Spiegel angesehen.

«Du hast etwas vom Erlöser», sagte sie. «Etwas vom *Verpfändeten Bauernjungen.* Und etwas vom Grafen Danilo aus der *Lustigen Witwe.*»

Er hätte Daffy gern auf Wiedersehen gesagt, aber das Risiko war zu groß. Falls die Polizei auf ihn wartete, stünde sie am Tor. Er ging in den Stall.

Die Deckenbirne brannte, er nahm sich zwei Äpfel aus dem Kasten und stellte sich vor Roselils Box. Die Stute machte einen kleinen Sprung auf ihn zu, wie ein Mädchen, das spielen will. Er legte die Hände an ihren Hals. In vierzehn Tagen würde man ihr den Rest geben.

Irgendwo außerhalb des Lichtscheins bewegte sich etwas, das kein Pferd war.

Er schob den Doppelriegel der Box zurück. Er wollte die Tür auftreten und wie eine Vespa Crapo brummen, dann würde Roselil auf die Halunken zuschießen wie ein Projektil mit einem Gewicht von sechshundert Kilogramm.

Daffy trat aus dem Dunkel. Er musste sehr still gestanden haben.

Er kam zur Box. Schob den Riegel vor. Auf den Balken vor Kasper legte er die Geige, die Dokumente, das *Klavierbüchlein.*

«Ich hatte einen weiten Mantel an. Und bin mit ihnen in den Wagen gestiegen. Diese Sachen konnte ich noch retten.»

Die Hand des Verwalters glitt von dem Balken. Verschwand aus dem Blickfeld. Tauchte mit einem Apfel wieder auf.

«Deine Verurteilung damals», sagte Kasper, «wofür war die?»

«Für drei Millionen bei Nydahl. Während der Geschäftszeit.»

Kasper hatte einmal versucht, Stine einen Ring von Markus Nydahl zu schenken, sie hatte abgelehnt, es war schwer bis unmöglich, sie dazu zu bewegen, ein Geschenk anzunehmen. Aber der Besuch im Geschäft war spektakulär gewesen. Es befand sich in der Ny Østergade. Davor standen zwei Wächter. Schmuck und Uhren lagen in schusssicheren Glasvitrinen, die jederzeit in die feuerfesten Boxen im Fußboden versenkt werden konnten, es brauchte nur jemand mit einer Bonbontüte zu rascheln.

«Und dieses Gewerbe», sagte Kasper. «Von dem du dich verabschieden solltest. Was war das?»

«Ich war Boras' Schüler.»

Boras war der Johann Sebastian Bach der Gentlemandiebe gewesen. Er hatte einen Schüler, einen Apostel, einen Dharma-Erben gehabt. Irgendetwas regte sich in Kaspers Erinnerung. Der Erbe war drauf und dran gewesen, ein würdiger Nachfolger zu werden. Und dann war er plötzlich weg.

Er klappte den Kasten auf, die Geige war heil.

«Warum hast du das riskiert?»

Der Verwalter war in der Tür stehen geblieben. Sein Blick schweifte durch den Stall.

«Sie kommen auf die Weide», sagte er. «Ich habe sie heute früh gekauft. Für den Preis, den die Schlachthöfe und Reitschulen bezahlt hätten, minus Tierarztrechnung. Bevor Boras starb, hatten wir ein paar Gespräche. Ich spürte, sein Testament war für mich bestimmt. Das Freikaufen der Tiere zum Beispiel hat damals angefangen. Aber ich hatte ja nur einen Lehrlingslohn. Er sagte: ‹Du wirst dich aufraffen müssen, Daffy, das Leben ist keine Betstunde.›»

«Das ist hübsch», sagte Kasper, «du hast eine barmherzige Tat vollbracht. Aber ich habe von meiner Kindheit auch einen Schaden davongetragen, ich nehme ungern etwas an, immer kommt noch etwas hinterher, was ist es denn in diesem Fall?»

Er hatte zu einer leeren Türöffnung gesprochen. Und einem Pferd. Daffy war auf einmal weg gewesen.

Er blickte über das Wasser. Vor ihm erstreckte sich eine spiegelglatte Fläche, von dort, wo das Baumrund des Kongens Nytorv gestanden hatte, bis zur Nationalbank.

Das Reiterdenkmal war entfernt worden. Auf dem Bürgersteig vor der Absperrung spielte ein Kammerorchester appetitliche Häppchen aus den *Brandenburgischen Konzerten*, es war der Auftakt zu den Frühlings- und Sommerveranstaltungen der Stadt Kopenhagen. An den Musikern strömten die Menschen vorbei ins Nachtleben hinaus, als hätten sie eine Mission oder ein klares Ziel im Leben.

Er schloss die Augen und lauschte in die Musik hinein. In den Raum, der ihn umgab. Unter der Oberfläche gab es Furcht genug, um eine Neuroseklinik zu eröffnen.

Er öffnete die Augen und blickte über das Wasser. Es sah nicht aus wie der Weltuntergang, Pompeji, Santorini, die Sintflut. Es hätte ein See sein können. Ein immenser Wasserschaden.

Die Angst der Stadt hatte es auch schon vor den Beben gegeben, er hatte sie seit seiner Kindheit gehört, seit dem Unfall, bei dem sein Gehör so scharf geworden war, sie war eine alte Bekannte. Er kannte sie von Todesfällen, ernsten Unfällen in der Manege, von sich selbst. Es war nicht so sehr die Furcht vor den Katastrophen an sich, sondern vor dem, was sie ans Licht brachten. Die tragischen Ereignisse waren Türen zu der Erkenntnis, dass unser aller Zeit nur geliehen ist und dass nichts von dem, was zu erfassen so wichtig ist, Leben, Glück, Tod, Liebe, Erleuchtung, in unserer Macht steht.

Er war plötzlich zornig auf Gott die Herrin. Die Menschen um ihn herum hätten glücklich sein können. Er selbst hätte glücklich sein können. Bei Leisemeer hätten sie sich alle wie unumschränkte Könige fühlen können. Oder besser wie Götter, denn wenn man gegessen und getrunken und eine royale Bedienung genossen hatte, verschwand das Tafelgeschirr, verschwanden die Lakaien, verschwand die ganze feudale Illusion, und man befand sich in der freien, verantwortungslosen Kopenhagener Nacht.

Stattdessen gab es Naturkatastrophen. Kindesmissbrauch. Entführungen. Einsamkeit. Das Auseinandergehen von Menschen, die sich liebten.

Der Zorn wuchs. Das Problem mit dem Zorn auf Gott ist, dass es keine höhere Instanz mehr gibt, bei der man klagen kann.

Er verrückte seinen Stuhl und versuchte, sowohl dem Lokal als auch dem Ausblick zu entgehen. Das machte alles nur noch schlimmer. Hinter der Zinktheke, welche die Küche vom Speisesaal trennte, entdeckte er Leisemeer.

Als Kasper Dänemark das letzte Mal verlassen und gedacht hatte, es sei für immer, hatte er genau hier, halb aus Versehen, eine hohe Rechnung offen gelassen. Er war sich sicher gewesen, dass diese Angelegenheit mittlerweile bereinigt war. Und zwar, weil Leisemeer, wie er annahm, mit dem Restaurant längst nichts mehr zu tun hatte und seine Karriere mit Schlips und Kragen in einem Direktorensessel fortsetzte. Und jetzt stand er hier und bückte sich vor seinem Konvektomatherd, kräftig und grob wie ein Melker. Wie Eli Benneweis, der auch nie gelernt hatte, in seinem Büro zu bleiben. Sondern sich weiterhin in den Ställen herumtrieb.

Kasper vernahm einen Klang, an den er sich erinnerte, den er aber nicht identifizieren konnte. Am äußersten Ende des Lokals saßen eine Dame und ein Herr, die Dame wandte ihm den Rücken zu, er konzentrierte sich auf sie. Es war die Aristokratin vom Strandvej. Aber nun hatte ihr der Allmächtige oder das Schicksal oder die Kosmetikindustrie langes schwarzes Haar und ein schickes Kostüm verliehen. Der Mann ihr gegenüber war zehn Jahre jünger als sie, seine Schultern waren etwa anderthalb Meter breit, sein Klang war linkisch, als wäre er nicht gewohnt, an einem Ort zu essen, an dem das Sattwerden fünfhundert Kronen und mehr kostete.

Neunzig Kilo schwere Fußtritte näherten sich. Zwei Champagnergläser wurden auf Kaspers Tisch gestellt, das eine wurde gefüllt, er lauschte der Polyphonie der Bläschen, es war ein *Krug*.

Er sah auf und erblickte den kahlen Schädel und den gewichsten Schnurrbart, wie Gurdieff ihn trug, es war Leisemeer.

«Ich bin gekommen, um meine Schulden zu begleichen», sagte Kasper.

Der Küchenchef ließ die große, tropfenförmige Flasche in den Kühler gleiten. Dann drehte er sich um.

Kasper machte nur eine Bewegung. Der Küchenchef wollte gehen, aber sein linker Fuß klemmte in einem Haken fest, der Haken war Kaspers linker Fuß. Um seinen Sturz aufzuhalten, wollte Leisemeer den rechten Fuß bewegen, aber auch der saß in einem Haken fest, in Kaspers rechtem Fuß.

Es wäre ein schwerer Sturz geworden, aber Kasper glitt vom Stuhl, fing die massive Gestalt auf und zog sie an sich.

«Du arbeitest heute nicht. Du hast deinen freien Tag. Ich habe extra gefragt, als ich den Tisch bestellte.»

Sie kannten sich seit 25 Jahren, sie waren sich immer mit gegenseitiger Achtung, Wärme und Höflichkeit begegnet. Nun war die Höflichkeit plötzlich weg. Das ist eine der Aufgaben des Clowns. Auch die dunklen Seiten des Jetzt zu erlösen.

«Ich wollte selber hier sein. Mit einem Hackebeil. Um zu sehen, ob du alles bezahlst.»

«Ich habe meinen Namen nicht angegeben.»

Leisemeer machte sich frei. Sie standen sich dicht gegenüber.

«Die Polizei», sagte der Küchenchef leise. «Sie wartet draußen. Wenn du hier rausgehst, schnappen sie dich. Sie wollen sehen, mit wem du dich triffst.»

Kasper erinnerte sich plötzlich daran, dass Gurdieff irgendwo schreibt, dass er beim Ostermahl dabei gewesen sei. In einer Inkarnation des Judas.

«Du hast mich also verpfiffen?»

Auf Leisemeers glattrasierten Wangen glühten zwei rote Flecken auf. Wie Warnlämpchen. Er packte Kasper am Revers, er hatte Hände groß und dick wie amerikanische Pizzen.

«Die Stammgäste gucken schon», sagte Kasper. «Und sie mögen gar nicht, was sie hier sehen.»

Leisemeer ließ ihn los.

«Sie haben es gewusst. Einer ist vom Justizministerium. Ich hatte deine Nummer nicht. Was hättest du denn an meiner Stelle gemacht?»

Kasper lächelte den nächststehenden Tischen beruhigend zu. Die Menschen fielen in ihr Vaudeville zurück. Leisemeer hatte sich davongemacht. Kasper sah aus den Fenstern. Und durch die Garderobe und die Glastür. In dieser Menschenmenge konnten sie überall sein. In einem Auto.

Irgendetwas ging im Lokal vor sich, auch mit den tieferen Schichten, einen Moment lang wich die Angst. Er sah auf. Es war Stine.

Sie befand sich mitten im Raum. Kam ihm entgegen. Sie bewegte sich ungeschickt, wie immer unter Menschen, wie ein Mädchen beim Abschlussball.

Trotzdem hatten die Gäste einen Augenblick lang aufgehört zu essen. Sogar diejenigen, deren Hände eben über Leisemeers Dessertwagen schwebten. Hinter ihr befanden sich zwei Pikkolos in scharfem Trab. Um ihr den Stuhl zu halten. Er hätte schwören können, dass ihr der Lichtkegel eines Scheinwerfers folgte. Bis ihm klar wurde, dass es seine eigene sowie die Aufmerksamkeit der anderen war, die sie erleuchteten.

Er wollte sie umarmen. Daraus wurde nichts. Ihr Blick hätte einen wild gewordenen Zirkuselefanten aufhalten können. Wie ein angeschossener Vogel blieb er mit seinen ausgebreiteten Armen in der Luft hängen. Sie war der einzige Mensch, bei dem er seinen Auftritt noch nie richtig hatte timen können.

Sie setzte sich. Ihr Wesen war E-Dur. Der höhere Aspekt von E-Dur. In ihrer Aura hatte er immer eine leuchtende grüne Farbe gehört.

Sie schnallte eine große Taucheruhr vom linken Handgelenk ab und legte sie auf den Tisch.

«Eine halbe Stunde», sagte sie.

Sie war verändert. Er konnte nicht sagen, wie. Seine Vorbereitungen waren dahin. Die Zeit, die er sie nicht gesehen hatte, war dahin. Zehn Jahre bedeuteten nichts. Ein ganzes Leben hatte nichts bedeutet.

Er wies mit dem Kopf auf das schwarze und goldene Wasser.

«Was geschieht dort? Und was ist dein Part in dem Stück?»

Erst dachte er, sie wolle gar nicht antworten.

«Wenn du am Strand spazieren gehst», sagte sie dann, «mit nackten Füßen, was passiert dann vor dem Fuß, den du aufsetzt?»

«Ich war seit Jahren nicht mehr in der Stimmung, an den Strand zu gehen.»

Ihre Augen wurden schmaler.

«Gesetzt den Fall, du wärest es gewesen.»

Er dachte nach.

«Der Sand wird gleichsam trocken.»

Sie nickte.

«Das Wasser wird weggesaugt. Weil erhöhter Druck eine vermehrte Porosität rund um den Druckbereich nach sich zieht. Man nennt das die Vatanjan-Theorie. Die ungefähr besagt, dass Spannungserhöhungen in der Erdkruste Änderungen des Grundwasserstandes ergeben. Wir arbeiten an der Verfeinerung dieser Theorie. Wir beschäftigen uns mit Zahlen von Wassertiefen in Brunnenbohrungen. Aus ganz Seeland. Um Vermutungen anzustellen, ob es zu neuen Beben kommt. Und um die ersten zu verstehen.»

Er beachtete ihre Worte kaum. Nur ihre Farbe. Während sie

erklärte, glitt sie auf ihre subdominante Tonart zu, A-Dur, der mentale Teil von ihr klang mit, ihre Farbe spielte ins Bläuliche hinein.

«Es ist vorbei», sagte er. «Schreiben die Zeitungen. Es waren Höhlen im Kalk, die in sich zusammengestürzt sind. Man vermutet nicht, dass es noch mehr gibt.»

«Nein», sagte sie. «Mehr Höhlen gibt es sicher nicht.»

Ihr Klang hatte sich verändert. Nur ganz kurz, eine Viertelsekunde. Aber eine Viertelsekunde zu lang. Er war zu f-Moll gewechselt. Die Tonart der Selbstmörder.

«Was ist?», sagte er. «Irgendwas stimmt nicht.»

Sie blickte sich um. Wie man sich nach Gläubigern umschaut. Aber das war unmöglich. Sie hatte immer ein bescheidenes Leben geführt.

«Und was schreiben sie über die Erdbeben?», fragte sie.

«Es sei unsicher. Ob es überhaupt ein Erdbeben war. Oder einfach das Zusammenstürzen der Grottensysteme. Sie schreiben, in Dänemark habe es immer Erdbeben gegeben. Irgendwas mit Spannungen aus der Eiszeit. Sie hätten nur kein Publikum angezogen.»

«Und woher kommen diese Informationen?»

«Von euch.»

Ihr Klang veränderte sich wieder.

«Was du hier siehst, ist eine sogenannte Zivilkatastrophe. Das heißt, jede Information wird vom Sonderbüro der Reichspolizei zensiert.»

Irgendetwas wurde ihnen hingestellt, irgendwelche Häppchen, sie fegte sie zur Seite.

«Leg die Hände auf den Tisch!»

Er legte die Hände auf den Tisch.

«Man misst die Stärke von Erdbeben nach Richter. Richter eins bis drei ist nicht wahrnehmbar. Kann nur von einem Seismographen aufgezeichnet werden. Und ist auch nur von einem geübten Seismologen abzulesen. Bei Richter vier gibt es spürbare Vibrationen. Aber in einer Stadt würdest du sie für die Auswirkungen des Lastverkehrs halten.»

Sie setzte die Tischplatte in Schwingungen. Die Vibrationen nahmen zu.

«Bei Richter fünf entstehen Risse im Mauerwerk. Bei Richter sechs fängt es an, ungemütlich zu werden. Es beginnt wie eine Explosion. An einem Punkt. Einem Epizentrum. Von diesem Punkt aus breitet sich ein unregelmäßiges Ringsystem von Sekundärwellen aus. Die sind es, die den Schaden verursachen.»

Der Tisch schlug gegen seinen Körper.

«Ab Richter sieben aufwärts herrscht nur noch Chaos. Alles stürzt ein, von Gebäuden bleiben nur noch Reste. Das Geräusch ist wie ein Donner. Aber du kannst seine Quelle nicht orten.»

Der Tisch bog sich unter seinen Händen. Ein Champagnerglas fiel um und zerbrach. Sie lehnte sich zurück.

«Ich war an der Sankt-Andreas-Verwerfung. Vor ein paar Jahren. An der Uni Kalifornien in Los Angeles. An den Plattengrenzen haben wir Hochdruckdampf hineingespritzt. Ein Misserfolg. Wir haben bei Antonada gearbeitet. Zwanzig Kilometer vor San Francisco. Da kam ein Beben. Eben noch Leben, Alltag, Kinder. Im nächsten Augenblick Tod und Zerstörung. Brände durch zerrissene Gasleitungen. Es war ein kleines Beben. Aber Richter sieben.»

So hatte er sie noch nie gesehen, nicht einmal, als sie ihn verließ. Der Klang war verdichtet.

«Man bestimmt das Epizentrum eines Bebens mit Hilfe einer gewöhnlichen trigonometrischen Messung. Das Geologische Untersuchungszentrum Dänemarks und Grönlands ist an das europäische seismographische Alarmsystem angeschlossen. Die haben die europäischen Zahlen sofort auf dem Schirm, ob die Druckwelle nun Zürich trifft oder Göteborg. Aber hier erschien nichts. Das GEUS hat eine Messstation am Vestvolden.

Mit REFTEK-Seismographen. Die komplette Ausrüstung. Ein Radar, der die Bewegungen einer Spinne auf dem Geländer der Knippelsbro aufzeichnen kann. Sie haben nichts registriert.»

Er verstand, was sie sagte. Und verstand es doch nicht.

«Ein Quadratkilometer Erdkruste und Meeresboden senkt sich», sagte sie. «Bewegungen von mehr als hundert Millionen Tonnen Stein, Kreide und Sand. Und das einzige Resultat ist ein Zittern im Untergrund.»

«Und das Einströmen des Wassers? Immerhin kam das Wasser.»

«Das war eine Druckwelle. Die bis Helsingør reichte, weiter nicht. Aber keine Erdbewegung. Nicht die Spur einer massiven Verlagerung.»

«Die Höhlen?»

«Es gab keine Höhlen.»

Nun war sie ganz in f-Moll. Wie Schuberts Streichquintett. Erst E-Dur in seiner himmlischen Reinheit. Und dann mit einem Mal f-Moll. Zu der Zeit musste etwas in Schubert gewusst haben, dass er sterben würde.

«Das GEUS und das Dänische Weltraumzentrum brachten fünfzehnhundert Kilogramm Dynamit zur Explosion. Letzten Sommer. Zwei Monate vor dem ersten Beben. Um die tieferen Schichten unter Kopenhagen zu kartieren. Die Detonationen fanden an mehreren Stellen auf dem Grund des Öresunds statt. Die Bewegungen der Druckwelle fing man mit Geophonen auf. Kannst du dich an sie erinnern?»

Er nickte. Vierhundert Geophone hatte er für sie kalibriert, nach dem Gehör, hochempfindliche Mikrophone, die in der Erde versenkt werden sollten. Er empfand einen Hauch von Freude darüber, dass sie sich zumindest zu diesem kleinen Stückchen ihrer Vergangenheit bekannte.

«Das gleiche Verfahren wie bei der Aufzeichnung der Silkeborg-Anomalie 2004. Schallwellen haben in den verschiedenen

Sedimentschichten eine jeweils unterschiedliche Ausbreitungsgeschwindigkeit.»

«Und? Was heißt das?»

Sie antwortete nicht. Sie sah ihn nur an. Sie wollte ihm etwas mitteilen. Er begriff nicht. Aber einen kurzen Augenblick lang hatte sie ihre Abwehr aufgegeben.

Er faltete die Postquittung auseinander und hielt sie ihr hin. Sie las sie langsam. Las ihren eigenen Namen. In der Schrift eines Kindes. Aber einer sehr persönlichen, sehr deutlichen Schrift.

«KlaraMaria», sagte er. «Eine Schülerin, ein Mädchen von neun Jahren, tauchte vor einem Jahr bei mir auf, jetzt ist sie entführt. Ich hatte kurz Kontakt mit ihr. Sie hat mir den Zettel gegeben.»

Stines Wangen hatten geglüht. Von ihrer Arbeit unter freiem Himmel. Von der Erregung. Nun war plötzlich alle Farbe aus ihrem Gesicht gewichen. Sie wollte aufstehen. Er ergriff ihr Handgelenk.

«Sie ist ein Kind», sagte er. «Sie schwebt in Lebensgefahr. Was hat sie dir geschickt?»

Sie wollte sich losmachen, er verstärkte den Druck.

Er bemerkte eine Bewegung an der Tür, es war einer der beiden Mönche und ein Ziviler. Die Frau mit den schwarzen Haaren und ihr Gegenüber hatten sich erhoben. Ein Timing, das sie als Polizisten auswies.

Es gab keinen Ausweg. Übermorgen war Ostern. Er dachte an den Heiland. Für ihn war der Freitagabend auch kein Zuckerschlecken gewesen. Trotzdem hatte er nicht aufgegeben.

Er hob die Stimme.

«Ich habe gelitten», sagte er. «Ich habe unbeschreiblich gelitten in diesen Jahren.»

Sie zog die Flasche aus dem Kühler und hielt sie wie eine Jonglierkeule. Sein Griff um ihr Handgelenk, diese Andeutung von physischem Druck, das hatte sie nie ertragen können. Er ließ sie los.

«Ich hab mich geändert», sagte er. «Ein neuer Mensch. Wiedergeboren. Ich bereue.»

Sie drehte sich langsam um. Die Beamten kamen auf ihn zu. Es war aussichtslos, an ihnen vorbeikommen zu wollen.

«Ich kann nicht zahlen», sagte er. «Ich bin total blank.»

Der Raum hatte eine feine Akustik. Eine Spur zu trocken, aber die Decke war geriffelt, das ergab eine vorzügliche Schallstreuung bei hohen Frequenzen, dem Schall müssen Hindernisse in den Weg gelegt werden, ebene Decken sind ein Albtraum. An den Nachbartischen hatte man aufgehört zu essen. Zwei Kellner hatten sich in Bewegung gesetzt.

Sie rückte vor und zurück. Wie ein Tiger in seinem Menageriekäfig.

Er hob das zerbrochene Champagnerglas auf. Es hatte sich in einen Rasierklingenkranz mit Kristallstiel verwandelt.

«Ich will nicht mehr ohne dich leben», sagte er. «Ich bringe mich um.»

Es waren ungefähr hundert Menschen im Restaurant. Sie fingen einen Teil des Schalls auf. Trotzdem hatte er die Aufmerksamkeit der meisten auf sich gezogen. Drei Kellner plus Leisemeer hatten seinen Tisch fast erreicht. Die Beamten waren stehen geblieben.

«Dann tu's doch!», flüsterte sie. «Tu's doch, verdammt!»

Der Champagner in ihrem Glas auf dem Tisch setzte eine Wolke von prickelnden Bläschen frei. Er verstand es nicht. *Krug* wurde zu mehr als fünfzig Prozent aus altem Wein hergestellt. Er hatte nicht die Rastlosigkeit moderner Champagner. Das Glas tanzte. Die kleinen Teller fingen an zu schweben, ihr Inhalt machte sich frei und trieb in der Luft: Schnecken in Petersiliencreme auf kleinen gepressten Medaillons aus einem Gemüse, das wie Frühlingsporree aussah, und Stücke dänischen Hummers mit Serranoschinken.

Dann kam die Erschütterung.

Porzellan und Gläser wurden vom Tisch gefegt. Menschen schrien. Eines der großen Fassadenfenster riss, zersplitterte und stürzte in einer Kaskade aus pulverisiertem Glas zu Boden.

Er war über den Tisch geschleudert worden. Die Menschen im Lokal, die aufgestanden waren, lagen nun auf dem Fußboden. Außer Stine.

«Das ist ein Zeichen», sagte er. «Dass unser beider Schicksal miteinander verbunden ist. Man hat Erdbeben immer als Zeichen verstanden.»

Sie richtete sich mühelos auf. Falls er ihr zu folgen versuchte, würde er zu Boden gehen. Der Raum drehte sich vor seinen Augen.

«Das ist Karma», sagte er. «In einem früheren Leben waren wir ein Liebespaar.»

Er wurde von hinten gepackt. Leisemeer und die Kellner waren herbeigeeilt. Die Polizeibeamten lagen noch auf allen vieren. Der Weg zum Ausgang war frei.

«Bringt mich in die Küche!», schrie er. «Ich spüle das Geschirr. So lange, bis alles bezahlt ist.»

Leisemeer legte ihm den Mantel um die Schultern.

«Dafür haben wir Maschinen», sagte er.

Kasper wurde zum Ausgang geführt. Flüchtig sah er Stines Daunenjacke in der Garderobe hängen. Die Kellner hatten einen Ring um ihn gebildet. Leisemeers Lippen befanden sich an seinem Ohr.

«Eine halbe Minute», hauchte er. «Ich versperre ihnen den Weg, eine halbe Minute! Und weg bist du.»

Kasper wurde an Stines Jacke vorbeigeschoben. Die schwarzhaarige Frau und der Mann kämpften sich zu ihm durch, über umgestürzte Stühle und panische Gäste hinweg. Er steckte die Hände in Stines Taschen, ohne die Jacke anzusehen. Noch zehn Sekunden. Und er wäre bereit.

«Ihr seid meine Zeugen», rief er. «Bei meiner Generalbeichte. Diese Frau. Deren Leben ich einst zerstört habe, habe ich zu diesem Treffen gezwungen. Was ich damit bezweckt habe, wusste sie nicht!»

Leisemeer schlug ihm die Hand auf den Mund. Sie duftete nach Knoblauch und Salbei.

«Ich koche einen Fond aus dir», flüsterte der Küchenchef.

Die Tür wurde geöffnet. Kaspers Absätze verloren den Kontakt zum Boden.

Sie hatten alle Kraft in diesen Wurf gelegt. Ein Mensch ohne Fallroutine hätte sich die Knochen gebrochen. Mit einer eleganten Rolle vorwärts traf Kasper auf den Bürgersteig. Die Passanten sprangen zur Seite.

Drei Gruppen zu zwei Mann bewegten sich auf ihn zu. Sie ließen keinen Platz zwischen sich.

Er schlüpfte halb aus Jacke und Hemd. Die Menge wich vor ihm zurück, die Zivilbeamten wurden abgedrängt. Mit nacktem Oberkörper und ausgebreiteten Armen fing er an, sich an dem zerbrochenen Restaurantfenster seitwärts vorbeizubewegen. Von innen starrten ihn hundert Gesichter an.

«Bußgang!», schrie er. «Zweihundertmal ums Restaurant! Ich beantrage eine beidseitige Lungenentzündung!»

Er stand vor dem Orchester. Ein Polizist in Uniform kam unschlüssig auf ihn zu. Kasper zog eine Handvoll Scheine aus der Tasche, warf sie vor den Musikern in die Höhe, es waren Tausendkronenscheine, sie flatterten zu Boden wie mahagonibraune Tauben. Beim Anblick des Geldes blieb der Polizist stehen.

Am Bordstein zur Hovedvagtsgade hielt ein Taxi. Die Tür des Restaurants ging auf. Stine kam heraus und stieg ein. Er erreichte den Wagen, als die Tür zuflog. Die Richtung war falsch, auf die Polizisten zu. Aber er konnte sich nicht zügeln.

Er hämmerte an die Wagentür. Das Fenster glitt herunter.

«Wir heiraten», rief er. «Ich halte um deine Hand an. Meine Einstellung hat sich geändert. Ich möchte eine Familie. Ich sehne mich danach. Zutiefst!»

Der Schlag traf seinen Wangenknochen. Er kam überraschend, er hatte nicht gesehen, wie sie ausholte. Immerhin hatte sie vorher die Champagnerflasche abgestellt.

«Wach endlich auf!», sagte sie.

Er hielt ihr die Postquittung vor die Augen.

«Was war in dem Brief?», rief er ihr zu.

Das Taxi bog auf die Fahrbahn, beschleunigte und war verschwunden.

Er richtete sich auf. Die Menschen rundum waren noch wie gelähmt. Von dem Erdbebenstoß. Von den Ereignissen. Er ging auf das Orchester zu.

Am Bordstein stand eine Frau. Von der Menschenmenge hinter ihr nach vorn geschoben. Sie führte ein Fahrrad. Es war die Amtmännin Asta Borello.

Sie starrte auf seinen nackten Oberkörper. Wie auf einen Poltergeist.

Ihr zu begegnen war ein großartiges Zusammentreffen. Wie es, wie C.G. Jung sagt, nur demjenigen widerfährt, der einen Siebenmeilenschritt auf das Unbekannte in seinem Individuationsprozess zu gemacht hat.

Er lauschte ihr. Vielleicht wollte sie eine Freundin treffen. Um ins Theater zu gehen. Sie trug einen Rock, Strumpfhosen und lange, hochhackige Lederstiefel. Trotzdem hatte sie das Rad genommen. Schließlich gab es keinen Grund, das Geld aus dem Fenster zu schmeißen und das Sparschwein zu plündern, an einem Karfreitag Abend.

«Asta», sagte er. «Ist hier eine Zwangsvollstreckung im Gange?»

Sie wollte weg von ihm, es klappte nicht.

Er trat auf das Orchester zu. Verneigte sich. Hob die Scheine auf. Teilte die Summe. Ein Brauner für jeden Musiker war immer noch übrig.

«Wenn man es mit Wohltätigkeit zu tun hat», sagte er, «ist es wichtig, jede Überdosis zu vermeiden.»

In diesem Augenblick löste sich die kollektive Lähmung. Menschen rannten auf ihn zu.

Wäre das Rennen auf einer erleuchteten Kunststoffbahn über 1500 Meter gegangen, wäre er eingeholt worden. Aber es war eine Sprintdistanz, durch ein schwarzes Labyrinth.

Er rannte in die erste offen stehende Tür, zwei Köche waren damit beschäftigt, zwei von Leisemeers Leichenwagen zu entladen, eine Außentreppe führte zwei Stockwerke hoch auf das Dach eines niedrigen Hinterhauses, danach kamen achthundert Meter Hürden über Bretterzäune und Müllcontainer, die die Höfe hinter den Wohnblöcken an der Ny Østergade und der Ny Adelgade voneinander trennten. Er kreuzte die Ny Østergade und die Købmagergade, und erst als er die offenen Plätze erreichte, wo ein rennender Mensch aufgefallen wäre, fing er wieder an zu gehen.

2

Auf den ersten Blick war die Stadt ganz die alte, abgesehen von den vor den Hotels in zweiter Reihe stehenden Übertragungswagen der Fernsehstationen. Aber das Klangbild war anders. Erst dachte er, es liege an der Absperrung. Auf dem Weg zum Restaurant hatte er gesehen, dass das gesamte Zentrum innerhalb der Wallanlagen für den Verkehr gesperrt worden war, lediglich Taxis und Busse durften hinein, vielleicht fürchtete man neue Erschütterungen.

Er hatte die wenigen autofreien Städte immer geliebt, in erster Linie Venedig. Man konnte sie hören, die Schritte und Stimmen der Menschen durchdrangen den städtischen Raum.

Jetzt war es ebenso. Er überquerte den Gråbrødretorv, und fünfhundert Tauben flogen auf, ihr Flügelschlag versetzte den ganzen Platz in Schwingung. Den Rathausplatz auch, nicht ein Auto war zu sehen, nie hatte er Vesterbro so gehört, still und feierlich.

Dann fühlte er, wie die Stille sich sammelte, die Töne verdichteten sich, er hörte ein Flötenthema, *Actus Tragicus*, Bachs einzige Totenmesse, vielleicht war es Einbildung, vielleicht hatte Bach etwas von der Geräuschkulisse eingefangen, die alle Apokalypsen begleitet. Und damals war er erst zweiundzwanzig gewesen.

Der Verkehr der Vesterbrogade stürzte über ihm zusammen. Er bog in eine Nebenstraße, die auf das alte Schießstandgelände zu führte, er musste einen Ort zum Ausruhen suchen, die Mittelstrecken waren die ärgsten, nach vierhundert Metern sind die anaeroben Sprintreserven erschöpft, und es war noch weit, sein Herz arbeitete zu schnell, als dass das Gebet hätte folgen können.

Eine Frau betrat einen Treppenaufgang, er erreichte die Haustür noch, ehe sie zuging.

Er blieb stehen, bis ihre Schritte an einer Wohnung ankamen und eine Tür ins Schloss fiel.

Er stieg nach oben, es gab keinen Aufzug, er ging über den fünften Stock hinaus und setzte sich auf die letzte Stufe vor dem Trockenboden. Er machte Licht und holte den zusammengefalteten DIN-A4-Bogen hervor, den er aus Stines Jackentasche geangelt hatte.

Es war ein Fax mit einer unleserlich gotischen Unterschrift und dem Vermerk *Berlin* und *Europäisches Mediterranes Seismographisches Zentrum*, er wünschte, er verstünde mehr Deutsch, als man brauchte, um Bachs Kantatentexte bewältigen zu können, und auch das gelang ihm nur gerade so. Aber die Adresse war leserlich, es war Stines Name und zwei Lokalitäten. Die eine war das Hotel Scandinavia mit einer Zimmernummer. Die andere lautete: «Pylon 5, Hafen Kopenhagen».

Er faltete das Papier wieder zusammen und steckte es wieder ein. Er lauschte dem Haus unter sich. Den Geräuschen des Familienlebens.

Er hatte einen letzten Versuch gemacht, ein echtes Zuhause aufzubauen. Er war schon auf halbem Wege gewesen, etwa anderthalb Monate vor Stines Weggang. Eine Winternacht. Sie hatte Essen gemacht. Er hatte zugehört. Es war, wie den Pausen in Mozarts *Adagio in h-Moll* zuzuhören. Friedvoll, meditativ. Ganz und gar befriedigend.

«Mir wurde eine tiefe Eingebung geschenkt», hatte er gesagt. «In diesem Augenblick. Sie hat sich klanglich geäußert. Aus dem Innern heraus. Ich sah vor mir, dass du deinen Job kündigen könntest.»

Sie hielt inne.

«Es handelt sich ja nicht um eine gewöhnliche Situation», sagte er. «Nicht um den normalen Versuch eines normalen Mannes, die Kontrolle über das Weibliche zu erlangen. Worum es hier geht, ist die Tatsache, dass die ganz Großen, Grock, Beethoven, Schubert, Frauen brauchten, die das eigene Fürsorge-Talent voll entfalteten. Auch Bach. Zwei Frauen. Und Jesus: Jungfrau Maria und Maria Magdalena. Wenn ein Mann eine künstlerische und spirituelle Mission hat, braucht er totale weibliche Ergebenheit.»

Es war ein gewagter Einsatz. Aber es erfordert immer eine gewisse Risikobereitschaft, wenn die ganz großen Erfolge erzielt werden sollen.

Sie hatte ihn eindringlich gemustert.

«Du meinst es ernst», sagte sie. «Neunzig Prozent von dir meinen es ernst.»

Sie legte das Messer hin. Machte den Herd aus.

«Mir wurde auch eine Eingebung geschenkt», sagte sie. «Dass du nämlich heute Abend Scheiße fressen musst.»

Er stand auf. Ergriff ihr Handgelenk, drückte zu. Ihr Klang und ihr Blick veränderten sich. Er ließ sie los. Sie drehte sich um und ging.

Irgendwie hatte er gewusst, dass es der Anfang vom Ende war.

Allmählich wurde sein Pulsschlag wieder erträglich. Er hörte Stimmen hinter dem Haus, im Hof, es waren Kinder.

Es gibt keinen Klang, der komplexer und unergründlicher ist, individualisierter als der Klang der menschlichen Stimme. Normalerweise sind die Stimmbänder entspannt, im Bereich des vollen Registers. Falls die Lautstärke doch einmal aufgedreht wird, erhöhen sich Längenspannung und *interenus*-Aktivität, dabei springt ein Register, beim Jodeln zum Beispiel oder wenn Herren an Obstständen Bananen feilbieten, wenn Clowns die obersten Ränge erreichen, wenn Kinder rufen. Oder wenn KlaraMaria lacht.

Es war sein letzter Auftritt gewesen, am nächsten Tag sollte er abreisen, zurück nach Spanien, um den ersten Teil seines Vertrags mit der Blauen Dame zu erfüllen. Gegen Ende seines Entrees hatte er ihr Lachen gehört, frei, ungehemmt, perlend und mit der charakteristischen heiseren Rauheit eines Registersprungs.

In der Garderobe hatte er sich die Maske abgewischt, zum Umkleiden fehlte die Zeit, als die Schlussnummer zu Ende war, war er im Bademantel an der Bande entlanggegangen, die Zuschauer strömten hinaus, sie war noch sitzen geblieben, sie war allein, er hatte sich neben sie gesetzt.

«Wenn ich dich spielen sehe», sagte sie, «werde ich froh.»

Er wünschte, sie würde weitersprechen. Wie erklärt man die Süße im Wunderwerk einer Stimme, vielleicht war sie am ehesten mit einem glockenreinen großen Koloratursopran zu vergleichen, er hätte ihr stundenlang zuhören können, ein Leben lang, nur der Klangfarbe.

Sie sah in die verlassene Manege.

«Warum hast du angefangen, Musik zu machen?», fragte sie.

Er horchte rückwärts in seine Kindheit hinein, er hörte den Pilgerchor aus dem *Tannhäuser*.

«Ich war am Königlichen Theater», sagte er, «ich war sechs, ab und zu braucht das Theater Artistenkinder, ich hatte eine Rolle als Kinderakrobat, wir hatten Nachmittagsproben, ich wollte nicht nach Hause, ich hatte meine Mutter dazu überredet zu warten, ich wollte eine Oper hören. Sie spielten eine, die *Tannhäuser* heißt. Der Held ist ein Muttersöhnchen, trotzdem werde ich dich dorthin einmal mitnehmen. Wir waren eine kleine Gruppe Kinder, vom Zirkus und vom Ballett, wir waren in die Eisengitter der Kulissentürme geklettert, bis an den Rahmen des Proszeniums. Von dort sahen wir den Chordirigenten. Er winkte die Sänger heraus. Es waren hundert. Hundert Sänger! Der Pilgerchor. Seine Lautstärke nahm zu. Es war, als ob er aus dem Boden wüchse. Und als sie alle vorgetreten waren, kam ein Crescendo. Volle Pulle. Ich wäre fast auf die Bühne gesegelt. Ich war selig. Vollkommen selig. Und es war nicht nur der Chor, es war auch das Geräusch des Publikums. Ich konnte hören, wie sich den Leuten die Nackenhaare aufrichteten. In diesem Moment fühlte ich den inneren Entschluss. Nicht nur den Entschluss. Die Gewissheit. Dass ich dieses Phänomen würde hervorrufen können. So ein großes Geräusch. So viele Tränen. Verstehst du das?»

Sie nickte.

«Im Bus nach Hause habe ich das meiner Mutter erzählt. Sie fragte mich, ob ich singen wollte. Ich sagte, ich wolle Geige spielen. In der Woche drauf brachte sie eine Geige mit. Wir hatten kein Geld. Trotzdem brachte sie mir eine Geige mit.»

Er merkte, dass sie in die leere Manege horchte. Er horchte mit ihr.

«Alle großen Clowns sind hier gewesen», sagte er. «Das ist es, was wir hören können. Alle, von denen ich gelernt habe, die ich als Kind gesehen habe. Grock, August Miehe, Enrico und Erneste Caroli, Buster Larsen, Rivel. Alle fort.»

Sie wartete. Er nickte zu den Masten hinauf.

«Meine Mutter ist abgestürzt», sagte er. «Auch ihr Klang ist noch hier. Und der Klang ihrer großen Lehrmeister. Sie ging auf dem Seil. Tanzte auf dem Seil. Sie lernte von Reino, Con Colleano, Linon. Von den ganz Großen.»

Er versuchte zu lächeln. Das Mädchen erwiderte das Lächeln nicht.

«Und deshalb», sagte sie, «hast du auch nur so wenig Freunde.»

Er traute seinen eigenen Ohren nicht.

«Ich habe hundert Millionen Freunde. Mein Publikum.»

«Du denkst, dass man immer verlassen wird. Weil deine Mutter dich verlassen hat. Aber das ist falsch. In Wirklichkeit wird man nie verlassen.»

Einem Erwachsenen fällt es ungemein schwer, die Weisheit von einem Kind anzunehmen. Er hatte die Orientierung verloren.

Sie ergriff seine Hand.

«Ist das wirklich wahr?», sagte sie. «Dass du mich mitnehmen willst, um hundert Menschen singen zu hören?»

Die Weisheit war fort. Nur das Kind blieb zurück.

Er nickte.

«Außer der Ouvertüre», sagte er. «Wenn sie gespielt wird, werde ich dir die Ohren zuhalten. Weil da zu viel Sex drin ist, für Kinder unter sechzehn sollte sie verboten sein.»

Eine Art Friede senkte sich auf ihn nieder. Liebe hat etwas mit Frieden zu tun. Er fühlte, er war zu Hause. Hier in diesem leeren Zelt, einem der flüchtigsten Gebäude, die man sich vorstellen konnte. Er spürte ein Zusammengehörigkeitsgefühl mit dem Kind an seiner Seite. Ein Gefühl, das die Essenz von Heim und Familie sein musste.

Sie sah ihn schräg an, von unten bis oben.

«Wenn ich mal Probleme bekomme», sagte sie, «wenn es richtig schlimm wird, kommst du mir dann helfen?»

Sie hatte schnell und flüchtig gesprochen. Aber er hatte die Betonung hinter den Worten erfasst. Es war das Ernsthafteste, was er je ein Kind hatte sagen hören.

Wenn sich Menschen gegenseitig etwas versprechen, dann immer nur mit einem Bruchteil ihrer selbst, er hatte es unzählige Male gehört, bei Hochzeiten, Konfirmationen, Blutsbrüderschaften, nie stecken mehr als zehn Prozent der versammelten Persönlichkeit hinter den goldenen Schwüren, denn es sind nur zehn Prozent von uns selbst, die wir unter Kontrolle haben, das galt auch für ihn.

Aber nicht in diesem Augenblick. In diesem Augenblick waren es unversehens mehr. Er konnte seinen Körper vibrieren hören wie ein Blasinstrument, wenn plötzlich die Embouchure gelingt und ein großer Teil der Energie in einen Ton verwandelt wird.

«Immer», sagte er.

Die Tür über ihm ging auf, vor ihm standen ein Junge und ein Mädchen von vielleicht sechs Jahren, sie waren über den Trockenboden gekommen, es waren ihre Stimmen gewesen, die er gehört hatte, aber er hatte sie nicht kommen hören, jetzt standen sie mäuschenstill.

«Wer bist du?», fragte das Mädchen.

«Ich sag es euch ganz leise», sagte Kasper, «aber nur, wenn ihr es nicht weitersagt. Ich bin der Weihnachtsmann.»

Die Kinder schüttelten den Kopf.

«Du siehst nicht aus wie der Weihnachtsmann.»

«Wenn es Frühling wird», sagte Kasper, «lässt sich der Weihnachtsmann die Haare schneiden und färben, er lässt sich auch rasieren, nimmt vierzig Kilo ab, bringt die Rentiere in den Stall und wohnt auf anderer Leute Trockenböden.»

«Und was ist mit den Geschenken?»

Er grub in seinen Taschen. Alles, was er darin fand, waren Banknoten, in einem Wert von nicht unter tausend Kronen. Er gab ihnen einen Schein.

«Das darf ich nicht», sagte der Junge. «Hat mir meine Mutter verboten.»

Kasper erhob sich.

«Vom Weihnachtsmann», sagte er, «darfst du alles annehmen. Sag das deiner Mutter. Und sag, dass sonst der Weihnachtsmann kommt und ihr ins Ohrläppchen beißt.»

«Und was ist mit meinem Vater?»

Kasper machte sich an den Abstieg auf die Erdoberfläche.

«Den wird der Weihnachtsmann auch beißen.»

«Ich hab auch einen Hund», sagte das Mädchen hoffnungsfroh.

«Tut mir leid», sagte Kasper. «Sogar der Weihnachtsmann muss eine Grenze ziehen.»

«Du sprichst nicht sehr fein», sagte das Mädchen.

Kasper wandte sich zu ihr um.

«Damit Kinder den Abgrund kennen und sich in Acht nehmen, muss man sie hinführen und ihnen den Rand zeigen.»

Er stieg weiter die Treppe hinunter. Die Kinder kamen ihm nach, zögernd.

«Weihnachtsmann?»

«Ja?»

«Danke für das Geld. Und frohe Weihnachten!»

Ihre Stimmen überschlugen sich. Die beiden verschwanden gen Himmel. In einer Kaskade aus Gelächter. Kasper trat auf die Straße. Er fing an zu gehen.

3 | An einer Stelle schrieb Kierkegaard, man müsse nur gehen, dann gehe es. Heute Abend hätte er dabei sein sollen. Hinter jedem entgegenkommenden Scheinwerferpaar hörte er einen Ford Mondeo der Polizei. In jedem besoffenen Passanten sah er einen Zivilbeamten. Er hielt nach einem Taxi Ausschau.

Ein grünes Licht kam durch die Dunkelheit gesegelt. Grün ist die Farbe des Herzens und der Hoffnung, es war ein Taxischild. Das Taxi hielt, es war ein Jaguar. Die Fondtür ging auf, Kasper rührte sich nicht. Der Verkehr war dicht, schnell und fließend. Ein Auto hätte einem Fußgänger nicht folgen können, unmöglich.

«Sie fahnden nach dir», sagte Franz Fieber. «Auf der Homepage der Polizei. Und sie haben deine Personalbeschreibung an alle Taxiunternehmen und die Busse der Hauptstadtregion weitergeleitet. Gehst du zu Fuß weiter, bist du in zehn Minuten reif. Ich schlage vor, du steigst ein. Einer meiner Fahrer hat ein Motorboot. Es kann in einer Stunde startklar sein. Zehntausend. Und er holt es selbst in Malmö ab, das ist im Preis inbegriffen. Morgen am späten Abend bist du in Umeå und in Sicherheit.»

Die Ausweglosigkeit tönt in d-Moll. Es war Mozart, der die Entdeckung machte. Und sie entwickelte. Im *Don Giovanni*. Rund um den Steinernen Gast. Vor Mozart hatte es immer einen Ausweg gegeben. Immer hatte man Gott um Hilfe anflehen können. Mit Mozart beginnt der Zweifel am Göttlichen.

Kasper stieg ein.

«Wir müssen zur Landzunge Tippen raus», sagte er. «Durchs Zentrum. Wo wir das Auto wechseln.»

Franz Fieber schüttelte den Kopf.

«Ich hab meine Anweisungen. Ich soll dich wegbringen.»

Kasper faltete die Hände. Er bat. Um Vergebung für das, was er zu tun gezwungen war. Wenn sich das Auto nicht in zehn Sekunden in Bewegung setzte.

An einer Stelle schreibt Kierkegaard, es liege etwas Bedenkliches darin, um Vergebung zu bitten. Es sei, als glaubte man nicht im Ernst daran, dass Gott schon vergeben habe. Andererseits, was soll man machen?

Der Jaguar startete und zog auf die Fahrbahn.

«Ich kann meine Passagiere fühlen», sagte Franz Fieber. «Mit Hilfe der Sitze. Du hättest mich niedergeschlagen. Wenn ich mich geweigert hätte.»

Der Jaguar fuhr durch die Studiestræde. In den Seitenstraßen, die an den Sperrbezirk grenzten, hielten die Mannschaftswagen der zivilen Hilfspolizei, mit dunklen Scheiben und ausgeschalteten Scheinwerfern.

«Es sind zwei», sagte Franz Fieber.

«Zwei was?»

«Zwei Kinder. Die weg sind.»

Wenn man die wirklich großen Schocks erlauscht, hört man, welche Kraftanstrengung es kostet, die Welt zusammenzuhalten. Wenn wir nur einen Augenblick nachgeben, einer plötzlichen, riesigen Freude oder einer plötzlichen Trauer, fängt die Wirklichkeit an, sich aufzulösen.

«Seit wann?»

«Gleichzeitig, sie sind gleichzeitig verschwunden.»

«Warum wurde nicht darüber berichtet?»

«Eine Entscheidung der Polizei. Wahrscheinlich, um die Fahndung nicht zu gefährden.»

Kasper lauschte in sich hinein, in die Stelle des Herzens und des Bewusstseins, wo das Gebet herkommt. Allmählich nahm die Wirklichkeit wieder Form an.

«Erzähl mir von der Stadt», bat Franz Fieber. «Wonach sie wirklich klingt.»

Kasper hörte sich reden, vielleicht, um den Jungen vor sich zu beruhigen, vielleicht, um sich selbst zu beruhigen.

«Sie klingt danach, wie Menschen ihre Kinder behandeln.»

Vielleicht war es wahr. Vielleicht war es ein Teil der Wahrheit.

Die Straßen waren von Polizisten auf Motorrädern bevölkert wie bei einem Staatsbesuch. An jeder zweiten Ecke hielt einer der kleinen gepanzerten Einsatzwagen, die so konstruiert waren, dass die Polizei damit direkt in die Kampfzone rollen konnte. Um zu verhindern, dass Plünderungen von Wohnungen und Geschäften überhandnahmen.

«In den nördlichen Vorstädten lässt sich eine Tendenz zur Disziplin ohne Mitgefühl feststellen. Verwöhnung statt Liebe. Weiter innen sind es Minderwertigkeit und Ratlosigkeit. Das Volumen steigt mit der Bevölkerungsdichte. Ab Park-Kino Richtung Innenstadt klingt Kopenhagen wie ein Acetylenschweißer.»

Aus dem Rückspiegel betrachteten ihn die gelben Augen.

Kasper behielt sein ausdrucksloses Gesicht. Verallgemeinerungen haben einen unmenschlichen Anstrich. Aber ohne sie ist es für die großen Clowns schwer oder sogar unmöglich, Energie in Bewegung zu setzen. Auch der Erlöser hat mit dem breiten Pinsel gearbeitet und mit ordentlich Ölfarbe auf der Palette.

«Ich verdiene 250 000 im Monat an der Stadt. Ist das eine Sünde?»

«Vor oder nach Steuern?»

«Nach.»

«Es wäre eine Sünde, darauf zu verzichten.»

Das Handy summte, Franz Fieber nahm es, lauschte und legte es hin.

«Nach unserm Wagen wird gefahndet», sagte er.

Kasper machte ihm ein Zeichen, der Jaguar schwenkte über die Ny Adelgade und bog in die Toreinfahrt. Leisemeers Leichenwagen hielten immer noch dort. Die Hintertür des einen stand offen.

«Ich borge mir das Auto eines Freundes aus», sagte Kasper.

«Allerdings ist nicht ganz sicher, dass der Schlüssel steckt. Falls nicht, könntest du mir zur Hand gehen?»

Der Jaguar hielt an, Franz Fieber zog einen kleinen Werkzeugkasten aus einem Fach zwischen den Sitzen.

«Ich stelle jeden Automechaniker in den Schatten», sagte er. «Jeden Autoelektriker.»

Ein junger Mann in Kochkleidung kam aus einer Tür, die der Wareneingang für die Küchen sein musste. Er nahm ein großes Tablett aus dem offenen Kastenwagen. Es waren Blätterteigkanapees. Der Hunger traf Kasper wie ein Schlag.

«Wir haben vielleicht nur ein paar Minuten», sagte er.

«In der Zeit nehme ich den Motor auseinander und mache eine Generalüberholung.»

Sie kamen aus dem Jaguar, Kasper nur knapp vor dem Jungen, man meinte glatt, den Zauberlehrling zu sehen, die Krücken und Prothesen nahmen ihren Platz von ganz alleine ein. Kasper wollte sich hinter das Lenkrad setzen, die Hand des Jungen lag auf dem Türgriff.

«Ich fahre dich.»

Sie sahen sich an. Dann hörte Kasper es. Nicht nur die Menschen selbst können an ihrem Klang identifiziert werden. Auch die Gefühle, die sie bei andern erwecken, hinterlassen ihre Lautspuren. Kasper hatte immer, in den Werken ab 1710, Bachs Liebe zu Maria Barbara heraushören können. Und in der *Chaconne* die wilde und zugleich verklärte Trauer über ihren Tod. Nun hörte er, in dem System vor ihm, das stille Mädchen. Er ließ die Tür los. Franz Fieber schwang sich auf den Fahrersitz. Kasper ging ums Auto und stieg ein. Der Schlüssel steckte im Zündschloss. Das Auto glitt aus der Toreinfahrt.

Auf dem Armaturenbrett war ein Telefon angebracht. Kasper lehnte sich aus dem Fenster und las die Nummer des Restaurants auf der Seite des Autos. Er rief an und wurde mit Leisemeer verbunden.

«Kasper hier. Ich war leider gezwungen, mir einen von deinen Lieferwagen auf dem Hof auszuleihen.»

Der Küchenchef atmete schwer in den Hörer.

«Zwischen dir und dem Kunden», sagte er langsam, «der mich am zweithäufigsten über den Tisch gezogen hat, liegen Welten.»

«Es liegen auch Welten zwischen mir und demjenigen, der dein knusprig gebratenes Gemüse am zweitliebsten mag. Und das ist der eine Grund, warum du eine Stunde wartest, ehe du dein Auto als gestohlen meldest.»

«Und der andere Grund?»

«Wenn ich aus diesen vorübergehenden Schwierigkeiten rausgekommen bin, dann werde ich Kunden für dich anlocken. In rauen Mengen. Du weißt doch, wann du es mit einem Trendsetter zu tun hast.»

«Du kommst da nicht raus», sagte Leisemeer. «Das geht nicht vorüber. Ich weiß, wann ich es mit einem Loser zu tun habe.»

Das Telefon summte. Die Leitung war tot.

4 |

Die Nacht ist keine Tageszeit, die Nacht ist keine Lichtstärke, die Nacht ist ein Geräusch. Die Uhr auf dem Armaturenbrett zeigte 21.30 Uhr, noch hing ein Rest Tageslicht in der Atmosphäre, dennoch war es nicht länger Abend, die Nacht war eingebrochen.

Kasper hörte Kinder einschlafen, Hunde einschlafen, Maschinen, die ausgeschaltet wurden. Er hörte, wie die Belastung des Stromnetzes sank, der Druck des Nutzwassers abnahm. Er hörte, wie Fernseher eingeschaltet wurden und Erwachsene sich anschickten, einen langen Arbeitstag an Land zu bringen.

Er öffnete das Fenster. Die Stadt klang wie ein einziger Organismus. Sie war früh auf gewesen, und nun war sie müde. Nun sank sie in die Kissen, schwer wie ein Möbelpacker. Und unter der Schwere hörte er die Unruhe, sie ist immer da, denn wieder ist ein Tag vergangen, und was ist dabei herausgekommen, und wohin gehen wir?

Möglicherweise war es auch nur Einbildung, hören wir denn jemals etwas anderes als unser eigenes monströses Ego und unsere enormen Persönlichkeitsfilter?

Sie hielten am Freihafen. Über den Kai der Oslo-Fähre und die Lagergebäude der UNICEF hinweg hatten sie Aussicht auf das aufgeschüttete Gelände. Hinter dem Containerhafen sah man die grauen Konturen der Konon-Bank.

Rundum erhoben sich die Neubauten des Hafens. Gestapelte Wohnungen für 70 000 Kronen im Monat, im Design zukünftiger Raumstationen auf dem Mars.

Der Kastenwagen war hoch genug, dass sie in die Erdgeschosswohnungen schauen konnten. Wo Licht brannte, saßen die Menschen auf dem Sofa und sahen fern. Kasper ließ sein Gehör über die Gebäude schweifen wie ein Radar, es gab Hunderte von Wohnungen. Aber die menschlichen Geräusche, von Körpern, von Berührungen, waren äußerst schwach, hinter der Sendefläche kaum vernehmbar.

Er hörte den sagenhaften Reichtum. Aus den Wohnungen, den Auktionshäusern, den Büros. Hier fand man die höchste Konzentration weltlicher Liquidität im ganzen dänischen Königreich. Die Gegend hatte einen Klang, gegen den Søllerød oder das kaum weniger betuchte Nærum wie ein zusammengewürfeltes Goldgräberkaff tönte.

«Als ich Kind war», sagte er, «hängte mein Vater den Zirkus an den Nagel, um der Armut zu entkommen, er studierte Jura und machte Karriere, er eröffnete seine eigene Kanzlei, wir hatten Geld, wir waren gut bei Kasse, das war in den frühen Sechzigern. Meine Mutter zwang ihn, sie und mich auf Tournee zu fahren, wir hatten einen Vanguard Estate, mit Ladefläche und schwarz-gelben Nummernschildern. Ich weiß noch, als wir einen Kühlschrank bekamen, da gab es gerade mal fünfzig Kilometer Autobahn Richtung Holbæk. Jetzt ist das alles Standard für Sozialhilfeempfänger. Und was machen wir mit unserm Reichtum – wir gucken fern. Das habe ich nie kapiert, wie kommt man vom Fernseher ins Bett, wie bringt man es zustande, dass mit dem Partner etwas läuft, wenn man vorher die ganze Zeit in die Elektronenkanone geglotzt hat?»

Kasper hörte, wie das System des andern durch die plötzliche Vertraulichkeit kontrahierte. Und wie es sich in einer versuchten Entspannung wieder weitete.

«Ich habe nie einen Fernseher gehabt», sagte Franz Fieber. «Ich hab auch nie mit einer Frau zusammengelebt. Nicht so richtig.»

Kasper hörte, wie er rot wurde, das Geräusch des Blutes, das in der Hautoberfläche kribbelte. Er beugte sich vor, um die Schamhaftigkeit des andern zu respektieren. Vertraulichkeit zwischen ihnen war ein Feld in F-Dur, es dehnte sich in die Nacht aus.

«Du arbeitest für die Schwestern», sagte Kasper.

«Ich fahre für sie. Möglichst oft. Worauf warten wir?»

«Ich kann das Mädchen hören. Manchmal kann ich Menschen hören, aber nicht die physischen Geräusche, sondern anders. Ich warte auf das richtige Timing.»

Kasper schloss die Augen.

«Lass uns beten», sagte er. «Zwei Minuten.»

Franz Fieber platzierte die Maria-Ikone vor dem Schalthebel, er musste sie aus dem Jaguar mitgenommen haben. Er stellte ein Teelicht davor und zündete es an. Sie schlossen die Augen.

Es ertönten die Worte «Sei gut und gib mir ein reines Herz», es war das Lieblingsgebet der heiligen Katharina von Siena, sie wurde nur 33, wie der Heiland, Kasper hatte sie beide schon um neun Jahre überlebt, was kann man mehr verlangen?

Das Gebet rief ihm etwas ins Gedächtnis zurück. Kasper erinnerte sich, wie er als Kind im Vanguard eingeschlafen war, zwischen seiner Mutter und seinem Vater. An den Tagen, an denen sie den Zeltplatz wechselten, hatten sie nie vor Mitternacht aufbrechen können. Er war in dem Augenblick wach geworden, als ihn sein Vater in die Kühle hinaustrug. Er hatte in Maximillians Gesicht geschaut und eine Müdigkeit gesehen, die zehn Jahre alt war. Die Müdigkeit davon, ganztags zu arbeiten und das Abitur zu machen, dann das Jurastudium mit einer Eins zu bestehen, dann seine Frau nicht überreden zu können, den Zirkus aufzugeben, und schließlich und seitdem einen Spagat zwischen zwei Welten machen zu müssen, der des Bürgers und der des Artisten.

«Ich kann selber gehen», hatte Kasper gesagt.

Maximillian hatte ihn behutsam aufs Bett gelegt, es war Sommer gewesen. Der Wohnwagen hatte den spröden Klang von Glas gehabt, das abkühlt und Sprünge bekommt, es war das Geräusch des Firnisses auf dem Holz, der sich zusammenzog. Sein Vater hatte die Decke um ihn herum festgesteckt und sich aufs Bett gesetzt.

«Als ich klein war», hatte er gesagt, «waren wir mit dem Pferdewagen unterwegs, und die Arbeit war sehr hart. Und das Gefühl ist noch ganz frisch, sieben oder acht Jahre alt zu sein wie du jetzt und um Mitternacht geweckt und ins Bett getragen zu werden. Du kennst doch die Märchen von den Menschen, die den Feen alles Mögliche versprechen, wenn sie nur ein Kind bekämen. Damals habe ich etwas versprochen, mir selbst. Ich versprach, wenn ich ein Kind bekäme und es schliefe im Wagen ein, würde ich es immer ins Bett tragen.»

Maximillian war aufgestanden. Kasper spürte ihn, als stünde er neben ihm, es war keine 35 Jahre her, es war jetzt. Das war es, was Bach mit dem *Actus Tragicus* gemeint hatte, das war es, was sowohl in der Musik als auch in dem Text lag, «Gottes der

Herrin Zeit ist die allerbeste Zeit», es gibt keine Vergangenheit, nur Gegenwart.

Er lauschte. Es war, als zauderte das Universum. Da war nichts zu machen, man kann von Gott der Herrin keine Erlösung erpressen.

«Stine», sagte der Junge. «Woher kennst du sie?»

Er hätte brüsk antworten können, er hätte ablehnend antworten können, er hätte gar nicht antworten können. Jetzt hörte er sich verwundert mit der Wahrheit antworten. Mit einer der möglichen Versionen der Wahrheit.

«Sie stieg aus dem Meer», sagte er.

5 |

Er hatte auf der Terrasse seines Wohnmobils gesessen, es war drei Uhr nachmittags. Ein warmer September. Er hatte probiert, einen cromagnonartigen Brummschädel mit Haydns Symphonien zu kurieren. Sie hatten einen stärkeren Entgiftungseffekt als Mozarts, vielleicht aufgrund der chirurgischen Hörner, vielleicht aufgrund der Schockeffekte, vielleicht aufgrund von Haydns Fähigkeit, Interferenzen herzustellen, welche die Instrumente als etwas Unbekanntes, Gottgesandtes erklingen ließen, aus einer anderen und besseren und weniger alkoholisierten Welt.

Draußen im Wasser hatte er einen Seehund gesehen.

Der Seehund hatte sich aufgerichtet, es war ein Taucher. Er watete an Land, rückwärts, im flachen Wasser zog er die Flossen aus, drehte sich um und kam auf den Strand. Er legte das Atemgerät und die Flaschen ab und zog den Reißverschluss seines Anzugs auf, es war eine Frau. Sie blickte sich um, sie hatte die Orientierung verloren.

Kasper stand auf und ging ihr entgegen. Irgendwo hatte Meister Eckhart geschrieben, ob wir auch in den siebenten

Himmel entrückt wären, habe ein Wanderer sich verirrt, müssten wir ihm freudig zur Seite stehen.

«Die Strömung», sagte sie, «sie ist stark an der Küste. Das Begleitboot liegt vor dem Hafen in Rungsted.»

«Sie sind ein paar Kilometer abgetrieben worden», sagte er. «Ihr Verlobter in dem Boot muss in Tränen aufgelöst sein. Aber mit meinem Auto sind wir in zwei Minuten da.»

Sie sah ihn an. Als wollte sie sein Molekulargewicht bestimmen.

«Ich nehme den Bus», sagte sie.

Er sammelte die Sauerstoffflaschen und den Tragegurt ein, sie gab es auf, die Ausrüstung selber tragen zu wollen, sie gingen zur Straße hoch.

«Es ist Sonntag», sagte er. «Die Busse fahren im Zweistundentakt, grade ist einer gefahren.»

Sie schwieg, er war sicher, sie würde das Handtuch werfen. Die Frau ist noch nicht geboren, die sechs Haltestellen den Strandvej entlangfährt, in Gummisocken und Neoprenanzug, mit zwei Zwanzigliterflaschen und Maske und Schnorchel.

Der Bus kam fünf Minuten später.

«Ich hab kein Geld für die Fahrkarte», sagte sie.

Er gab ihr einen Fünfhundertkronenschein. Und seine Visitenkarte.

«Das reißt mir ein Loch ins Haushaltsbudget», sagte er. «Ich muss das Geld zurückhaben. Eventuell könnten Sie Ihre Adresse auf den Umschlag schreiben.»

Die Türen klappten zu, er fing an zu rennen, zum Auto zurück.

Der Bus war drei Minuten außer Sichtweite gewesen, dann hatte er ihn eingeholt. Er setzte sich hinter einen Lieferwagen mit Anhänger. Am Hafen in Rungsted stieg niemand aus. Er wurde unruhig. An der Endstation in Klampenborg stieg er ein und ging durch den Bus. Sie war weg. Er fand den Sitz, auf dem sie gesessen haben musste, er war immer noch nass, der Boden auch. Er tupfte einen Tropfen mit dem Finger auf und schmeckte das Salzwasser, es musste ihren Körper berührt haben. Der Fahrer hatte ihn angestarrt.

Er rief den Hafen in Rungsted an, das Amt hatte sonntags geschlossen. Er rief den Hafenmeister privat an und erfuhr, dass Tauchvorgänge außerhalb des Hafenbeckens nicht registriert würden.

In der Nacht fand er keinen Schlaf. Montag früh setzte er sich mit dem dänischen Sporttaucherverband in Verbindung. Ergebnis: keine gemeldeten Taucher auf Höhe des Hafens in den letzten zwei Wochen.

Er rief sich ihr Bild ins Gedächtnis, ihre Töne. Ihr Wesenskern war E-Dur. Dahinter ein tieferer Klang von Instinkten, die Instinkte der Menschen waren gewöhnlich weniger nuanciert, noch nicht in Tonarten gestimmt. Ihre waren es. Er hörte A-Dur, einen fachlichen Klang.

Sie war keine Sporttaucherin gewesen. Sie hatte gearbeitet. An einem Sonntag.

Er rief die Seefahrtsverwaltung an. Er bekam eine professionelle Seejungfrau an den Apparat. Entgegenkommend, aber glatt und kühl.

«Wir registrieren alle beruflichen Tauchvorgänge», sagte sie. «Aber wir geben keine Daten weiter. Keinem anderen als den zuständigen Behörden.»

«Ich will eine Mole bauen lassen», sagte er. «Für meinen Swan. Vor meiner Villa am Strandvej. Und ich möchte gerne genau diese Firma dafür. Ich habe sie arbeiten sehen. Es war brillant. Also, wenn Sie mir den Namen geben könnten?»

«Das war keine Firma», sagte sie. «Es waren Taucher einer Institution. Und wie wollen Sie ihnen beim Arbeiten zugesehen haben? Wegen des Schlamms kann man in Dänemark keine drei Meter weit sehen, nirgendwo.»

«Ich hatte einen inspirierten Tag», sagte er.
Sie legte auf.

Er war zur Straße hochgegangen und hatte seine Post geholt. Im Kasten lag ein Brief ohne Absender, im Brief ein Fünfhundertkronenschein. Sonst nichts. Er war zu Sonja gefahren.

Sonja hatte ihm Tee gemacht, langsam und gründlich, zum Schluss stand sie neben seinem Stuhl und rührte so lange um, bis der Honig sich aufgelöst hatte. Er genoss ihre Fürsorge. Er wusste, sie hatte ihren Preis. Gleich würde eine Belehrung folgen.

«Du hast sie einmal gesehen», sagte sie. «Höchstens fünf Minuten lang. Haben wir unsere fünf Sinne noch beisammen?»

«Ihr Klang», sagte er.

Sie strich ihm übers Haar. Im Innern verspürte er einen Hauch von Ruhe.

«Du hast ja auch auf meine Töne reagiert», sagte sie. «Damals. Und da hast du verdammt Schwein gehabt. Aber es ist ja nicht zu leugnen, dass du dich in anderen Fällen geirrt hast.»

Er trank, es war *First Flush*, gebrüht in einem japanischen Gusseisentopf, der vor ihr auf dem Tisch stand, auf einem Stövchen. Selbst mit Milch und Honig war das etwas völlig anderes als das, was er mit den Teebeuteln zu Hause zustande brachte.

Sie drehte den Briefumschlag um, in dem der Geldschein gesteckt hatte.

«Er ist abgestempelt», sagte sie.

Er verstand nicht, was sie meinte. Sie reichte ihm den zweiten Hörer.

«Frankiermaschinen», sagte sie, «hinterlassen eine Identifikationsnummer.»

Sie rief die dänische Post an. Wurde mit dem Team Frankiermaschinen in Fredericia verbunden.

«Hier ist die Anwaltskanzlei Krone & Krone. Wir haben unsere Portomaschine von Ihnen bekommen. Aber unserer Meinung nach ist es die von einem andern. Darf ich Ihnen die Nummer durchgeben?»

Sie nannte die Nummer.

«Das ist ein Irrtum», sagte die Frauenstimme am anderen Ende. «Das müsste eine von vier Frankiermaschinen sein. Beim Karten- und Katasteramt. Von wo rufen Sie bitte nochmal an?»

«Ich habe etwas Falsches gesagt», sagte Sonja. «Ich rufe vom Amt an.»

Sie legte auf.

Sie war mit ihm die Treppe hinuntergegangen. Draußen auf dem Bürgersteig hakte sie ihn unter. Sie hatte die aufrechte Haltung einer Tänzerin bewahrt. Sie führte ihn in das Blumengeschäft gegenüber der Feuerwehr, sie suchte Stiele mit noch nicht aufgeblühten Pfingstrosen aus, große, kugelförmige, vollkommene Blumen.

Sie trug den Strauß zu seinem Auto und legte ihn behutsam auf den Beifahrersitz. Ihre Finger streichelten seinen Nacken.

«Du bist schon lange allein», sagte sie.

Er antwortete nicht, es gab nichts zu sagen.

«Ich kenne das Karten- und Katasteramt nicht», sagte sie. «Aber ich bin sicher, Pfingstrosen wären ein guter Einstieg. Unter Umständen solltest du nicht gleich erzählen, wo du sie herhast.»

Das Karten- und Katasteramt lag im Rentemestervej, im Erdgeschoss wurden Karten verkauft, hinter der Theke saß eine Dame mittleren Alters, wenn sie ein Hund gewesen wäre, hätte dort ein Schild gehangen: «Zutritt auf eigene Gefahr».

Er legte die Blumen vor sie auf die Theke. Der Strauß war groß wie eine Tuba.

«Sie hat Geburtstag», flüsterte er. «Ich möchte sie so gerne überraschen.»

Sie schmolz dahin, er war an ihr vorbei. Auf die Art kann man die spirituellen Fortschritte messen. Die Türsteher werden von Mal zu Mal umgänglicher.

Das Gebäude hatte vier Stockwerke, auf jedem lagen zwischen zehn und zwanzig Büros plus Labors, er schaute in alle hinein. In der obersten Etage war eine Kantine mit einer Dachterrasse, auf dem Dach saßen große Silbermöwen und warteten auf die Gelegenheit, die Tische abräumen zu können. Man konnte über das Meer bis nach Schweden sehen.

Sie saß allein an einem Tisch. Er legte ihr die Blumen hin, setzte sich. Eine Weile sagten sie nichts.

«Die erste Begegnung», sagte er dann, «ist riskant. Was hören wir, hören wir etwas anderes als das, was wir zu hören hoffen? Andererseits hat man keine gemeinsame Geschichte. Man nimmt noch keine Abwehrhaltung ein. Trotzdem. Jedenfalls liegt hier ein Strauß Blumen. Wenn Sie ihn zu Hause ins Wasser stellen könnten ... Ohne den Herrn im Begleitboot zu kränken.»

Sie blickte über die Dächer. Über die hochgelegene S-Bahn, die Haraldsgade, übers Meer.

«Es war eine Kollegin», sagte sie. «Eine Dame.»

Er stand auf. Wenn es etwas gab, das Bach gekonnt hatte, dann, auf dem Höhepunkt aufzuhören.

«Sie können ruhig noch ein bisschen sitzen bleiben», sagte sie. «Ich bin eben erst in die Mittagspause gegangen.»

6

Jemand hatte etwas gesagt, die Erinnerungen wurden dünner, dann waren sie verschwunden. Franz Fiebers Augen hingen an seinen Lippen, Kasper war sich nicht sicher, was er gesagt und an was er sich erinnert hatte.

«Sie sind tot», sagte Franz Fieber, «wir finden sie nicht.»
«Wer ist das andere Kind?»
«Bastian. Er und KlaraMaria sind gleichzeitig verschwunden. Vom Schulhof. Mitten am Tag. Sind in ein Auto gestiegen.»
«Und die Polizei?»
«Die Polizei ist drauf angesetzt. Wir wurden allesamt verhört. Auf dem Revier in Lyngby. Und in der Stadt.»
«Wo in der Stadt?»
«Im Blegdamsvej. Im Untersuchungsgefängnis.»
Das Blut pochte in Kaspers Schläfen. Er musste seinen Vater anrufen. Eine Schande. 42 Jahre alt zu sein und als letzten Ausweg immer noch den Papa anrufen zu müssen.

Maximillian hob sofort ab. Er hatte fast keine Stimme.
«Wenn zwei Kinder entführt wurden», sagte Kasper, «und man wird im Untersuchungsgefängnis am Blegdamsvej verhört, was ist dann im Busch?»
«Ist es ein potenzieller Täter, der da verhört wird?»
Kasper sah Franz Fieber an.
«Nein», sagte er.
«Dann hat man das VISAR aktiviert, das Internationale Profilregister für Kapitalverbrechen. Verwaltet von der Reichspolizei. Mit externen Kriminologen, Verhaltensforschern und forensischen Psychiatern. Das ist eine große Runde. Vivian ist auch dabei. Sie sitzt übrigens neben mir. Sie studiert meinen Sterbeprozess. Ich rufe in einer Minute zurück.»
Er legte auf.

In einem Clip auf dem Armaturenbrett waren Rechnungen und Adresszettel festgeklemmt, Kasper blätterte sie durch, ohne Resultat. Ein anderer Clip hielt die Frachtbriefe zusammen. Leisemeer hatte einen eigenen Wein- und Feinkostimport, manche Briefe bezogen sich auf die Lieferungen der kommenden Woche.

Am Ende des Stapels fand Kasper, was er suchte. Es war eine Bestellung der Konon, sie hatte für kommenden Mittwoch einen italienischen Mittagstisch geordert. Der Bestellung war ein Faltblatt auf Büttenpapier beigelegt. Von der Sorte, wie man sie den Gästen in der Concorde oder im Ritz übergibt, mit einem herzlichen Willkommen und einem Verzeichnis der Fluchtwege sowie einer Versicherung in vier Sprachen, dass dies nur geschehe, um der Gesetzgebung Genüge zu tun, denn natürlich werde niemand sterben, und schon gar nicht an diesem Ort und für diesen Eintrittspreis.

Das Faltblatt zeigte einen Querschnitt durch die Gebäude der Konon. Und den Grundriss. Er setzte die Brille auf, alles war verzeichnet, Treppen, Notausgänge, Bibliothek und Archiv, Sitzungsräume, Direktionszimmer, zwei Kantinen, vier Toiletten pro Etage, technische Gebäude, ein eigenes Bootshaus und eine Landungsbrücke. Darüber hinaus hatte jemand mit rotem Filzstift den Weg markiert, auf dem das italienische Essen geliefert werden sollte.

Das Telefon klingelte.

«Du weißt von den Kindern», sagte Vivian. «Dabei gab es eine Nachrichtensperre. Vielleicht, um die beiden zu schützen. Oder die Fahndung geheim zu halten. Das eine, das Mädchen, ist diejenige, die die Karte gezeichnet hat, nicht wahr?»

Sie schwieg einen Augenblick.

«Ich wurde auch hinzugerufen», fuhr sie fort. «Aber ich habe nein gesagt. Normalerweise erhalten wir sämtliche Infos, die die Polizei auch bekommt, aber dieser Fall war ausschließlich auf *need-to-know*-Basis. Viel zu wenig Informationen. Ich habe abgelehnt. Aber eine Freundin war da, eine Kinderärztin für Herzkrankheiten. Eines der Kinder ist operiert worden. Ich habe sie angerufen. Die Polizei versucht, einen Zusammenhang mit vier bis sechs anderen Entführungsfällen herzustellen. Kinder, die an anderen Orten der Welt verschwunden sind. Jungen und Mädchen. Alter: sieben bis vierzehn. Zwei aus einer buddhistischen Klosterschule in Nepal. Eines in Thailand. Ein senegalesisches Mädchen aus einer katholischen Mädchenschule in Frankreich. Ein Zusammenhang wurde nicht nachgewiesen. Jetzt kommt etwas Unangenehmes. Ein Mädchen wurde gefunden. Erdrosselt. Kein sexueller Missbrauch. Aber Folter. Das letzte Glied der Finger ihrer linken Hand wurde abgeschnitten. Bei lebendigem Leib.»

Sie schwiegen beide einen kurzen Moment. Maximillian übernahm den Hörer.

«Du glaubst es nicht, aber ich habe immer noch ein, zwei Freunde. Ich habe sie gebeten, mal nach diesem Kain zu suchen. Und ich habe was über ihn. Er ist in deinem Alter. Über die Kindheit ist nichts bekannt. Erstmals aktenkundig bei der Marine. Handelsflotte, Seemannsausbildung, Steuermannanwärter, Seefahrtsschule und Schiffsführer. Dann Seegewerbeschein und militärische Kapitänsprüfung. Daraufhin in der IMO, der Internationalen Maritimen Organisation. Nebenbei Wirtschaftsstudium. Jüngster Flaggoffizier im Gewässer- und Schifffahrtsamt. Verlässt die staatlichen Einrichtungen. Verdacht auf Schmuggelei. Könnte von seiner Kenntnis des internationalen Melde- und Radarsystems profitiert haben. Seit '95 gesucht wegen illegalen Reedereibetriebs unter Umgehung der internationalen Sicherheitsdirektiven. Danach vermutlich Einstieg in die Wirtschaftskriminalität. Seit 1995 nicht mehr gesehen, identifiziert oder abgelichtet worden. Sein Wohnort wird in England vermutet. Soll hinter illegalem Handel mit Aktiengesellschaften stehen, von einer Plattform in Dänemark aus.»

«Wie könnte diese Plattform heißen?»

«Konon.»

Kasper schloss die Augen.

«Das Okkulte», sagte er, «falls es je existiert haben sollte. Im Zirkus. Wer könnte was darüber wissen?»

«Die echte Ware gibt es nicht.»

Kasper sagte nichts.

«Hast du's mal im Archiv des Unterhaltungsmuseums in Frederiksberg versucht? In der Sammlung Barley? Bei Boomhoffs Zirkusagentur?»

«Die Frau», sagte Kasper. «Von der du und Mutter gesprochen habt. Es ging um Vögel.»

Maximillian war still. In der Stille war Angst zu spüren.

«Feodora», sagte er, «Jensen. Größte Vogelnummer der Welt. Größte Zirkusnummer der Welt. Größtes Gedächtnis der Welt. Aber erstens wird sie nicht mit dir sprechen. Und zweitens ist es eine Sackgasse.»

Kasper sagte nichts.

«Die betreuten Wohnungen des Artistenverbands in Christianshavn.»

«Christianshavn ist evakuiert.»

«Nur auf freiwilliger Basis. Sie kann sich nicht mehr vom Fleck rühren. Sie ist dort. Wenn sie noch lebt.»

Vivian war wieder am Hörer.

«Lone Bohrfeldt», sagte Kasper. «Wo war sie angestellt? In welchem Zusammenhang hat sie ursprünglich gearbeitet?»

«Das ist lange her. Soweit ich weiß, war es eine Kooperation. Zwischen dem Panum-Institut und dem Institut für Bewusstseinsforschung.»

Kasper hörte ein Motorboot, das durch eine der Fahrrinnen einfuhr. Er hörte die Echos der tausend Fernsehgeräte rundum. Wenn sämtliche Flächen um einen herum hart und unempfindlich und stark schallreflektierend sind, ist die Lautstärke praktisch unabhängig von der Entfernung. Dann drängt sich uns die unerbittliche Welt auf, ohne jede Dämmung.

«Ich habe mit im VISAR gesessen», sagte die Frau. «An die zwanzig Mal. Ich kenne die Kriminalen. Sowohl vom PND als auch von der Abteilung A. Es sind besonnene Leute. Aber diesmal nicht. Sie haben Angst. Große, durchtrainierte Polizisten. Also egal, was du da vorhast: Pass auf dich auf!»

Sie legte auf. Er blieb sitzen und sah den summenden Hörer an. Dann suchte er nach dem Lottoschein. Er drehte ihn um. Auf der Rückseite stand Lone Bohrfeldts Privatadresse.

Sie passierten das Fort Charlottenlund, bogen hinter der Badeanstalt ins Land hinein, fuhren auf der Rückseite des Tiergartens herum und hielten auf die Abhänge hinter Rådvad zu.

Die Häuser wurden spärlicher, dann hörten sie auf. Rechter Hand erstreckte sich das Tal zum Öresund, links lagen die Höhen, aufstrebend wie Steilküsten. Kasper hatte das Fenster heruntergelassen, er machte ein Zeichen, sie hielten an und stiegen aus.

Alles, was hier zu sehen war, war ein hoher Drahtzaun. Dahinter fünfzig Meter Rasenfläche bis zum Hang, kein Haus. Auf dem Rasen große Büsche. Einer der Büsche verdeckte einen doppelten Carport, darin stand der kleine Mercedes. Daneben ein schwarzer Jeep, groß wie ein Traktor. Der Kühlerventilator des Motors lief noch, vielleicht hatte er den gehört.

Sie legten den Kopf in den Nacken. Das Fenster befand sich direkt im Hang, in fünfzehn Metern Höhe. Es hatte Ellipsenform, der Abstand zwischen den Brennpunkten betrug vielleicht sieben Meter. Das Haus musste in den Hang gegraben worden sein. Die Scheibe glühte schwach, bläulich. Wie ein großes Auge.

Sie fanden die Tür im Zaun, hoch und schmal. Der Türpfosten hatte einen versenkten Knopf und eine kaum sichtbare Lautsprecherperforierung. Kasper drückte auf den Knopf.

Zu Beginn von *Entweder-Oder* schreibt Kierkegaard, sein Favorit unter den Sinnen sei das Gehör. Das zu schreiben konnte er sich erlauben, weil die Gegensprechanlage Mitte des 19. Jahrhunderts noch nicht erfunden worden war. Er hätte heute Abend dabei sein sollen. Der Lautsprecher gurgelte wie ein farcierter Puter.

«Ich bin's», sagte Kasper. «Die Lage hat sich verschärft seit dem letzten Mal. Es geht um zwei Kinder. Man hat sie noch nicht gefunden. Es geht auch um ein totes Kind.»

«Ich will nicht mit dir reden», sagte sie.

Franz Fieber klappte seinen Werkzeugkasten auf. Er hatte an dem Pfosten eine Schutzkappe gefunden, er machte sie auf.

«Ruhestrom», sagte er leise. «Wenn ich den unterbreche, geht der Alarm los. Sprich weiter. Ich muss den Schaltkasten finden.»

«Von Kindesbeinen an», sagte Kasper, «seit meiner Geburt, wusste ich, dass ich falsch gelandet bin. Richtige Familie, aber falscher Planet. Also habe ich angefangen zu suchen. Nach einem Ausweg. Nach einem Heimweg. Einer Tür. Damit habe ich mein Leben zugebracht. Ich habe sie noch nicht gefunden. Aber das Mädchen. Vielleicht steht sie in der Türöffnung.»

Die Gegensprechanlage blieb stumm. Aber er wusste, dass sie zuhörte. Franz Fieber hatte sich an den Armen hochgezogen, er rollte sich über den Zaun ab und fiel auf der anderen Seite auf den Boden. Er landete auf seinen Armen und Beinstümpfen, geschmeidig wie eine Katze. Er kroch über den Rasen wie eine Spannerraupe. Schob eine Kamelie beiseite. Hinter dem Busch befand sich ein Metallkasten. Er machte Kasper ein Zeichen.

«Ich messe die Impedanz», flüsterte er. «Bei verkehrtem Widerstand klingelt die Glocke. Lass dein goldenes Mundwerk schnurren!»

«Ich habe keine Kinder», sagte Kasper. «War nie bei einer Geburt dabei. Und ich stelle mir vor, dass diese Tür bei Geburten offen stehen muss. So wie beim Tod eines Menschen. Einen Moment lang steht eine Tür offen. Und was dahinter ist, kann man hören. Das ist der Grund, weshalb du mit Geburten arbeitest.»

«Geh nach Hause», sagte der Lautsprecher.

Hinter der Zauntür richtete sich Franz Fieber auf. Seine Hände kamen durch die Stäbe. Berührten die Codetasten auf dem Tableau. Die Tür ging auf.

«Etwas in dir ist wie ich», sagte Kasper in die Anlage. «Du suchst. Du hast eine Tür gefunden.»

«Ich wollte reich sein», sagte der Lautsprecher.

«Klar», sagte er. «Das wollen wir alle. Bach auch.»

Franz Fieber krückte über den Rasen. Am Fuß des Hangs sah man den Eingang zum Lift, ein Rechteck aus rostfreiem Stahl.

«Steinreich», sagte der Lautsprecher.

«Ist menschlich», sagte Kasper. «Schau dir Verdi an. Den Dagobert Duck der klassischen Musik.»

«Zu spät», sagte der Lautsprecher.

«Es ist nie zu spät. Ich weiß, wovon ich spreche. Für mich war alles zu spät. Nicht nur einmal.»

Am Lift streckte Franz Fieber seinen Daumen in die Höhe.

«Wir haben eine Wachgesellschaft beauftragt», sagte die Frau. «Die ruf ich jetzt an.»

Die Verbindung wurde abgebrochen.

Der Lift hatte eine zylindrische Form, er rauschte in die Höhe wie eine Silvesterrakete.

«Ich könnte mich beim Verband für Schadensversicherungen eintragen lassen», sagte Franz Fieber. «Der erteilt die Lizenzen für Alarmanlagenelektriker. Das Elektrosystem in meinem Jaguar repariere ich selber. Um in Form zu bleiben.»

Die Tür glitt auf, und sie standen zwischen Pelzen und Herrenmänteln. Kasper erlebte zum ersten Mal, dass ein Aufzug unmittelbar in den Eingangsbereich einer Wohnung führte, wie ein Schilderhaus stand er mitten im Raum.

Er öffnete eine Flügeltür, und sie waren im Salon.

Der Raum war wie das Fenster ellipsenförmig, beidseitig

gebogen wie ein Schiffsrumpf. Die Dielen waren fünfzig Zentimeter breit. Die Möbel, die Kasper identifizieren konnte, stammten von Eames.

Lone Bohrfeldt saß auf dem Sofa. Mitten im Salon stand der Besitzer des Jeeps, er sah seinem Wagen ähnlich, glänzendes schwarzes Haar, Allradantrieb und nicht darauf eingestellt, dass ihm jemand in den Weg kommt. Sie waren beide geschockt.

Der Mann löste sich aus seiner Erstarrung und trat auf sie zu.

«Aufregung ist im Moment Gift für sie», sagte er. «Wir erwarten ein Kind.»

«Sind Sie sicher, dass Sie der Vater sind?», sagte Kasper.

Der Schock kehrte zurück. Aber nur kurz. Der Mann packte Kasper am Hemd.

Viele Menschen machen sich von Clowns ein falsches Bild. Sie meinen, weil der Clown den Liebreiz eines Kindes hat, habe er auch dessen Physis.

Kasper versetzte ihm einen Schlag mit der Unterseite des Ellbogens von unten aufwärts. Das hatte der Mann nicht erwartet, der Schlag ging durch die Muskulatur des Abdomens und endete an den unteren Lungenspitzen. Der Mann ging in die Knie.

Kasper schob ihm einen der Eames-Hocker hin. In der Küche fand er eine Schüssel, füllte ein Glas mit Leitungswasser. Er machte ein Geschirrtuch nass und wrang es aus. Franz Fieber hatte sich an die Wand gelehnt.

Kasper stellte dem Mann die Schüssel hin. Das Glas und das Tuch gab er Franz Fieber. Er setzte sich der Frau gegenüber. Seit ihrer letzten Begegnung hatte sie sich mit Kajal geschminkt.

Bei näherem Hinsehen erkannte er, dass es Augenringe waren. Ihr fehlten 24 oder eher noch 48 Stunden Schlaf.

«Also, was ist mit den Frühgeburten?», sagte er.

«Es kommt vor, dass welche überleben», erwiderte sie.

Kasper verrückte seinen Stuhl. Damit sie den Mann auf dem Hocker nicht sehen konnte. Es war ein Teil der Manegenroutine.

Klanglich gesehen benehmen sich Eheleute wie Wisente, Hintern an Hintern machen sie gemeinsam Front gegen eine böse Umwelt. Holt man Zuschauer ins Scheinwerferlicht, die ihr Bestes geben sollen, muss man die Liebespartner trennen.

«Ärzte und Hebammen hat das immer fasziniert», sagte sie. «Früher, als man die Neonatalen eher summarisch behandelte, geschah es regelmäßig, dass Frühgeburten, die für tot erklärt und ihren Müttern entzogen wurden, aufwachten und schrien. Sie wollten leben. Und geliebt werden.»

«Das heißt, du hast gesucht. Jemanden, der darüber Bescheid wissen konnte, woher diese Kinder kommen. Warum einige von ihnen mit so viel Lebenswillen auf die Welt kommen.»

Sie nickte.

«Und dann kamst du mit dem Stift in Kontakt. Mit der Blauen Dame.»

«Sie schlugen vor, dass ich die Entwicklung von zwölf Kindern verfolgen sollte. Sie waren damals zwischen sechs Monaten und vier Jahren alt. Sie waren unterschiedlicher Nationalität. Einmal im Jahr kamen sie im Stift zusammen. Ich sollte eine Bestandsaufnahme ihrer Geburten machen. Alle obstetrischen Details berücksichtigen. Auch Umstände, die sonst nie in Betracht gezogen werden. Zum Beispiel die Beziehung zwischen Vater und Mutter. Oder Personen, die bei der Geburt anwesend waren. Sogar das Wetter. Und ich sollte ihren allgemeinen Gesundheitszustand beobachten.»

Sie war von dichter Trauer umgeben, eine Frau kurz vor der Niederkunft dürfte nicht so klingen, es grenzte an Aufgabe.

«Du hast die Informationen verkauft. An Kain», sagte Kasper. «Er hat dich finanziert. Er muss die Klinik finanziert haben.»

Sie beugte sich vor, soweit es ihr Bauch zuließ, und verbarg ihr Gesicht in den Händen. Der Mann legte sich über den Schemel und erbrach sich in die Schüssel.

Kasper stand auf und ging zum Fenster. Die Aussicht war

ohnegleichen. Undänisch. Bergig. Man blickte über die ganze Küstenlinie, von Vedbæk bis Amager hinunter.

Am Fenster stand ein Fernrohr, ein Spiegelteleskop, sehr stark, er legte sein Auge ans Okular, das Blickfeld vibrierte nervös. Im Fokus war ein geschliffener blauer, schwarz eingefasster Saphir. Es war ein erleuchtetes Schwimmbecken, es musste zum Sanatorium Tårbæk gehören, einer Kombination aus Privatklinik und Kurbad, erbaut, als er im Ausland war. Er hatte davon gehört, es aber nie gesehen.

Er schwenkte das Fernrohr nach rechts. Hatte den Turm der Konon im Visier. In den beiden obersten Geschossen brannte Licht.

Er zog das Faltblatt aus der Tasche, das dem Frachtbrief beigeheftet war. Das Licht kam aus den Chefetagen.

«Du solltest die Kinder betreuen», sagte er. «In den letzten Tagen. Deswegen brauchten sie dich. Sie brauchten einen Arzt.»

«Zwei», sagte sie. «Mich und Professor Frank.»

«Vom Institut für Bewusstseinsforschung?»

Sie nickte.

Kasper sah zu Franz Fieber hinüber.

«Øster Voldgade. Neben dem Botanischen Garten. In den Gebäuden, in denen sich früher das Observatorium befand.»

Kasper schwenkte das Teleskop weiter. Er fand Schloss Rosenborg. Der Turm des Observatoriums war der höchste Punkt der Stadt, gleich neben dem Schloss. Er stellte scharf. Der Turm war von neuen Bürobauten aus Glas umgeben, sie ähnelten Treibhäusern.

«Wo hast du sie betreut?»

«Ich verliere alles», sagte sie.

Sie war weiß im Gesicht, fast fluoreszierend.

«Wir verlieren sowieso alle alles», sagte Kasper. «Es gibt nur eine Möglichkeit. Wir können versuchen, es auf eine einigermaßen stubenreine Art zu verlieren.»

Er war glücklich, dass Franz Fieber und der kniende Kindsvater anwesend waren. Es gab ihm das Gefühl eines etwas zahlreicheren Publikums. Für derlei goldene Repliken.

«Schau mich an», sagte er. «Ich habe keine einzige Øre. Alles ist verloren. Keine Frau. Keine Kinder. Karriere am Ende. Ausgewiesen. Gesucht in zwölf Ländern. Aber ich bin gerade in einer Aufräumphase. Sieht man mir das an? Dass irgendwo hier drin eine aufkeimende Anständigkeit steckt?»

«Ich finde, du ähnelst einem Penner», sagte sie.

Sein Körper straffte sich.

«Sie kamen mit den Kindern hierher», sagte sie, «ihr Zustand war gut. Sie bleiben am Leben. Sie sollen zu irgendetwas benutzt werden. Es hat was mit den Beben zu tun. Ich weiß nicht, was.»

Er stellte das Teleskop neu ein. Auf dem Dach des Gebäudes standen zwei Davits. Auf Rädern. Dahinter ein Motorengehäuse.

«Was ist Konon für ein Unternehmen?»

«Formal ein Geldinstitut. Aber sie handeln ausschließlich mit Optionen.»

«Wo ist Kain?»

Sie schüttelte den Kopf.

«Was ist mit dem toten Kind?», fragte sie.

«Die Polizei ist der Überzeugung, dass es eine Reihe von Entführungen gibt, die zusammengehören. Eins dieser Kinder ist aufgefunden worden. Ein Mädchen. Gefoltert und erdrosselt.»

Er war auf dem Weg hinaus, sie kam ihm nach.

«Ich will alles wiedergutmachen», sagte sie. «Ich will meinem Kind in die Augen sehen können.»

«Warte bis nach der Geburt. Wir sind Büßer, wir machen einen Schritt nach dem andern.»

Kasper half dem knienden Mann aufs Sofa. Auf dem Couchtisch lag ein niedriger Stapel maschinengeschriebener DIN-A4-Bögen.

«Was war den Geburten gemeinsam?», fragte er.

«Sie waren harmonisch. Ruhiger als der Durchschnitt. Von kurzer Dauer. Zwei, drei Mütter waren alleinstehend. Die meisten hatten einen Mann. Und dann das Wetter.»

Sie stand dicht vor ihm.

«Regenbögen», sagte sie. «In allen Fällen haben die Geburtshelfer Regenbögen gesehen. Vor dem Fenster. Ich habe einzeln mit ihnen gesprochen, unabhängig voneinander. Regenbögen auch nachts. Es gibt nächtliche Regenbogenphänomene. Höfe um den Mond. Weiße Regenbögen am Nachthimmel, reflektiertes Mondlicht in Wolkenformationen.»

Er machte die Tür zum Fahrstuhl auf.

«Hoffen wir, dass am Ende Gold lag», sagte er.

Sie versperrte ihm den Ausgang.

«Die beiden Kinder», sagte sie, «der Junge und das Mädchen, sind keine gewöhnlichen Kinder.»

Er wusste nicht, was er entgegnen sollte.

«Sie waren ruhig», sagte sie. «Nicht froh. Sondern zu ruhig. Ich kann es nicht erklären. Es war nicht natürlich. Sie hätten bedrückt sein müssen.»

Er schob ihre Hand von der Fahrstuhltür, sanft.

«Kain», sagte sie. «Ihm gehört das Sanatorium. Er ist dort. Er rief von dort an. Vor fünf Minuten.»

«Woher weißt du, woher der Anruf kam?»

«Das Geräusch der großen Jacuzzis. Ich konnte es hören.»

Er fing einen Ton ihres Systems auf. Tief, alt. Wie der Ton einer anhaltenden Sehnsucht.

«Du wurdest zu früh geboren», sagte er.

«Im sechsten Monat. Für tot erklärt. In den Spülraum gelegt. Wo ich an den Deckel geklopft haben soll, den sie über den Karton gelegt hatten. Als ich als Hebamme anfing, gab es einen ausscheidenden Geburtsarzt, der sich an meinen Fall erinnerte. Er nannte mich Spülraum-Lone.»

Er konnte seine Hand nicht zurückhalten. Wie von selbst schwebte sie empor, streichelte ihr die Wange. Wohl wissend, dass man mit Liebkosungen schwangerer Frauen vor den Augen ihrer Männer sparsam sein soll.

«Franz hier», sagte er, «und ich, wir sind ganz vernarrt in Menschen, die überleben wollen.»

«Ich bin kein ängstlicher Typ», sagte sie. «Aber vor ihm habe ich Angst. Vor Kain.»

Kasper machte ein Zeichen, Franz Fieber fuhr den Kastenwagen auf einen Rastplatz. Kasper zeigte auf die flache Metallflasche.

«Ob da wohl noch ein bisschen Brennstoff drin ist für uns zwei Junggesellen», sagte er. «Nach dieser Begegnung mit einem jungen Paar in glücklichen Umständen?»

Franz Fieber schenkte ein, der Duft frischer Trauben erfüllte den Wagen.

«Wie klingt es, in einem Menschen, wenn er ein Kind getötet hat?»

Kasper wäre gern einen langen Umweg gekrochen, um dieser Frage zu entgehen. Aber die Augen des Jungen funkelten ihn im Dunkel gelb und eindringlich an.

«Zweimal», sagte er, «war ich mit einem Menschen zusammen, der ein Kind getötet hatte, beide waren Artisten, der eine hatte ein Mädchen überfahren, ein Unfall, der andere hatte seinen Sohn totgeprügelt. Um sie beide war Stille.»

Er fühlte die Machtlosigkeit. Vor den großen Gräueln und den großen Wundern sind wir machtlos. Die *h-Moll-Messe* und die großen Kriege, da kann der Einzelne nichts tun.

Aber er hörte, dass die Machtlosigkeit des Jungen größer war als seine. Und hat – in dieser wirren Welt – der Einäugige nicht die Pflicht zu versuchen, dem Blinden zu helfen?

«Es gibt zwei Arten Stille», sagte Kasper, «so kam es mir jedenfalls immer vor. Die hohe Stille, die hinter dem Gebet. Die

Stille, wenn man dem Göttlichen nahe ist. Die Stille, welche die verdichtete, ungeborene Anwesenheit allen Lichts ist. Und dann gibt es die andere Stille. Hoffnungslos weit entfernt von Gott. Und von anderen Menschen. Die Stille der Abwesenheit. Die Stille der Einsamkeit.»

Er spürte, wie der Junge sich öffnete. Es war Kontakt da. Interferenz. Sie waren sich sehr nahe.

«Ich kenne sie», sagte Franz Fieber. «Die beiden Arten. Ich kenne sie beide.»

«Die beiden Menschen, denen ich gegenübergesessen habe, waren schalltot. Da hatte sich etwas von ihnen entfernt.»

Kasper umfasste den Oberarm des Jungen. Wenn man ein reines Signal empfangen will, dann am besten durch körperlichen Kontakt.

«Aber hinter ihrer Stille, hinter der Isolation klangen sie wie andere Menschen. Wie du und ich. Also, wenn du und ich, wenn wir in diese Situation kämen, wenn sich die Welt von uns entfernte. Oder wenn wir uns selbst von der Welt entfernten. Dann könnten *wir* es sein. Dann könnten wir es auch werden. Das habe ich gedacht, als ich ihnen gegenübersaß. Dass ich es auch hätte sein können.»

Einen Moment lang war alles offen. Einen Moment lang wusste Kasper, dass sie beide in den Raum sahen, aus dem die schwärzeste Dämonie fließt und aus dem wir alle in Abständen eine gehörige Dosis aus der großen Klistierspritze empfangen. Einen Augenblick lang hielt der Junge dem stand, dann wurde es ihm zu viel.

«Können wir nicht die Polizei anrufen?»

«Gleich», sagte Kasper. «Wenn wir unserem Leitstern gefolgt sind.»

Er trank aus dem versilberten Deckel. Kann sein, dass Schnaps nicht so tief wirkt wie ein Gebet, das aus dem Herzen kommt. Aber er wirkt auf jeden Fall genauso schnell.

Scheinwerferlichter fegten über die Büsche, der Jeep raste mit 140 Stundenkilometern an ihnen vorbei. Franz Fieber starrte ihn an. Erst jetzt hörte Kasper, dass der Junge an seine Grenzen gestoßen war.

«Sie hat gelogen», sagte er. «Als sie sagte, sie hätten die Kinder zu ihr gebracht. Jetzt will sie hin und es wiedergutmachen. Wenn Frauen ihrer Gewichtsklasse erst einmal in Fahrt gekommen sind, dann glauben sie, sie seien unsterblich.»

7

Die Einfahrt zum Sanatorium war von zwei viereckigen Granitsäulen und üppigem Gebüsch flankiert. Kasper machte ein Zeichen, der Wagen hielt fünfzig Meter vor den Säulen.

Die Gebäude waren auf sechs Terrassen verteilt, die zu den alten Villen Tårbæks abfielen. Sie waren aus einem ungemein dunklen Granit erbaut, der in der Nacht schwarz erscheinen musste. Aber sie waren von unten erleuchtet, und aus Steinbecken wucherte ein tropischer Flor aus Schlingpflanzen und Blumen empor, der mit Babylons hängenden Gärten konkurrierte, ein Wunder in Dänemark, zumal im April, wenn die letzten Frostnächte noch erwartungsvoll in den Kulissen stehen und grinsen.

«Die ist für die Kunden», sagte Kasper, «die Blumenflut. Um ihnen zu sagen, dass die moderne Technologie mit der Knauserigkeit der Natur aufräumt und es keinen Grund gibt, alt zu werden, wenn man doch alle drei Monate einen ordentlichen Schuss Botox für die Säcke unter den Augen kriegen kann.»

«Das ist kein biblischer Ort», sagte Franz Fieber.

Von einem Haken hinter dem Fahrersitz nahm Kasper zwei zweireihige Kochjacken, die eine reichte er dem Jungen.

«Lass uns nicht päpstlicher sein als der Papst», sagte er. «Können wir denn sicher sein, die Mutter Gottes hätte ein Facelifting und eine Gebisskorrektur abgelehnt? Wenn man ihr das Angebot unterbreitet hätte?»

Der Junge zog die Jacke an. Seine Hände zitterten.

«Denk an die Kinder. Sieh sie vor dir! Ihre Eltern sind nicht da. Sie sind weg von zu Hause. Sie sind umgeben von etwas, das sie nicht verstehen. Sie sind hilflos. Hörst du es? Als ich das Mädchen zuletzt gesehen habe, war es geschlagen worden. Sie sind von dir und mir abhängig. Spürst du es?»

Der Junge schluckte.

«Und um sie herum. Tausende anderer Kinder. In der gleichen Hilflosigkeit. Oder schlimmer. Und hier drinnen in uns. In dir und mir. Sitzen zwei kleine Jungen. Hörst du sie? Spürst du das Mitgefühl? Es ist ein Brennstoff. Der einzige, der uns am Laufen halten kann. Eine ganze Symphonie hindurch.»

Franz Fieber starrte ihn an. Der Augenblick hatte Noblesse. Wie Kempff im langsamen Satz von Opus 109. In einer solchen Situation geht es nicht darum, gefühlvoll zu werden. Sondern zu handeln und etwas abzuschließen. Wie Beethoven. Zu versuchen, die Sentimentalität zu veredeln.

Kasper gab das Zeichen. Der Kastenwagen fuhr an. Kasper ließ das Fenster herunter.

Ein Mann trat aus den Büschen, seine Uniform hatte die Farbe des Granits. Kasper zeigte mit dem Daumen nach hinten.

«Auf dem Rücksitz liegt ein glühend heißer Braten. Kalbsrücken Graf Metternich. Er muss noch sechzig Grad haben, wenn dein Chef ihn serviert bekommt. Wenn du mich auch nur drei Minuten aufhältst, wirst du kaltgestellt.»

Das Tropengebüsch verschluckte den Mann.

Sie kamen durch einen Empfangsraum mit den gebogenen Wänden der Salle Pleyel und einen Aufenthaltsraum mit der Akustik des Mantziussaals in Birkerød. Am Bettentrakt vorbei, wo man wirklich gut hinhören musste, um zu merken, dass man sich in einem Hospital befand. Es gab nicht einen Raum, in dem man nicht ohne weiteres sein nächstes Kammermusikstück hätte einspielen können.

Aber die Wände warfen keine Kammermusik zurück. Es war die Verwirrung und Ratlosigkeit von Menschen, die zwar hoffen, aber eigentlich nicht glauben können, dass man dem Wesentlichen in einer kosmetischen Klinik auch nur einen Millimeter näher kommen kann.

Sie kamen in eine Art Amphitheater mit ansteigenden Stufen, auf denen ein halbes Hundert Frauen vor einem Kamin lag oder saß, alle in weißen Bademänteln.

In einer Tür erschien, eingehüllt in eine Dampfwolke, eine Frau mit roten Haaren und grünen Augen und einem Bund frischer Birkenreiser in der Hand, wahrscheinlich die Saunameisterin. Ihr wohnte ein Klang aus Anmut und Autorität inne, der Kasper wünschen ließ, Zeit und Gelegenheit zu haben, seine Hose herunterzulassen und sie um zwölf Schläge mit den Reisern auf seinen blanken Allerwertesten zu bitten.

«Was machen Sie denn hier?», fragte die Frau.

«Wir genießen die Akustik», entgegnete Kasper. «Mein Herz schlägt für die Armen. Aber meine Ohren lieben Palisander. Und zwölf Zentimeter akustische lichte Höhe.»

«Sie befinden sich in der Damenabteilung.»

«Wir sind hier von Amts wegen. Wir haben unsere Sexualität an der Garderobe abgegeben.»

Er hörte, wie ihr Klang aufweichte.

«Sie ist nicht sehr wohlerzogen», sagte sie. «Ihre Sexualität. Ein bisschen davon ist mit hereingeschlüpft.»

Kasper hielt ihr das Tablett hin, das er aus dem Wagen mitgenommen hatte.

«Hier, nehmen Sie ein Kanapee. Vergessen Sie die Karnickeldiät. Und vertrauen Sie der natürlichen Appetitregulierung!»

Die Frau nahm eins der kleinen Blätterteigmedaillons. Kasper bot auch den rundum sitzenden Damen davon an.

«Wo der Chef wohl ist?», sagte er.

«Er lässt sich die Haare schneiden. Von Heidi.»

Kasper folgte ihrem Blick. Durch eine große Scheibe konnte er auf eine überdachte Terrasse auf einer Granitplattform schauen, die in der Luft zu schweben schien. Er sah Grünpflanzen und Frisierstühle. Auf einem saß ein Mann.

Kasper beugte seinen Kopf zu der rothaarigen Frau hinüber.

«Der eine oder andere würde vielleicht sagen, dass ein Verhältnis wie das unsrige, womöglich der Beginn einer dauerhaften Freundschaft, nicht durch Geld beschmutzt werden sollte. Ich stimme dem nicht zu. Ein paar Banknoten können durchaus ein einfühlsames Akkompagnement zum natürlichen Einklang der Herzen sein.»

Er drückte ihr vier Tausendkronenscheine in die Hand.

«Wenn Sie Heidi nur zehn Minuten aufhalten könnten. Josef und ich sind zusammen in die Tanzschule gegangen. Glückliche Erinnerungen. Die wir gerne unter vier Augen auffrischen würden. Nur zehn Minuten. Er hat immer die Dame getanzt.»

Die Frau faltete die Scheine zusammen.

«Kommst du auf dem Rückweg vorbei?», fragte sie.

Kasper sah Franz Fieber an. Das Gesicht des Jungen war von einer dünnen Schweißschicht bedeckt. Vielleicht, weil es in der Badestube so heiß war.

Das Geheimnis der Liebe besteht zumindest teilweise aus Konzentration und freiwilliger Beschränkung.

«Bei meiner nächsten Inkarnation», sagte er.

Er blickte auf die Frauen. Der Raum hatte eine Akustik wie eine kleinere Ausgabe des Carl-Nielsen-Saals. Der Klang der fünfzig Frauen liebkoste ihn wie ein warmer Wind. Er konnte zu ihnen reden, ohne die Stimme heben zu müssen.

«Das Herz jedes Menschen sendet ein Klangfeld aus», sagte er. «Es tönt wundervoll, leider dämpfen wir es selbst. Jetzt in diesem Augenblick klingt ihr prachtvoll. Es gibt nicht eine von euch, für die Franz und ich nicht das Mönchsgelübde brächen und die wir nicht gern mit nach Hause nähmen. Ach, wenn ihr nur zehn Minuten täglich lauschtet! Eurem Herzen! Und die Spannungen lockertet, die der Ausbreitung der Wellen im Wege stehen. Meine Fresse, Kinder, ihr würdet klingen wie Bach!»

Die Frauen glotzten ihn an. Er stellte das Tablett mit den Kanapees auf den Boden. Setzte die Kochmütze ab. Verneigte sich. Und zog sich rückwärts durch die Tür zurück.

Franz Fieber eilte ihm nach. Seine Stimme bebte.

«Wir haben eine Mission. Wir müssen die Kinder retten. Wir sind illegal eingedrungen. Und du benimmst dich wie ein Geisteskranker.»

Sie durchquerten einen Konzertsaal mit einem Steinway. Der Wintergarten lag unmittelbar vor ihnen.

«Warte draußen», sagte Kasper. «Für den Fall, dass wir uns vor Groupies schützen müssen.»

Er betrat die Terrasse. Sie war ganz aus Glas. Jenseits der Endwand lag das Schwimmbecken, leuchtend wie ein blauer Edelstein. Hinter dem Becken fiel das Gelände dreißig Meter ab, auf die Lichter in Tårbæk zu. Hinter den Lichtern das Meer. Kasper zog die langen weißen Gardinen vor die Fenster.

Der Mann auf dem Stuhl schaute sich nicht die Aussicht an, er schaute auf sein eigenes Bild in einem hohen Spiegel. Er steckte in einem weißen Morgenrock, seine Haut glühte noch vom Trockenluftbad.

Von der Ablage unter dem Spiegel nahm Kasper eine Haarschneideschere und einen Kamm.

Der Blick des Mannes im Spiegel fiel auf Kasper. Bemerkte die weiße Jacke. Das Interesse in seinen Augen erlosch.

Genau hier irren die Menschen. Wir sehen das Überraschende nicht, wenn es als Alltag verkleidet zu uns kommt.

«Heidi hat sich ein paar Minuten verspätet», sagte Kasper.

Er stellte sich hinter den Mann.

Er war in Kaspers Alter. Und hatte den Körper eines Athleten. Oder eines Zirkusartisten.

Mit dem groben Ende des Kamms hob Kasper die Nackenhaare. Außer Sicht des Mannes im Spiegel. Und schnitt das Büschel nah an der Kopfhaut ab.

Er öffnete sein Gehör für den Klang des anderen. Er hörte dessen Verhältnis zur physischen Welt. Es waren die tiefen Töne, die Frequenzen, die am meisten Masse in Bewegung setzen.

Er hörte Geld, mehr, als er je zuvor gehört hatte. Er hörte Besitztümer. Autos. Er hörte die Zukunft. Goldene finanzielle Virtualitäten.

Er hörte die Sexualität des Mannes. Eine mehr als interessante Sexualität. Maskulin, mit starker weiblicher Färbung. Er könnte, wenn er wollte, jede Frau haben. Und die meisten Männer.

Kasper hörte sein Gefühlsregister, es war umfassend, nuanciert und explosiv. Sehr hell und sehr dunkel, gleichmäßig verteilt, wie bei Mozart.

Er hörte das Herz. Ein großer Klang. Generös. Warm.

Er hörte die höheren Frequenzen. Den Einfallsreichtum. Die Intuition. Die Spiritualität. Es waren reiche Klänge, der Mann vibrierte vor innerem Leben.

Büschel um Büschel bearbeitete Kasper das Nackenhaar. Und elegant, durchaus zufriedenstellend angesichts der Tatsache, dass er zum ersten Mal einem andern Menschen die Haare schnitt, kürzte er die Strähnen des fein geschwungenen Nackens vor sich auf Streichholzlänge.

Josef Kains Augen im Spiegel waren leer. Er sah sich nicht. Er blickte nach innen.

Dann hörte Kasper das Loch. Es war eine Art innerer Schallschatten. Ein schalltoter Bereich im System des Mannes. Zwischen dem Herzen und dem Solarplexus.

Er legte die Schere hin. Auf einem Regal hinter dem Stuhl standen Plastikbehälter mit verschiedenfarbigen Pasten. Er machte einen von ihnen auf. Es war Henna. Zehn Jahre, bevor es Mode wurde, hatte Helene Krone mit Henna maurische Schnörkel auf die Oberseiten ihrer kräftigen Füße gemalt.

Kasper fand einen kleinen Pinsel. Langsam und sorgfältig, nach wie vor außer Sicht des Mannes im Spiegel, begann er auf den kurz geschnittenen Nacken eine dünne Schicht des roten Farbstoffs aufzutragen.

«Ich habe Wilhelm Kempff die Haare geschnitten», sagte er. «In den frühen Siebzigern. Als ich noch ein aufsteigender Stern in der Friseurschule war. Er hat mir von Hitler erzählt. Er hat ihn 1944 getroffen, auf dem Berghof. Eva Braun hatte Kempff und Furtwängler zusammengetrommelt. Und Gieseking. Um ein Konzert zu planen, das den Führer erfreuen könnte. Es wurde nie etwas daraus. Aber sie haben das Repertoire zusammengestellt. Hitlers Lieblingsnummern. Etwas aus Lehars Operetten. Ein paar Strauss-Lieder. Den *Badenweiler Marsch*. Die *Donkey-Serenade*. Auszüge aus den *Meistersingern*. Kempff gelang es, Hitlers System zu erlauschen. Er hat mir gesagt, die Persönlichkeit des Mannes sei so weit in Ordnung. Klein, aber in Ordnung. Aber irgendwo war ein Loch. Durch dieses Loch strömte destruktiver, kollektiver Lärm. Verstehen Sie? Böse Persönlichkeiten gibt es nicht. Jede Persönlichkeit hat basal betrachtet einen mitfühlenden Klang. Es sind die Stellen, an denen unsere Menschlichkeit Löcher hat, wo wir nicht widerhallen, die Stellen sind gefährlich.

Dort, wo wir das Gefühl haben, wir stünden im Dienste einer höheren Sache. Dort müssen wir uns fragen, ob die Sache wirklich so hoch ist. Das ist unser wunder Punkt. In anderen Kulturen nennen sie es Dämonen. Uns fehlt das Wort dafür. Aber ich kann es hören. Es ist Kriegslärm. Kollektive Wut.»

Die Augen des Mannes im Spiegel ruhten auf Kasper.

«Wer zum Teufel bist du eigentlich?», sagte er.

Die Stimme war schwarz wie der Nachthimmel. Weich wie vierhundert Quadratmeter Kostümsamt.

Kasper nahm einen Handspiegel vom Regal. Zeigte dem Mann seinen Nacken.

Josef Kain war wie vom Donner gerührt. Auch Hitler hätte die Contenance verloren. Wenn er sich mit hennaroter Bürste gesehen hätte. Der Unterkiefer klappte nach unten. Sein Klang öffnete sich. Kasper sprach ins Offene.

«Dein Klang hat ein Loch. Lädierte Stellen haben wir alle. Aber deine sind beträchtlich. Nicht zu vergleichen mit Hitler. Mit den ganz Großen dürfen wir uns nicht messen. Aber groß genug. Es liegt an der Kindheit. Es liegt immer an der Kindheit. Vielleicht bist du in armen Verhältnissen aufgewachsen. Vielleicht fehlte ein Vater. Das könnte die Geldgier erklären. Die Sehnsucht nach Macht. Das Loch hat mit diesen beiden Dingen zu tun. Es schaltet das Herz aus. Kannst du die Kinder fühlen? Erinnerst du dich an die Zeit, als du selber Kind warst? Hast du die Finger des Mädchens abgeschnitten?»

Der Mann im Spiegel zeigte ein ausdrucksloses Gesicht. Jetzt war sein Klang zu, verborgen.

Franz Fieber schwang sich in den Raum. Zog die Gardine beiseite. Ein Mann näherte sich dem Wintergarten. Der stämmige Mann mit dem Hörgerät.

Kasper beugte sich hinunter. Sein Gesicht war nur Zentimeter von Kains entfernt.

«Ich bin jetzt 42. Weißt du, wie die Schlussfolgerung meines

Lebens bis heute lautet? Hölle! Das ist nicht etwa ein Ort. Die Hölle ist transportabel. Wir alle tragen sie mit uns herum. In dem Moment, in dem wir den Kontakt zu unserm eigenen natürlichen Mitgefühl verloren haben, tut sie sich auf und ist da.»

Kasper spürte die Haarschneideschere in seiner Hand. Er sah den Hals des Mannes vor sich. Wo der *sterno cleido* hinter dem Kieferknochen entlang verläuft. Es wäre *ein* Stoß. Die Spitze der Schere dränge durch die Schädelbasis und ins Gehirn. Und in der Welt gäbe es ein schwarzes Schallloch weniger.

Er schloss die Augen. Er hörte die Wut. Es war nicht seine. Sie war durch ein Loch seines Systems eingedrungen. Wir sind alle akustisch perforiert, wie Schweizer Käse. Wer hat denn das Recht, des anderen Henker zu sein?

Er richtete sich auf.

Der Mann im Stuhl führte seine Hand in den Nacken. Betrachtete sie. Sie war rot vom Henna.

«Es ist nicht so wichtig», sagte Kain, «wer du bist. Du bist schon lange tot und begraben.»

Er merkte den Schmerz in seinem Herzen. Er hatte zu einem Mitmenschen keinen Zugang gefunden, wieder nicht. Mit der einfachsten und wichtigsten aller Wahrheiten.

Franz Fieber zog eine Glastür auf, dahinter sank eine gnädige Wendeltreppe zu der Stelle hinab, wo der Kastenwagen stand.

«Zehn Minuten unter der Trockenhaube», sagte Kasper. «Und das Henna macht das Mützchen nicht mehr rot.»

8

Sie fuhren am Svanemøllehafen vorbei, aufs Kaigelände. Sie passierten die Lagerhallen und die Holzschiffe in voller Takelage. Franz Fiebers Augen schweiften ständig zu den Rückspiegeln und suchten die Straße hinter ihnen nach Verfolgern ab. Sie erreichten die Promenade.

«Du rufst die Polizei an!»

Seine Stimme zitterte.

«Sagst, dass du weißt, wo die Kinder sind. Dass sie das Gebäude stürmen müssen. Du könntest sie davon überzeugen. Du würdest dich sogar ins Paradies hineinreden können.»

«Und wenn die Kinder nicht da sind?»

Der Junge sackte in sich zusammen. Die Mutlosigkeit hatte angefangen, sein Geräuschprofil zu erobern. Kasper mochte das gar nicht. Vor ihnen lag noch ein gutes Stück Wegs.

Langsam rollte ein Streifenwagen an ihnen vorüber. Drei schwarzhaarige Jungen in einer Ecke zogen sich ins Dunkel zurück. Als der Wagen vorbei war, kamen sie wieder zum Vorschein. Sie besaßen eine hohe Energie, wie kleine Gangster in spe. Kasper empfand eine plötzliche Freude über die Neigung des Kosmos, Ganzheiten zu bilden. Kaum haben wir ein Viertel für die besseren Kreise erbaut und es von Fremdelementen gereinigt, quillt das Dunkel aus allen Ecken hervor.

Er horchte die Szenerie vor sich ab. Er hörte die letzten Geschäfte, die am Abend geöffnet hatten, Kasse machen. Er hörte den Windradpark drüben vor Lynetten, der alten Befestigung. Die Möwen. Das tiefe Wispern der Turbinen aus dem Kraftwerk. Die späten Gäste in den Restaurants. Er horchte nach der richtigen Klangstruktur. Timing ist kein Zeitpunkt, Timing ist ein Geräusch. Er hätte es niemandem erklären können, außer vielleicht der Blauen Dame. Musikalität weiß oft genug, wann, aber oft genug nicht, warum. Der Augenblick war noch nicht da.

Sein Gehör war klar, weil Abend war und weil er Hunger hatte. Die heilige Katharina hatte irgendwo geschrieben, Fasten sei ein hervorragendes Instrument, um Gott zu sehen. Das Problem dieses Aphorismus ist, dass es doch gerade darum geht, Gott *ohne* Instrument zu sehen.

Er langte nach hinten und fand Brot, Käse, Pesto. Eine Flasche Mineralwasser. Ein Gemüsemesser. Er schnitt das Brot und belegte es auf der Ablage unter der Windschutzscheibe. Er bot Franz Fieber eine Schnitte an, der Junge schüttelte den Kopf.

«Wir haben getan, was wir konnten, wir werden beide gesucht. Wir sind nicht hinter normalen Menschen her, sondern hinter Dämonen.»

Er drehte den Armagnac auf, nahm einen Schluck und reichte ihn Kasper und schenkte dann Kaffee ein, seine Hände zitterten.

«Wie kannst du den Schnaps mit dem immerwährenden Gebet vereinbaren?», fragte Kasper.

«Was soll das, Mann? Die Trappisten brauen Bier. Die Benediktiner brennen Likör. Der Heiland verwandelte Wasser in Wein. Und ein Abend wie dieser, was, bitte schön, soll ich da anderes machen, verdammt nochmal?»

Ein neues Geräusch gesellte sich zu der Lautcollage, das Geräusch des Windes, vielleicht in den Telefonleitungen.

«Ich weiß nicht, ob du den *Parsifal* kennst», sagte Kasper. «Wenn nicht, empfehle ich dir, ihn dir mal anzuhören. Wagner war ziemlich am Ende. Auf der Flucht vor den Gläubigern. Das passiert auch den Größten. Er erhielt Asyl. Mit Seeblick. Wie wir jetzt. Dort schrieb er seinen *Parsifal*. Es gibt da eine prachtvolle Szene. Die am Karfreitag spielt. Genau wie heute. Dritter Akt. Vor ihnen wächst die Gralsburg empor. Man versteht, dass sie kein physischer Ort ist. Sie ist in seinem Bewusstsein. Deshalb wird es ihm gelingen.»

Franz Fieber starrte Kasper an. Den Granit der Mauer.

«Die ist grundsolide», sagte er. «Nichts mit Bewusstsein.»

Kasper entriegelte die Autotür, Franz Fieber ergriff seinen Arm.

«Du willst doch da wohl nicht rein, Mann, du musst ja völlig durchgedreht sein!»

«Ich muss KlaraMaria etwas versprochen haben», sagte Kasper, «auch dem Jungen, obwohl ich ihn nie gesehen habe. Ich muss versprochen haben, sie aus dem Wagen zu tragen. In die Geborgenheit.»

Die gelben Augen starrten ihn an. Der letzte Rest des Vertrauens, das nie richtig vorhanden gewesen war, war aufgebraucht.

«Ich habe mehr als zehn Fahrten hierher gemacht. Das Ding ist bewacht wie eine militärische Versuchsanstalt. Bewaffnete Wachen. Videokameras. Infrarotsensoren. Du kommst da nicht einen Meter rein.»

Kasper machte die Tür auf und sprang auf die Straße.

Die Hände des Jungen krallten sich in seine Jacke.

«Sie haben sich geirrt, die Schwestern! Du bist wahnsinnig!»

Sie überquerten die Straße. Die Zeit war knapp, Kasper konnte es hören. Günstige Geräuschkonstellationen sind flüchtig.

9

Kasper zog an der Tür zu der Chocolaterie, sie war abgeschlossen, der Engel an der Kasse schüttelte lächelnd den Kopf.

«Dreh dich mal um», sagte Kasper.

Franz Fieber drehte sich um, auf den Rücken seines weißen Hemds schrieb Kasper mit seinem neuen Füller: «Meine Liebste sticht diese Nacht in See. Nur Schokolade kann meiner Trauer Ausdruck verleihen. Seien Sie barmherzig!»

«Was machst du da?», fragte Franz Fieber.

Das Mädchen kam näher. Sie las, was auf dem Hemd stand, lachte und schloss die Tür auf.

«Ich wusste gar nicht, dass von hier Schiffe abgehen», sagte sie.

«Von der Konon», entgegnete Kasper. «Die Direktion geht heute Nacht auf Geschäftsreise. Von der hauseigenen Brücke. Mein Schatz soll ein schönes, großes Ei bekommen. Und zwölf Mokkakugeln.»

Das Mädchen verpackte das Ei.

«Ich will sie überraschen», sagte Kasper. «Was meinen Sie, wo gehe ich am besten rein?»

Sie nickte in Richtung Magnolienallee.

«Da ist der Hintereingang. Da ist nur ein Mann. Und keine Kameras. Der Haupteingang ist abgeschlossen. Und bei der Warenzufahrt sind Kameras und ein Haufen Wachpersonal.»

Die Mokkakugeln wanderten in einen Karton, jede einzelne wurde in rosa Seidenpapier eingeschlagen.

«Geht das auf Rechnung?»

Ein Streifenwagen fuhr vorbei. Kasper ergriff Franz Fiebers Arm. Sonst wäre der Junge wahrscheinlich in Ohnmacht gefallen.

«Wie immer», sagte Kasper. «Und eine Kusshand von Ihnen. Können wir die auch auf die Rechnung setzen?»

Das Mädchen errötete. Es war höchstens achtzehn.

Sie gingen aus der Tür. Das Mädchen warf Kasper eine Kusshand zu.

«Die wird nicht berechnet», sagte sie.

Hinter ihnen schloss sich die Tür, Franz Fieber starrte ihn an, für einen Moment war die Furcht der Verblüffung gewichen.

«Du gehst auf die Fünfzig zu», sagte er. «Bist pleite. Und vergessen.»

«Viele Große hatten ein Händchen für junge Mädchen», sagte Kasper. «Elvis. Kierkegaard. Regine Olsen war dreizehn. Priscilla vierzehn.»

Sie näherten sich den schwarzhaarigen Typen.

«Die schlitzen uns auf», sagte Franz Fieber leise.

Kasper hörte sich in ihren Klang ein, er mochte ihn. Es gibt viele Gründe auszusteigen. Einer ist, dass die Gesellschaft der Verrücktheit nur wenig Platz einräumt. Mindestens zwei der Jungs klangen, als hätten sie ein karmisches Großquadrat in ihrem Horoskop. In zehn Jahren würden sie tot, ausgewiesen oder in leitender Stellung sein.

Wortführer war der Jüngste, ein Junge von höchstens vierzehn, mit Augen, die mehr gesehen hatten, als gut für sie war. Kasper blieb ein paar Meter vor ihm stehen. Stellte den Karton mit den Mokkakugeln hin und nickte zur Magnolienallee hinüber.

«Wir müssen da rein», sagte er. «Bevor die nächste Streife vorbeifährt. Das heißt, ihr müsst ihn aus seinem Häuschen locken. Die Frage ist, ob ihr das schafft.»

Der Junge schüttelte den Kopf.

«Das ist nicht die Frage», erwiderte er. «Die Frage ist, was für uns drin ist.»

Kasper legte einen Fünfhundertkronenschein von seinem Stiftungsstipendium auf den Karton.

«Als ich jung war», sagte er, «hätten wir das für einen Negerkuss gemacht.»

«Das war vorm Ersten Weltkrieg. Seitdem sind die Lebenshaltungskosten gestiegen.»

Kasper legte noch einen Schein auf den Karton.

«Ich brauche einen Vorsprung», sagte er. «Er darf mich nicht reingehen sehen.»

Franz Fieber hielt sich an einem Laternenpfahl fest.

«Du wartest eine halbe Stunde», sagte Kasper zu ihm. «Wenn ich bis dahin nicht zurück bin, rufst du die Polizei. Und unterrichtest die Erben.»

«Du hast keine Erben. Und keine Erbschaft.»

Kasper überquerte die Promenade. Hinter sich hörte er das Klacken der Krücken. Franz Fieber hatte Tränen in den Augen.

«Ich hab Angst, allein hier draußen zu bleiben.»

Der Hintereingang lag fünfzig Meter die Magnolienallee hinunter. Kasper stellte das Ei auf die Ablage vor dem Schiebefenster.

«Wir sind enge Freunde von Aske Brodersen», sagte er. «Wir haben ihm einen Ostergruß geschickt, ohne Absender. Er hat's erraten. Dafür kriegt er jetzt das Ei.»

Der Mann war Ende fünfzig, sorgfältig gebügelte grüne Uniform, graue Augen und zwei Zentimeter dickes Panzerglas zwischen sich und dem Besucher.

«Ich würd's ihm gern selber geben», sagte Kasper.

«Ich rufe ihn an.»

«Dann wär's keine Überraschung mehr.»

Die grauen Augen blieben leer. Kasper hob eine Hand.

Eine Mokkakugel klatschte auf die Scheibe. Die Kugeln waren hausgemacht, groß und dickschalig wie Straußeneier.

Etwas weniger Selbstherrlichkeit, und der Mann wäre unter Umständen mit der Situation fertig geworden. Aber seine Selbstherrlichkeit abzulegen gehört zu den schwierigsten Übungen des Menschen überhaupt. Alle möchten gerne Admiral auf der königlichen Jacht sein. Und alles, was wir kommandieren dürfen, ist ein Glaskasten auf der Mole.

Einen Augenblick lang verharrte der Wachmann ohne eine Regung. Dann kam eine zweite Mokkakugel geflogen, gegen die Glastür. Er fuhr von seinem Sitz hoch. Und raus aus dem Häuschen.

Kasper sah sich um. Der schwarzhaarige Wortführer hatte mitten auf der Fahrbahn Aufstellung genommen, er legte seinen ganzen Körper in den Wurf.

Die dritte Mokkakugel traf den Wachmann in Höhe des Herzens, der Aufprall hielt ihn eine Sekunde auf, dann rannte er los.

Kasper und Franz Fieber spazierten durch die offene Tür, eine andere Tür öffnete sich nach links in einen weiteren Raum, über einem Waschbecken und einer Kaffeemaschine waren Videomonitore angebracht. Und noch eine Tür. Durch sie betraten sie den Bereich der Konon.

10 |

Auf gesandstrahltem Granit bringt der Wind ein zärtliches Geräusch hervor. Selbst im Dunkeln war das Gebäude schön. Alle Flächen hatten einen seidigen Schliff, ein Drittel der waagerechten Areale waren niedrige Steinbecken mit einem papierdünnen Wasserspiegel. Umsäumt von Pflanzen, von denen Kasper wünschte, seine Mutter hätte sie sehen können.

Der Teil des Komplexes, der auf der Auffüllung entstanden war, hatte einen rechteckigen Grundriss. Erst nach fünf Geschossen begann die turmähnliche Konstruktion, sie war so hoch, dass ihr oberes Ende mit dem Dunkel verschmolz.

Der Komplex schien auf dem Meer zu treiben wie eine Insel oder ein sehr großes Schiff. Er hätte gut von einem ehemaligen Seeoffizier erbaut worden sein können, dachte Kasper. Wenn ihm plötzlich vierhundert Millionen zur Verfügung gestanden hätten.

Die unteren Etagen waren dunkel, nur weiter oben brannte Licht. Kasper versuchte eine Tür, sie war abgeschlossen. Sie gingen um das Gebäude herum, auf der Wasserseite stand ein Gerüst, aber nur bis zum zweiten Stock. Sie fanden keine Tür mehr, die Fenster waren alle geschlossen.

Kasper ging nach dem Geräusch des Windes in den Trossen. Er kletterte auf das Gerüst. Auf dem letzten Brett stand ein Kasten unter einer Plane. Er zog sie ab. Es war der MWC des Fensterputzers, der *Modular Work Cage*, ein kleiner offener Korb, wie ein Stuhl in einem Aufzug, er glitt auf zwei Sets wechselseitig verschiebbarer Gummiräder an der Fassade auf und nieder. Auf dem Dach musste ein auf Schienen montiertes Spill sitzen sowie ein laufendes Rigg. In dem Korb standen ein Eimer, ein Schwamm an einer Stange und zwei Schwabber. Die kleine Schalttafel hatte vier Knöpfe.

Franz Fieber zog sich über das Gerüst wie ein weinender Affe.

Er schwang sich hinter Kasper in den Korb. Kasper drückte auf den Startknopf. Der Stuhl glitt nach oben.

Im Licht der Schalttafel studierte Kasper den Gebäudeplan. Licht brannte in den Sitzungsräumen, das, was als Bibliothek verzeichnet war, war schwach erleuchtet, und im obersten Stockwerk, wo sich die Büros der Leitung befinden mussten, war es hell.

Der Korb schwankte leicht im Wind. Franz Fiebers Gesicht strahlte weiß in der Dunkelheit. Kasper stoppte den Korb unter der ersten Reihe erleuchteter Fenster. Eine Frauenstimme, die ihm bekannt war, sagte: «In Brønshøj wurde uns nichts angeboten.»

Das Fenster stand einen Spalt offen, Kasper meinte, zehn bis zwölf Personen in dem Raum zu hören, er wagte nicht hineinzuspähen.

«Durch Brønshøj geht die Höhenkote 37», sagte die Stimme. «Sogar die Kanalisation ist trocken. Da kommt auch kein staatlicher Besitz zum Verkauf, der Staat haftet selber.»

Es war die Blondine, die KlaraMaria zu ihm gebracht hatte. Jemand fragte sie etwas.

«Siebentausend Grundstücke», antwortete sie. «Verteilt auf 22 Gesellschaften. In zwei Wochen schließen sie den Hafen. Schließen den Avedøredamm. Und fangen an abzupumpen. Ganz langsam. Um Setzschäden zu vermeiden. Sie haben 1500 Häuser mit Wasser füllen müssen. Damit sie nicht einstürzen. Oder wegtreiben.»

Sie hatte eine glitzernde Stimme, wie Irene Papas. Aber irgendetwas bedrängte sie.

«Wie können wir sicher sein?»

Kasper konnte ihre Antwort nicht aufschnappen. Aber es war eine ausweichende Antwort.

«Wir haben alle die Verwerfungszone gesehen», sagte der Mann. «Bei der Begutachtung. Wie ist das zu erklären?»

«Durch besondere Gegebenheiten in der Transmissivität des Kalks.»

«Wir haben die Unterlagen von Pylon 5 gesehen. Und vom Katasteramt. Unter Kopenhagen liegen weiche Sedimente. Eine Zone von zwanzig bis fünfzig Metern wäre realistisch gewesen.»

«Unsere eigenen Geologen haben sich das angeschaut. Der Kopenhagener Kalk hat eine andere Korngröße als Kalksandstein. Das könnte eine gerade Rutschfläche erklären. Auf die Schreibkreide darunter.»

«Und die Erdbeben?»

«Man muss Kopenhagen neu bewerten. Die Sachverständigen überlegen, ob hier Verwerfungszonen aktiv sein könnten. In den neunziger Jahren hat es im Öresund gebebt. Vielleicht waren die Beben stärker als angenommen. Unter Barsebäck mit seinem AKW liegt eine Verwerfungszone. Größere Bewegungen als bisher angenommen in jenen Zonen im Kalk, die die Grundlinie in Amager schneiden. Niveauunterschiede in den Strandwällen auf Saltholm, die darauf hindeuten, dass es dort stärkere Beben gegeben hat als angenommen. Das Problem ist das geologische Gedächtnis. Es ist nämlich kurz. Ein Erdbeben, das vor gerade mal tausend Jahren stattgefunden hat, wurde nicht in schriftlichen Quellen festgehalten.»

Es wurde still. Sie hatte sie nicht erreicht. Mit dem, was sie ihnen hatte sagen wollen.

«Wir können viel», sagte sie. «Aber wir können kein Erdbeben bestellen.»

«Und wenn wir es doch könnten», sagte der Mann. «Wenn es auf irgendeine Art und Weise künstlich herbeigeführt wäre. Und es würde entdeckt. Wir würden lebenslänglich kriegen.»

Kasper berührte die Tastatur, sie glitten aufwärts. Er zählte die Reihen dunkler Fenster. Unter ihnen wurde die Erde erst dunkel, dann verschwand sie. Vor ihnen war Licht.

In dem Raum war nur eine Schreibtischlampe angeschaltet. Lone Bohrfeldt saß auf einem Stuhl, ihr Mann saß gegen einen Heizkörper gelehnt, sie sahen geradeaus auf das Fenster wie zwei Menschen im Kino. Der untere Teil von beiden Gesichtern war verbunden. Der Mann hatte eine wundersame Veränderung durchgemacht. Sein Gesicht war lang geworden, länger als das irgendeines andern Menschen, er lachte zum Fenster hinaus.

Aske Brodersen kehrte ihnen den Rücken zu, in der Hand hielt er eine kleine Brechstange. Auf dem Boden unter den drei Menschen war eine Abdeckplane ausgerollt worden. Kasper holte die Brille heraus. Das Gesicht des sitzenden Mannes hatte sich gar nicht verlängert, sondern sein Mund war gespalten, bis zu den Ohren, die Schläge hatten beide Kaumuskeln gesprengt, der Unterkiefer hing ihm bis auf den Hals hinunter.

Kasper merkte, wie der Körper neben ihm erschlaffte. Franz Fieber rutschte auf den Boden des Korbes.

Aske Brodersen schlug den sitzenden Mann mit dem Brecheisen. Er stand einen Meter vom Fenster entfernt, Kasper wusste, selbst in seinen besten Tagen hätte er es nicht vermocht, über das Fensterbrett zu kommen, ehe der andere ihn gepackt hätte.

Er drückte auf den Knopf, der Korb glitt seitwärts.

«Ich will runter», sagte Franz Fieber.

«Das Gebet, mach weiter!»

«Ich kann nicht. Die Konzentration aufrechterhalten.»

«Hör zu, es gibt eine Geschichte der heiligen Lutgard, Zisterziensernonne, ich hoffe, es ist okay, dass sie Katholikin war, sie konnte die Konzentration auch nicht aufrechterhalten. Aber Gott die Herrin erschien ihr. Und sagte: ‹Beruhige dich, es ist in Ordnung, dass es Löcher gibt, denn ich fülle sie aus.›»

Das vor ihnen liegende Büro war leer, Kasper hielt den Korb an und kletterte hinein. Er hievte Franz Fieber zu sich hoch.

Die Türen des Zimmers mussten auf einen Flur führen. Von dort musste es zur Bibliothek gehen, er griff nach der Klinke.

Die Tür wurde aufgetreten. Sie flog Kasper gegen die Brust, er wurde gegen die Wand geschleudert.

Der stämmige Mann mit dem Hörgerät trat durch die Tür, er hielt eine flache Waffe in der Hand, sie glich einer Sportpistole, aber mit langem Lauf.

In Kaspers Kindheit wurden die Wachleute in den ärmsten Schichten der Gesellschaft rekrutiert. Seitdem hatte sich der allgemeine Wohlstand durchgesetzt, auf anderer Leute Geld aufzupassen war zu einem Prestigejob geworden. Der Mann vor ihm bewegte sich elegant, wie ein Tänzer auf dem Hofball, hier aus nächster Nähe hatte er einen Klang massiver Gegenwärtigkeit und enormer innerer Autorität.

Er blieb breitbeinig stehen, hob die Waffe und bereitete sich muskulär auf den Rückstoß vor. Kasper erkannte, warum der Lauf so lang war. Ihm war ein perforierter Metallzylinder aufgeschraubt, in der Perforierung konnte man sehen, dass er mit Glaswolle ausgestopft war, es war ein Schalldämpfer. Kasper kannte sie noch aus dem Zirkus, sie wurden bei Nottötungen benutzt, zum Beispiel, wenn Pferde gegen die Bande gerannt waren und einen offenen Beinbruch erlitten hatten.

Das Gebet war von selbst in Gang gekommen, wortlos, aber die Bedeutung war: «Gott Herrin, lass mich mein Herz offen halten und verleihe mir Kraft, dem primären Licht zu begegnen!»

Franz Fieber war dem Blick des Mannes hinter der offenen Tür entzogen. Jetzt trat er vor, führte die eine Krücke zwischen dessen Beine und zog kräftig an.

Der Schall des eigentlichen Schusses war gedämpft. Aber hinter Kasper entstand ein überraschendes Geräusch, wie ein Hammer, der auf Stein geschlagen wird. Er spürte zunächst keinen Schmerz, nur eine Lähmung mitten im Körper. Seine Beine gaben unter ihm nach, er rutschte auf den Boden. Sein Gesicht und das des Angreifers waren nur Zentimeter voneinander entfernt.

Kasper packte den Schädel des andern und biss ihm in die Nase. Er biss ums Überleben, gleichzeitig meldete sich sein Mitgefühl, ein Teil seines Bewusstseins betete: «Gott Herrin, lass diesen Mann in die Hände tüchtiger Schönheitschirurgen fallen, denn weniger wird nicht ausreichen, wenn er je wieder als Dressman auftreten soll.»

Der Mann klappte den Mund auf, um zu schreien. Kasper stieß ihm das Osterei hinein.

Kasper kam hoch. Seine Bauchmuskulatur nahm er wie einen zusammenhängenden, scheibenförmigen Schmerz wahr. So hart er konnte, schlug er den Messinghalter des Ostereis auf den Hinterkopf des liegenden Mannes. Der legte den Kopf auf den Boden und war still.

Kasper nahm ihm die Pistole ab. Zum ersten Mal in seinem Leben hielt er eine Schusswaffe, er hatte keinen Schimmer, wie man damit umging. Er reichte sie Franz Fieber.

Er bewegte sich gekrümmt, durch die Tür und den Flur hinunter, es war ihm nicht möglich, sich aufzurichten. Drei Türen führten in die Bibliothek. Behutsam probierte er die erste, sie war abgeschlossen. Dann würden die andern auch zu sein.

Er schleppte sich zum Büro zurück. Er musste vom Korb aus hinein.

Er hatte gedacht, Rohrpostanlagen seien außer Mode, diese musste die zweite Generation sein. Sie hatte keine Knöpfe, nur einen schwarzen Schirm, er strich mit den Fingerspitzen darüber und erweckte rote Zahlen zum Leben. An der Wand hing ein Verzeichnis der Rohrpostadressen, er fand die der Bibliothek. Er holte den Füller aus der Tasche. Zog dem Liegenden das Ei aus dem Rachen. Auf das Einwickelpapier schrieb er: «Mein Name steht hier nich', ich komm und hole dich!» Er drückte das Ei in das Sendeterminal.

«Du zählst bis zwanzig», sagte er. «Dann schickst du es ab.»

«Du hast einen Bauchschuss», sagte Franz Fieber.

Kasper hob sein Hemd. Am Nabel saß ein kleines geschwollenes Loch.

«Auf dem Rücken auch», sagte Franz Fieber. «Die Kugel ist glatt durchgegangen.»

Kasper kletterte in den Korb zurück, ließ ihn seitwärts gleiten, zur Bibliothek zurück.

In der kurzen Zeit, die er weg gewesen war, war viel Blut geflossen. Kasper konnte nicht mit Sicherheit sagen, ob der Mann noch lebte. Aske Brodersen hatte sich der Frau zugewandt.

Einen kleinen Augenblick horchte Kasper in sich hinein und lauschte dem Gebet, es hatte nie aufgehört. Er richtete es an sein inneres Bild des Sankt Genesius, des Heiligen der Gaukler und Schauspieler, der im Jahre 303 den Märtyrertod erlitten hatte, aber bis dahin hatte er zahlreiche Seelen von ihrer Pein und ihren Qualen erlöst.

Die Rohrpostanlage summte. Aske Brodersen hielt inne. Er ging zum Terminal. Wir sind alle postsüchtig. Alle müssen wir gleich unsern Anrufbeantworter abhören. Unsere Mails checken. Den Briefkasten leeren. Mitten im Essen. Mitten im Beischlaf. Mitten in einem Verhör.

Kasper bekam das Fenster auf. Er rollte sich über das Brett und ließ sich auf den Boden gleiten. Aske Brodersen hielt das Ei in der Hand.

11

Er hatte die Jacke abgelegt. Er trug Hosenträger.

«Ich will das Mädchen sehen», sagte Kasper.

Der andere hielt noch immer das Ei in der Hand.

«Sie ist nebenan.»

Kasper legte die Finger an den Hals des sitzenden Mannes, er lebte. Lone Bohrfeldt war mit Klebeband geknebelt, sie war damit auch an den Stuhl gebunden worden. Auf einem Tisch lagen Klebebandrollen und eine Schere. Kasper schnitt sie frei.

Aske Brodersen ging voran. Kasper vernahm keinen Missklang. Vielleicht war die Welt tatsächlich so einfach, wenn man mit seiner eigenen Musikalität in tiefem Kontakt stand. Vielleicht würde er nun KlaraMaria sehen.

Der große Mann öffnete eine Tür und ließ Kasper eintreten.

Erst war der Raum nur dunkel, dann merkte Kasper das milde Licht, das vom Meer hereindrang. Eine ganze Wand bestand aus entspiegeltem Glas. Er sah sich um, irgendwo auf dem Boden würde KlaraMaria sitzen, mit ihren Puppen.

Er hörte das Ei auf den Boden fallen. Dann wurde er von hinten gepackt.

Der Mann hatte einen festen Griff, er hielt Kaspers Oberarme umklammert. Er hob ihn in die Höhe und rammte ihn gegen die Glaswand.

Die Scheibe musste aus Verbundglas sein, wie Panzerglas, sie hatte keine Elastizität, es fühlte sich an, als prallte er gegen Beton.

Aske Brodersen sagte nichts, trotzdem konnte Kasper ihn hören. Das heißt, eigentlich nicht ihn, denn er war nicht mehr da. Wenn die Gefühle stark genug sind, verschwindet die allgemeine Persönlichkeit, das Geräusch des Herzens verschwindet, der mitfühlende Teil des Frequenzbereichs eines Menschen verschwindet, zurück bleibt eine extreme Form des Unpersönlichen. Kasper konnte hören, dass die Form hinter ihm ihn töten wollte.

Wieder wurde er gegen das Glas geschlagen, noch fester. Er sah, wie eine Art Abschirmung vor das helle Feld des Fensters gezogen wurde. Zuerst dachte er an eine Jalousie oder eine Verdunkelungsgardine, dann registrierte er die Wärme auf seinen Augenlidern, es war Blut.

Diesmal kam die Scheibe auf ihn zu und prallte gegen ihn, kein Schmerz mehr und kein Laut, er wusste, er stand kurz vor dem Ende. Das Herzgebet kam von selbst in Gang. Er hörte sich beten: «Gott Herrin, verleih mir Kraft, ihn zu kontern!»

Wieder kam die Scheibe auf ihn zu. Diesmal beugte er Hände und Füße, Handflächen und Fußsohlen dämpften die Wucht, es folgte das Geräusch einer Explosion, er hörte das eine Handgelenk brechen, aber sein Kopf war nicht betroffen.

Er ließ seinen Körper zusammensinken wie eine Stoffpuppe, er ließ seinen Kopf nach vorn fallen. Der Mann hinter ihm atmete tief ein, für die letzte Anstrengung. Beim Einatmen ließ er Kasper ein wenig herabsinken, Kasper fühlte, wie seine Füße Kontakt mit dem Boden bekamen. Dann versetzte er dem Mann hinter sich einen Kopfstoß rückwärts.

Der Kopfstoß rückwärts ist der Dom Perignon des Bühnenkampfs und der szenischen Gewalt. Kasper hatte zwei Jahre lang an schwingenden Sandsäcken gearbeitet, bis er gelernt hatte, sie mit einem Stoß zum Stillstand zu bringen. Und dann hatte er monatelang geübt, die Bewegung kurz vor dem Schädel des Partners zu beenden. Jetzt stoppte er sie nicht, jetzt zog er durch.

Der Mann ging nicht sofort zu Boden. Er stand noch, als Kasper sich aus seinem Griff löste und ihm die Beine wegschlug. Aber seine Augen waren leer.

Er fiel um wie ein Baum. Im Sturz schnallte Kasper ihm die Hosenträger ab und legte sie ihm um den Hals. Er setzte ein Knie auf den Rücken unter sich und zog die Träger zu. Er konnte nur seine rechte Hand gebrauchen.

Die Tür ging auf, das Licht wurde angeschaltet, die blonde Frau stand im Raum.

Wirkliche Gewalt gegen wirkliche Menschen ist furchtbar, aber stilisierte, szenische Gewalt ist notwendig. Für uns, die wir noch nicht weiter sind.

«Wenn Sie bitte eintreten wollen», sagte Kasper.

Sie trat näher, wie ein Roboter.

Das Deckenlicht hatte das Panoramafenster in einen Spiegel verwandelt, im Spiegel sah man das Gesicht des liegenden Mannes.

«Wenn man erdrosselt wird», sagte Kasper, «dann nicht in erster Linie, weil man keine Luft bekommt. Das Erste, was passiert, ist, dass die Sauerstoffzufuhr zum Gehirn unterbrochen wird. Wegen des Drucks auf die großen Halsschlagadern. Wenn du dir seine Augen anschaust, im Spiegel, kannst du sehen, dass jetzt schon, in der weißen Haut, gleichsam avocadofarbene Blutgerinnsel entstanden sind. Siehst du das?»

Die Beine der Frau gaben unter ihr nach, sie rutschte langsam an der Wand herunter, bis sie auf dem Boden saß.

«Wo ist KlaraMaria?», fragte er.

Sie versuchte etwas zu sagen, sie konnte nicht.

Kasper lief Schweiß in die Augen, in einem breiten Strom, er wischte sich das Gesicht an dem Rücken unter sich ab, der sich wie unter einer Malerrolle färbte, es war Blut.

Er hörte etwas Unerwartetes. Liebe. Es kam von der Frau. Er blickte auf den Mann unter sich. Er war es, den sie liebte.

«Du erzählst mir, wo sie ist», sagte er. «Und wir ersparen es uns, die Hosenträger zuziehen zu müssen.»

«Sie sind beide in den Kellerräumen», sagte sie.

«Das heißt, der Junge lebt auch noch?»

Sie nickte.

«Was habt ihr mit ihnen vor?»

Er vernahm ein Klirren, ein gläsernes Klirren, wenn er sprach, mindestens zwei seiner Zähne waren angebrochen oder locker.

Sie sagte nichts. Er zog die Träger zusammen.

«Ich weiß es nicht», sagte sie, «ich schwöre, ich sehe nach ihr, nach ihnen, bitte tu's nicht, bitte!»

Er kam auf die Beine.

«Wenn du mich vielleicht stützen könntest», sagte er.

Sie gehorchte, mechanisch. Machte die Tür auf. Sie bewegten sich den Flur entlang. Die Tür zum Büro stand offen. Er machte ihr ein Zeichen, sie führte ihn zum Tisch, zum Telefon.

Er wählte die Nummer des Stifts.

«Ich möchte mit der Blauen Dame sprechen», sagte er.

Es verging eine halbe Minute, ehe sie an den Apparat kam. Sein Bewusstsein war da, setzte aus, war da, setzte aus.

«Ja, bitte?»

Seit einem Jahr hatte er die Stimme nicht mehr gehört.

«Vielleicht sind beide Kinder am Leben», sagte er. «Vielleicht sind sie im Keller der Konon, eines Unternehmens, das auf der Auffüllung vor Tippen im Nordhafen erbaut worden ist. Ich würde sie gern selbst holen. Aber ich bin leider ein wenig verhindert. Unbedeutend.»

Ihr Klang veränderte sich nicht. Womöglich hätte sie die Nachricht vom Untergang der Welt erhalten können, ohne zu modulieren.

«Wir benachrichtigen die Polizei», sagte sie.

Er stützte sich am Tisch ab, die Verbindung war schlecht, die kleinen Perforierungen der Sprech- und der Hörmuschel waren blutverschmiert.

«Ich habe noch etwas zu erledigen», sagte er. «Dann komme ich und hole mir meinen Lohn ab.»

«Du bist jederzeit willkommen.»

Sie legte auf.

Der Aufzug funktionierte, sie fuhren drei Etagen abwärts, hielten, die Tür ging auf. Draußen stand Franz Fieber. Er trat ein. Der Aufzug setzte seine Fahrt nach unten fort. Franz Fieber machte sich lang und sah sich Kaspers Kopf an.

«Der ist gespalten», sagte er. «Du hast einen Schädelbruch.»

Kasper legte ihm den andern Arm über die Schulter, sie trugen ihn beinahe über den Hof. Er hörte das Blut auf die Steinplatten fallen, ein zarter, sehr schwacher Laut, ganz anders als Wassertropfen, weil Blut zähflüssiger ist.

Als sie in den Schatten der äußeren Mauer traten, leuchteten Projektoren über dem Hof auf. Durch seine Füße spürte er viele rennende Schritte. Sie öffneten die Tür und betraten den Glaskasten. Der grüne Admiral war noch immer entrüstet. Kasper konnte es hören. Aber das war gar nichts gegen die Verfassung, in die er jetzt geriet, er starrte Kasper an, die Frau, er erkannte sie, er stockte. Kasper fühlte, dass jetzt ein paar Worte angebracht waren. Mitmenschen, die wir behelligt haben, dürfen wir nicht in völliger Verwirrung zurücklassen.

Zahlreich sind die, die glauben, sie hätten in diesem Leben eine Karte für Gilbert und Sullivan gekauft. Und erst, wenn es zu spät ist, entdecken, dass das Dasein ein Stück Untergangsmusik von Alfred Schnittke ist.

«Aske fand das Ei nicht groß genug», sagte Kasper. «Und Sie kennen ja sein Temperament.»

Draußen auf dem Bürgersteig ließ Kasper die Frau los, sie blieb stehen. Er erreichte zusammen mit Franz Fieber den Kastenwagen. Die Frau hinter ihnen hatte sich nicht gerührt. Es gelang Kasper, sich auf den Beifahrersitz zu ziehen.

«Wir müssen auf eine Ringstraße», sagte er.

«Du verblutest», sagte Franz Fieber.

«Jede Venenblutung kann gestoppt werden. Durch einen sanften, aber bestimmten Druck, der zehn Minuten dauert.»

«Du hast nur zwei Hände.»

An der Kreuzung am Ende der Sundkrogsgade bogen sie nach Norden. Alle Lichter flossen vor Kaspers Augen zusammen. Franz Fieber wendete brüsk, Kasper wurde gegen die Tür gepresst.

«Eine Polizeisperre», sagte der Junge.

Sie nahmen den Strandboulevard und fuhren den Jagtvej weiter. Kasper fand einen Stoß Tischwäsche. Er faltete die Servietten zu Kompressen. Versuchte sie mit Geschirrtüchern festzubinden. Sie waren durchgeblutet, kaum dass er sie aufgelegt hatte. Seine Temperatur stieg. Der Junge neben ihm begann zu weinen.

Das ist der Nachteil der Meisterlehre. Wenn der Meister den Nachbrenner zündet, riskiert der Lehrling, plattgedrückt zu werden. Sehen Sie sich die Bach-Söhne an! Keiner von ihnen hat sich ernsthaft bemüht, dem Papa nachzueifern. Oder denken Sie an Jung. Die Fußstapfen, die Freud hinterließ, als er über ihn hinwegspazierte, hat er nie ganz abwischen können.

«Die Kinder sind beide am Leben», sagte Kasper.

«Du musst ins Krankenhaus.»

«Später, wir haben noch was zu erledigen.»

«Guck dich doch mal an!»

«Wir sind so nahe dran. Ich sage wie die heilige Thérèse von Lisieux: *Je choisis tout*, ich will alles.»

Kasper ließ das Fenster herunter. Fieber war eine Reaktion auf physische Schädigung, das wusste er noch von seinen Manegenunfällen, aus seiner Zeit als Akrobat. Der kühle Wind half. Die Müdigkeit war schlimmer, sie hing mit dem Blutverlust zusammen.

Sie fuhren den Jagtvej entlang, auf der Grenze zwischen der Innenstadt und den äußeren Bezirken. Dann bogen sie in den Tagensvej und überquerten die Seen. Nie hatte die Stadt so geklungen. Ihr Klang hatte den Hauch einer großen Konzentration, eines Brennpunkts. Er erinnerte sich an Heiligabend oder an Zeiten, in denen entscheidende Fußballendspiele im Fernsehen übertragen wurden. Nur dunkler. Weitaus angespannter. Menschen lauschten in den abgesperrten Bezirk hinein. Sie horchten auf mögliche neue Beben. Sie lauschten in Gemeinschaft. Es war, nur ungern mag man es aussprechen, die Gemeinschaft jener, die der Tatsache ins Auge blicken, dass sie unter Umständen zusammen sterben werden. Pater Pio hatte den Gläubigen einmal gesagt, der beste Ort zum Beten sei ein Flugzeug beim Absturz. «Wenn ihr euch zu diesem Zeitpunkt wirklich um das Gebet versammelt», hatte er gesagt, «könnt ihr gar nicht verhindern, des Göttlichen gewahr zu werden.»

«Ich hab ja schon viele wahnsinnige Menschen getroffen», sagte Franz Fieber. «Aber ich habe verdammt nochmal nie ...»

Kasper machte ihm ein Zeichen, das Auto bog von der Øster Voldgade ab, am Geologischen Museum vorbei, eine fünfzehnprozentige Steigung hinauf, durch ein niedriges, offenes Gittertor.

In einem der Glaskäfige brannte Licht. An einem Schreibtisch saß der blonde Prinz Eisenherz.

«Sei so lieb und fahre mich direkt ins Büro», bat Kasper.

Franz Fieber schüttelte den Kopf.

«In meinem Zustand», sagte Kasper, «wäre es schön, nicht in die Kälte hinauszumüssen.»

Franz Fieber drückte das Gaspedal durch. Der Kastenwagen prallte auf die Glastür, durchbrach sie wie einen Papierschirm und blieb mit dem vorderen Ende in dem Büro stehen.

Kasper arbeitete sich von dem hohen Sitz herunter. Setzte sich in einen Stuhl vor dem Schreibtisch. Der Mann auf der andern Seite war wie versteinert.

In Kaspers Kindheit hatten viele Professoren einen derart unvorteilhaften Klang, dass sich die Menschen nach Dingen umsahen, die sie sich in die Ohren stopfen konnten, Teppiche zum Beispiel. Eine akademische Karriere erforderte damals eine neurotische, einseitige mentale Überanstrengung. In Maximillians Umfeld hatte Kasper Professoren kennengelernt, als Teil des Premierenpublikums, sie waren fragmentiert gewesen.

Die Zeit hatte den Ton verändert, der Mann am Schreibtisch hatte ein breiteres Spektrum. Und trotzdem.

«Viele Artisten», sagte Kasper, «haben Angst vor Akademikern. Ich nicht. Meine Lieblingsfigur der Commedia dell'Arte ist *il dottore*, kennst du ihn: ‹Alles lässt sich durch Gelehrtheit kurieren›?»

Der blonde Mann linste zu der zertrümmerten Glastür hinüber, Kasper konnte hören, wie er versuchte, die Chancen eines Fluchtversuchs einzuschätzen.

«Das würde ich dir nicht empfehlen», sagte Kasper. «Ich habe nichts zu verlieren.»

Der Klang ihm gegenüber gab auf.

«Was hattest du für eine Aufgabe?»

Der andere antwortete nicht.

«Du solltest der Demonstration naturwissenschaftlichen Glanz verleihen. Was haben sie demonstriert?»

Der blonde Mann blickte zum Auto hinüber. Franz Fieber war hinter dem Steuerrad sitzen geblieben. Türen und Fenster waren geschlossen.

«Es gibt keine Zeugen dafür», sagte er.

«Gott hört alles», sagte Kasper. «Aber er sagt nicht vor dem Amtsgericht aus.»

Der Professor befeuchtete seine Lippen.

«Es wurde nichts demonstriert. Das Mädchen hat nur gesagt: ‹Es kommen keine Erdbeben mehr.› Es gab zwanzig Aufkäufer. Ausländer. Es wurde ins Englische übersetzt. Das war alles. Hat fünf Minuten gedauert.»

Kasper konnte hören, dass er die Wahrheit sagte.

«Was bekommst du dafür?»

«Fachinformationen.»

«Könnten wir der Wahrheit wohl ein wenig näher kommen?»

Der Professor sah auf die Tischplatte.

«Du bist ein fähiger Mann», sagte Kasper. «Ich höre das. Du warst auch mit diesem King Kong bei uns draußen, um mich zu bestechen. Trotzdem bist du kein gewalttätiger Typ. Aber ich bin einer. Du brauchst mich nur anzugucken. Ich komme direkt vom Schlachtfeld.»

Der Professor sah ihn an.

«Die Universität ist eine flache Ebene», sagte er. «Wenn man aufsteigen will, ernsthaft aufsteigen will, dann nur außerhalb der Uni.»

Sein Klang nahm eine gefällige Festigkeit an, wie bei einem Menschen, der mit sich selbst im Einklang steht. Auch wenn es nur eine dürftige Moral ist, mit der er sich im Einklang befindet.

«Was können die Kinder denn?»

«Wir haben sie gescannt. Sie haben interessante Hirnwellen. Das ist alles.»

«Und die Blaue Dame? Mutter Maria?»

Der Klang des Mannes veränderte sich, Kasper kannte diesen Klang von Viehmärkten, wenn Ochsen verkauft wurden.

Kasper erhob sich mit Mühe. Vor dem Professor lag eine blaue Mappe. Er pochte mit dem Finger darauf.

«Unter den höheren Lehranstalten herrscht freier Informationsaustausch», sagte der Professor.

Die Mappe kam von der Polizei, Kasper erkannte den Umschlag aus Asta Borellos Büro.

«Wie schön», sagte Kasper.

«Wir könnten auch ein bisschen handeln. Du hast an Dänemarks Technischer Universität gearbeitet. In den achtziger Jahren. Am Institut für mathematische Akustik. Als Berater, steht da. Beim Umbau und bei der Planung großer Konzertsäle. Sie haben dich gemessen. Hier steht, du habest Schwingungen im Frequenzbereich von 3 bis 35000 Hertz spüren können. Und Veränderungen im Schalldruckniveau um ein Hundertstel Dezibel. Falls das zutrifft, ist es ziemlich ungewöhnlich. Da steht, sie könnten es sich nicht erklären. Sie hätten Modelle in der Größe 1:100 gebaut. Dich hineingesetzt. Und du hättest ihnen unmittelbar sagen können, was noch hinzugefügt werden müsse. Ob man Sinusprofile in den Beton gießen solle. Oder was weiß ich. Stimmt das?»

Der posttraumatische Schock nach dem Auftritt des Autos in seinem Büro schien im System des Mannes allmählich nachzulassen. Das zeugte von seiner Robustheit. Kasper empfand einen Anflug von Respekt für die Entourage, mit der Kain sich umgeben hatte.

«Sie haben geträumt», sagte er. «Und ich war blutjung.»

«Sie schreiben, du hättest behauptet, das physische Geräusch sei nur eine Tür. Dahinter gebe es ein anderes Geräusch. Eine Geräuschwelt. Ist das wahr? Würdest du mir ein bisschen davon erzählen? Vielleicht würde ich dafür etwas über die Kinder wissen. Und über die Stariza.»

Jetzt hörte Kasper das Unglück seines Gegenübers. Die Sehnsucht des Theoretikers danach, von der Wirklichkeit nicht mehr getrennt zu sein.

«Du hast die Mappe von Mørk bekommen», sagte Kasper. «Du hast auf zwei Pferde gesetzt. Oder auf drei. Du hast für Kain gearbeitet. Du hast im Stift verkehrt. Und du hast die Abteilung H auf dem Laufenden gehalten.»

Der Klang des andern wurde dünner.

«Du wolltest verhindern, dass den Kindern etwas zustieß», sagte Kasper. «Aber du wolltest auch gern in Geldnähe bleiben. Und in der Nähe dessen, wozu Kain die Kinder gebracht hatte. Und dann wolltest du dich um dich selbst kümmern. Du hast versucht, auf alle Pferde zu setzen. Das ganze Feld auf einmal.»

An der Rückwand des Raumes standen Schaukästen mit optischen Instrumenten, vielleicht aus der Zeit, als das Gebäude als Observatorium diente. Und die Welt noch einfacher war. Vielleicht.

«Wir Menschen», sagte Kasper. «Wir setzen auf zu viele Pferde. Auf die Art kommt man nie ganz ans Licht. Andererseits aber auch nicht ganz ins Dunkle hinunter. Wir bleiben hier. Wo es gerade noch hell genug ist, dass wir uns einigermaßen vorantasten können.»

Er hievte sich ins Auto.

«Es ist das Reptilhirn», sagte der Professor. «Das das akustische Gedächtnis birgt. Die Kriechtiere müssen auch das Geräusch der Beute erkennen können. Eine genaugenommen primitive Funktion.»

«Du bist mitgegangen, um zu sehen, ob ich zu kaufen bin. Um zu sehen, ob man auf etwas Festes trifft. Wenn man die Instrumente weit genug hineinführt.»

«Alle können gekauft werden. Es gibt keine andere Wirklichkeit.»

Hinter der Wut hörte Kasper Verzweiflung.

«Ich glaube, du warst es», sagte er. «Der das Mädchen getötet hat. Ich hab das nachgeprüft, bei der Abteilung Ausländerkriminalität. Zu der Zeit warst du in Nepal.»

Völlig außer sich schoss der Mann von seinem Stuhl hoch, er gestikulierte mit Armen und Beinen wie ein Hampelmann.

«Das war Ernst! Josefs Leibwächter. Ich hatte keine Ahnung, dass so was anstand. Ich war kilometerweit weg, als es passiert ist!»

Der Professor sank auf seinen Stuhl zurück.

Kasper lauschte. Möglicherweise hatte er die Wahrheit gesagt.

«Ich habe versucht, ihnen etwas zu erklären», sagte er. «Auf der DTU. Der messbare Schallraum, in dem orientieren wir uns aufgrund der subtilen Zeitverschiebung der Schallauffassung zwischen rechtem und linkem Ohr. Aber im größeren Zusammenhang ist das eine verschwindend kleine Information. Der richtige Laut wird von beiden Ohren gleichzeitig aufgefasst. Vom Bewusstsein an sich. Und das zerfällt nicht. Es existiert außerhalb von Zeit und Raum. Und es ist gratis. Das musst du dir nicht erkaufen. Alles, was du zu tun hast, ist, die Ohren aufzusperren.»

Der Mann auf der andern Seite des Schreibtischs sah aus, als wäre er plötzlich gealtert. Als hätte er binnen fünf Minuten weißes Haar bekommen.

«Ich habe Angst», sagte er. «Dass Kain die Kinder ausfliegen lässt.»

12

Sie waren auf der Ringstraße.

Neben Kasper schniefte Franz Fieber. Auch inmitten großer Taten ist es wichtig, die Sorge für das Naheliegende nicht zu vergessen. Bach hatte das auch getan. Mitten im Bau der kosmischen, tonalen Kathedrale hatte er sich um jeden einzelnen Ziegelstein gekümmert. Immer war er damit beschäftigt, dass es gut klingen musste. Immer war er rücksichtsvoll im Umgang mit Maria Barbara, mit Anna Magdalena, mit den Kindern. Man konnte es hören. Kasper legte dem Jungen beruhigend die Hand auf die Schulter.

«In ein paar Sekunden», sagte er, «sitzen die Kinder zwischen uns.»

Er streichelte über die zitternde Muskulatur, seine Hand hinterließ eine klebrige Blutspur. Sie passierten den Roskildevej, Glostrup Zentrum, die ersten Felder. Kasper zeigte nach links, das Auto bog in einen Feldweg vor der Go-Kart-Bahn, er ging steil aufwärts und endete dann. Sie hielten auf einem künstlich aufgeworfenen Wall oberhalb der Kläranlage. Unterhalb der Anlage lag der Platz, still, lediglich ein Nachtstrahler brannte.

«Du kannst da nicht runtergehen. Die warten auf dich.»

Kasper kletterte aus dem Auto.

«Ich treibe mit Tao.»

«Woher weißt du das?»

Die gelben Augen hatten ihn aufgegeben.

«Das hört man. Das Geräusch eines milden und günstigen Windes.»

13 |

Zwischen Feld und Weg stand eine Hecke aus Pappeln, zwischen Pappeln und Platz stand ein Auto, Kasper legte sich in Deckung.

Das Auto war einen halben Ton zu hoch. Ein halber Ton ist nicht viel, aber für das absolute Gehör ist er störend. Die gesamten siebziger Jahre hindurch hatte Kasper sich über Richters Einspielung des *Wohltemperierten Klaviers* gewundert, sie war einen halben Ton zu hoch gewesen. Erst dachte Kasper, es liege an der Platte oder an der Originalaufnahme, es müsse sich um eine fehlerhafte Transponierung handeln. Seitdem war, durch den Eisernen Vorhang, Richters Interpretation von Prokofjews Sonaten durchgesickert, auch sie waren einen halben Ton zu hoch gewesen. Da hatte Kasper verstanden, dass eine Absicht dahinter verborgen lag.

Wenn ein Auto beladen ist, mit Menschen oder Gepäck, erhöht sich die Anzahl der Eigenschwingungen. Zumindest wird es so empfunden. Kasper robbte seitwärts, um das Auto zwischen sich und den Strahler auf dem Platz zu bekommen, in dem Auto saßen zwei Männer.

Die Erklärung war erst in den Neunzigern erfolgt, nachdem das lange Interview mit Richter veröffentlicht worden war. Gegen Ende des Gesprächs erzählt der große Pianist, dass das Alter, abgesehen von den Schäden, die es im Übrigen anrichtet, seine Grundtonempfindung um fast einen halben Ton gesenkt hat.

Da hatte Kasper es verstanden. Richter hatte seinen Flügel um einen halben Ton höher gestimmt.

Es hatte ihn zutiefst berührt. Nicht, dass das Alter das Gehör eines Menschen frisst, das Alter frisst alles, denken Sie nur an Beethoven. Sondern dass ein Mann einen derart großen Eigensinn besitzt, dass er die ganze klassische Musik um einen halben Ton anhebt, um sie seinem eigenen System anzupassen.

Er blieb auf allen vieren, bis er um die Ecke war. Er schloss die kleine Tür an der Südseite auf, ging hinein und kam auf die Beine. Er wollte laufen, es ging nicht. Gekrümmt und mühsam bewegte er sich hinten um das Gehege und die Reithalle herum. Im Stall hörte ihn nur Roselil, er streichelte das Pferd beruhigend, Blut färbte sein Fell, er fühlte im Heu, Geige und Papiere waren weg.

Im Schatten der Hauswand überquerte er den Hof, versuchte die Tür zum Büro, sie war nicht abgeschlossen.

Der Raum sah aus wie immer, aber der Klang war zu resonant. Er tastete das Fach unterm Schreibtisch ab, das dreibeinige Stativ war weg, ebenso der Bunsenbrenner und der Knüppel.

Auch die Regale schienen nicht verändert, im schwachen Licht buchstabierte er sich an den Ordnern entlang bis K, er nahm ihn heraus und klappte ihn auf, er war leer.

Er stellte ihn zurück, versuchte die Tür zum Privatbereich, nicht abgeschlossen, er trat ein, es war zu still.

Er machte den Kühlschrank auf, er war abgestellt. Die Tiefkühltruhe, sie war abgetaut.

Er ging wieder ins Büro. Setzte sich auf den Bürostuhl. Nahm den Hörer ab. Das Telefon war noch angeschlossen.

Er wählte Sonjas Nummer, sie nahm sofort ab. Er hob den Turban aus Geschirrtüchern und Servietten an, den er auf dem Kopf trug. Er hörte, dass sie sich hingelegt hatte. Die Stimme wird tiefer, wenn die Antischwerkraftmuskeln nicht auf die Lungen drücken und den Raumklang mindern. Neben ihr lag ein Mann, Kasper ahnte kaum vernehmbare Atemzüge.

«Der Platz», sagte er, «bei Daffy, wie hast du den für mich gefunden?»

«Ein Angebot. Soweit ich mich erinnere. Eine Prospektbeilage. Steckte in der skandinavischen Ausgabe der *Circus Zeitung*.»

«Ihr bekommt dreißig Angebote am Tag. Du beachtest sie gar nicht. Wieso dann dieses hier?»

Zuerst war sie still.

«Es war an mich adressiert», sagte sie dann. «Zum halben Preis. Zwei Sachen, über die ich mich hätte wundern müssen.»

Er wartete, versuchte sich zu sammeln.

«Hab ich was Falsches gemacht. Hab ich dir geschadet?»

«Ein Schutzengel», sagte er, «kann nur Gutes tun.»

«Ist jemand bei dir? Du sollst nicht allein sein.»

«Ich habe Gesellschaft», sagte er. «Vom Klavierstimmer von Gott der Herrin. Ich werde gerade einen halben Ton tiefer gestimmt.»

Er legte auf.

Er näherte sich vorsichtig seinem Wohnmobil, blieb stehen und horchte, es war nichts zu hören. Er tastete nach dem kleinen Stück Karton, es saß noch dort, wo er es hingesteckt hatte, er trat ein.

Er wagte es nicht, das Licht anzumachen. Er setzte sich einen Augenblick in den Sessel. Die Nachtbeleuchtung des Platzes floss durch die Scheiben herein.

Er hätte ein Schloss haben können, wie Grock in Oneglia. Er hätte eine Wohnanlage in der Umgebung von Paris haben können, wie Rivel. Er hätte ein achthundert Quadratmeter großes Penthouse über dem Kongens Nytorv haben können, wie Popow es in Moskau hatte, mit Blick auf das *MChAT*, Tschechows altes Theater. Stattdessen hatte er seit zwanzig Jahren nur diesen Wagen. Achtzehn Quadratmeter plus Windfang minus den Platz, den der Requisitenschrank, der Kostümschrank, das Klavier und die Regale einnahmen.

Er betrachtete die Noten. Den kleinen Bekkasin-Ofen. Das

Handwaschbecken. Den elektrischen Kocher. Das Brennholz. Die Kochplatten. Den Kühlschrank, klein und rostfrei, kondensationsgekühlt, ohne Kompressor, das Geräusch von Kompressoren hatte er nie ertragen können. Er betrachtete die Kommode. Den Fazioli. Sein Blick ging zum Sofa hinüber.

In dem Winter, in dem sie sich kennengelernt hatten, hatte Stine bisweilen auf ihn gewartet, wenn er von der Vorstellung zurückkam. Oft, nicht immer. Und nie geplant. Es war schwer oder sogar unmöglich gewesen, eine Verabredung mit ihr zu treffen. Einen Arbeits- oder Wachplan hatte sie anderthalb Jahre im Voraus aufstellen können. Zu einem Rendezvous am Abend hatte sie am selben Nachmittag noch keine Stellung nehmen wollen. Er hatte es nie begriffen.

Wenn er fertig war, war es Mitternacht. Es hatte geschneit. Im Schnee ihre Spuren, die zum Wagen führten.

Er hätte eigentlich im Ausland sein sollen, er war nie weggekommen. Jener Winter hatte sein Verhältnis zu den Jahreszeiten geändert. Vorher hatte er sich gewünscht, Dänemark möge fünf Monate im Jahr geschlossen und evakuiert werden, von November bis März. Zehn Jahre lang hatte er keine Winterverträge für Orte nördlich von Cannes abgeschlossen. Ihre Spuren im Schnee änderten alles. Die äußerlichen Jahreszeiten galten ihm nichts mehr.

Aus dem Schornstein war Rauch aufgestiegen. Ihre Daunenjacke und ihre Stiefel verstellten den ganzen Windfang, sie wollte nicht frieren, pünktlich ab 1. November war sie angezogen, als wollte sie den Nanga Parbat besteigen.

Die Scheiben waren weiß vom Dampf, sie hatte Essen gemacht. Sie hatte einen Vertrag auf Lebenszeit mit der physischen Welt. Alles, was ihr zur Verfügung stand, waren die beiden Kochplatten und ein Eisenring auf dem Bekkasin-Ofen. Trotzdem hatte sie etwas gekocht, das Leisemeers vegetarischem Kochbuch entnommen zu sein schien.

Sie hatte auf dem Sofa gesessen, das er jetzt betrachtete. Sie hatte Skisocken an. Sie hatte die Beine angezogen. Mit ihren Papieren oder dem Rechner neben sich. Oder mit leeren Händen.

Er war in der Tür stehen geblieben.

Das Weibliche hat keinen bestimmten Laut. Keine bestimmte Tonart. Keine bestimmte Farbe. Das Weibliche ist ein Prozess. In dem Augenblick, in dem ein Dominantseptakkord in der subdominanten Durtonart ausklingt, in dem Augenblick hört man das Weibliche.

Bis dahin hatte er eine Dissonanz gelebt. Jetzt war sein Wohnmobil kein Wohnmobil mehr. Kein Brennholzschuppen auf Rädern. Es war ein Zuhause.

Ihre Anwesenheit lockte Farben hervor, die er nie gesehen hatte. Sie rundete Ecken ab, rief Oberflächen hervor, die dort nicht gewesen waren. Sie veränderte den Inhalt der Bücher. Der Noten. Bach hätte ohne Frauen anders geklungen. Wahrscheinlich hätte er überhaupt nicht geklungen. Und alles, was sie getan hatte, war, anwesend zu sein.

Nun war der Raum um ihn hart. Eckig. Tot. Er wusste, er sah all das zum letzten Mal. Er merkte, wie seine Gedanken in seinem Körper umherstreiften, wie ein Raubtier in seinem Käfig, ohne einen Ausgang finden zu können.

Er öffnete die Tür zur Fahrerkabine und ließ sich hinter das Lenkrad gleiten. Der Kastenwagen stand sicher schon auf der Fahndungsliste. Aber nicht das Wohnmobil. Beschlagnahmt, aber nicht gesucht. Während die Polizei die Konon stürmte, würde er Maximillian ein letztes Mal besuchen. Danach würde er sich stellen. Ärztliche Behandlung erhalten. Den Prozess mit der Polizei wegen seiner Repatriierung anfangen. Weiter reichte sein Bewusstsein nicht.

Er drehte den Zündschlüssel. Nichts geschah.

«Sie hatten einen Mechaniker dabei», sagte Daffy.

Er hatte den Exhibitionistenmantel an, er schien aus Steinwolle zu sein, sie hatte alle Geräusche erstickt, deshalb hatte Kasper ihn nicht gehört.

Etwas wurde auf seinen Schoß gelegt, es war der Geigenkasten. Darauf der Umschlag mit den Papieren, Geburtsurkunde und Taufschein, der spanische Pass, die Versicherungspolicen. Die Schweizer Bankkonten, der vorläufige Krankenschein.

Er machte den Kasten auf und befühlte die Krümmung des Deckels. Mit der rechten Hand, die linke war unbrauchbar.

Guarneri und Stradivarius hatten etwas gemeinsam. Sie hatten immer eine kleine Variation eingearbeitet. Wie um etwas zu erforschen. Mitten im Bankrott. Mitten in den Erschütterungen des Spanischen Erbfolgekrieges. Nie eine exakte Wiederholung. Nie Monotonie. Das kleine, immerwährende Experiment. Um zu sehen, ob man nicht doch noch eine – wenn auch nur minimale – Verbesserung erreichen konnte.

«Meine letzte Saison während der Gerichtsverhandlungen», sagte Daffy, «war bei Retz in Hamburg. Sie hatten einen jungen Clown. Sein Entree dauerte eine Dreiviertelstunde. Zu der Zeit war Carl der einzige Clown in Europa, der solo zwanzig Minuten lang das Publikum fesseln konnte. Und dieser junge Clown hatte nach zwanzig Minuten nicht einmal seinen Geigenkasten aufgekriegt. An manchen Abenden mussten wir die Brandwachen holen. Um zu verhindern, dass das Publikum über ihn herfiel. Retz konnte bis zu 1800 Zuschauer fassen. Als mein Urteil verkündet wurde und ich wegging, haben sie seinen Vertrag um drei Monate verlängert. Ich habe zu mir gesagt: In zehn Jahren hat er seinen eigenen Zirkus. In zwanzig Jahren herrscht er über ein Imperium. Es ist zwanzig Jahre her. Und du schuldest mir sechs Monate Miete.»

Jetzt erinnerte sich Kasper an einen schwarzhaarigen Mann im Smoking. Boras' Erbe. Er erinnerte sich an ihn, so wie Daffy sich an diesen blutjungen Clown erinnern musste.

Er legte dem Verwalter die Zündschlüssel aufs Armaturenbrett.

«Der Wagen hier. Du lässt ihn heute Nacht abschleppen. Du kriegst siebenhunderttausend dafür. Bei Classic Vintages in Helsingør.»

Daffy rührte die Schlüssel nicht an.

«Ich habe in deine Privaträume geschaut. Der Kühlschrank ist aus und abgetaut.»

«Ich bin auf dem Sprung in den Urlaub.»

Kasper machte die Tür auf. Sie stiegen aus. Die Nacht war still.

Daffy hielt ein Bund Autoschlüssel in der Hand, sie gehörten zum Pick-up des Platzes.

«Ich fahre dich ins Krankenhaus.»

Man konnte die Südautobahn hören. Verkehrslärm ist seltsam. Er wird von Schallschutzmauern nicht aufgehalten, er wird einfach angehoben. Und landet irgendwo anders. Wie der Niederschlag einer chemischen Katastrophe.

«Ich wurde hierhergelenkt», sagte Kasper. «Du hast ein Angebot abgeschickt. An Sonja im Zirkus Blaff. Die sich um meine Sachen kümmert. Vor einem Jahr. Das heißt, wir stecken in irgendeiner größeren Geschichte.»

Der andere sagte nichts. Kasper scannte die Umgebung. Alles war einen halben Ton zu tot. Eigentlich hätte man die Rohrdommel aus dem Moor hören müssen. An die achtzig Dezibel in den tiefen, paukenähnlichen Stößen. Oder das Schreien der Nachteule in den Villengärten Richtung Glostrup. Stattdessen herrschte Stille.

«Vor dem Zaun hält ein Renault mit zwei Männern», sagte er.

Der Zirkus ist ein Stück Mittelalter, das auf der Außenseite der modernen Welt überlebt hat. Artisten sind veraltete Modelle, wie die Füchse, die sich der Stadt und den Mülleimern angepasst haben. Aber nicht nur als einsame Streuner, auch als Bruderschaft, eine Bruderschaft halbwilder Tiere. Außerhalb der Subventionsregelungen. Außerhalb vom Theaterverein ARTE. Außerhalb der Kontrolle der Zoll- und Steuerbehörde. Mit sehr wenigen Regeln, eine davon heißt: Man unterstützt sich gegenseitig im Versteckspiel des Lebens mit den öffentlichen Ämtern.

Daffy wippte auf den Fußballen auf und ab.

Kasper streckte die Hand aus.

Daffy gab ihm die Autoschlüssel. Begleitete ihn zum Tor. Schloss auf.

Sie warteten auf Kasper, er hörte sie nicht. Und selbst wenn, es hätte ihm nicht geholfen.

Sie stiegen aus einem Auto, das fünfzig Meter weiter hielt, es waren die beiden Mönche. Auch hinter sich hörte er eine Tür, gegenüber dem Platz. Hinter ihm war der Drahtzaun und auf der andern Seite des Weges die Dornröschen-Hecke. Und er hatte Schwierigkeiten, sich auf den Beinen zu halten. Er ging auf die Mönche zu und setzte sich in ihren Wagen.

14 |

Der ganze Platz vor dem Polizeipräsidium war abgesperrt, bis zum Verwaltungsgebäude des Milchriesen Arla. An der Bernstorffsgade hatte man einen Schlagbaum aufgestellt, der eine Mönch hielt einen Ausweis an die Windschutzscheibe, der Schlagbaum hob sich.

Sie passierten Militärfahrzeuge, Pritschenwagen des Zivilschutzes, Ambulanzen. Die Mönche parkten auf dem Bürgersteig vor den roten Baracken des Kraftfahrzeugprüfungsamts. Sie fassten Kasper unter den Armen, halb führten sie, halb trugen sie ihn. Über die Straße, durch eine Tür, die zum Hafen zeigte, in einen Aufzug.

Der Aufzug öffnete sich auf einen engen Korridor, das Erste, was er hörte, war Musik. Sehr schwach, ein Stück entfernt und doch ganz deutlich. Es war eine Kantate, BWV 106, gesungen vom Frauenchor der Kopenhagener Polizei, er erinnerte sich an die Aufnahme, auf genau dieser CD war die Schirmherrin des Chors, Kopenhagens Polizeipräsidentin Hanne Bech Hansen, als Solistin zu hören. Kasper erkannte ihren schönen, nahezu vibratolosen Sopran.

Eine Tür stand offen, sie führte in einen hohen, rechteckigen Raum, der dem Turnsaal einer Gemeindeschule ähnelte. An der hinteren Wand standen Schreibtische, vier Polizeibeamte waren dabei, Papiere zu sortieren. Am Ende des Raums, vor Regalen mit Ordnern, saßen zwei Beamtinnen an einem Tisch, der an eine Schalttafel in der Fernsprechvermittlung erinnerte.

Der Raum hatte sechs große Fenster zum Hafen hinaus. An einem saß regungslos ein massiver Greis, der aussah, als wäre er vom Rat für Herrenmode eingekleidet und dann mit Hilfe eines Krans auf den Stuhl gehievt worden. An einem der andern Fenster stand Mørk, neben ihm ein kleiner Ghettoblaster, aus dem die Musik kam.

Mørk wandte sich um und sah Kasper an. Die durchgebluteten Verbände.

Er nahm Zeitungen von einem Tisch und breitete sie auf dem Stuhl neben sich aus. Kasper setzte sich auf die Zeitungen.

«Weidebühl», sagte Mørk und nickte in Richtung des alten Mannes. «Vertritt das Kirchenministerium. Und ist unser Kontakt zum Stift.»

Auf dem Ghettoblaster lag die CD-Hülle, das Cover zierte die vergoldete Leier, Zeichen aller Musikkorps der Polizei. Blut tropfte auf die Plastikhülle, Mørk nahm sie weg und schaltete die Musik aus.

«Kejsa soll hochkommen», sagte er. «Und wir brauchen Cola. Und Kaffee.»

«Einen Schnaps», sagte Kasper.

Die Mönche verschwanden. Mørk blickte wieder über den abgesperrten Bereich.

«Wir haben die Konon umstellt», sagte er. «Zweihundert Mann von der Spezialeinheit der Polizei. Vier Motorboote. Kampftaucher der Marine. Zwei Kampfhubschrauber, für den Fall, dass sie versuchen sollten, die Kinder auszufliegen. Dreißig Mann, um die Türklingeln bei den Privatadressen der Einzelhändler zu bedienen und Zeugenaussagen zu sammeln. Vor zehn Minuten haben sie angefangen.»

Kasper versuchte, in Mørk hineinzuhorchen, es ging nicht, sein Gehör war instabil, es schien, als wollte es wirklich allmählich ausfallen.

«Gesamtverteidigung», sagte Mørk. «Das ist der offizielle Name. Ein schöner Gedanke, sehr dänisch. Er bedeutet unbegrenzte Zusammenarbeit. Wenn die Katastrophe eintritt, wie hier, arbeiten alle zusammen. Polizei, Falcks Rettungswesen, Zivilschutz, Feuerwehr. Militär. In Dänemark scheuen wir uns davor, den Ausnahmezustand auszurufen. Die Politiker meinen, sie könnten Gesetze erlassen, die ihnen in allem freie Hand geben, bis hin zum Staatsstreich. Was wir jetzt haben, ist also eine zivile Notsituation. Die Polizei leitet die Ermittlungen. Die Hilfspolizei sperrt ab. Der Zivilschutz räumt auf. Das Militär liefert die Muskeln. Außerdem macht noch das Kirchenministerium mit. Das ist schön gedacht. Natürlich haben sie keinen Funk, können also nicht miteinander kommunizieren. Und ihre Informationstechnologie haben sie auch nicht aufeinander abgestimmt, das heißt, sie können sich auch schriftlich nicht austauschen. Und sie sind durch siebentausend Gesetze und Verordnungen gebunden, die eingehalten werden müssen. Und trotzdem ist alles, nach höchstens einer Woche, einigermaßen im Lot. Diese Zeit war halt nötig. Eine Woche. Nach dem ersten Beben.»

Neben Kasper wurde etwas auf das Fensterbrett gestellt, Mørk reichte ihm ein Glas, Kasper trank. Es war spanischer Brandy, leicht süßlich, Tränen traten ihm in die Augen, der Alkohol brannte in den offenen Wunden im Mund wie bei einem Feuerspucker, bei dem das flüssige Paraffin den verkehrten Weg nimmt.

«Die Polizei ist genauso», sagte Mørk. «Basiert auf Zusammenarbeit und Offenheit. Eine Einheitspolizei. Drogen, Betrug, Diebstahl, technische Abteilungen, alles unter demselben Dach. Für alles gibt es Regeln und Pläne, alles läuft wie geschmiert. Das heißt, als man das Revier Lyngby anruft und den Jungen und das Mädchen als vermisst meldet, gibt es erst mal einen besonnenen Beamten, der einen beruhigt, weil 99% aller verschwundenen Kinder Lust bekommen haben, einen Spaziergang zu machen. Als nach ein paar Stunden wieder angerufen wird, untersucht der Beamte, ob die Eltern geschieden sind, ob es noch kleinere Geschwister gibt, denn im Großen und Ganzen wollen alle Kinder, die von zu Hause abhauen, ihrer Unzufriedenheit Luft machen. Da nun am anderen Ende der Leitung gedrängt wird, bittet die Polizei das Heim, mit den Eltern und einem Foto der Kinder ins Revier zu kommen. Es gibt keine Eltern, wird entgegnet. Dann bittet der Wachhabende darum, man möge doch einen Vertreter der Schule benachrichtigen. Und erst jetzt wird jemand darauf aufmerksam, dass der PND und der zuständige Polizeivorsteher das Heim als mögliches Terrorziel eingestuft haben. Neben achtzig andern in Bagsværd und Lyngby. Jetzt kommt die Maschinerie in Gang. Ein paar Kriminalbeamte ziehen los und nehmen das Heim auseinander. Von den Kindern, die man nach einer Weile noch immer nicht finden kann, haben sich neun von zehn auf dem Dachboden versteckt. Weil man nicht weiterkommt, kontaktiert man den Polizeilichen Nachrichtendienst. Man holt die Pläne für derartige Fälle aus der Schublade. Gibt den Streifenwagen einen Wink. Setzt einen Ermittlungsleiter ein. Erreicht den Chef der Kriminalpolizei in Lyngby. Den für den Fall verantwortlichen Vizekriminalrat. Den Polizeivorsteher, der so lange wie möglich im Hintergrund bleiben will. Einen Kriminaldirektor vom PND. Stellt die grundlegenden Ermittlungsansätze auf, die in aller Ruhe verfolgt werden sollen. Das heißt, als Weidebühl allmählich anfängt, sich Sorgen zu machen, und das Polizeibüro des Justizministeriums unterrichtet, das wiederum mich informiert, ist bereits eine Woche vergangen, und da ist es zu spät.»

Hinter Kasper stand eine Frau. Es war die Aristokratin vom Strandvej, jetzt trug sie einen weißen Kittel und hatte einen kleinen Tisch auf Rollen dabei mit einer Art Erste-Hilfe-Besteck.

Sie entfernte die Geschirrtücher und Servietten, die Kasper um den Kopf gewickelt hatte. Vage registrierte er, dass sie seinen Puls fühlte. Den Blutdruck maß. Allmählich schrumpfte die Welt um ihn herum. Ein Teil seines Gehörs war intakt. Aber das Blickfeld war gestört, er konnte nur in einem begrenzten Bereich scharf sehen.

«Ich habe bei der Polizei angefangen», sagte Mørk. «Von der Pike auf. Wachtmeister. Hundeführer. Dänemarks jüngster Kriminalkommissar. Ich liebe es. Es ist eins der besten und ehrenwertesten Polizeikorps der Welt. Nur eine Sache ist nicht auszuhalten: dass es so zum Kotzen langsam ist.»

Mørk hatte seine akustische Abwehrhaltung vergessen, sein System öffnete sich. Was Kasper hörte, war Müdigkeit. Keine vorübergehende Erschöpfung. Sondern eine Müdigkeit, die zwanzig oder dreißig Jahre alt war. Er hatte sie bei einigen großen Zirkusdirektoren gehört, die etwas anderes und mehr wollten, als nur Geld zu verdienen. Es war die Müdigkeit eines Menschen, der nicht nur einen Job hat, sondern eine Mission, und der sich von ihr hat auffressen lassen. Und der nun, langsam, von innen ausbrennt.

Die Frau zog Kaspers Hemd hoch, er hörte sie nach Luft

schnappen. Sie legte ihre Hand auf sein Zwerchfell. Normalerweise hätte ihn die Berührung erfreut, besonders von ihr. Aber jetzt nicht.

«Üblicherweise kennt sich das Ministerium nicht aus», sagte Mørk. «Wir haben lumpige fünf Mann im Büro für Polizeifragen. Nur wenn es sich um was Großes handelt und Politik mit hineinspielt, werden wir einberufen. Und selbst dann wissen wir, dass wir an den Pranger gestellt werden.»

«Abteilung H?», sagte Kasper.

Er vernahm seine eigene Stimme, sie klang wie das Quaken eines Laubfroschs.

Mørk stand auf. Stellte sich ans Fenster.

«Die Polizei hat immer Sterndeuter benutzt», sagte er. «Medien, Hellseher. In aller Stille, versteht sich. Aber Ende der neunziger Jahre merkten wir, dass sich etwas verändern würde. Ich spürte es wie ein Unwetter aufziehen. Wir wussten, es würden neue Formen von Profitkriminalität kommen. Die mit der Kontrolle des Bewusstseins zu tun hatten.»

«Wie der Handel mit Optionen», sagte Kasper.

Der Beamte nickte.

«Die Zeit», sagte er. «Die Zukunft vorwegnehmen können. Das ist das Wichtigste geworden. Die Intuition. Das ist eine der höchstbezahlten Ressourcen geworden. Und ich höre nicht auf, daran zu arbeiten, der dänischen Polizei dies verständlich zu machen.»

Die Frau bat Kasper, den Mund zu öffnen. Er fühlte die Kühle eines Zahnarztspiegels an seiner Zunge. Sie richtete sich auf.

«Er muss auf die Intensivstation», sagte sie. «Jetzt. Er hat eine Schusswunde im Bauch. Er hat einen Schädelbruch. Das linke Handgelenk ist gebrochen. Vielleicht zwei Rippen. Vielleicht die Nase. Drei Zähne sind locker. Er muss genäht werden, er hat eine Menge Blut verloren. Er braucht eine Transfusion. Und eine Untersuchung auf innere Blutungen.»

Er kannte ihre Stimme noch aus einem andern Zusammenhang, er hatte sie singen hören, es war ein verfeinerter Alt. Sie war auf der CD. Sie war bei der Kantate dabei.

«Ich brauche ihn noch zwanzig Minuten», sagte Mørk.

«Wenn ein Organ betroffen ist, wenn die Leber gerissen ist, ist er in zwanzig Minuten tot.»

«Er stirbt nicht. Er ist aus einem andern Stoff als andere Menschen. Vielleicht einer Art Plastik.»

«Ich schreibe einen Bericht», sagte sie.

«Du gibst ihm eine Spritze», sagte Mørk. «Auf meine Verantwortung.»

Sie war weg, Mørk sah ihr nach.

«Sie hassen mich», sagte er. «Ich habe die Ermittlung von Lyngby abgezogen und hierhergeholt, wo die tägliche Dienstbesprechung stattfindet. Wir haben eine Kommandozentrale eingerichtet. Seit zwei Monaten sitze ich ihnen vor der Nase. Formal sind wir nur Beobachter. Aber sie haben Angst, sie haben Angst vor der Öffentlichkeit. Und den Politikern. Und jetzt sind die Kinder weg. Trotzdem warten sie nur auf eine Gelegenheit, uns loszuwerden.»

«Was ist mit den andern Kindern?», fragte Kasper. «Die im Ausland verschwunden sind.»

Die Überraschung des Beamten hätte nicht einmal mit einem Oszillographen registriert werden können, er zuckte nicht mit der Wimper. Aber Kasper hörte sie.

Normalerweise hätte Mørk nicht geantwortet; nur, wer dichthält, schwimmt oben. Aber so kurz vorm großen Gewinn ist es so gut wie unmöglich, hermetisch zu bleiben.

«Fünf Vermisstenanzeigen wurden aufgegeben. Und alle zurückgezogen.»

«Außer der für das tote Mädchen.»

Schmerz durchlief den Beamten, einen Moment lang verdunkelte er den konzentrierten Klang.

«Ursprünglich wollte ich Richter werden», sagte er. «Ich habe mich immer nach Gerechtigkeit gesehnt. Bisweilen empfindet man diese Sehnsucht wie Durst, kannst du dir das vorstellen? Warum erzähle ich dir das eigentlich?»

«Ich bin unmittelbar vertrauenerweckend», sagte Kasper. «In der Regel erzählen mir die Menschen nach fünf Minuten ihr Leben. Frauen. Kinder. Taxifahrer. Gerichtsvollzieher.»

Die Frau war wieder da. Weit weg, wie etwas, das ihn nichts anging, spürte Kasper die Kanüle.

«Prednison», sagte sie.

Er musste lächeln. Auch Maximillian war mit *Prednison* abgefüllt. Erschreckend und faszinierend ist diese Koinzidenz der Schicksale von Kindern und Eltern, bis hin zur Obduktion.

Innerlich bemerkte er die chemische Erleichterung. Ihm wurde etwas um den Kopf gebunden, von der Frau, es waren Mullbinden. Mørk ging vor ihm in die Hocke.

«Wir haben den Auslieferungsantrag für dich erhalten», sagte er. «Aus Spanien. Das dänische Strafgesetz kennt Strafmilderung offiziell nicht. Ebenso wenig wie Geld unter der Hand. Die wenigen Fälle, bei denen die Polizei für ein paar tausend Kronen einen Rocker gekauft hat, landeten grundsätzlich auf dem Tisch des Polizeipräsidenten. Das heißt, die Polizei kann nicht das Geringste für dich tun. Aber wir können. Wir können eine Rechtsprüfung des spanischen Antrags veranlassen. Ihn ablehnen lassen. Vorantreiben, dass deine dänische Staatsbürgerschaft vor das Folketing kommt. Weidebühl kann mit dem Innenministerium sprechen. Wir erreichen einen Vergleich mit der Steuerbehörde. In einem halben Jahr kannst du wieder da sein. Auf den großen Bühnen. Verstehst du mich?»

Kasper nickte. Der Klang seines Gegenübers war klar, ohne Schleier. Sie waren dort angekommen, wo sie die ganze Zeit hinwollten.

«Bald. Wenn sie die Kinder haben. Und wir beten zu Gott,

dass sie sie haben. Diese ganze Operation. Haben wir im Vertrauen auf dich veranlasst. Und wenn wir die Kinder nun haben, brauchen wir dich nach wie vor. Um mit ihnen zu sprechen. Ich habe ein paar Kriminalkommissarinnen, unten aus der Abteilung A für Sittlichkeitsdelikte. Und aus Glostrup, wo sie auf Inzestfälle spezialisiert sind. Aber die Kinder hier sind anders. Also, bevor sich andere mit ihnen beschäftigen, möchte ich, dass wir beide mit ihnen sprechen. Ich will verstehen, wozu sie benutzt werden sollten. Abgemacht?»

Kasper nickte.

Mørk richtete sich auf.

«Stirbst du uns weg?», fragte er.

Kasper horchte. Nicht auf seinen Körper, sondern nach außen und oben, der Tod kommt von außen.

Er schüttelte den Kopf.

«Die Musik», sagte er.

Mørk sah ihn nachdenklich an.

«Ist schon wahr», sagte der Beamte. «Dass du vertrauenerweckend bist. Das verstehe, wer will. Aber wenn du jetzt zum Beispiel die Kurve nicht kriegen solltest, wird Petrus anfangen, dir seine privaten Sorgen zu enthüllen.»

«Sie sind in Kopenhagen», sagte Kasper. «Die fünf überlebenden Kinder. Irgendjemand hat sie nach Kopenhagen geholt. Und es war nicht das Stift. Nicht die Äbtissin. Wer hat sie also hergeholt?»

Mørk drückte auf die Starttaste.

Es war der letzte Teil der Kantate. Immer noch voller Trauer, aber neutestamentarischer als der erste Teil. Behutsam eröffnete der Sopran der Polizeipräsidentin einen Ausweg: Der Tod ist die Tür zu einem anderen Etwas.

Kasper hörte den Einklang der Musik, des Gebäudes und der vor ihm stehenden Männer. Der Saal hatte die gleiche Nachhallzeit und Rededeutlichkeit wie ein Kirchenraum. Er hörte, wie religiös die Polizei in Wirklichkeit war. Er hörte das Rechtsbewusstsein. Die Vorstellung einer kosmischen Gerechtigkeit. Mørk hätte jeden Führungsposten in der dänischen Wirtschaft innehaben können. Stattdessen stand er hier. Grau vor Müdigkeit. Aufrecht gehalten von einer inneren Bogenlampe. Kasper konnte es sirren hören. Was da sirrte, war ein Credo: Das Böse ist nicht unvermeidlich, es ist eine Geschwulst, man kann sie wegoperieren.

Mørk war der Chefchirurg der menschlichen Gemeinschaft. Das Präsidium war ihr Klosterspital.

Es war eine schöne Philosophie, Kasper spürte sie in sich selbst. Der Glaube, sein Ziel zu erreichen, wenn nur Struktur und Energie und Mut zum Ausmisten vorhanden sind. Eine Sekunde lang wünschte er sich, er könne daran glauben.

Ein Handy summte, es war Mørks. Er sprach nur kurz. Beendete das Gespräch. Blieb stehen, sah aus dem Fenster.

Er zog einen Stuhl heran und setzte sich Kasper gegenüber.

«Sie haben alles auf den Kopf gestellt», sagte er. «Die Kinder sind nicht da. Keine Spur von ihnen. Es gibt auch keinen Hinweis darauf, dass du da gewesen bist. Meine Leute sagen, es gebe Wachen, eine Infrarotsicherung der Mauer, nirgendwo eine Stelle, durch die du hindurchgeschlüpft sein könntest. Sie haben das ganze Personal am Wickel gehabt und mehrere Passanten. Die Einzige, die dich gesehen hat, ist ein junges Mädchen aus einem Schokoladengeschäft. Sie hat ausgesagt, du hättest ein Osterei für deine Freundin gekauft.»

Kasper betrachtete das Glas mit dem Brandy, es war leer.

«Ich hab mich in dir geirrt», sagte Mørk. «Du hast mich beschissen. Wolltest du Zeit gewinnen?»

«Es hat einen Ausgang gegeben», sagte Kasper. «Den ihr nicht versperrt habt.»

Einen Augenblick lang verlor Mørk die Fassung. Seine linke Hand schloss sich um Kaspers Nacken. Der Schmerz überstieg alles, was Kasper für möglich gehalten hatte. Schmerz ist nie ausgereizt, nach oben hin gibt es keine Grenze. Er verlor das Bewusstsein.

Die Welt formte sich neu, vielleicht war er nur einige Sekunden weg gewesen. Mørk hielt seinen Kopf mit beiden Händen, vorsichtig nun. Er näherte sich Kaspers Gesicht.

«Ich hätte dich gerne vernommen», sagte er. «Aber du verstehst. Ich habe zweihundert Mann auf einen Popanz angesetzt. Nachdem ich den Fall von der örtlichen Polizei an mich gerissen habe. Jetzt habe ich sie alle am Hals. Minister. Polizei. Angehörige. Also, jetzt kann hier nicht vernommen werden. Jetzt muss erklärt werden.»

Hinter Kasper standen die Mönche, sie hoben ihn hoch.

«Warst du drin?», flüsterte Mørk. «Waren die Kinder da?»

Die Mönche packten ihn fester. Diesmal trugen sie ihn.

Das Auto rollte an den Feuerwehrwagen und den Anhängern mit den Pionierschlauchbooten vorbei. Wenn er sie dazu bringen könnte, an einer Stelle mit niedriger Bebauung zu halten, gäbe es eventuell eine Chance.

«Mein Vater liegt im Sterben», sagte er. «Ich möchte ihn gern ein letztes Mal sehen. Wenn wir am Reichskrankenhaus halten könnten, es dauert auch nur ein paar Minuten.»

Sie antworteten nicht, sie fuhren über die Seelandbrücke auf die Autobahn zum Flughafen. Sein Bewusstsein flackerte.

«In meinem Nachruf», sagte er zu den beiden stummen Rücken, «wird man schreiben, dass er dem Fiskus zweihundert Millionen zugunsten des Allgemeinwohls gab und Dänemark mehr Gratiswerbung verschaffte als Niels Bohr und eine Million Paletten mit Bacon zusammen. Trotzdem war das Gefolge – als sie ihn zu Folter und Hinrichtung abtransportierten – ungehobelt wie Hiphop-Gangster. Und unrasiert wie indische Swamis.»

VIERTER TEIL

1 | Sie gaben ihm eine Zelle, er befand sich im Zustand des dritten Bardo, zwischen dem einen Albtraum und dem nächsten. Im ersten Stock, in den Räumen der Ausländerpolizei des Flughafens Kastrup.

Die Zelle war eine von sechs, sie grenzten mit zwei Toiletten an einen Aufnahmeraum mit Bänken, einem Schalter, zwei abgetrennten Kämmerchen für Leibesvisitationen und drei bewaffneten Polizeibeamten, zwei Männern und einer Frau. Alles war aus weißgestrichenem Beton, sogar der Schalter. Aus einer der Zellen hörte man Kinderweinen. Irgendwo stöhnte ein Mensch gequält und rhythmisch. Woanders betete eine Frau ihr *la illaaha illa llah* herunter, es gibt keinen andern Gott außer Gott.

Fenster gab es nicht. Aus weiter Ferne war das durchdringende mechanische Rasen von Jetmotoren zu hören, die beschleunigten.

Ein Beamter stellte ein Metalltablett auf den Tresen, die Mönche leerten Kaspers Taschen, ihr Inhalt wurde auf das Tablett gelegt. Der Beamte nahm den Geigenkasten, zählte die Gegenstände ab, gab Kasper die Banknoten, den Lottoschein und eine Quittung, das Gesicht des Mannes glich einer Maske. Im Pantomimentheater hätte er Kassander gespielt, eine machtvolle und zornmütige Vaterfigur. Selbst im Bardozustand entkommen wir der ödipalen Grundsituation nicht.

In der Zelle standen eine Pritsche und ein Stuhl, die Mönche setzten ihn auf den Stuhl und verschwanden. Er hörte ihre Schritte durch das Gebäude hallen. Er blickte auf die weiße Wand. Er war dort angelangt, wo die großen Opern enden.

Jeder Bühnenkünstler kennt den Absturz um Mitternacht.

Den Übergang vom Theaterlicht in die draußen herrschende Finsternis. Eben noch angebetet, jetzt von niemandem mehr beachtet. Allein durch eine Stadt zu gehen, wo man kaum den Weg ins Hotel findet. Und wo die Einzigen, die einen ansprechen, die Huren sind.

Mit dieser Einsamkeit zu leben, hatte er gelernt. Sie ging vorüber. Sie währte selten länger als 24 Stunden. Und während sie andauerte, war er bereits dabei, für sein nächstes Feuerwerk nachzuladen. Indem er ein Detail seines Entrees aufpolierte. Indem er eine zusätzliche Bewegung einbaute. Im Innern befand er sich bereits in Gesellschaft seines kommenden Publikums.

Jetzt war es anders. Jetzt wartete kein Publikum. Jetzt gab es eine Bardonacht. Eine Flugreise. Vier Mann der *Guardia civil.* Fünf Jahre im Madrider Zentralgefängnis. Oder in Alhaurín el Grande. Eventuell wurde ihm ein Jahr erlassen, wegen guter Führung.

Er horchte in seine Lage hinein. Jeder Augenblick enthält eine Chance. Jetzt war es die Chance, herauszuhören, wie das Bewusstsein an der Stelle gestimmt ist, an der es den ersten Knacks bekommt.

Ein Auge blickte ihn durch das Fensterchen in der Zellentür an, die Tür ging auf, es war dieser Kassander, er legte den Geigenkasten auf den Tisch.

«Ich möchte gerne einen Anruf tätigen», sagte Kasper.

Der Polizist rührte sich nicht.

«In Madrid», sagte Kasper, «warten zehn Fernsehanstalten auf mich. Ich werde ihnen die blutigen Verbände zeigen. Und ihnen sagen, dass ich von der dänischen Polizei misshandelt worden bin. Ganz besonders werde ich daran denken, dich zu beschreiben.»

Er hörte eine leise Angst im System des anderen erwachen, Angst und eine Art unfreiwilliger Bewunderung. Nicht für die eigentliche Drohung, sondern für den Wahnsinn, der dahintersteckte.

«Ich werde das Ganze noch verschlimmern», sagte Kasper. «Ich fange jetzt an, meinen Kopf gegen die Wand zu schlagen.»

«Wir binden dich fest», sagte der Mann.

«Ich schlucke meine eigene Zunge!»

Der Beamte legte ein schnurloses Telefon auf den Tisch. Langsam und nachdenklich verließ er die Zelle. Kasper wählte. Die eine Nummer, die er nie vergessen hatte.

«Ja?»

Es war eine raue Stimme, wie Schottersteine auf einem Transportband. Und doch. Es war die Blaue Dame.

«Die Polizei hat sie nicht gefunden», sagte er. «Ich werde ausgeliefert. Ich kann nichts mehr tun.»

«Wo bist du?»

«In Kastrup.»

«Wissen wir. Fieber ist dir gefolgt. Wo in Kastrup?»

«Das ist ohne Bedeutung.»

«Das ist entscheidend.»

«Bei der Ausländerpolizei.»

«Wir sind in zwanzig Minuten da.»

«Ich bin in einer Viertelstunde weg», sagte er. «Wir sind hier in der Abfertigungshalle. Aber hier kommt keiner rein.»

Sie hatte aufgelegt.

Er klappte den Kasten auf, nahm die Geige heraus, küsste das glatte Holz, stimmte sie. Es war beinah unmöglich, die linke Hand zu benutzen, die Finger machten noch mit, aber im Arm war keine Kraft mehr, er musste die Geige an der Wand abstützen. Die *Chaconne* kam ganz von selbst, wo liegt das Gedächtnis? Jedenfalls nicht im Bewusstsein, denn seines war außer Betrieb. Vielleicht in einem Außenlager.

Die Töne durchströmten ihn, in seinen rechten Arm hinein

und durch den linken hinaus, wie Gott durch die wirbelnden Derwische. Er ertrank in Klang. Er erinnerte sich daran, was Bach geschrieben hatte, als er nach Hause kam, und Maria Barbara und zwei der Kinder waren tot: «Lieber Gott, lass mich niemals meine Freude verlieren.»

Um ihn war Stille. Die Ausgewiesenen lauschten. Die Polizisten lauschten. Das Gebet der Frau war wortlos geworden, das Weinen des Kindes hatte aufgehört. Selbst zwischen den startenden und landenden Flugzeugen lag ein göttlicher Zwischenraum.

Der linke Arm war nicht gebrochen. Der Bogen war nichts Stoffliches, er war eine Verlängerung seines Bewusstseins. Er war in Kontakt mit seinem Publikum. Er war Bach ganz nah.

Einen kurzen Moment, dann war Schluss. Ein Kind schrie. Jemand schlug einen Stuhl gegen die Wand. Eine Tür wurde aufgerissen, eine andere eingetreten. Vier Hercules-Maschinen, beladen mit Tiger-Panzern, hoben ab. Trotzdem war er, für einen kurzen Moment, vollkommen glücklich.

Das Glück hat einen atemporalen Charakter. In den Augenblicken, in denen unsere Herzen ganz offen stehen, treten wir aus der zeitlichen Sukzession heraus. Stine war bei ihm in der Zelle, gemeinsam mit der *Chaconne*, so wie in der letzten Nacht, eh sie verschwand.

2

Es war zur gleichen Abendstunde wie jetzt gewesen. Sie hatten schweigend dagesessen und die Stille spielen lassen, während die Dunkelheit hereinbrach. In ihr ging irgendetwas Wichtiges vor, er wusste nicht, was, aber er wusste, dass er jetzt nicht interferieren durfte. Irgendwann hatte sie sich erhoben und sich hinter ihn gestellt. Er hatte erwartet, sie würde seinen Kopf in die Hände nehmen und ihn zu sich heranziehen, sein

Gehör langte nach ihr, für ihn hatte der weibliche Unterleib immer wie eine bronzene tibetische Klangschale voller Früchte geklungen.

Es geschah etwas anderes. Sie machte Licht, knöpfte ihr Hemd auf und zeigte ihm ihren Arm.

Die blauen Flecke waren gelb geworden.

«Es ist eine Woche her», sagte sie.

Er antwortete nicht, was soll man da schon sagen?

«Es häuft sich», sagte sie. «Es braucht immer weniger, dass du mich schlägst. Gibt's dafür eine Erklärung?»

Ihre Stimme war tonlos. Nahezu hoffnungslos. So hatte er sie noch nie gehört.

«Ich habe immer gedacht, Liebe sei eine Form», sagte er. «Es seien Gefühle, die einen bestimmten Körper umlagern. Ein bestimmtes Herz. Ein Gesicht. Einen Laut. Mit dir ist es anders. Es ist wie etwas, das aufgeht. Eine Tür. Eine Offenheit. Wie etwas, durch das ich hinausfalle. Es ändert sich die ganze Zeit. Du klingst ständig anders. Es ist wie Dope. Ich komme nicht davon los. Ich habe Angst, es zu verlieren.»

«Ich kann keine Gewalt ertragen», sagte sie. «Als Spiel ist es okay. Aber das hier ist kein Spiel. Auch nicht die vorigen Male.»

Sie waren still. Er befand sich im freien Fall.

«Ich habe etwas erlebt», sagte sie. «Irgendwann erzähle ich dir davon. Aber ich kann keine Gewalt ertragen.»

Er stand von seinem Stuhl auf. Sie war fast so groß wie er. Er sammelte all die Teile seines Selbst, zu denen er Zugang hatte. Damals hatte er das Gefühl, dass es alle waren.

«Es wird nie wieder vorkommen», sagte er.

In der Nacht hatte er getanzt.

Ein umfassendes Glück breitete sich über Rungsted und seine Umgebung aus. Die Natur spielte das *C-Dur-Quartett*, den Höhepunkt von Mozarts Arbeit an den Streichquartetten, seine

Antwort auf Haydn. Es war auch dieses Quartett, das Kasper aufgelegt hatte, er hatte gespürt, dass er jetzt tanzen musste. Der Kummer von eben war vorüber, er war neugeboren.

Stine hatte sich aufrecht aufs Bett gesetzt. Er hatte die Möbel an die Wand gerückt und angefangen, sich auszuziehen. Langsam, zögernd, ohne sie anzusehen, gleich war er nackt.

Er begann sich aufzuwärmen, *Pliés*, Atemübungen. Er hörte, wie ihre Atemzüge schneller wurden. Er hörte, wie sie anfing, sich auszukleiden, er blickte nicht in ihre Richtung. Sie stieg vom Bett und trat vor ihn hin, er sah durch sie hindurch. Er hörte einen Klang, stärker als alle andern. Einen Klang ihrer Liebe und ihrer Wildheit. Etwas in ihr wollte sich auf ihn stürzen und mit den Zähnen Stücke rohen Fleisches von seinem Gerippe reißen. Er war heilfroh, dass kein Vertreter der Artistenversicherung zugegen war, sie hätten sofort seine Police gekündigt.

Langsam drehte er sich um sich selbst, als existierte sie nicht. Sie ließ ihre Hände über ihren Körper gleiten, sie liebkoste sich selbst.

Er kauerte sich hin und zog seine Zirkusschuhe an. Sie stellte sich vor ihn, mit den Fingern öffnete sie ihr Geschlecht vor seinem Gesicht, tupfte ein wenig von dem perlenden Honig auf und schrieb etwas auf die Innenseite seiner Schenkel, er wusste, es war das Wort «Jetzt!».

Er entzog sich ihr, auf die andere Seite des Bettes, er setzte seine Clownsnase auf, es war eine gute Kostümierung, Clownsnase, Clownsschuhe und Ständer. Konnte aber gut sein, dass man es sich nochmal überlegen sollte, ob man sie bei Benneweis wirklich präsentierte. Das Quartett schwebte in seinen schnellen Teil hinüber, triumphierend, komplex, nur Mozart wusste noch, was hier oben und was hier unten war.

Stine glitt über das Bett wie ein Leopard, sie war Luft für ihn, die ganze Zeit hörte er die Liebe, wie einen Wasserspiegel, und gleichzeitig eine Begierde, die vor Raserei hätte heulen können.

Er setzte die Clownsnase auf seine Erektion. Sah ihr in die Augen. Er setzte sich dicht neben sie aufs Bett. Wenn man es darauf anlegt, den weiblichen Instinkt zu provozieren, ist es wichtig, nicht zu übertreiben.

Sie glitt auf ihn. Er hörte das Meer. Sie waren drauf und dran, verschlungen zu werden. Frauen sind besser im Verschlungenwerden als Männer. Ihre Körper begannen wegzudämmern, nur das Herz war übrig, sein Geschlecht war auch sein Herz, es war sein Herz, das er in ihrem Geschlecht hatte, klopfend. Er hörte ihrer beider Angst, den anderen zu verlieren. Er hörte sich selbst beten: «Gott Herrin, lass mich darin verbleiben ohne Furcht.»

Sie hatte innegehalten.

«Man erreicht einander nie.»

Er traute seinen Ohren nicht. Er hörte nach wie vor ihren Hunger nach ihm, ihre Liebe, aber nun war ein neuer Akkord zugeschaltet, völlig unerwartet.

«Ungeachtet dessen, wie nah man sich kommt», sagte sie, «man erreicht sich nie, auch jetzt nicht. Sogar jetzt noch, in dem, was wir hier tun, gibt es noch eine Stelle, an der man allein ist.»

Er hatte keine Ahnung, wovon sie redete. Das Weibliche ist ein Meer, und auch wenn man sowohl Korkgürtel als auch Schwimmring umhat, ist das Risiko des Ertrinkens überwältigend, er wollte weg von ihr. Aber das war nicht einfach, sein erigiertes Herz steckte noch in ihr, und sie hielt es fest.

«Weißt du, was man von einer chemischen Analyse fordert?», fragte sie. «Sie soll erschöpfend, widerspruchsfrei und möglichst die einfachste sein. Herrlich, ich liebe das. Leider ist es undurchführbar, selbst in der Mathematik.»

Er kam frei und lehnte sich an die Wand. Sie folgte ihm.

«Wenn man den Duft eines anderen Menschen verspürt», sagte sie, «fühlt man, dass man ihm nah ist. Die wirksamen Stoffe – Ester und fette Säuren – lösen sich in den Fettstoffen der Haut auf, werden von der Schweißverdampfung losgerissen und verdichten sich wieder in den offenen Schleimhäuten des Mundes und der Nase. Diesen Augenblick merken wir. Dort, wo wir Flüssigkeit und Duft sind, sind wir einer Verschmelzung sehr nah. Daher rührt unsere Empfindung, dass es möglich sein müsste. Dass die letzte Haut, welche die Menschen voneinander scheidet, zerrissen werden könnte. Aber es geschieht nicht. Niemals. Verstehst du mich?»

Es war ihr wichtig, es war entscheidend, es war kaum Luft in ihrer Stimme, sie war flach und verdichtet.

«Ich verstehe voll und ganz», sagte er. «Es geht darum, einen Partner zu finden, der widerspruchsfrei ist und der dir vollkommen entspricht. Und solange du auf ihn wartest, begnügst du dich also mit mir.» Er kroch auf sie zu. Umklammerte ihre Oberarme. Ihr Klang änderte sich, er wurde lebensgefährlich.

«Irgendwo in dir bist du ein Gewalttäter», sagte sie. «Das wirst du unter Kontrolle kriegen. Sonst siehst du mich nie mehr wieder.»

Er stand auf und ging in den Windfang. Das war, auf zwanzig Quadratmetern, die einzige Möglichkeit, von ihr wegzukommen. Wenn man sich nicht in den Kühlschrank setzen wollte. Die Natur hatte Mozart aufgegeben. Der Wind in den Nadeln der Fichten klang wie Diamanten auf Glas.

Er war in ihrem Klang gefangen, in ihrem Duft gefangen, wie der Stein in einem Pfirsich.

Sie stand in der Tür.

«Die Einsamkeit», sagte sie. «Warum sollte sie nicht die Erlaubnis haben dürfen, auch hier zu sein?»

Er verstand nicht, was sie meinte. Er verstand den Umschwung nicht. Wieder hatte das Meer sein Aussehen verändert. Gleichzeitig konnte er alle Stimmungen von eben hören. Die Liebe, den Kummer, die Begierde, die Enttäuschung.

Er hatte seinen Morgenrock angezogen. Und die Badelatschen. Und war losgegangen.

Er war einige Kilometer den Strandvej hinaufgelaufen, dann war es zu kalt geworden, er war ins Hotel Rungsted gegangen. Der Junge im Empfang hatte die Klasse und die Haltung des Kleinen Hornbläsers. Er ließ keinerlei Missbilligung erkennen, weder wegen der Latschen noch wegen des Morgenrocks.

«In der Nacht», sagte Kasper, «habe ich eine Frau zurückgelassen, für die ist der Zug abgefahren. Ich bin los ohne meine Kreditkarte. Kann ich ein Zimmer mit Meeresblick haben?»

«Ihr Gesicht», sagte der Junge, «ist so viel wert wie bares Geld.»

In dieser Nacht hatte er nicht geschlafen, er hatte dagesessen und übers Wasser geschaut. Als der Morgen kam, als Klang, noch nicht als Licht, war er in die Rezeption hinuntergegangen. Der Junge stand noch dort, wo Kasper ihn verlassen hatte.

«Die Kirchenväter hatten einen Slogan», sagte Kasper, «*credenti et avanti*, ich weiß nicht, wie viel Latein du kannst, jedenfalls bedeutet das etwa: ‹Lass dein Gebet dich führen.› Heut nacht hab ich gewacht und gebetet und habe erkannt, dass der Zug in Wirklichkeit gar nicht abfährt. In Wirklichkeit bringen wir, auf die eine oder andere Weise, unser Leben nur auf dem Bahnsteig zu – mit denen, die wir lieben. Was hältst du davon?»

«Ich bin fünfzehn», sagte der Junge. «Ich sauge mit Dankbarkeit des Lebens Weisheit in mich auf. Das heißt aber nicht, dass ich nicht auch einen Fünfer Trinkgeld zu würdigen wüsste. Wenn Sie die Überweisung für uns ausstellen.»

«Es wird mehr als ein Fünfer», sagte Kasper. «Wenn du mir noch eine Taxe rufst. Und für mich auslegst.»

Der Junge gab die Bestellung durch.

«Sie möchten wissen, wo die Fahrt hingeht.»

Kasper erwartete, er würde sich selbst sagen hören: «Immer den Strandvej entlang.»

Aber das war es nicht, was aus seinem Mund kam.

«In die Stadt», sagte er. «Ins finsterste Nørrebro.»

Stines Wohnung lag in der Sjællandsgade, im achten und obersten Stock. Er bat den Taxifahrer zu warten. Es waren ein paar Weihnachtstrinker unterwegs, die sinnend seine Latschen und seinen Morgenrock betrachteten.

Das Haus hatte keinen Aufzug, langsam stieg er hinauf, Stines Klang erfüllte alles. Es war nur ein verzweifelt kleiner Teil von ihr, den er bis auf den Grund ausgelotet hatte.

Er blieb vor ihrer Tür stehen und lauschte dem schlafenden Gebäude, seine Finger fanden den Schlüssel über der Tür, drinnen blieb er wieder stehen, ohne Licht zu machen.

Es war ein quadratischer Raum, plus kleine Küche, plus kleine Toilette, schräge weiße Wände, ein erhöhter Erker, ganz wenige Möbel. Die Einrichtung war nicht nur spartanisch, sie war klösterlich. Trotzdem lebte der Raum.

Sein Geheimnis lag zum Teil darin, dass die wenigen Dinge, die er enthielt, ihren Platz hatten, wie Steine in einem Sandgarten. Er hatte mehr Bühnenbildner und Requisiteure verschlissen, als er im Gedächtnis behalten konnte, aber nur verschwindend wenige hatten das gehabt, was Stine hatte. Und die wenigen hatten, genau wie sie, ganz wenige Möbel gebraucht, wenige Lampen, wenige Requisiten.

Er hörte das Echo ihrer nackten Füße auf den Fußbodendielen, er spürte einige ihrer Düfte. Aber in anderer Hinsicht gab die Wohnung fast keine Auskunft über sie: ein Schreibtisch aus gescheuerter Eiche, eine brünierte Poul-Henningsen-Lampe aus den dreißiger Jahren. Ein Stuhl. Ein großes Doppelbett. Eine Art Karten- oder Skizzenschrank mit den großen, flachen, quadratischen Schubläden von Architekten und Graphikern, an diesem Möbel hatte er für die Lade im Wohnmobil Maß genommen. Auf dem Tisch standen Schreibgerätschaften. Zwei

Computer. Auf einem niedrigen Tisch zwei Drucker. An der Wand ein Anschlagbrett mit Karten und Kurven. Rundherum lagen Treibholzstücke, Holz, das schwarz geworden war, grau, silbern. Strandsteine. Konchylien. Blumen, Orchideen, nicht die aus den Blumengeschäften, leise, seltene botanische Arten, die er hier zum ersten Mal gesehen hatte. Ein niedriges Regal mit Fachbüchern. An der einen Wand ein Teppich aus dünner schwarzer Wolle mit einem intrikaten eingewebten geometrischen Muster. Keine Bilder an den Wänden. Keine Fotografien.

Von ihrer Vergangenheit hatte sie im Grunde nichts erzählt. Und er hatte nicht gefragt. Sie waren umeinander herumgetanzt, der stillschweigenden Übereinkunft folgend, all jene Stellen zu umgehen, an denen die Vergangenheit archiviert war. Und die Zukunft geplant wurde.

Es war ein schöner Tanz gewesen, bewegend, respektvoll. Die Kehrseite des Respekts ist eine unnötige Distanz. Er ließ sich von der Stufe des Erkers gleiten und zog eine der flachen Schubläden auf, sie war mit Briefen gefüllt.

Sie waren zusammen im Bad gewesen, hier in der Wohnung, er war zuerst herausgekommen. Sie hatte das Wasser abgedreht. Die Tropfen an den Wänden und am Duschvorhang hatten Chopins *Präludium in Des-Dur* gespielt, Tropfen hellen, sauerstoffgesättigten Herzbluts, das auf schwarzen Marmor fällt. Sie hatte Seife auf ihren Handflächen verteilt, mit Wasser verdünnt und eine Seifenblase von den Händen geblasen, groß wie eine Kokosnuss.

Sie strich Seife auf ihren Unterarm, hielt ihn ganz nah am Körper unter der linken Brust, vor dem Herzen. Sie fing an zu blasen, so etwas hatte er noch nie gesehen, die Blase war groß und vergoldet wie der Ball der Seelöwen im Zirkus, dreißig Zentimeter im Durchmesser.

Sie konnte sich nicht schließen. Sie fing sie mit dem andern

Arm, nun bildete sie einen Schlauch quer über ihren Körper. Sie dehnte den Schlauch, seine Seiten wölbten sich nach innen, als wollte er sich gleichzeitig ausweiten und schließen.

«Der Dirichletsche Satz», sagte sie. «Über minimale Flächen. Ein sehr schöner Beweis. Wenn wir eine Fläche vergrößern, wird sie, während sie gleichzeitig nachgibt, versuchen, das kleinstmögliche Areal zu umfassen.»

Sie war ihm entgegengekommen. Mit der konkaven, langgestreckten, glänzenden Blase.

«Alles Lebendige», sagte sie, «und alles Tote. Versucht, sich zu erweitern und sich zurückzuhalten. Auch die Liebe. Es ist ein Rätsel. Wie lässt man sich frei fallen? Und behält gleichzeitig die Hand an der Notbremse?»

Sie stand dicht vor ihm. Auf ihrer Haut schien eine unsichtbare Schicht klaren Öls zu schimmern. Wasser konnte es nicht sein, die Oberfläche des Wassers zog sich zusammen und schied es in Tropfen, wie auf einem Delphin.

«Und? Gibt es eine Lösung?», fragte er.

«Selbst wenn. Du würdest sie nicht wollen.»

Die Blase berührte ihn.

«Und du hast es nie gewollt. Nicht mal, als du ganz nah dran warst.»

Die Blase platzte.

Es war nur ein kleines Versehen gewesen. Aber es hatte gereicht. Einen Augenblick lang war ihr Klang anders gewesen. Voll Wissen. Dieser Augenblick hatte ihm gezeigt, dass sie etwas über ihn wusste. Dass sie in einem Raum seines Systems gewesen sein musste, zu dem er ihr keinen Zutritt gewährt hatte. Und aus dem sie etwas mitgenommen haben musste. Das war die Erinnerung, die diese Nacht aktiviert hatte.

Wer eine gute Erziehung genossen hat, liest anderer Leute Briefe nicht, er hatte nicht einmal die von Bach gelesen, die bei Groce abgedruckt waren. Und Kierkegaards Briefe nur aus akademischen Gründen. Aber will man in das Weibliche eindringen, muss man sich jeder Öffnung bedienen.

Er hob die Briefe stapelweise heraus und rischelte sie durch. Wer ein ganzes langes Leben lang mit glücklicher Hand Karten gemischt und gegeben hat, findet sich mit Leichtigkeit in einem Haufen Papier zurecht.

Die ersten Stapel waren technische Briefe: *Seismiske Sektion, Lunds Universitet. British Geological Survey*, Edinburgh. Massenweise Schreiben vom *European-Mediterranian Seismological Center, EMSC*, in Bruyères-le-Châtel. Und von der *UCLA, Institute of Geophysics.* Auf billigem Kopierpapier. Er war bei der Privatpost angelangt, sie war sehr überschaubar. Entweder bewahrte sie sie woanders auf. Oder sie bewahrte sie nicht auf. Es gab einen dünnen Stoß handgeschriebener Briefe, auf gebrochen weißem, geprägtem Papier von hohem Grammgewicht. Sie waren mit «Mutter» oder «deine Mutter» unterschrieben. Es gab keinen Absender, aber neben dem Datum stand der Ort: «Holte». Dann fand er doch einen Umschlag mit Absender, er steckte ihn in die Tasche.

Er suchte weiter. Der Klang im Raum veränderte sich. Er wusste, er näherte sich seinem Ziel. Er horchte in mehrere Stapel hinein, die mit Büroklammern zusammengehalten waren. Es waren Briefe ehemaliger Geliebter, eilig verschloss er sein Gehör, ist es nicht recht eigentlich vollkommen unannehmbar, dass eine Frau je einen anderen Liebhaber gehabt haben soll als uns?

Zwei Bogen streiften seine Finger und sein Gehör, wie ein Dorn. Sie waren zusammengeheftet, die Heftklammern hatten ihn gestochen. Er trennte sie. Es waren Fotokopien. Er erkannte die Handschrift. Es war seine eigene. Sorgfältig geschrieben vor über zwanzig Jahren. Von einem Menschen, der in gewisser Weise er selbst gewesen sein musste.

Er hatte gewusst, er würde sie finden. Das war es, was er in ihrer Stimme gehört hatte, an dem Tag im Badezimmer. Der Klang dieser Briefe.

Es war ein dritter beigelegt. Ebenfalls handgeschrieben. Die Fotokopie der Antwort, die er seinerzeit erhalten hatte. Die Handschrift der Antwort war nicht exakt gleich, sie war leicht wellig. Wie Mozarts Handschrift in seinen Noten, um Mozart zu spielen, war ein Faksimile absolut notwendig. Die Wellen seines Notenbilds waren voller Informationen, genauso war es mit der Handschrift vor ihm.

Hier hätte er aufhören sollen. Aber er machte weiter. Seine Finger fanden einen dickeren Umschlag. Er enthielt dünneres Papier. Offenbar mit Fingerabdrücken, in Lila, von fünf Fingern, die aber breiter waren als Finger normalen Umfangs. Die Abdrücke waren durch eine selbstklebende Folie geschützt, das Blatt trug den Vermerk «Reichspolizei, ZfI». Unmittelbar darunter lag ein zweites Blatt, mit Zahlen- und Buchstabenkombinationen und dem Vermerk «Kriminaltechnische Abteilung» im Slotsherrensvej.

Er zog eine letzte Karte. Es war eine Quittung für «verschiedene Leistungen», mit dem Vermerk «Justizministerium, KIF».

Er sah auf seine Uhr. Es war Sonntag. Es war noch nicht sieben. Er rief Sonjas Mobilnummer an.

Es dauerte eine ganze Weile, bis sie abnahm. Wo sie auch war, bestimmt nicht bei sich zu Hause, es war eine andere Akustik, weniger schalldämpfende Flächen. Sie war im Bett, er konnte das Knistern der Wäsche hören. Neben ihr lag ein Mann. Sie hatte Alkohol in der Stimme, warmen Alkohol, wahrscheinlich Gløgg, so kurz vor Weihnachten.

Er dachte daran, wie es sich anfühlen musste, Sonjas Mann zu sein und mit den Kindern zu Hause zu sitzen. Während sie weit in den Sonntag hinein Überstunden machte.

Er dachte an die feinen, geplatzten Kapillare auf ihren Wangenknochen. Die ersten zarten Anzeichen, dass man auch vom Guten zu viel bekommen konnte. Zu viele Männer, zu viel Geld, zu viel Erfolg. Zu viel Brunello.

Für solche Zwecke hatte er ihre Mobilnummer noch nie zuvor benutzt, sie stellte keine Fragen, sie hatte den Ernst der Lage unmittelbar gespürt.

«Ich habe hier fünf Fingerabdrücke», sagte er. «Seltsam breit. Mit dem Vermerk ‹Reichspolizei, ZfI›. Dann habe ich ein paar Zahlen und Buchstaben von der Kriminaltechnischen Abteilung. Und eine Quittung vom Justizministerium mit dem Vermerk ‹KIF› und ‹Horsens›. Wo führen diese Sachen hin?»

«Ich brauche ein bisschen Zeit dafür. Kann ich dich zurückrufen?»

Er gab ihr Stines Nummer.

Sonja machte die Tourneepläne für die großen Zirkusse und die großen Rockkonzerte. Jeder Zirkus besuchte im Schnitt achtzig Städte pro Sommersaison, nach einer Logistik, die tief in der Tradition verwurzelt war und auf Vertrauen und persönlicher Bekanntschaft gründete. Es gab nicht einen Polizeivorsteher im Lande, mit dem sie nicht auf gutem Fuße stand.

Er setzte sich in den Erker. Hier hatten er und Stine sich gegenübergesessen, unbekleidet. Das Fenster war rund, er blickte über das äußere Østerbro und über den Öresund. Es war der einzige Punkt in Nørrebro, von dem aus man das Wasser sehen konnte. Er war überzeugt, dass sie die Wohnung wegen des Blicks ausgesucht hatte. Auf der Straße hörte er das Taxi hupen.

Das Telefon klingelte.

«ZfI», sagte Sonja, «heißt ‹Zentralbüro für Identifikation›, mit Sitz im Polizeipräsidium. Dass die Fingerabdrücke breiter aussehen, liegt daran, dass sie ‹abgerollt› wurden, wie man sagt. Ein Beamter hat die Fingerkuppen der Person auf ein Farbkissen gedrückt und sie über ein Blatt Papier gewalzt. Das ZfI berücksichtigt neun Punkte pro Hand, wenn sie die Leute mit Hilfe von

Abdrücken identifizieren, das dürfte ebenso genau sein wie eine DNA. Und was du da von der Kriminaltechnischen Abteilung hast, ist wahrscheinlich das DNA-Profil. Beides kann ausgehändigt werden, wenn eine Person, zum Beispiel nach Verbüßung einer Strafe, aus dem Kriminalregister gestrichen wird, das ist die zentrale Datenbank der Reichspolizei, von der aus Führungszeugnisse ausgestellt werden. Die Quittung stammt von der ‹Kriminalfürsorge in Freiheit›, insgesamt sind das 33 Institutionen, eine Form des sehr offenen Strafvollzugs. Horsens ist das einzige der fünf geschlossenen Staatsgefängnisse, das einen Hochsicherheitstrakt hat, mal abgesehen von den Rockerabteilungen. Kurzum, diese Sachen führen dich zu einem Menschen, der eine lange Haftstrafe verbüßt hat, den letzten Teil seiner Strafe im offenen Vollzug verbracht hat, nach guter Führung, und danach, gemäß den polizeilichen Regulativen, seine Fingerabdrücke zugeschickt bekommen hat, zum Nachweis, dass er nicht mehr im Kriminalregister geführt wird.»

Kasper horchte in die Wohnung hinein. Sie hatte einen neuen Klang bekommen. Vielleicht hörte Sonja es auch.

«Es ist die Frau», sagte sie. «Du hast entdeckt, dass sie vorbestraft ist.»

Er sagte nichts.

«Das kann auch für etwas relativ Harmloses gewesen sein», sagte sie. «Du und ich und die meisten von uns – wenn wir den Behörden die Karten auf den Tisch gelegt hätten, wären wir in Gewahrsam genommen worden.»

Zum Trösten hatte sie immer die Kraft gehabt, für ihn, für andere, auch als sie noch ganz jung waren. Diesmal gelang es ihr nicht.

«Ist es Gløgg?», fragte er.

«Sake.»

«Pass gut auf dich auf», sagte er.

Er legte auf.

3 | Das Taxi hatte ihn oben am Strandvej abgesetzt, er war leise in den Wagen gegangen. Stine schlief, er hatte sich in den Sessel gesetzt und ihrem Schlummer gelauscht. Sie schlief entspannt, er konnte ihre Träume nicht hören.

Er saß vielleicht eine Viertelstunde so. Dann setzte sie sich im Bett auf. Sie erwachte wie eine Katze, in der einen Sekunde noch tiefe Bewusstlosigkeit, in der nächsten totale Wachheit.

«Ich möchte dir gern etwas erzählen», sagte er, «und dich etwas fragen, es wird aber ein Weilchen dauern.»

Sie hatte nach dem Telefon gegriffen und mitgeteilt, dass sie nicht zur Arbeit komme. Keine elegante Rechtfertigung, die der Person am andern Ende der Leitung das Leben leichter gemacht hätte, bloß eine lakonische Mitteilung, und sie legte auf.

Sie waren nach Süden gefahren, bei Bellevue bogen sie ab, parkten am Bahnhof Klampenborg, sie waren nördlich an der Tiergartenhöhe vorbeigegangen, ohne ein Wort zu wechseln, dann durch die Wolfstäler über die Eremitage-Ebene zum Weiher Hjortekæret, am Schloss vorbei, und hatten sich dann auf eine Bank oberhalb des Hangs gesetzt.

Die Ebene hatte nicht den natürlichen trockenen Klang, vielleicht aufgrund der Bäume, vielleicht aufgrund der glatten Oberfläche des Sunds, ein stiller Wasserspiegel ist steinhart, es herrschte eine Akustik wie in einem Konzertsaal, alle Flächen waren hart und widerhallend.

Irgendwo hat Martinus gesagt oder geschrieben, die Ebene an der Eremitage sei der irdische Reflex eines spirituellen Faktums in einer besseren Welt. In diesem Moment verstand Kasper ihn, genau an der Stelle, an der sie gerade saßen, war es möglich, mit dem Geräusch von Charlottenlund und Hellerup zu leben und mit der Großstadt dahinter.

«Als ich zwölf war, hab ich mir den Rücken gebrochen», sagte er, «bei der klassischen Fassnummer. Du hüpfst mit gefesselten

Beinen und Augenbinde einen Stapel von 90-cm-Fässern hoch, das endet bei ungefähr acht Metern, du bekommst deinen Applaus, kehrst um, hüpfst wieder hinunter und schließt mit einem Salto vorwärts mit ganzer Schraube. In sechs Metern Höhe sprang ich daneben, verfehlte das Fass, prallte aufs nächste, der Stapel kippte um, er stürzte auf mich. Es waren dreißig Kilo schwere Bierfässer von Carlsberg, ich habe mir den Rücken und die Hüfte gebrochen. Im Reichskrankenhaus haben sie gesagt, ich würde nie wieder stehen können und den Rest meines Lebens mit einem Löffel gefüttert werden müssen, und dieser Rest könnte ziemlich kurz werden. Sie haben zwei Türen hinter sich zugemacht, ehe sie das gesagt haben. Ich habe es trotzdem gehört.»

Er hörte ihr Mitgefühl.

«Es war nicht so schlimm», sagte er. «Es war, wie wenn man anfängt zu fallen, mir wurde eine Last von den Schultern genommen, die Last, ein normaler zwölfjähriger Junge Mitte der siebziger Jahre sein zu müssen. Es war ein Zwischenraum entstanden, in diesem Zwischenraum habe ich zum ersten Mal *gehört*. Ich hörte das Krankenhaus, die Heimfahrt, den Wohnwagen, das Winterquartier, das alles hatte ich noch nie gehört. Und es waren nicht nur die physischen Laute, es war ihr Zusammenhang. Normalerweise hören wir die Welt nicht, wie sie ist. Wir hören eine redigierte Fassung. Die Geräusche, die wir mögen, suchen wir uns heraus. Das Klingeln am Kartenschalter, wenn die Kasse geöffnet wird. Die Fanfare, die die kleine Zirkusprinzessin ankündigt, in die wir verliebt sind. Das Brodeln von achthundert Menschen in einem ausverkauften Zirkuszelt. Während wir die ungeliebten Geräusche wegschieben. Das Geräusch der Lederverstärkungen des Segeltuchs, das morsch geworden ist. Das Geräusch ängstlicher Pferde. Das Geräusch der Toiletten. Der Windstöße im August, die uns sagen, dass der Sommer bald zu Ende sein wird. Und die übrigen Geräusche sind uns gleichgültig, die drehen wir leiser, den Verkehr, die Stadt, die Allgemeinheit. So lauschen wir. Weil wir Projekte haben, weil wir ein bestimmtes Ziel erreichen wollen, auch ein Junge von zwölf Jahren. Aber ich hatte plötzlich keine Projekte mehr, sie waren mir abgenommen worden. Und zum ersten Mal hörte ich etwas vom Leben *live*, ohne Filter, ohne Sordino.»

Er hatte bemerkt, dass Stines Augen jetzt grau waren. Bei anderen Gelegenheiten waren sie andersfarbig gewesen. Türkis, grünlich. Manchmal auch gefleckt.

«Wenn man wirklich lauscht, fangen alle Geräusche an, sich nach Themen zu ordnen. Sie sind nicht zufällig. Wir leben nicht im Chaos. Es gibt jemanden, der etwas zu spielen versucht. Ein Musikstück durchzusetzen versucht. Gott die Herrin. So habe ich es genannt. Das war der Name, den ich dem Komponisten gegeben habe. Der die Musik macht. Ich habe drei Monate gelegen, da merkten sie, dass ich Fortschritte machte, und daraufhin fingen sie an, mit mir zu trainieren. Dabei habe ich an die eigentliche Heilung nur eine blasse Erinnerung. Gefreut haben sich meist die andern. Ich war mit der anderen Sache beschäftigt. Wieder und wieder, kurzzeitig, immer nur kurzzeitig, immer nur einen Augenblick, ohne Schalldämpfung im Körper und ohne in der Welt zu sein. Damit stand eine Tagesordnung fest. Auch wenn du erst zwölf Jahre alt bist, auch wenn dir die Worte dafür fehlen, weißt du, dass du den Rest deines Lebens damit verbringen wirst, richtig hinzuhören. Um eine naturgetreue Wiedergabe der Welt zu erreichen. Sie zu hören, wie sie wirklich ist. Und mit dem Verlangen danach kommt die Furcht, es könne missglücken. Das ist zwanzig Jahre her. Die Hälfte eines Lebens ist vergangen. Und ich bin dem Ziel nicht viel näher gekommen.»

«Was hindert uns denn daran zu hören?», fragte sie.

Er zögerte lange mit der Antwort. Erst einmal zuvor hatte er darüber mit einem anderen Menschen gesprochen.

«Um in dieser Welt zu leben, sind wir genötigt, ständig ein Orchester spielen zu lassen. Ganz im Vordergrund. Es ist ein kleines Tanzorchester. Es spielt die ganze Zeit unsere eigene Melodie. Es spielt den Evergreen *Kasper Krone*. Der eine Reihe Refrains hat, die immer wiederkehren, ständig aufs Neue. Unsere Kontonummer, unsere Kindheitserinnerungen, unsern PIN-Code, den Klang von Vaters und Mutters Stimme. Die hellgrünen Strophen, von denen wir hoffen, sie werden die Zukunft sein. Der dunkle Lärm, von dem wir mit gutem Grund annehmen, dass er unsere faktische Wirklichkeit sein wird. Er spielt ohne Unterlass, er spielt wie der Herzschlag, meiner spielt schon ein halbes Leben. Aber wenn der andere Laut durchdringender wird, entdeckt man, dass man die ganze Zeit mit dem Rücken zum eigentlichen Konzertsaal dagestanden hat. Wir halten uns in einer Art Foyer auf. In dem wir das große Orchester erahnen können. Und der Ton, schon der Ansatz eines Tons aus dem eigentlichen Konzertsaal, ließe die *h-Moll-Messe* verschwinden. Wie ein Wispern im Wind. Es ist ein Ton, der jeden Kriegslärm fortwischt. Er ertränkt die Sphärenmusik. Er entfernt alle Töne der Wirklichkeit. Und indem du ihn erahnst, ahnst du auch den Eintrittspreis. Wenn die Tür zu dem Saal sich öffnet, entdeckst du, dass du dich unter Umständen geirrt hast. Dass Kasper Krone nur existiert, weil die Ohren damit fortfahren, denselben kleinen Kehrreim von der geschlossenen Klangmasse zu isolieren. Dass wir, um Kasper und Stine aufrechtzuerhalten, den Input aus anderen Kanälen auf pianissimo gestellt haben. Und jetzt fängt es an, sich zu ändern. Und dann kannst du es spüren. Wenn du hineinwillst, wird es die teuerste Konzertkarte, die ein Mensch je gekauft hat. Es kostet dich nämlich den Klang deines eigenen Systems.»

Sie strich ihm über den Arm. Es war ihm nie gelungen, sich ein Bild von ihrem Körper zu machen. Es gab Momente, in denen sie ihm vogelhaft schmächtig erschien, in anderen kam sie ihm massig wie ein Freistilringer vor. Aber immer, wenn sie ihn berührte, konnte er die Erde hören, die Erde und das Meer.

«Und wo sind wir in dieser Geschichte?», fragte sie. «Du und ich?»

«Mit dir», antwortete er, «geht jede Verbindung zum Lautstärkeregler verloren. Und ich habe Lust wegzulaufen.»

Sie war still. Der Wald war still. Der Wind hatte sich gelegt. Der Begriff der Kunstpause ist Gott der Herrin nicht fremd.

«Ich habe auch ziemliche Angst», sagte sie. «Können wir nicht zusammen weglaufen?»

Er wartete. Sie hatte eine erste Chance, zur Aufrichtigkeit, die Möglichkeit war da, dann war sie vorüber.

«Zwölf zu sein», sagte er, «oder sechzehn oder neunzehn und die Erfahrung gemacht zu haben, dass wir in einer Illusion leben, dass die Welt in Wirklichkeit nicht aus Stoff, sondern aus Klang besteht, ist nicht leicht. Wo sollte man hin? Mitte der Siebziger? Mit einer Erfahrung, die kein anderer im Umkreis von dreitausend Kilometern gehört hatte. Das isoliert einen. Das führt zu einer Mischung aus Einsamkeit und Größenwahn. Man wusste, man würde nicht verstanden werden. Nicht von seiner Familie. Nicht von den befreundeten Artisten. Nicht von den Geistlichen. Nicht von den Ärzten. Nicht von den Klugen. Von niemandem. Trotzdem suchte man.»

Sie war ganz still geworden. Vielleicht spürte sie es näher kommen. Ihre zweite Chance kam, er hörte es, auch sie wurde vertan. Der Augenblick war offen, dann war er wieder verschlossen.

«Artisten sind gläubig», sagte er. «Tiefreligiös, wie Zigeuner und Matrosen. Kann sein, weil sie dem Tod so nahe sind. Oder weil sie so viel umherziehen. Oder mit Illusionen arbeiten. Jeden Abend entfaltet man die Wirklichkeit, dazu Musik, und stellt sie in die Manege und klappt sie wieder zusammen und trägt sie hinaus. Wer das fünftausendmal gemacht hat, dem schwant, dass diese Welt eine Luftspiegelung ist. Dass ohne Rücksicht darauf, wie sehr man einen anderen Menschen liebt, eine Frau, ein Kind, diese Person früher oder später aus der Manege getragen werden und verwesen muss. Und wenn man ganz ehrlich ist, kann man jetzt bereits merken, dass wir allesamt, schon jetzt, ein kleines bisschen stinken. Sodass man sich dem einen oder andern Gott zuwendet. Im Herzen jedes Artisten liegt eine Sehnsucht, eine Leerstelle, in der Art von Gott der Herrin. Und die dänische Volkskirche taugte nicht recht dafür, die Einzigen, die religiöse Erfahrungen ernst nahmen, waren die von der Inneren Mission, und die konnten den Zirkus nicht leiden. Sodass einige Artisten ihre eigene Religion entwickelten. Wie mein Vater, er ist gläubiger Atheist und stolz darauf. Dann gab es welche, die sich für einen andern Laden entschieden, entweder die katholische Kirche in der Bredgade oder die Orthodoxen. Meine Mutter hat mich in die Newskikirche mitgenommen. Wir haben mit einer Frau gesprochen. Die Frau war in Ordenstracht. Meine Mutter hat ihr erzählt, dass mein Vater den Zirkus verlassen hatte und wünschte, dass sie auch aufhörte. Was sie denn nun tun solle? Ich war damals nicht älter als acht, trotzdem wusste ich, was die Frau hätte antworten müssen, aber sie tat es nicht. Sie sagte nur einen Satz: ‹Ich liebe den Zirkus auch.› Wir haben vielleicht noch zehn Minuten dagesessen, in völligem Schweigen. Dann gingen wir. Als ich neunzehn war, und mir ging's schlecht, habe ich ihr geschrieben.»

Er schwieg, sein Schweigen war Stines letzte Chance. In den Märchen und dieser sogenannten Wirklichkeit hat man immer drei Chancen. Der Augenblick war da, und dann war er verpasst.

Er zog den zusammengefalteten Brief aus der Tasche und legte ihn auf die Bank.

«Sie hieß Mutter Rabia», sagte er. «Ich habe nachgefragt und fand heraus, dass sie Diakonissin und Klosterleiterin war. Ich habe ihr geschrieben. In diesem Brief habe ich zum ersten Mal einem Menschen erzählt, was ich dir heute erzählt habe. Wenn du es bitte vorlesen möchtest.»

Sie rührte sich nicht. Er stand auf.

«Ich habe meine Brille vergessen», sagte er, «aber ich weiß es noch auswendig, nach wie vor. Es fängt so an: ‹Gott die Herrin hat jeden Menschen in seiner eigenen Tonart gestimmt, und ich – der Clown Kasper Krone – befinde mich in der heiklen Situation, sie heraushören zu können.› Ich habe den Brief vor 23 Jahren geschrieben, ich habe keine Kopie aufbewahrt. Heute früh habe ich ihn wiedergesehen. In deiner Wohnung. Ich hatte mir schon gedacht, ihn bei dir zu finden. Deshalb bin ich reingegangen.»

«Sie hat dir geantwortet», sagte Stine. «Mutter Rabia hat dir geantwortet. Warum hast du auf ihre Antwort nicht reagiert?»

Er hatte sie in einer Spirale umkreist, jetzt hatte er sie erreicht. Seine Hände schlossen sich um ihre Unterarme.

«Ich bin's, der hier die Fragen stellt», hauchte er. «Woher hast du den Brief?»

«Willst du mich nicht loslassen?»

Ihre Stimme war heiser, sie bat ihn, inständig, flehentlich.

Er drückte fester, sie wurde in die Knie gezwungen.

«Du wirst es erfahren», sagte sie. «Aber nicht jetzt.»

«Jetzt», sagte er.

«Ich habe einige Dinge durchgemacht», sagte sie. «Mit Männern und Gewalt. Die nicht schön waren. Ich habe Angst.»

Ihr Gesicht war grau geworden. Sehr müde.

Er drückte zu. Etwas, von dem er nicht wusste, was es war, hatte Besitz von ihm ergriffen.

«Ich will über den Brief reden», sagte er.

Er hatte sie körperlich unterschätzt, wie immer. Sie trat ihm aus der knienden Stellung heraus mit gestrecktem Spann seitlich gegen den Unterschenkel. Der Tritt war so kräftig, dass er zunächst keinen Schmerz verspürte, nur eine Lähmung. Seine Beine knickten unter ihm ein. Sie war als Kind auf Bäume geklettert und hatte mit Jungen gespielt, er konnte es hören. Sie packte sein Handgelenk, er konnte den Fall nicht abfedern. Er traf mit der Schulter auf die Erde, wie Radrennfahrer und Artisten, um den Schädel zu schützen. Er hörte sein Schlüsselbein brechen, ein knackender Laut wie von trockenem Eschenholz.

Sie war aufgesprungen, aber er warf sich aus seiner liegenden Position nach vorn. Er ergriff ihr Fußgelenk und zog kräftig an. Er robbte ihr nach, bis sie nebeneinander lagen.

«Dass du mich gefunden hast», sagte er, «am Strand, das war kein Zufall. Da passiert irgendwas Großes, und ich bin mittendrin, du willst was von mir!»

Er packte ihren Kiefer. Seine Finger drückten auf die Nervenzentren hinter den Kiefermuskeln.

«Mein Grundtrauma», sagte er, «ist, dass man dem Weiblichen nicht trauen kann. Frauen wollen immer etwas anderes als Liebe. Vielleicht unsern Körper. Oder unsere Berühmtheit. Unser Geld.»

Sie riss sich los.

«Ich bin froh, dass ich's jetzt nicht mehr verbergen muss», sagte sie. «Dass ich nur deinen Körper wollte.»

Seine Finger schlossen sich wieder um ihren Kiefer.

«Da ist noch mehr», sagte er. «Du bist richtig weit gegangen. Hast eine Vorstellung gegeben, die jetzt schon drei Monate dauert. Erzähl mir endlich mal, wovon sie handelt!»

Er drückte zu.

«Du hast alles kaputt gemacht», sagte sie.

Dann verpasste sie ihm einen Kopfstoß.

Das war das Einzige, womit er nicht gerechnet hatte. Sie traf sauber. Nicht auf die Nase, das führt zu Sturzblutungen. Nicht zu hoch, wo der Schädel zu dick ist. Sondern genau über dem Nasenrücken.

Er ging aus wie eine Kerze im Windstoß. Nur ein paar Minuten, aber als er langsam wieder hören und sehen konnte, war sie weg. Menschen betrachteten ihn, in gehörigem Abstand. Ordentliche Mitbürger, die ihre Hunde Gassi führten und ihn verächtlich anstarrten. Er hatte ihre Gedanken hören können, sie dachten, da liegt schon wieder so ein Süchtiger, der auf den grünen Wiesen Psilocybine gesammelt hat und jetzt zu Boden gegangen ist.

Wieder einmal würde er genötigt sein, sein Selbstbild zu justieren. Immer hatte er sich vorgestellt, dass er einst mit der Prinzessin in einer Kutsche durch den Tiergarten rollen würde.

Er hatte den Wagen mit einer Hand nach Hause gelenkt. Er hatte neben dem Wohnmobil geparkt und war sitzen geblieben. Die Natur hatte den letzten Teil der *Kunst der Fuge* gespielt. Daraus hatte er geschlossen, dass er sie nie mehr wiedersehen würde.

4

Er wusste die Nummer des Reichskrankenhauses auswendig. Er wollte auf Wiedersehen sagen. Er wählte. Es war Maximillian selbst, der abnahm.

«Ich bin's», sagte Kasper. «Ich rufe vom Flughafen an.»

«Das heißt, wir stehen beide vor einer dieser etwas größeren Reisen», sagte Maximillian.

Sie schwiegen eine Weile.

«Weißt du noch», sagte Kasper. «Als wir Kinder klein waren. Wenn wir zu Mittag aßen, nach den Vormittagsproben. Es waren immer Kinder zu Besuch, wir Kinder brauchten nicht zu sitzen, wir liefen zum Tisch und wieder weg. Bekamen Häppchen. Damit wir nicht aufhören mussten zu spielen. Und wenn wir trainierten, habt ihr uns nie gedrängt, weder du noch Mutter. Nie. Dafür hab ich mich nie bedankt.»

Er suchte nach einem Wort, dann kam es. Es war altmodisch, Mottenkiste, aber das einzig Richtige.

«Respekt», sagte er. «Es gab immer eine Art Respekt. Auch wenn ihr euch gestritten habt. Auch als ich ganz klein war.»

Als Maximillian antwortete, war seine Stimme heiser wie bei einer akuten Halsentzündung.

«Wir haben unser Bestes getan. Und in der Regel war es nicht gut genug. Am liebsten erinnere ich mich an die Nächte. Wenn wir uns abgeschminkt hatten. Wenn wir zu Abend aßen. Vor dem Wagen. Und deine Mutter Brot gebacken hatte. Weißt du noch?»

«Man hat sich die Finger an der Rinde verbrannt.»

«In manchen dieser Nächte. Waren wir sehr glücklich.»

Sie schwiegen ein letztes Mal.

«Wenn die Maschine abhebt», sagte Maximillian. «Woran wirst du dann denken?»

«An euch», sagte Kasper. «An Stine. An die kleine Schülerin, nach der ich gesucht habe. Ich hab sie nicht gefunden. – Und du?»

«An deine Mutter. Und dich. Und Vivian. Und dann werde ich mich innerlich darauf vorbereiten, als stünde ich im Zugang zur Manege. Kurz bevor sich der Vorhang hebt. Die Vorbereitungen sind getan, die Karten sind verkauft. Und trotzdem hat man keinen Schimmer, was auf einen zukommt.»

«Keiner von uns beiden soll zuerst auflegen», sagte Kasper. «Wir müssen gleichzeitig auflegen. *Timing*, das hat immer eine Menge bedeutet, für dich und für mich. Ich zähle bis drei. Und wir legen auf.»

Er hörte, wie die Tür hinter ihm aufging. Sie kamen, ihn zu

holen. Ohne sich umzudrehen, zählte er langsam und deutlich bis drei. Er und sein Vater legten gleichzeitig auf.

Es war Kassander, hinter ihm standen zwei Frauen. Weiß und barmherzig, wie die Lichtwesen bei Kübler-Ross. Aber attraktiver. Geschlechtlich deutlicher definiert als Engel.

Sie beugten sich über ihn. Nahmen ihm die Geige aus der Hand. Fühlten seinen Puls. Zogen seinen Ärmel hoch. Schnallten einen Blutdruckmesser um seinen Oberarm. Er fühlte die Kühle eines Stethoskops auf der Brust.

Die eine der beiden war die Afrikanerin. Jetzt in einem weißen Kittel. Die Haare in zweihundert dünne Zöpfchen geflochten. Aber sie war es. Die Stirn gewölbt wie ein Globus. Über einem prachtvollen mokkafarbenen Kontinent.

«Das Herz setzt immer wieder aus», sagte sie. «Er fliegt heute nicht. Wir nehmen ihn mit. Er muss sofort operiert werden.»

Kasper fasste sich ans Herz. Er fühlte es auch. Der Schmerz, von der Geliebten zurückgewiesen worden zu sein. Expatriiert aus dem Vaterland. Die Sorge über die ungewisse Zukunft. Über die Schönheit der *Chaconne*.

Kassander stellte sich ihnen in den Weg.

«Wir haben Anweisung vom Justizministerium», sagte er.

Die Afrikanerin baute sich vor ihm auf. Sie war größer als der Beamte.

«Sein Puls ist auf 36 abgesunken. Unregelmäßiges, sehr schwaches Herz. Er ist kurz davor, den Löffel abzugeben. Sie gehn uns aus dem Weg, oder wir bringen Sie vor Gericht. Disziplinarverfahren, Pflichtverletzung. Sie kriegen mindestens sechs Jahre. Wegen grob fahrlässiger Tötung.»

«Ich rufe an», sagte Kassander.

Von seiner Stimme war nicht mehr viel übrig.

Er rief von einem Telefon in der hinteren Ecke des Raumes an. Kam zurück. Er ging wie ein Zombie. Legte ein Formular auf den Tresen.

«Vierundzwanzig Stunden», sagte er. «Er ist auf die Frühmaschine von Air Iberia um 7.20 Uhr gebucht. Er ist ein Repatriierungsfall. Dafür ist das Ministerium zuständig.»

Die Afrikanerin unterschrieb. Die Frauen fassten Kasper unter und hoben ihn an. Er zog sie zu sich heran, aus gesundheitlichen Gründen. Vorsichtig machte er die ersten tastenden Schritte zurück in die Freiheit.

FÜNFTER TEIL

1 | Draußen wartete ein Krankenwagen, sie halfen ihm einsteigen. Der Fahrersitz war hinter einer Trennscheibe aus Mattglas verborgen, sie wurde zur Seite geschoben. Auch der Fahrer und die Frau neben ihm trugen weiße Kittel.

Die Sirene heulte auf, der Wagen fuhr über die Taximarkierungen, den Parkplatzbereich und wendete. Der Fahrer hatte einen Stehkragen, aber ein Dutzend Narben kringelten sich gleich weißen Flammen vom Kragenbund den Schädel hinauf, es war Franz Fieber.

Ein Polizeiwagen mit Blaulicht fuhr in entgegengesetzter Richtung an ihnen vorüber. Die Frauen waren von Kasper abgerückt, ihre Fürsorge war dahin. Was nicht anders zu erwarten gewesen war. Gregor von Palamas schreibt, dass etliche Wüstenväter sich unter anderem deshalb für das Zölibat entschieden hätten, weil sie entdeckt hatten, dass es mit der Mütterlichkeit vorbei war, sobald die Frauen ihr angestrebtes Ziel erreicht hatten.

Sie passierten Ørestad. Und bogen über die Ausfahrt zum Transportzentrum nach rechts ab. Die Sirene wurde abgestellt. Ohne die Geschwindigkeit herabzusetzen, fuhr der Krankenwagen über den Rasen und hielt hinter einer geschlossenen Imbissbude, unmittelbar neben einem großen Audi. Die Frauen hoben Kasper heraus und bugsierten ihn auf die Rückbank. Franz Fieber schwang sich von dem einen Fahrersitz auf den andern, affenartig, ohne die Krücken zu benutzen. Der Audi beschleunigte, fuhr auf die Autobahn und auf die Überholspur. Die Geschwindigkeitsnadel zeigte 180 km/h an, Kasper hörte Sirenen vor und hinter ihnen. Von vorn näherte sich ein Hubschrauber.

«Sie sind dabei, ganz Amager abzusperren», sagte Franz Fieber. «Was meint das feine Gehör?»

«Lasst uns alle beten», sagte Kasper. «Um Nebel. Und freie Bahn über die Seelandbrücke.»

Das Auto fuhr ab. In eine Nebelwand hinein. Die Fahrbahn verschwand. Die entgegenkommenden Autos schrumpften auf gelbe Blitze zusammen. Die Frauen starrten ihn an.

«Es gibt zwei Möglichkeiten», sagte Kasper. «Entweder habe ich einen direkten Draht zu Gott der Herrin. Oder ich habe den Nebel gehört. Und dass es in Richtung Brücke keine Sirenen gibt.»

Er merkte, wie sein Körper kollabierte, Hände halfen ihm, er sank auf die Trage. Er versuchte, bei Bewusstsein zu bleiben, indem er die Strecke nach den Geräuschen lokalisierte: die ankommenden Flugzeuge auf Bahn 12, einer kürzeren Bahn, für starke Nord- oder Südwinde, das verlieh der Landung einen besonderen Klang und einen besonderen Rhythmus. Die Möwen, als sie über die Brücke fuhren. Der Sozialrealismus des äußeren Valby. Der Klang nach semipermanentem Altersheim am Rand von Frederiksberg. Das spezielle Mischgeräusch von Vogelreservat und Verkehrshölle, dort, wo die Autobahn nach Farum das Utterslever Moor durchschneidet.

Er war weg und kam zurück. Sie waren abgefahren, der Verkehr war spärlicher geworden, der Wagen bog auf einen Kiesweg. Ohne abzubremsen, fuhren sie durch ein Tor, er erkannte es wieder, es gehörte zur Umfriedung des Rabia-Stifts. Der Audi hielt an, die Wirklichkeit wurde leiser gestellt, sie verhallte und war weg.

2

Die Welt setzte sich wieder zusammen, er wurde auf einer fahrbaren Liege durch die weißen Flure geschoben, an den Ikonen vorbei in einen Aufzug. Neben ihm stand die Afrikanerin, sie hielt Plastiktüten in der Hand, aus den Tüten führten Schläuche zu seinem Handgelenk, er hing am Tropf. Er hörte der Frau an, dass sie Angst hatte, konnte aber nicht hören, weshalb.

Die Aufzugtür ging auf, sie rollten lange Gänge entlang, wieder ein Aufzug, noch ein Gang, in den Operationssaal. Jetzt konnte er hören, weshalb sie Angst hatte. Sie hatte Angst, er liege im Sterben.

Sechs Frauen umstanden ihn. Eigentlich der Traum eines jeden Mannes, aber er fühlte seinen Körper nicht mehr. Alle hatten grüne Operationskittel an, alle, außer der Afrikanerin, trugen einen Mundschutz.

«Ich gebe dir etwas Schmerzstillendes», sagte sie.

«Ich bin Artist», sagte er. «Ich will die Nerven flattern hören.»

Seine Stimme hatte keinen Klang, sie hörten ihn nicht. Er sah die Nadel über sein Handgelenk gleiten. Die Blaue Dame war in Hörweite. Jetzt konnte er sie sehen.

«Ich bin gekommen, um mein Honorar zu holen», sagte er.

Er bekam keinen Ton heraus, trotzdem musste sie ihn gehört haben. Sie beugte sich zu ihm vor und lächelte.

«Es ist uns ein Vergnügen», sagte sie.

Wieder trieb sein Bewusstsein davon, schlendernd, wie ein junges Mädchen beim Stadtbummel.

Er kehrte zurück. Nicht ganz in den Körper. Aber in seine Nähe. Die Afrikanerin sprach, aber nicht zu ihm.

«Ich untersuche ihn auf innere Blutungen», sagte sie. «Einmal wegen der Projektilbahn und dann wegen der Schläge.»

Er öffnete die Augen und sah sie arbeiten. Er hätte sie gern getröstet. Gesagt, dass es keine große Bedeutung hat, ob ein Mensch lebt oder stirbt.

«Perkutiere Bauch und Unterleib», sagte sie. «Keine Spannungen. Aber Schmerzen. Blutdruck und Puls niedrig. Hämatokrit zur Bestimmung von Blutprozenten. Hämoglobin 4 bis 5. Wir geben ihm eine Transfusion.»

Er wollte etwas sagen. «Kommt nicht in Frage», wollte er sagen. «Da bin ich derselben Meinung wie Rudolf Steiner: Blut ist *eine sehr geistige Flüssigkeit.*»

Es kam kein Ton. Sie begannen mit der Transfusion, er hörte das fremde Blut in seinen Adern gurgeln.

«Hundert Milligramm Pethidin», sagte die Afrikanerin. «Ephedrin. Ich versuche ihn bei Bewusstsein zu halten, es klappt nicht.»

Sie sprach zu der Blauen Dame.

«Er ist weg», sagte sie.

Er lachte unbekümmert. Innerlich. Er war dabei, die lästige Identifikation mit dem Körper fahren zu lassen. Aber das Gehör ist ewig, das war der Grund, weshalb er lachte.

«Ein kleinkalibriges Projektil», sagte die Afrikanerin, «mit niedriger Austrittsgeschwindigkeit, auf kurze Entfernung. Ein Stahlprojektil, wie es die Polizei benutzt, um durch Türen und Autos zu schießen. Wir röntgen ihn jetzt, Knöchel, Fußgelenk, Schädel, Handgelenk. Gesamtaufnahme des Abdomens. *Columna cavicalis.*»

Jemand legte ihm eine Bleischürze über Unterleib und Schilddrüse. Auf den Körper, der nicht mehr seiner war.

Er befand sich an einem Ort, der fast ohne Zeit war. Körper und physische Formen waren aufgelöst, nur Töne und Ansätze von Tönen waren noch da. Irgendwo in einer fernen Provinz wurde ein Teil von ihm operiert.

«Seifenwasser», sagte die Afrikanerin. «Wir nähen intrakutan, Klemmen und Histoakryl für die Schnittwunden. Wir haben die Bilder. Weder Leber noch Milz oder Nieren sind betroffen. Der Puls fällt weiter. Péan-Klammern. Er blutet nach wie vor. Er hat eine Collesfraktur. Ich will eine Blockanalgesie für die Armhöhle. Örtliche Betäubung um den Bruch herum.»

Sie beschäftigten sich mit seinem Handgelenk. Wenn er eine bessere Verbindung zum Körper gehabt hätte, wäre er vor Schmerz ohnmächtig geworden. Aber es gab fast keine Verbindung.

«Gips», sagte die Afrikanerin. «Schienen für den Arm. Einen zirkulären Gips um den Knöchel. Wir schneiden ihn auf, der Bruch schwillt noch an. Der Puls fällt weiter. Arterienklammern. Haben wir das EKG?»

Er hatte die *Sound Quality Research Unit* an der Universität Ålborg beraten, deren Abteilung für Psychoakustik, bezüglich der Einrichtung von Operationssälen, er hatte ihnen geraten, einen Ton zu finden, der den etwas harten Raumklang des Klosters mit der Intimität eines Wohnzimmers verbindet. Um den Patienten ein kombiniertes Gefühl von Zuhause und religiöser Autorität zu vermitteln. Es war exakt der Ton, der ihn jetzt umgab.

Die Geräusche des OPs wurden leiser gestellt. Sie wurden an den Rand des Schallbilds verbannt. Er wehte im Wind. Einem lauen Wind. Er selbst war nur eine Klangstruktur, lediglich der lautliche Träger eines Bewusstseins. Und von Liebe. Er hörte die Afrikanerin, sie sprach zu der Blauen Dame. Sie waren weit weg, hinter geschlossenen Türen, damit er sie nicht hörte. Wie damals, als er sich den Rücken gebrochen hatte. Er lachte, glücklich, er hatte ein Geheimnis, sein Gehör hatte wenige oder gar keine physischen Begrenzungen.

«Wir verlieren ihn», sagte die Afrikanerin. «Die Summe macht's. Dieser geschlossene Druck auf sein System. Die Schusswunde. Die Schläge. Knochenbrüche. Schädelfraktur. Blutverlust. Die psychische Belastung. Wir können nichts mehr machen.»

Er ging an einem Strand entlang, er schwebte halb. Er hörte

einen Puls schlagen, sehr groß, ruhig, vielleicht war es der Puls von Gott der Herrin, vielleicht sein eigener. Die Türen zum großen Konzertsaal taten sich auf. Er hatte die definitive Einlasskarte in der Hand.

Er entdeckte die Blaue Dame an seiner Seite.

Es war real. Er halluzinierte nicht. Irgendwo in der physischen Welt sprach sie mit Schwester Gloria. Und trotzdem ging sie hier neben ihm.

Ihr Signal war umfassend. Und zugleich ungemein diskret. Allgegenwärtig und anonym auf einmal. Dergleichen hatte er noch nie gehört. Es umfasste den Strand, das Meer und ihn selbst. Es umfasste das hörbare Universum. Mit vollkommenem Respekt.

«Ich bin dabei wegzugehen», sagte er. «In die große Freiheit.»

Sie nickte.

«Frei von Verträgen», sagte er. «Frei von der Pflicht aufzutreten. Frei von Buchprüfern. Vom Finanzamt. Frei davon, aufs Geld aufpassen zu müssen. Sich abzuschminken. Aufs Klo zu gehen. Sich rasieren zu müssen. Frei von dem Reiz der Frauen und der Mühe mit ihnen. Frei davon, sich anziehen zu müssen. Rechnungen zu bezahlen. Frei vom Geräuschmüll, vom Lärm der Welt. Frei von Musik. Mit Ausnahme vielleicht von Bachs Musik, Bach überdauert den Tod vielleicht.»

Sie lauschte. Es war sehr selten, dass jemand ihm so zuhörte, es passierte einmal pro Jahr. Und dann war es immer eine Frau oder ein Kind gewesen. An den Abenden hatte er viel besser gespielt als im Durchschnitt.

«Trotzdem», sagte er, «scheint etwas zu fehlen.»

Sie standen am Ufer. In weiter Entfernung, irgendwo landeinwärts, konnte er seinen Körper sehen. An Maschinen gekoppelt, die ein elektrisches Signal maßen, das allmählich erstarb.

«Vielleicht ist es KlaraMaria», sagte sie.

«Vielleicht ist es das.»

Er ließ sein Gehör kugelförmig expandieren, er hörte das stille Mädchen. Auch das andere Kind. Er konnte den Ton nicht lokalisieren, alle Koordinaten waren aufgelöst. Aber er hörte am Atem, dass sie schliefen. Er hätte stehen bleiben und ihnen lange lauschen können, vielleicht in Ewigkeit. In seinem Leben hatte er allzu selten Gelegenheit gehabt, Kindern zu lauschen, die schliefen.

Er hörte, in Kürze würde jemand sie wecken und hinausjagen. Und eigentlich war es nicht in Kürze, es war jetzt. Er hörte nicht in zeitlicher Abfolge, er hörte in Gleichzeitigkeit.

Er verstand nun, was fehlte. Damit sein Leben ein ganzes Leben sein konnte, eine abgeschlossene Vorstellung, sodass man die Manege mit dem Gefühl verlassen konnte, seinen Vertrag erfüllt zu haben. Ihm fehlte, die Kinder in die Nacht hinausgetragen und in Sicherheit gebracht zu haben.

Er entschloss sich zu leben.

Langsam bewegte er sich wieder auf seinen Körper zu. Die Blaue Dame ging an seiner Seite.

Er hörte sie nicht lächeln. Aber er meinte, eine Andeutung von Zufriedenheit zu hören. Als hätte sie dies in ihrem Innern gewünscht. Das fuchste ihn. Es rief seinen Unmut hervor, vom Weiblichen manipuliert zu werden. Wer zu seinem Körper zurückkehrt, kehrt leider auch zu grundlegenden Teilen seiner Persönlichkeit zurück.

«Es ist altbekannt», sagte er, «dass derjenige, der sich einem spirituellen Durchbruch nähert, Perioden intensiven physischen Schmerzes durchläuft.»

«Es ist altbekannt», sagte sie, «dass rauflustige Katzen mit zerfetztem Fell nach Hause kommen.»

«Ich kann mein Publikum nicht verlassen», sagte er. «Ich war mal in einer amerikanischen Talkshow, bei CBS, bevor man mich auf die schwarze Liste gesetzt hat. Die hatte zwanzig Millionen Zuschauer. Ich höre sie immer noch weinen. Und *da capo* rufen.

Ist das übrigens nicht das, was die Heiligen deiner Meinung nach taten? Sie kehrten zurück, um die Suchenden zu erfreuen.»

«Sie hatten etwas, womit sie sie erfreuen konnten. Und du?»

Einen Augenblick lang war er empört. Dass sie so zu sprechen wagte. Zu einer Klangseele, die ihren sterbenden und malträtierten Körper verlassen hat.

«Zu Beginn», sagte er, «will ich sie mit meiner Bescheidenheit erfreuen.»

Das ließ sie nun doch innehalten. Er fühlte Befriedigung. Wenn man es schafft – und sei es nur einen Moment –, aufgeklärte Klostervorsteherinnen in ihrer nichtphysischen Erscheinungsform zum Schweigen zu bringen. Dann kann man nicht ganz tot sein.

3

Er kehrte zurück in ein Königreich der Schmerzen.

Sie waren überall. Der gleichzeitig lähmende und gefühllose Schmerz von Magen und Unterleib. Der konstante, pulsierende, zugleich dumpfe und chirurgische Schmerz der Gehirnerschütterung. Die heiße Qual der Schwellungen an den Knochenbrüchen. Die Revolte des Körpers gegen das ungewohnte, fremde Blut. Der Schmerz, als der Zahnarzt die eingeschlagenen Zähne richtete. Die Vertiefung dieses Schmerzes, als sie mit dem Kiefer neu verwuchsen.

Nur phasenweise war er bei Bewusstsein. Dann betete er. Für Worte hatte er nicht die Kraft, er lehnte sich bloß, über die unmittelbare Fürsorge hinweg, die seinen Körper betraf, an die große Fürsorge, die alles umfasst, an Gott die Herrin an.

Mitunter öffnete er die Augen. Manchmal sah er die Afrikanerin. Manchmal die Blaue Dame. Danach trieb er wieder hinaus, aufs Meer zu. Aber jedes Mal kam er zurück.

Jemand gab ihm zu trinken, sein Rachen brannte. Er sah die weißen Flure an sich vorüberziehen. Eine Tür ging auf, eine schwere, schalldämpfende Tür mit Gummikante. Sie schoben ihn hindurch.

Er konnte den Kopf nicht drehen. Aber es war ein höhenverstellbares Bett, die Afrikanerin hob seinen Oberkörper kaum merklich an. Er befand sich in einer Klosterzelle.

Es war wie eine Heimkehr. Draußen im wirklichen Leben konnten Menschen für zwölf Personen decken, mit dem Muschelmustergeschirr. Sie hatten ein Einfamilienhaus, eine Chesterfield-Polstergarnitur, zwei Stereoanlagen, drei Fernseher, achthundert Bücher, die sie nie wieder lesen würden, und 48 Flaschen Rotwein, die sie für die eiserne Hochzeit eingelagert hatten. Und so viel im Keller verstauten Müll, dass sie schon verzweifelt auf der Suche nach einem größeren Haus waren. Während jeder Zirkus und neunundneunzig von hundert Artisten alles dafür täten, ihre Habe an einem Nachmittag verpacken und abtransportieren zu können. Und so war der Raum um ihn herum. Sein Bett, ein Tisch, ein Waschbecken, eine Tür, die sich auf einen kleinen Balkon zum See hinaus öffnete. Das war alles.

Abgesehen von der Elektronik. Auf dem Tisch standen Monitore, die an Elektroden an seiner Brust angeschlossen waren. Er spürte mehrere Elektroden, die an seiner Schläfe befestigt waren.

«KlaraMaria?», sagte er.

Die Afrikanerin schüttelte den Kopf.

«Seit wann bin ich eigentlich hier?»

Seine Stimme war nicht wiederzuerkennen. Sie musste ihn trotzdem verstanden haben.

«Seit acht Tagen.»

«Hol mir meine Sachen. Ich muss los, ich bin der Einzige, der sie finden kann.»

«Reg dich ab», sagte sie. «Sonst schnallen wir dich fest. Du musst froh sein, dass du überhaupt noch lebst.»

Sie befestigte eine Klemme an seinem Finger, das Kabel an der Klemme war mit einem weiteren Bildschirm verbunden.

«Ein Pulsoxymeter», erklärte sie. «Misst die Sauerstoffsättigung des Blutes.»

«Telefon?», hauchte er.

Sie schüttelte den Kopf. Sie brachte mehrere Elektroden an seiner Brust an.

«Überwacht die Herzfunktionen», sagte sie.

Er fühlte, wie sein Bewusstsein wegdämmerte.

«Gandhi», sagte er noch, «fuhr fort, neben nackten Frauen zu schlafen. Nachdem er sein Keuschheitsgelübde abgelegt hatte. Um seine sexuelle Kontinenz zu testen. Ich weiß nicht, ob du eventuell interessiert wärst?»

Die Afrikanerin schrieb Zahlen von den Bildschirmen ab. Es war noch eine andere Frau im Zimmer. Sie unterhielten sich. Ihm war schlecht. Er hörte seine Mutter. Ist doch in Ordnung, wenn ein frischer Junge an seine Mutter denkt, oder? Auch wenn er 42 ist. Schließlich war er dem Tode nahe gewesen.

Er hörte sie ganz deutlich. Jetzt sah er sie vor sich. Er hätte sich nicht vom Bett erheben und auf die Toilette gehen können. Anscheinend hatten sie ihm Windeln angelegt. Aber die Kindheitserinnerungen waren unversehrt.

Herrlich. Wenn man die 42 erreicht hat, lebt man einen immer größer werdenden Teil seines Lebens in der Erinnerung.

Es war Nacht gewesen, die Vorstellung war vorbei. Helene Krone war noch im Trikot, sie hatte ein Handtuch um die Hüften gebunden, er konnte das Flüstern des Frottees hören. Er hatte gewusst, dass ihre Schultern nackt sein mussten. Die meisten andern Frauen hätten sich vor der Sonne geschützt, seine Mutter hatte Licht inhaliert. Es war kurz nach dem Unfall gewesen, er war völlig blind. Er hatte das Geräusch ihres Silberschmucks gehört. Sie hatten ihm erzählt, dass der Mond schien. Er wusste, in seinem Licht war das Silber auf der braunen Haut weiß. Es wurde nie gesagt, aber er wusste auch, dass sie den Schmuck von früheren Geliebten geschenkt bekommen hatte. Dass sein unaufhörliches melodisches Klirren ein permanentes Warnsignal für Maximillian war, ein Memento mori, geradeso, als hätte auf dem kleinen Tisch, auf dem sie die Suppe anrichtete, ein Totenkopf gelegen.

Sie hatte Brot gebacken, in einem gusseisernen Kessel, den sie in dem kleinen Morsø-Ofen direkt auf die Glut gestellt hatte, es war in den frühen Siebzigern, die Hälfte der Stellplätze hatte keinen Strom für die Wohnwagen.

Es hatte nach Blumen geduftet. Sie waren von Blumentöpfen geradezu umlagert. Während der Reise hatten sie den meisten Platz im Wagen eingenommen, Helene Krone hatte Blumen geliebt. Überall, wo sie mehr als drei Tage gespielt hatten, hatte sie irgendwas gepflanzt, nur damit sie die Keimblätter hervorbrechen sah, bevor sie wieder losmussten. Maximillian hatte genau gewusst, wenn er sie je vom Zirkus abbringen wollte, musste er sie mit einem Garten locken. Es hatte nicht geklappt.

Sie hatten ihn in seinem Gipslager hinausgetragen. Seine Mutter hatte ihm Suppe und Brot gegeben. Er hatte nur den rechten Arm gebrauchen können.

Er hörte die Bewegungen seiner Mutter, unbeschwerte, selbstverständliche Bewegungen. Auch in der Nacht. Auch nach einem Arbeitstag von sechzehn Stunden, von denen vier hartes körperliches Training gewesen waren. Auch wenn die Angst um ihn in ihr sang, pausenlos. Trotz alledem war sie natürlich gewesen. Natürlich auf die Art, die die wilden Tiere mit Bachs Musik gemein haben. Eine Natürlichkeit, durch die es einem nicht im Traume einfällt, eine Note zu ändern, weil es gar nicht anders sein kann. Wirkliche Freiheit ist die Befreiung davon, eine Wahl treffen zu müssen. Weil alles perfekt ist.

Maximillian Krone hatte sich zurückgelehnt und sich auftun lassen, ohne je danke zu sagen, die Würdigung wohnte der Situation selbst inne.

Kasper hatte die Vertrautheit zwischen seinen Eltern hören können, auch die Leidenschaft, die Vorsicht. Er hätte es nicht in Worte fassen können. Aber er hatte gespürt, wenn man ein Zuhause erleben will, das tief und offen und natürlich ist wie Bachs Musik und die großen Katzen der Savanne, dann kostet es was, dann kostet es das Risiko, sein Leben in der Nähe zweier Pole zu verbringen, deren Spannungsunterschied hoch ist.

Maximillian war eingeschlafen. Er war vor Müdigkeit weggesackt, Helene Krone hatte ihn sanft geweckt, ganz sanft. Ohne richtig wach zu werden, war er aufgestanden, war hineingetaumelt und ins Bett gefallen.

Kasper hatte seiner Mutter gelauscht, während sie aufräumte. Er hatte ihre Erschöpfung gehört. Aber dahinter hatte es einen größeren Laut gegeben, den er nicht entschlüsseln konnte.

Sie hatte ihn hochgehoben und hineingetragen, ihn aufs Bett gelegt, er hörte, wie sie das Lampenglas hob und das Licht ausblies.

Er hatte nicht schlafen können. Er hatte im Finstern gelegen und an den Tod gedacht. Er hatte Angst zu sterben.

Es war also nicht wahr gewesen, was er Stine erzählt hatte. Dass der Klang von Gott der Herrin ihn furchtlos gemacht habe. Es war nicht wahr gewesen. Er hatte im Finstern gelegen und Angst gehabt.

Dann hatte es ein Geräusch gegeben, direkt neben ihm, es war seine Mutter.

Sie hatte sich auf die Bettkante gesetzt. Er hatte den zarten Ton ihres Nachthemds gehört. Er wusste, wenn er hätte sehen können, hätte es ausgeschaut, als wäre sie in Mondlicht gekleidet.

Vielleicht war es gar keine bestimmte Nacht gewesen, er hatte das Gefühl, es müssten viele gewesen sein. Und dennoch war es, gleichsam hinter ihnen, nur eine lange Nacht gewesen.

Sie hatte lange neben ihm gesessen, ohne etwas zu sagen, ihm nur die Hand gehalten. Dann hatte sie angefangen, ganz still zu singen, sie sang oft, aber für ihn hatte sie nicht mehr gesungen, seit er klein gewesen war.

Als sie anfing zu singen, kam der Laut hinter ihr wieder. Er war groß, größer als ein einzelner Mensch. Und er war alles durchdringend. Er identifizierte ihn. Er hatte das volle Volumen der Liebe einer Mutter für ihr Kind. Und nicht nur einer Mutter. Die Liebe aller Mütter für alle Kinder.

Vielleicht hatte er geschlafen. Und war dann aufgewacht. Vielleicht war er im Krankenzimmer. Vielleicht war es eine andere Nacht, mit Helene Krone.

Sie hatte nicht mehr gesungen. Sie hatte erzählt.

Von ihrer Kindheit. Von Tieren, die sie gehabt hatten, von denen sie gehört hatte. «Meine Mutter, deine Großmutter», hatte sie gesagt, «hatte ein Entree als weiße Clownin, in Österreich, vor dem Krieg und während des Krieges. Da waren Hunde dabei. Sie hatten einen Terrier. Sie nahm ihn mit nach Dänemark. Ich kann mich an einen seiner Welpen erinnern. Wenn er und ich durch hohes Gras oder ein Kornfeld liefen, musste er alle fünf Meter hoch in die Luft springen, damit er mich sehen konnte.»

Während sie erzählte, hatte Kasper durch ihre Stimme hindurchgehorcht. Er hatte die Artisten hören können, von denen sie erzählte, er hatte ihre Tonart bestimmen können. Er hatte entdeckt, dass im Universum der Ton jedes Menschen den Zugang zu allen anderen Tönen erlaubt.

Er hatte begriffen, dass die Menschen, von denen seine Mutter erzählte, tot waren. Und doch war die Stimme der Mutter eine Tür zu ihrem Klang. Er konnte es hören. Aber er verstand es nicht.

«Ich habe ein Mädchen gekannt», sagte Helene Krone. «Karen, wir waren gleichaltrig.»

Kasper horchte durch den Namen hindurch. Und er merkte, dass ihn sein Gedächtnis zu ebendiesem klanglichen Schauplatz geführt hatte, um ebendiese Erinnerung neu zu spielen.

«Sie hat mich dazu gebracht, vom straffgespannten Seil aufs Schlappseil umzusatteln», sagte Helene Krone. «Wir hatten unser Winterquartier in Holte. Vor dem Gelände lag eine Mergelgrube, sie überredete mich, in einem Fischkasten hinüberzurudern, über der Grube war ein Tau gespannt. Sie sagte, sie wolle lernen, über das Tau zu gehen. Wir konnten nicht schwimmen. Die Erwachsenen haben uns entdeckt. Sie kriegten einen Schreck. Es wurde beschlossen, wir sollten schwimmen lernen. Die nächste Badeanstalt lag am Furesee. Wir sind mit dem Rad hingefahren, an Gammelgård und Skovbrynet vorbei. Eines Tages sagte Karen: ‹Du musst die Schwestern kennenlernen.› Es war ein Kloster, das an einem der Seen lag. Eigentlich war es nur eine Villa. Wir bekamen Tee und harte Plätzchen. Die weich wurden, wenn wir sie in den Tee stippten. Da war eine Frau, mir kam sie alt vor, sie muss fünfzig gewesen sein.

‹Möchtest du mich etwas fragen›, sagte sie.

Ich hatte Zutrauen zu ihr. Sie roch gut. Daran habe ich immer gemerkt, ob ich Vertrauen zu einem Erwachsenen hatte.»

Helene Krone lachte im Dunkeln, gedämpft, um ihren Mann nicht zu wecken.

«‹Ja›, sagte ich, ‹ich möchte dich gerne etwas fragen. Manchmal habe ich Angst, dass die Welt ein Traum ist.›

‹Was sagen denn die Erwachsenen?›, sagte die Nonne. ‹Wenn du sie fragst?›

Sie sagte ‹die Erwachsenen›. Nicht ‹Vater und Mutter›. Sie verstand, wie ich die Welt sah.

‹Sie sagen, ich soll mich in den Arm kneifen. Sie sagen, wenn es wehtut, weiß ich, dass ich wach bin.›

Die Nonne stippte einen Keks in den Tee. Langsam. Vielleicht war es das erste Mal, dass ich einen Erwachsenen ganz ohne Ungeduld getroffen habe.

‹Und was denkst du darüber?›, sagte sie.

‹Ich denke, was ist, wenn das, dass es wehtut, wenn das auch etwas ist, das ich träume?›

Ich glaube nicht, dass sie mir geantwortet hat. Aber als wir nach Hause mussten, hat sie uns zu den Fahrrädern begleitet. Die hatten richtige Gummireifen, obwohl es im Krieg war. Der Zirkus hatte ein ganzes Lager mit Reifen, für die Kunstradler.

Sie streichelte mir den Kopf.

‹Wenn dies hier ein Traum wäre›, sagte sie, ‹würdest du dann gern aus ihm erwachen?›

‹Nur wenn ich ganz bestimmt wüsste, dass mein Vater und meine Mutter da wären›, sagte ich.

Sie lachte, still, freundlich, ich verstand nicht, worüber.

‹Du bist herzlich willkommen›, hat sie dann gesagt. ‹Uns wieder zu besuchen. Jederzeit. Du kannst zusammen mit Karen kommen.›

Aber ich kam nicht wieder. Bis ich dich in die Kirche in der Bredgade mitnahm. Zu ihr. Der Nonne. Mutter Rabia.»

4

Er wachte auf, jemand saß auf seinem Bett, er dachte erst, es sei seine Mutter. Aber es war die Afrikanerin.

«Wie lange bin ich jetzt hier?»

«Vierzehn Tage. Du hast hohes Fieber gehabt. Infektion in der Schusswunde. Du hast Penicillin bekommen. Die Entzündung geht zurück.»

Er fragte nicht nach KlaraMaria. Er hörte die Anspannung in

ihrem System. Neben dem Bett stand ein zusammenklappbarer Rollstuhl.

«Ein Signal», sagte er, «ein Ton, der einmal ausgesandt wurde, ist nicht aufzuhalten. Er reist in die entferntesten Gebiete des Universums. Vielleicht ändert er die Zustandsform, von mechanischen Schwingungen zu Wärmestrahlung zu Licht, aber der Impuls setzt sich fort. Ich kann andere Menschen hören, bestimmte andere Menschen, auch wenn ihr Körper woanders ist. Es fühlt sich an, als läge ein Teil ihres Klangs innerhalb des hörbaren Frequenzbereichs. Ein anderer Teil ist Ultraschall. Und etwas von dem Schall ist nichtphysisch. Ich kann KlaraMaria hören. Sie steht unter Druck. Sie ist an der Grenze dessen angelangt, was ihr System aushalten kann. Selbst ihres.»

«Niemand kann so weit hören.»

«Sie hat Angst vor Trennung. Von euch. Von mir. Von etwas, was ich nicht kenne. Vielleicht wollen sie sie abtransportieren.»

Sie konnte nicht erbleichen, ihre Haut war zu dunkel. Aber er hörte, wie das Leben aus ihrer Hautoberfläche wich.

«Die Polizei kann nichts mehr tun», sagte er. «Ihr könnt nichts mehr tun. Aber es gibt etwas, das ich noch tun kann. Mit deiner Unterstützung. Aber dafür müssen wir einen Ausflug machen.»

«Du hast strikte Bettruhe verordnet bekommen.»

«Du hilfst mir in den Rollstuhl. Die Menschen haben im Rollstuhl große Taten vollbracht. Hawking. Ironside. Ireno Fuentes.»

Sie war nicht mehr da. Zwei andere Nonnen hatten ihren Platz eingenommen.

In weiter Ferne hörte er das Geräusch des großen Pulses. Womöglich war es sein eigener. Er versank.

KlaraMaria saß bei ihm. Erst dachte er, es sei wirklich, großes Glücksgefühl, er musste entwischt sein. Dann bemerkte er, dass sie auf einer Kirchenbank saß. Und in seinem Krankenzimmer gab es keine Kirchenbank, es musste eine Halluzination sein, eine Erinnerung. Aber gelegentlich sind es gerade die Erinnerungen, die uns am Leben erhalten.

Sie wandte ihm das Profil zu. Wie bei ihrer dritten Begegnung. Beim dritten- und vorletzten Mal.

Es war zwei Wochen nach dem Besuch der Afrikanerin im Kopenhagener Zirkusgebäude gewesen. Er war in die Bredgade gegangen, in die Newskikirche. Die Kirche war verschlossen, an der Tür hing ein Schild mit der Mitteilung, dass die Kirche, die russische Bibliothek und die Badestube zweimal in der Woche für Besucher geöffnet seien. Am nächsten Tag war er wieder hingegangen. Anfangs war er der einzige Besucher. Ein Mann mit weißem Haar und Bart und schwerem russischen Akzent hatte ihn herumgeführt.

Die Akustik des Kirchenraums hatte eine Sanftheit, die für Kirchen sehr ungewöhnlich war, er fühlte den Drang, sie zur Aufnahme in Beranetes *Concert Halls and Opera Houses. Music, Acoustics and Architecture* vorzuschlagen, neben Meister Eckhart seine Lieblingslektüre, eine Art akustischer Pornographie voll tiefster Süße. Der Greis, der ihn führte, besaß eine Zartheit, die für Männer ungewöhnlich war. Aber auch eine Müdigkeit.

Beim Hinausgehen hörte Kasper die Stille.

«Wer ist noch im Gebäude außer uns?», fragte er.

Das Gesicht des Mannes war ausdruckslos. Kasper wiederholte seine Frage.

«Keiner. Nur ein Kind.»

Kasper ging durch das Kirchenschiff zurück. KlaraMaria hatte oben am Altar gesessen. Ihre Augen waren geschlossen. Er blieb etwa zwei Minuten hinter ihr stehen.

«Was gaffst du denn so?», sagte sie. «Franz Gans.»

Sie waren gemeinsam zu dem Greis zurückgegangen. Am Ausgang zog Kasper einen Tausendkronenschein aus der Tasche, faltete ihn langsam zusammen und steckte ihn in den Opferstock.

«Wie wird das hier eigentlich verwaltet?», fragte er. «Wer ist die höchste religiöse Autorität?»

«Die Kirche untersteht dem weißrussischen Patriarchat.»

Kasper wartete. Der Mann sah sich um. Wie um sich zu vergewissern, dass es wirklich keine Zuhörer gab.

«Vor der Revolution unterstand die Gemeinde dem Moskauer Metropoliten. Dort gab es eine Kontroverse.»

Jetzt hörte Kasper den Kummer unter der Müdigkeit.

«Und die andern dänischen Gemeinden?»

«Die haben sich anderen Synoden angeschlossen.»

«Werden sie nicht ausgestoßen? Exkommuniziert?»

Der Mann öffnete die Tür.

«Die Ostkirche exkommuniziert nicht. Sie ist dezentral. Der Patriarch in Konstantinopel ist *primus inter pares*. Aber im Prinzip kann sich jede Gemeinde für autonom erklären.»

«Und das Rabia-Stift?»

Kummer und Müdigkeit verwandelten sich in Furcht.

«Sie haben eine Frau zum Metropoliten ernannt. Das bedeutet, sie sind aus der Kirche ausgetreten. Eine Frau kann nicht höher steigen als bis zur Diakonissin. Sie stehen damit im Widerspruch zu den heiligen Schriften.»

Einen Moment lang standen sie alle drei in der Türöffnung. Auf der Grenze zwischen der Bredgade mit ihren Auktionshäusern, den Restaurants und Hotels, dem Verkehr und ihrer Hochglanzprostitution. Und einem Kirchenraum, der sich an eine zweitausend Jahre alte Tradition anlehnte und an eine Mittelalterwirklichkeit, die kurz davor war, unwiderruflich dahin zu sein. Nur mit Mühe widerstand Kasper dem Impuls, den Alten hochzuheben und in seinen Armen zu wiegen.

«Danke für die Führung», sagte er.

Er hatte den Wagen auf der obersten Etage des Parkhauses in der Dronningens Tværgade abgestellt. KlaraMaria ging dicht neben ihm. Er war immer davon fasziniert gewesen, wie unterschiedlich die Menschen einander begleiten. Das Mädchen ging in sich ruhend und gleichzeitig mit einer vollkommen rhythmischen Hellhörigkeit für sein System, es war, als sängen sie gemeinsam ein Schweigeduett.

Im Parkhaus blieben sie einen Moment am Auto stehen. Unter ihnen lag die Kuppel der Newskikirche.

«Unsere Freundin», sagte Kasper. «Die kleine Mutter Maria. Ist ein ganzer Kerl. Unter ihren Kleidern. Sie ist eine Ausreißerin.»

Das Mädchen sah zu ihm hoch.

«Die große Mutter Maria», sagte sie. «Sie ist nicht ausgerissen. Die andern haben ihr nicht folgen können!»

Er hörte, wie er rot wurde, ehe er es fühlte. Erst verstand er es nicht. Dann merkte er, dass er von einem Kind zurechtgewiesen worden war.

Sie fuhren auf dem Strandvej nach Norden, sie wechselten kein Wort, bis sie angekommen waren. Vor dem Grundstück fing das Mädchen an zu reden.

«Ich möchte gern das Auto parken.»

Er hielt an, rückte den Sitz zurecht, sie setzte sich zwischen seine Beine. Sie konnte geradeso durch die Windschutzscheibe sehen.

Sie konnte die Pedale nicht erreichen. Aber mit der Schaltung hatte sie keine Probleme. Sie musste schon einmal gefahren sein.

«Ich übe», sagte sie. «Bis du mir ein Raumschiff schenkst.»

Sie hielten am Wohnmobil. Der Motor lief noch.

Sie lehnte sich zurück, ihr Hinterkopf ruhte an seiner Brust. Ein tiefer Friede sammelte sich um ihn, ein Gefühl von Freiheit und Erlöstheit, wie im letzten Teil der *Chaconne*. Die tiefe Intimität zwischen ihnen war ohne Bindungen, ohne Griff um die physische Wirklichkeit. So könnte es sich vielleicht manchmal anfühlen, ein Kind zu haben, dachte er.

«Willst du mit mir fliegen?», fragte sie.

Er nickte, sie spielten und dichteten zusammen, es war ein angenehmer Spaß, in diesem Augenblick hätte er zu allem ja gesagt.

Sie zog das Steuerrad hoch. Dann hörte er die Stille.

Sie breitete sich kugelförmig von dem Mädchen aus, sie erreichte seinen Körper, umschloss ihn, erreichte das Chassis des Autos, es wurde pastellfarben, er griff ins Steuer, um einen Zusammenstoß zu vermeiden. Aber es war nichts zu vermeiden, das Phänomen war verschwunden, als hätte es nie existiert. Aber einen Augenblick lang, einen verschwindenden Augenblick, hatte es keine physischen Begrenzungen gegeben, es hatte nur die Stille gegeben. Sie und die tiefe Zusammengehörigkeit mit dem Kind vor ihm.

«Was war denn das?», sagte er.

Sie stieg aus dem Wagen. Sie hatte ein ausdrucksloses Gesicht. Er ging ihr nach, er konnte kaum auf den Beinen stehen. Er musste reden. Gebrauchen wir die Worte nicht in erster Linie, um die Wirklichkeit aufrechtzuerhalten? Damit wir nicht sehen müssen, was sich auf der andern Seite verbirgt?

«Die dänische Kultur», sagte er, «ist voll von Liedjuwelen über kleine Jungs, die mit ihrer Mutter auf einem Pferd davonreiten. Aber über kleine Mädchen gibt es nicht so viele. Da entfliegen Männer mittleren Alters in einem Lotus Elise.»

Er sah kein Verständnis in ihrem Gesicht. Keinen Widerhall.

«Ich habe Hunger», sagte sie.

Er schmorte Gemüse für sie, kochte Trüffelreis, gab ein wenig Sahne hinzu, eine Currymischung aus Fenchel und getrockneter und pulverisierter Zwiebel, das band die Soße, das hatte er von

Stine gelernt. Jedes Mal wenn er eines der Gerichte zubereitete und verzehrte, die Stine ihm beigebracht hatte, empfand er Freude und Trauer gleichermaßen, so als nähme er an einer Form erotischer Kommunion teil.

«Ich möchte dir ein Lied beibringen», sagte das Mädchen.

Sie fing an zu singen, ihre Stimme war ein klein wenig heiser, sie sang vollkommen rein, er erstarrte. Es war *Bona Nox*. Er hatte es Stine vorgesungen, sie liebte dieses Lied. Es barg Mozarts uraltes Raffinement und zugleich seine neugeborene Unschuld. Und seine Liebe zu Bachs Fugen.

Er stimmte ein, sie sangen gemeinsam. Ihm traten Tränen in die Augen, er wusste nicht, weshalb. Er weinte beim Singen, die Tränen tropften in die Currymischung. Er lauschte der Tatsache, dass jeder Mensch jeden andern verlieren muss, gleich würde das Mädchen vor ihm weg sein, es war nicht zum Aushalten.

Jemand berührte ihn, es war das Mädchen, sie streckte ihren Arm aus und streichelte ihm die feuchten Wangen.

«In Wirklichkeit», sagte sie, «brauchen wir eigentlich vor nichts richtig Angst zu haben.»

Er hatte sie nach Hause gefahren, es war Mai, die Nacht war hell. Sie blieben vor dem Zaun stehen, der das Stift umgab.

«Wer hat dir das Lied beigebracht?», fragte er.

Ihr Gesicht wurde leer. Er hörte den Frühling ringsum. Sein Leben lang hatte er das schwere und saftstrotzende Geräusch des Wachstums geliebt. Jetzt nicht. Jetzt erinnerte es ihn an Trennung.

«Wie heißt das Gegenteil davon, dass man sich nicht mehr sieht?», fragte sie.

«Wiedersehen.»

«Für uns», sagte sie, «gibt es in Wirklichkeit kein Lebewohl. Nur Wiedersehen.»

Er ahnte nicht, wovon sie sprach. Es war ein hoher Moment, er spürte Unruhe. Wenn man sich hoch oben befindet, wird man zerschmettert im Falle eines Falls.

«Du kommst wieder», sagte sie. «Mutter Maria sagt, du kommst wieder. Sie sagt, sie hat dir etwas versprochen. Sie sagt, du bekommst eine Mohrrübe. Wie ein Esel, sagt sie. Damit du weißt, welchen Weg du einschlagen musst.»

Ihm wurde schwindlig vor Zorn.

Das Mädchen saß rittlings auf dem Zaun.

«Ich habe eine Mohrrübe für dich», sagte sie. «Du kommst wieder. Und ich verrate dir, wer mir das Lied beigebracht hat.»

Dann war sie weg.

5| Er wurde an die Oberfläche seines Bewusstseins zurückgeholt, sein Gehör wurde von einem Geräusch erschreckt, das zu tolerieren er zu alt geworden war, dem barbarischen Ventilator eines tragbaren Computers.

Die Afrikanerin saß in seinem Zimmer, vor dem Bildschirm.

«Warum die Orthodoxen?», fragte er. «Warum nicht ein bisschen Schamanismus? Geisterbeschwörung. Oder Katholizismus? Wenn es schon sein muss.»

«Wegen der Freude», sagte sie. «Die Ostkirche ist die hellste. Das Gewicht liegt nicht auf den Leiden des Erlösers. Es liegt auf der Verklärung. Der Auferstehung. Der Heiligung in diesem Leben. Ich spürte es, seit ich klein war. In Addis Abeba gab es alle möglichen Gemeinden. Die koptische war die froheste.»

Er hörte eine neue Seite an ihr. Den Eingang zu ihrer vollen spirituellen Tiefe. Er hätte den Ton geliebt. Wenn er nicht so schlapp gewesen wäre. Und wenn er nicht, während sie sprach, bittere Eifersucht hätte schlucken müssen. Die Vorstellung, dass Frauen das beinahe vollkommene Glück empfinden können, ohne dass es andere Männer erfordert als den Heiland. Und womöglich nicht einmal ihn.

«Ich habe was gefunden», sagte sie. «Kain hat geschrieben. Im Netz.»

Erst hörte er sie nicht. Er hatte sich ganz auf ihre Sexualität eingestellt. Sie hatte einen Antrieb wie ein Trommelsolo von Babatunji, wie ein Gnu im Regenwald. Wie hatte sie die ersten dreißig Jahre im Zölibat überlebt?

Dann erreichten ihn ihre Worte.

Sie drehte ihm den Bildschirm zu.

Er war zu alt fürs Internet. Nicht, dass er das Geräusch nicht liebte, der Cyberspace klang wie eine Kakophonie ohne untere Grenze, er hatte den Klang billigster Jahrmarktsunterhaltung, aufgeführt auf einer öffentlichen Toilette an einer öffentlichen Straße. Aller Lärm der Welt. Verknüpft auf denkbar niedrigstem Organisationsniveau. Der Hochstapler in uns allen, er liebt das Internet.

Aber von dort bis zur Aufgabe der natürlichen Würde und der Beschäftigung damit, wie ein PC funktioniert, ist es trotz allem weit.

Auf dem Schirm erschien ein Text. Er versuchte, ihn zu entziffern. Es klappte nicht. Er war immer ein schneckenhaft langsamer Leser gewesen. Nicht von Noten. Immer hatte er sechs Notensysteme von Beethovens D-Dur-Konzert direkt vom Blatt lesen können. Mit Büchern war es anders. Das Notenbild war die einzige Schriftsprache, mit der er Frieden geschlossen hatte.

«Lies mir vor», sagte er. «Es soll meine Gutenachtgeschichte sein.»

Sie scannte den Text. Er konnte hören, wie sie einen schnellen Überblick herstellte. Stichwörter aussortierte.

«Es ist ein Fragment», sagte sie. «Überschrift und Einleitung fehlen. Vielleicht sollte es gelöscht werden, das ist aber nur teilweise gelungen. Es betrifft den Seewetterbericht für die dänischen Fahrwasser. Unter Berücksichtigung des sogenannten NAVWARN vom Lyngby Radio, von NAVTEK, *Shippos*, den Fahrwasserzuständen vom Dänischen Rundfunk und vom Teletext. Die Beschreibung geänderter Transitrouten durch dänische Fahrwasser. VTS, d.h. *Vessel Traffic Service*, Radar- und Meldedienst in Großem Belt und Drogden.»

Er konnte die Unbeschwertheit hören, mit der sie sich in einer Fremdsprache orientierte.

«Dann gibt es eine Beschreibung der Warnhinweise, die im Notfall den Wassersport-Sicherheitsrat durchlaufen. Die Aufgaben des Seezeichendienstes. Befugnisse für die Offiziere der Seestreitkräfte, besonders der Umfang ihrer Polizeigewalt auf See. Eine Übersicht über die Aufgaben, die die sogenannten Kutter MHV 95l des Marineheimatschutzes zu übernehmen haben. Verantwortung der Schifffahrtsverwaltung für die Seefahrtsicherheit im Falle einer Umleitung des gesamten Schiffsverkehrs vom Öresund zum Großen Belt. Beschreibung des Vorgehens bei der Versetzung von Schlüsselpersonen zum Operativen Kommando in Århus. Regelung des Verkehrs im Großen Belt. Möglichkeit der Belte, die Schließung des Öresunds zu bewältigen. Und so fort, das geht noch fünfzehn Seiten so weiter.»

«Und was ist das?»

«Ein Memorandum», sagte sie. «Geschrieben vor zehn Jahren. Von Kain. Für die *Internationale Maritime Organisation*. Es ist eine Analyse. Der möglichen Folgen einer Naturkatastrophe oder eines Terroranschlags, die den Öresund dichtmachen könnten.»

Er horchte sich in sie hinein.

«Das muss vertraulich sein», sagte er. «Das kannst du doch nicht im Netz gefunden haben!»

Sie stand auf.

«Das hast du von Mørk», sagte er. «Er muss dich gebeten haben, es mir zu zeigen. Sonst hätte ich das nie zu sehen bekommen. Mir erzählt ja nie einer was.»

Sie war in der Tür stehen geblieben.

«Er hat eine gute Nase gehabt», sagte Kasper. «Dieser Kain. Wenn er schon vor zehn Jahren in der Richtung aktiv war. Vielleicht ist er Hellseher. Vielleicht bin ich hier der Einzige, der in der normalen Wirklichkeit eingesperrt ist.»

Sie war schon weg.

6

Er fühlte die Sonne auf der Haut wie eine Liebkosung. Er schlug die Augen auf. Sie hatten sein Bett in den Hof geschoben. Halb lag er, halb saß er, den Blick auf das Becken gerichtet. Das Wasser war von Rhododendronsträuchern verdeckt. Seine Mutter hatte diese Pflanze geliebt. Wegen ihrer Widerstandsfähigkeit und ihrer Fertilität. Andere Männer schenkten ihren Frauen Blumen. Maximillian war mit einem Kubikmeter *Azalea diabolica* nach Hause gekommen, sie hatte ausgeschlagen und naturwidrige Blüten getrieben, mitten im Januar.

Neben ihm saß jemand, es war die Blaue Dame.

«Wir haben uns von den Klostergärten in Alexandria inspirieren lassen», sagte sie. «Das Prinzip heißt – aus dem Koptischen übersetzt – *Verbergen und Offenbaren*. Die ganze Zeit ahnt man das Wasser, die Quelle. Sehen tut man sie nie. Es ist eine Art spiritueller Striptease. Es soll den Suchenden verrückt machen, vor Sehnsucht nach Gott.»

«KlaraMaria?», sagte er.

Ihr Klang wurde dunkel, er zog die ganze nähere Umgebung in Mitleidenschaft, Kasper hatte das Gefühl, eine Wolke verdüstere den Himmel.

«Wir bekamen einen Anruf. Man hört ihre Stimme. Und die Stimme eines Mannes. Sie sagen, sie kommt bald zurück.»

«Habt ihr es aufgenommen, kann ich es hören?»

Sie antwortete nicht.

«Als ich hier ankam», sagte er, «während meiner Behandlung. Ich stand kurz davor, mich für immer zu verabschieden. Ich sah dich, du warst bei mir. Wir gingen gemeinsam fort. In ein *Jenseits*. War das wirklich?»

«Etliche große Frauengestalten der Kirche», sagte sie, «haben gesagt, ein heiliger Mensch – also keine kleinen Verwalter wie wir, sondern Menschen, die das Göttliche verwirklicht haben – könne in drei verschiedenen Gestalten auftreten, in den drei verschiedenen Aspekten des Heilands. Einmal als klangliches Phänomen. Dann in einer körperlichen Form. Und als Aspekt der Liebe.»

«Ich bin ohne Kirche aufgewachsen», sagte er. «Bin weder getauft noch konfirmiert. Ich weiß nicht, wie höflich man mit einer Äbtissin umzugehen pflegt. Aber geradeheraus gesprochen, würde ich sagen, du redest drum herum.»

Sie lauschten dem Plätschern des unsichtbaren Wassers. Er wusste nicht, ob er ihr vertrauen durfte. Normalerweise kann man sich auf Menschen nicht verlassen. Normalerweise ist es unwichtig. Diesmal war es entscheidend.

«Als ich klein war», sagte er, «nahm mich meine Mutter in die Newskikirche mit. Sie hat mit einer Frau gesprochen, die deine Vorgängerin gewesen sein muss. Eine Frau, die sie anscheinend als Kind hier kennengelernt hat.»

«Es muss Mutter Rabia gewesen sein.»

«Viele Jahre später habe ich ihr geschrieben. Ich war krank als Kind. Ich war eine Zeit lang blind und teilweise gelähmt. In dieser Zeit hat sich mein Gehör verändert. Das, was ich hörte, darüber konnte ich mit niemandem sprechen. Also schrieb ich ihr. Dreizehn Jahre später habe ich meinen Brief wiedergesehen. Bei einer Frau, die mich verlassen hat.»

«Der Brief wird im Archiv gelegen haben. Sie muss ihn von dort haben. Ist es schlimm?»

Volkswirte. Ihre Investitionen sind alle langfristig, ihr Kapital ist unerschöpflich. Für die Flaggschiffimmobilien interessieren wir uns nicht, zum Beispiel die Hauptsitze der Banken, die Verwaltungsgebäude der Versicherungen und so weiter, die stehen im Augenblick nicht zum Verkauf. Die größten Wohnungsbaugesellschaften sind die Norden AG, Gutenberghus Hausbesitz, die Jeudan und die Immobilienaktiengesellschaft Danbo. Sie haben gemeinsam mit den Pensionskassen den Staat zu Stützungskäufen genötigt. So, wie wenn beispielsweise Deiche gebrochen sind und die Überschwemmungen den Wert des Ackerlandes verringert haben. Der Staat ist eingesprungen und hat aufgekauft, man schätzt so fünf bis zehn Prozent der City und der Frederiksstadt, der Preis wurde nicht bekannt gegeben, aber er hat sich wahrscheinlich nach dem Einheitswert gerichtet. Die Nationalbank hat Geld ausgespuckt, und das Justizministerium hat die Aufkäufe getätigt. Bleiben noch die Privatpersonen. Eigentümer von Mietshäusern und Eigentumswohnungen. Ich hab mich umgehört. Angeblich hat es viele Verkäufe gegeben, auch Panikverkäufe. Was zu erwarten war. Aber keiner hat Alarm geschlagen, keiner hat Sammelkäufe bemerkt. Ich wende mich also an die Abteilung Bau und Technik der Stadt Kopenhagen, um mich zu erkundigen, ob es eine Sammelnachfrage gegeben hat. Bevor man den Preis eines Citygrundstücks festsetzt, untersucht man den Grad der Bebauung, den Zustand der Fundamente und eventuelle Verschmutzung, sogar in einer Situation wie dieser. Die hatten keine ruhige Minute. Die haben auf zig Nachfragen geantwortet. Ich mache also weiter. Hier von meinem Sterbelager aus. Alle Vorgänge werden im Grundbuchamt eingetragen. Und selbstverständlich hat dein alter Vater direkten Zugriff auf das Grundbuch im gleichnamigen Amt in der Hestemøllestræde. Dabei stellt sich heraus, dass 27 dänische und ausländische Gesellschaften seit September letzten Jahres massiv eingekauft haben. In keinem

Fall ist der Preis bekannt. Aber wir reden von Milliarden Kronen. Vielleicht fünfzig. Vielleicht hundert. Vor der Katastrophe richtete sich der Preis nach der Miethöhe. Rund um die Strøget betrug er 25 000 Kronen pro Quadratmeter. Und jetzt kommt das Interessante. Die drei ausländischen Gesellschaften lege ich erst mal beiseite. Und rufe die Gewerbeaufsichtsbehörde an. Die Eigentümer von Gesellschaften werden in Dänemark nicht registriert. Aber Direktoren und Vorstände. Die Namen notiere ich mir. Und jetzt kommt's. Die 24 dänischen Gesellschaften sind im September letzten Jahres gegründet worden. Und sämtliche Vorstands- und Direktorenposten werden von denselben zwölf Personen wahrgenommen.»

Kaspers Herz schlug schneller. Der erhöhte Puls sandte eine Welle von Schmerzen durch seinen Schädel.

«Müssen sie ihre Gewinne nicht versteuern?», fragte er.

«Sie müssen ihre Gewinne gar nicht angeben. Dänemarks Steuerrecht bezieht sich nur auf den Handel mit Immobilien. Nicht auf den Handel mit Gesellschaften. Unsere 24 Gesellschaften hier haben vielleicht Immobilien für zwei Milliarden gekauft. Aber nicht die Immobilien wurden verkauft. Sondern die Gesellschaften. Für sechzig oder hundert Milliarden. Da ist nur eine Sache, die sie vermeiden müssen. Es darf ihnen nicht nachgewiesen werden, dass es vor dem Kauf der Gesellschaften Geschäftsabsprachen gegeben hat.»

Kasper versuchte zu denken.

«Und das ist noch nicht alles», sagte Maximillian. «Ich habe – ob du's glaubst oder nicht – immer noch Freunde und Freundinnen. Eine meiner Freundinnen sitzt in der Überwachungsabteilung der Kopenhagener Effektenbörse. Ich lege ihr die zwölf Namen vor. Ohne zu verraten, wo ich sie aufgesammelt habe. Frage sie, ob sie sie kennt, ob sie etwas kennt, was diese zwölf Leute miteinander verbindet.»

Kasper wusste, was jetzt kommen würde. Aber kein einfühlsamer Artist würde seinem Partner in der Manege die Freude verderben, indem er den Ballon platzen lässt.

«Alle zwölf stehen – oder standen bis vor kurzem – auf der Gehaltsliste der Konon.»

«Kain», sagte Kasper. «Mit seinen Erfahrungen bei der Flotte und im Amt für Gewässer und Schifffahrt. Mit Überschwemmungen kennt der sich aus.»

«Und wie man sich in Katastrophensituationen verhält.»

«Das Datum», sagte Kasper, «hast du das Datum, wann die Gesellschaften gegründet wurden?»

Er hörte Papier rascheln.

«Sie sind zwischen dem 2. und dem 24. September gegründet worden.»

Es wurde still. In der Stille hörte Kasper den Schock, der seinen Vater durchfuhr, er ging von einem Punkt aus, von einem Epizentrum, wie ein Ton, der im mentalen Teil des Bewusstseins angeschlagen wird, von hier breitete er sich kugelförmig aus.

«Großer Gott», sagte Maximillian. «Das heißt ... Das heißt, sie haben gewusst, dass die Beben kommen.»

7

Kasper erwachte vom Gesang der Sirenen, dem Walkürenritt in Kirchentonart, er hatte keinen Schimmer, wo er war, in der Hölle womöglich. Er wälzte sich ins Dunkel hinaus und fiel über den Nachttisch. Die Wirklichkeit baute sich wieder auf und fand ihn, auf den Dielen liegend, in Kabeln verheddert.

Sie mussten etwa siebzig Meter entfernt sein, der Gesang war durch etliche Meter Mauerwerk gefiltert, es waren vermutlich zwischen zwanzig und dreißig Frauen, mit einer Intonation, als zögen sie zum Blocksberg hinauf. Die Uhr lag neben ihm. Es war drei Uhr morgens.

Er riss die Elektroden ab. Hielt sich am Bett fest. Es gelang ihm, auf die Beine zu kommen und zu stehen. Zum ersten Mal seit zwei Wochen.

Er zog sich zum Waschbecken hin. Machte die Lampe an. Auf dem Bord lag sein Rasierapparat. Dazu Rasierschaum und ein Rasiermesser. Und der Lederriemen, um die Schneide abzuziehen. Mit Wissen und Sorgfalt bereitgelegt. Wäre es die eigene Mutter gewesen, man hätte sich gefreut. Aber die eigene Mutter war seit 29 Jahren tot, sie hatte es nicht mehr geschafft, ihm bei einer Rasur zuzusehen.

Er rasierte sich langsam und gründlich.

Er begegnete sich selbst im Spiegel. Jeder Mann, der sich rasiert, wünscht, eine Frau möge ihm zusehen und das Ergebnis gutheißen. Bei ihm war es zehn Jahre her, dass ihm jemand zugesehen hatte. Stine war die Letzte gewesen. Seitdem hatten nur noch Ankleiderinnen zugeschaut.

Jetzt war jemand da.

Die Blaue Dame. Sie lehnte an der Tür. Er hatte sie nicht kommen hören. Er schaute auf ihre Füße. Wenn sie Pfoten wie eine Katze gehabt hätte. Aber es waren nackte Füße in Sandalen. Und Nagellack. Farblos. Ein *Gloss*. Der Gesang schwoll an.

«Das Stundengebet», sagte sie. «Die zweite Frühmesse. Von drei bis vier.»

Er spülte die letzten Schaumreste mit kaltem Wasser ab.

«Zwei Dinge», sagte er. «Würdest du mal fühlen, ob es glatt genug ist, um damit ins Paradies zu kommen?»

Ihre Hände waren kühl, sie dufteten nach etwas wie Sandelholz.

«Ist in Ordnung. Und das zweite?»

«Warum sind sie hier? Die Frauen? Was wird denn das, wenn's fertig ist? Zu dieser dämonischen Uhrzeit. Griechische Mantras. Wolle direkt auf der Haut. Gruslige Bilder von bleichen Jünglingen an einem Kreuz. Totaler Gehorsam. Also, was wird das?»

Sie trat ein und schloss die Tür hinter sich, ehe sie antwortete.

«Liebe», sagte sie.

Sie zog den Rollstuhl heran, er setzte sich hinein. Sie nahm ihm gegenüber Platz. Sie lauschten dem Gesang. Kein normales Gehör hätte ihn auf diese Entfernung wahrnehmen können. Er wusste, dass ihres dazu imstande war.

«Du wirst es noch verstehen», sagte sie. «Beides, warum sie dich verlassen hat und warum sie den Brief hatte.»

Ihm war nicht klar, woher sie es wusste. Aber er vertraute ihr. Und zwar wegen des Tonfalls. Er hörte ihre Sachkenntnis. Die Welt ist voll von Menschen, die sich zu Dingen äußern, von denen sie keine Ahnung haben. Bei ihr war es anders. Er registrierte sein eigenes Zutrauen wie eine körperliche Entspannung. Und spürte ein Ziehen in den Wunden.

«Sie haben dir zugesetzt», sagte sie, «die letzten 48 Stunden. Bevor wir dich hergeholt haben.»

Er merkte, dass ein großes Entree bevorstand. Im Voraushören großer Entrees hatte er dreißig Jahre Erfahrung. Aber dieses war ohne Vorhänge. Ohne Musik. Ohne Licht. Ohne Publikum. Ohne Arrangement. Da kam etwas herangekrochen, aus dem Orchestergraben, der gar nicht da war. Es war die Angst.

«Sie haben mich altern lassen», sagte er. «Die beiden Tage. Sie haben mich fünfzehn Jahre altern lassen.»

«Andererseits waren sie doch vielleicht auch vorherzusehen?»

Er dachte, er höre nicht recht.

«Gab es da nicht einfach eine Reihe von Wiederholungen?», sagte sie. «Die gleiche Begegnung. Mit den gleichen zwei Personen?»

Er lauschte in ihr System hinein. Es war nichts zu hören. Die

Körpergeräusche natürlich. Aber kein Ton von ihrer Gesinnung. Kein Wispern der Gedanken. Keine Aggressionen. Keine Absicht. Sie war still wie die totale Abwesenheit.

Aber sie war nicht abwesend. Er erwiderte ihren Blick. Er versuchte, sich einen Eindruck von ihrem Körper zu verschaffen. Ihr Körper war fest wie ein Felsen, wie ein Block Urgestein. Und gleichzeitig flüchtig wie eine Flamme, die im nächsten Moment von einem Luftzug ausgeblasen werden konnte. Ihm standen die Haare zu Berge.

«In diesen 48 Stunden», sagte er, «habe ich so viele Menschen getroffen, dass ich mich gar nicht mehr an sie erinnern kann. Ich war in Lebensgefahr. Wurde von allen verfolgt. Weil ich versuche, das Leben eines Kindes zu retten. Und eine Vereinbarung einzuhalten. Ich habe einen Albtraum nach dem andern durchgemacht. Also, wovon reden wir eigentlich?»

«War es nicht einfach eine Reihe von Variationen eines sehr simplen Themas: die gleiche Begegnung. Mit den gleichen beiden Menschen?»

Er starrte sie an.

«Ein Mann und eine Frau», sagte sie. «Um dir ein wenig Abwechslung zu bereiten, gibt es sie in zwei Ausgaben. Diejenigen, die Kindern helfen. Und diejenigen, die Kindern schaden.»

In Zeitlupe, unter ungeheurem Widerstand, lauschte er über diese beiden Tage hinaus. Er hörte die Begegnung mit Brodersen und der blonden Frau. Mit Mørk und Asta Borello. Maximillian und Vivian der Schrecklichen. Lone Bohrfeldt und den Männern in ihrem Umkreis. Kain und der Saunameisterin.

«Gelegentlich waren sie vielleicht voneinander getrennt», sagte sie. «Und du hast nur den Mann oder nur die Frau getroffen.»

Er hörte Daffy. Franz Fieber. Stine. Sonja.

«Aber eigentlich waren sie immer ziemlich gleich», sagte sie. «Mit dir oder gegen dich. Aber sonst ziemlich gleich.»

«Es gab noch etwas anderes als Begegnungen», sagte er.

Sie nickte.

«Es gab Flucht. In die Freiheit. Du bist ein Flüchtling. Und es gab Einbrüche. Eindringen. Du bist ein Suchender. Aber du verfolgst die ganze Zeit dieselbe Spur. Wie viele mehr oder weniger identische Schranken hast du auf mehr oder weniger gleiche Weise überwunden?»

Er hörte den Klang Ole Lukøies in der Steuerverwaltung. Er hörte den Engel hinter der Sprechmembran am Sperrbezirk. Die böse Mutter bei Lone Bohrfeldt. Den Eingang zum Tårbæk-Sanatorium. Die Frauen, die die Telefone hüteten. Das Karten- und Katasteramt. Er hörte den Beamten in der Pförtnerloge auf der Schlossinsel. Den Mann im Glaskasten der Konon.

Die Angst wurde konkret, wurde zu Furcht. Panischer Furcht, panisch und taub. Zur Furcht, eingesperrt zu sein.

«Nur diese beiden Tage waren so», sagte er. «Sonst war mein Leben eine bunte Palette.»

Er hörte seine Stimme, als befände er sich außerhalb seines Körpers. Die einem Menschen gehörte, den er nicht kannte.

«Ich habe fünfhundert Vorstellungen absolviert», sagte er.

«Aber alle ziemlich gleich, oder?»

Er blickte ihr in die Augen. Nie war er einem solchen Blick begegnet. Er war vollkommen ruhig. Und vollkommen wach.

«Schon in Ordnung», sagte sie. «Wir alle versuchen die Monotonie zu tarnen. Ist aber anstrengend. Ständig auf das Besondere zu pochen. Wo doch jeder an den andern erinnert. Unsere Triumphe sind gleich. Unsere Leiden. Versuche mal einen Moment, die Erleichterung im Gewöhnlichen zu spüren.»

Er sah sie an. Sie war transparent, wie ein Aquarell. Als wollte sie sich in einen Laut auflösen, in noch nicht in Form gegossenen Klang.

Er hörte, wie begrenzt die Themen seines Lebens waren. Wie begrenzt die Saiten, auf denen gespielt werden konnte. Er ließ sie los.

Es war Stille um ihn. In ihm. Mehr Stille denn je.

Die Tür ging auf. Zu der großen Musik. Er wusste, dass auch sie sie hören konnte.

«Selbst die», sagte sie, «selbst die wird auf die Dauer monoton.»

Er ließ los. Er war hinter dem Konzertsaal. *Backstage* bei Gott der Herrin. Es gab ein Loch in der Schallmauer. Durch das Loch floss die Stille. Zum ersten Mal überhaupt fand sein Gehör Frieden.

Er wusste nicht, wie lange es gedauert hatte, der Augenblick hatte keine Ausdehnung gehabt. Zeitliche Ausdehnung bedeutet, dass ein Metronom schlägt, dass ein Pendel schwingt. Es war still gewesen.

«Was hast du da eben getan?», fragte er.

Er konnte sich nicht überwinden, ihr in die Augen zu sehen.

«Eigentlich nichts Besonderes», antwortete sie. «Das Stillespiel gespielt.»

Er sah sie doch an. Sie lächelte. Ihr Lächeln klang so, wie die Fitzgerald singt. Nach kindlicher Verspieltheit und zeitloser Reife zugleich. War sie eine Greisin oder ein kleines Mädchen?

«Mutter Rabia», sagte sie, «meine Lehrerin und Vorgängerin, sagte oft, sie erlebe die Menschen wie eingesperrt in Blasen. In den Blasen gebe es, an ein, zwei Stellen, ein winziges Loch. Nur durch diese Löcher könnten die Blasen sich mit anderen Blasen verbinden, nur durch sie könnten die Menschen kommunizieren und die Wirklichkeit erleben. Und diese Löcher gewährleisten, dass wir ständig die gleichen Grundsituationen erleben, es sind nicht viele. Jeder von uns trägt seine eigene Wirklichkeit mit sich herum. Mit nur sehr wenig Kontakt zur Wirklichkeit der andern. Was war denn nun der Grund, warum du nie auf ihren Brief geantwortet hast?»

Er sagte nichts.

«Der Wunsch, etwas Besonderes zu sein», sagte sie, «ist ungeheuer stark. Bei uns allen. Es macht nichts, wenn das Leben schmerzhaft ist. Wenn es nur eine besondere Schmerzhaftigkeit ist. Aber wenn man jemandem begegnet, der klüger ist. Der tiefer hineinhorcht. Dann riskiert man, dass die eigene Besonderheit plötzlich in einen größeren Zusammenhang gestellt wird. Liege ich richtig?»

«Zum Teil», sagte er. «Aber ich hatte auch Angst. Dass es ... das Gehör schwächen könnte.»

Er fühlte, dass sie ihn verstand.

Draußen war es hell geworden, er hatte das Licht gar nicht bemerkt. Er hörte Kinderstimmen. Und Stimmen von Jugendlichen. Er bekam eine Gänsehaut.

«Es sind keine gewöhnlichen Kinder», sagte er. «Ich habe gesehen, wie sie die Zeit angehalten haben.»

Die Stimmen kamen näher, sie waren unter dem Fenster, er erkannte zwei von ihnen, das konnte doch nicht sein. Trotzdem setzte er die Brille auf und rollte den Stuhl zum Fenster. Unter dem Fenster standen feste Tische und Bänke, die Kinder frühstückten unter freiem Himmel.

Das ihm am nächsten sitzende Kind war der Junge von der Schlossinsel. Der mit dem Wasserkopf. Ein Jahr älter. Aber immer noch er. In der Brusttasche des Jungen sah Kasper den Vorgänger seines jetzigen Füllfederhalters.

Die Furcht kehrte zurück. Er fühlte den Schweiß aus seinen Achselhöhlen die Seiten hinunterrinnen. Das andere Geräusch stammte von einer entfernteren Gruppe von Kindern. Ein großer Junge servierte ihnen, kaum noch ein Junge, ein junger Mann schon. Er war heiser, er klang wie eine Brummstimme aus dem Sankt-Annen-Chor. Es war der Junge aus dem Hotel Rungsted.

«Zwei von denen kenne ich», sagte er.

«Muss Zufall sein.»

«Ich spiele Karten. Ich weiß, wie weit der Zufall reicht. So weit wie hier jedenfalls nicht.»

«Simon», sagte sie. «Er geht in den Kindergarten, wo du ihn aufgesammelt hast.»

Er schüttelte den Kopf, um sich zu verteidigen.

«Er hat dich erwartet», sagte sie. «Nicht in diesem Augenblick. Aber früher oder später. Wir haben dich alle erwartet. Das war etwas, was ich von Mutter Rabia gelernt habe: dass die Beharrlichen, die Suchenden, irgendwann vorbeikommen. Man braucht nur zu warten.»

«Und der andere. Der Große. Er hat mich in einem Hotel bedient.»

Sie zuckte die Schultern. Stand auf. Er empfand eine blinde Wut, dass sie ihn verlassen wollte. In diesem Augenblick.

«Wir haben eben erst angefangen», sagte er.

Sie schüttelte den Kopf.

«Was wir dir in Aussicht gestellt haben, war eine Andeutung von Stille. Kein Lexikon über die Rätsel des Daseins.»

Wenn er hätte aufstehen können, hätte er sie am Kragen gepackt.

«Du bist ein großer Egoist», sagte sie. «Ich finde das positiv. Ein großer Egoist ist ein großer Sünder. Große Sünder haben die Möglichkeit für große Reue. Die Reue ist ein Sprungbrett.»

Sie zog die eine Schulter ihres Kittels herunter. Er starrte auf schwarze Spitze, wahrscheinlich Seide.

«Ich bin in einer Art von Wohlstand aufgewachsen», sagte sie. «Wolle direkt auf der Haut konnte ich noch nie ausstehen.»

Es gelang ihm, die Contenance zu wahren.

«Und der Alltag?», sagte er. «Es sind zwei Kinder verschwunden.»

Aus ihrem Gesicht wich jeder Humor.

«Nicht einmal du», sagte sie, «kannst dir vorstellen, wie schlimm es ist.»

Die Afrikanerin brachte Suppe und setzte sich, sie blieb bei ihm, während er aß.

«Das meiste», sagte er, «liegt außerhalb unserer Kontrolle, nur Gott die Herrin kann es kontrollieren. Ob ein Kind verschwindet oder zurückkehrt. Ob es lebt oder stirbt. Kann sein, dass wir im Grunde überhaupt nichts ausrichten können. Aber wenn man es aushalten soll, in seine eigene Machtlosigkeit zu schauen, dann muss man eines getan haben: sein Äußerstes.»

Er erreichte sie nicht, sie war verschlossen, sie sammelte sein Besteck ein. In der Tür blieb sie stehen.

«Ich besorge ein Auto», sagte sie. «Heute Nacht.»

«Wie wär's mit 'ner Flasche Kognak? Und ein paar Gläsern. Etwas Schmerzstillendem. Ein bisschen Morphium vielleicht, für meinen Auftritt.»

SECHSTER TEIL

1 | Die Aktion war nach drei Stunden abgeschlossen.

Sie kam kurz nach Mitternacht und half ihm in den Rollstuhl. Der Aufzug brachte sie in eine Tiefgarage. Ihr Fahrzeugpark verfügte über zwölf Wagen, zwei Geländewagen, den Krankenwagen, in dem sie ihn abgeholt hatten, einen zweiten Krankenwagen, einen Pritschenwagen, zwei Pick-ups, einen Kombi, drei Polos, vielleicht für das *powershopping* der Nonnen, einen Kastenwagen.

Schwester Gloria senkte den Lift des Kastenwagens, rollte ihn auf die Plattform, ließ ihn hochfahren, schob ihn ins Auto, machte den Rollstuhl fest. Am Steuer saß Franz Fieber.

Das Lattentor musste einen Sensor haben oder per Fernbedienung betätigt werden, es glitt wie von selbst auf, draußen stand die Nacht wie eine Mauer. Das Zauntor ging auf, die Autoscheinwerfer fingen Nebelfetzen ein.

«Wir haben drei Stunden», sagte die Afrikanerin. «Danach wird jemand anfangen, sich sehr zu wundern.»

«Du hattest doch einen Fahrer mit einem Boot», sagte Kasper.

Franz Fieber notierte etwas auf einen kleinen Block unter der Ikone, ohne die Augen von der Fahrbahn zu nehmen. Er reichte den Zettel nach hinten.

Kasper versuchte, die Nummer einzugeben, es ging nicht, seine Hände zitterten, er zeigte auf die Nummer, die Afrikanerin wählte für ihn. Er musste die Bandagen wegziehen, um das Telefon ans Ohr halten zu können. Es dauerte eine Ewigkeit, bis jemand ranging. Ein massiver Mann.

«Hier ist Fiebers großer Bruder», sagte Kasper. «Fieber sagt, du hast ein Boot, das du in einer Viertelstunde klarmachen kannst.»

Der Mann gurgelte in den Hörer.

«Geh zum Arzt, Mann! Es ist mitten in der Nacht!»

Die Motive der Menschen liegen nicht vor ihnen. Wir sind vor etwas auf der Flucht, das hinter uns liegt. Die Stimme im Hörer mühte sich mit Erinnerungen an Versagen und Verlassenheit ab. Gegen diese Erinnerungen hatte sie sich hinter Materialität verschanzt. Die Worte kamen aus einem fleischigen Körper in einem soliden Einfamilienhaus.

«Tut mir echt leid», sagte Kasper. «Wenn ich daran denke, dass du deinen Job behalten und um zehntausend Kronen reicher sein könntest.»

Sie fuhren über den Bispebogen. Das Telefon war still. Vielleicht war alles nur Einbildung. Und der Mann war dabei aufzulegen.

«In bar?»

Kasper zog den Rest seines Stipendiums aus der Morgenrocktasche und hielt ihn in die vorbeiziehende Straßenbeleuchtung. Er zählte zwanzig Scheine ab. Mit Niels Bohr darauf. Der Quantenmechaniker hatte Säcke unter den Augen. Es muss ihn einiges gekostet haben. Mit dem Herzen und der Intelligenz eines Heiligen zu leben. Und dann trotzdem zur großen Bombe beigetragen zu haben.

«In geringfügig gebrauchten Fünfhundertkronenscheinen.»

Er hörte, wie eine Lampe anging, das Bett quietschte und etwas Schweres knurrte. Die Gattin oder der Rottweiler.

«Der Hafen ist nachts gesperrt», sagte der Mann.

«Haben sie es tatsächlich geschafft, einem Seemann einzureden, dass der Öresund nach Sonnenuntergang zumacht?»

Sie kamen auf den Åboulevard.

«An der Kalvebodmole», sagte die Stimme. «Schräg gegenüber vom Schleusenhafen. In einer halben Stunde.»

Sie bogen ab, am Hauptbahnhof und am Postterminal vorbei. Das Auto schwenkte nach Süden, am Hafen entlang und am neuen Fischmarkt. Als Kasper klein war, hatten an dieser Stelle Kohlenlager, Hausboote und Industrieanlagen gelegen, jetzt waren hier Einkaufszentren und Nachtklubs entstanden.

Sie passierten das Ørsted-Werk und den Belvederekai, er war seit zehn Jahren nicht mehr hier gewesen. In seiner Kindheit waren hier zweihundertfünfzig Kutter vertäut gewesen, es hatte Kleingärten mit Lauben gegeben, in denen die Leute das ganze Jahr über wohnten. Jetzt standen hier Bowlinghallen, Bürozentralen und Pornofilmstudios. Etliche der kleinen oder mittelgroßen Zirkusse hatten hier im Südhafen ihr Winterquartier aufgeschlagen. Damals hatte die Stadt an dieser Stelle aufgehört, südöstlich der Seelandbrücke fing die Tundra an. Jetzt lagen hier Golfbahnen, ein Fußballstadion, Tankstellen. Drei Häuser von damals standen jetzt unter Denkmalschutz auf dem Bahngelände und waren eingezäunt. Was soll man davon halten, dass wir alle im Laufe einer halben Generation aus dem Dschungel in den Zoo geraten sind?

«Als ich klein war», sagte er, «war das hier die Rückseite der Stadt. Jetzt ist das alles Front. Ich fass es nicht.»

Publikum zu haben ist immer nett. Aber diesmal hatte er zu sich selbst gesprochen. Eine Antwort hatte er nicht erwartet.

«Die Rückseite ist intakt», sagte die Afrikanerin. «Genauso groß wie damals. Oder noch größer. Sie wurde halt ein bisschen aufgepeppt.»

Wut packte ihn, er wusste nicht, warum.

«Woher», sagte er, «hat eine minderjährige Nonne, die im Busch aufgewachsen ist, diese Weisheiten über die Schattenseiten des Lebens?»

Sie beugte sich vor, trat Franz Fiebers Bein weg und stieg auf die Bremse. Kasper wäre um ein Haar aus seinem Rollstuhl gerissen worden und durch die Windschutzscheibe geflogen. Franz Fieber war weiß wie ein Gespenst.

Sie zog das Medaillon über den Kopf und reichte es nach hinten. Sie schaltete das Licht im Auto an. Kasper betrachtete ein Foto von zwei Kindern und einem Mann auf einer Grünfläche. Die Kinder waren dünn und knochig und hatten ein wildes weißes Lächeln. Der Mann hatte einen sanften Mund und einen Blick, der der Sanftheit die Würze verlieh.

«Ich bin 35», sagte sie. «Ich habe einen Mann und zwei Kinder.»

Seine Hand fühlte die Wärme des Silbers. Es trug ihren Geruch. Sicher gab es irgendwo in den Tropen eine Pflanze, die in der Mittagszeit genau diesen Duft verströmte.

Er drehte das flache Medaillon. Auf der Rückseite waren zwei Zuluschilde und zwei gekreuzte Asagai eingraviert und der Text *First Pan African Aikido Championship*.

«Das Leben als Nonne erscheint mir von Mal zu Mal attraktiver», sagte er. «Kann man sich bewerben?»

Sie hielten vor zwei seichten Hafenbecken zwischen zwei Molen, am Ende der einen Mole bewegte sich etwas, sonst war alles still. Schwester Gloria schob ihn auf den Lift und ließ ihn auf die Erde. Sie rollte ihn langsam, ruhig über die Straße auf das Hafengelände. Es gab keinen Verkehr, er liebte die Nacht. Als er klein war, hatte seine Mutter ihm vorgelesen, nicht oft, dazu hatte sie weder die Zeit noch die Kraft, aber hin und wieder. Sie hatte ihm *Palle allein auf der Welt* vorgelesen. Er hatte die Stille in dem Buch gehört. Hinter den Zeichnungen, hinter dem Text, hinter der scheinbaren Einsamkeit des Buches hatte er die erquickende Stille einer Stadt vernommen, in der alles ruht.

Jetzt hatte er das gleiche Gefühl, dass die Stadt rundum vollständig still war. Und dass ihn eine umfassende Weiblichkeit vorwärtsbewegte.

Auf dem äußersten Zementpoller saß eine in eine Pferdedecke gehüllte Gestalt. Als er die Mitte der Mole erreicht hatte, wusste Kasper bereits, dass er den Mann schon einmal gesehen hatte, gesehen oder gehört.

Die rote Bete erhob sich, und in den Türkisen deutete nichts darauf hin, dass sie Kasper wiedererkannten. Wäre auch verwunderlich gewesen, schließlich war er einbandagiert wie eine Mumie. Es war der Mann, der Stines Boot vor der Nationalbank gesteuert hatte, vor einer Ewigkeit von vierzehn Tagen.

«Wenn wir durch die Absperrung müssen», sagte er, «kostet es fünftausend extra.»

Im Licht der Energiesparlampen sah Bohr noch geschwächter aus. Stine hatte Kasper einmal von Einsteins Widerstand gegen die probabilistischen Erklärungen der Quantenmechanik erzählt. Wie alle großen Pokerspieler hatte Einstein einen Sinn für die Grenzen des Zufälligen. Hier im Südhafen auf die rote Bete zu stoßen lag jenseits der Grenze. Kasper schüttelte sich. Einen kurzen Moment lang hatte er den Eindruck, Gott die Herrin spiele mit gezinkten Karten. Er machte den Kognak auf, die Afrikanerin reichte ihm zwei Gläser zum Augenspülen, und obwohl seine Hand zitterte, gelang es ihm einzuschenken.

«Schwester Gloria und ich», sagte er, «wohnen im selben Kloster. Mönche und Nonnen sind durch ein Gitter voneinander getrennt. Wir haben uns durch das Gitter angesehen, ein Jahr lang. Heute Nacht, an ihrem achtzehnten Geburtstag, haben wir Ausgang. Wir möchten ganz gern alleine feiern.»

Der Mann guckte auf die Verbände. Den Gips. Den Rollstuhl.

«Das kostet fünftausend extra. Als Sicherheit. Gibt's zurück, wenn ihr wieder da seid.»

Kasper setzte die Brille auf. Blätterte die Hälfte der Summe hin. Nicht ohne Mühe.

«Wir lassen das Boot in der Stadt zurück», sagte er. «Am Nyhavn. Für dich kein Risiko. Und du denkst dran, wie es ist, achtzehn zu sein und frischverliebt.»

Der Mann starrte Kasper an. Der prostete ihm zu.

«Auf den Heiland», sagte er. «Zuerst wird immer auf den Heiland angestoßen.»

Schwester Gloria legte die beiden Aluminiumschienen vom Kai auf die Reling, sie rollte Kasper aufs Boot.

«Das ist ein Yanmar-Motor», sagte der Mann. «Wisst ihr überhaupt, wie man so was startet?»

Die Nonne klappte den Motorkasten auf, bewegte den Ventilstößel, öffnete damit die Benzinzufuhr, zündete, der Motor erwachte, sie löste die Springe, legte den Gang ein, gab Gas, langsam glitt das Boot an dem Mann auf dem Kai vorüber.

Kasper hob sein Glas.

«Sie hat die Heizerprüfung gemacht», sagte er. «Bevor sie Medizin studierte. Aber nachdem sie die ewigen Gelübde abgelegt hatte. Und ihr der schwarze Gürtel verliehen worden war.»

Das Boot glitt aus der Schleusenrinne, vor ihnen weitete sich die Fahrrinne des Hafens.

«Wir haben hier trainiert», sagte Kasper, «als ich noch ein Kind war. Die kleineren Zirkusse, die für richtige Winterquartiere nicht die Mittel hatten, haben sich hier eingemietet, hier oder im Nordhafen. Zum Mittag gingen wir runter und haben uns auf die Mole gesetzt, im Frühjahr, bei den Gewürzlagern. Damals und noch viele Jahre danach hatte ich einen Traum, einen Tagtraum. Ein Bild, das ganz von selbst kam. Ich stellte mir vor, ich hätte Kinder und würde ihnen zeigen, wo ich gelebt und gearbeitet habe. Immer hab ich den Hafen hier vor mir gesehen. Und eines Tages würde ich mit ihnen auf dem Achtersteven eines Segelschiffs stehen und in den Südhafen blicken und wir wären auf dem Weg in die Ferne. Und wir hätten ein Gefühl von großer Freiheit.»

«War eine Frau dabei?», fragte die Afrikanerin. «In dem Traum?»

Er dachte nach.

«Nein», sagte er. «Es waren tatsächlich nur ich und die Kinder.»

Sie fuhren an Teglholmen vorbei, backbords öffnete sich der Tømmergraben, sie näherten sich der Absperrung. Sie bestand aus einem Nylonnetz, das von einem Kabel herunterhing, quer über die Fahrrinne gespannt, an orangefarbenen Bojen befestigt und von einem Schlagbaum und einem Schuppen auf einer Plattform unterbrochen war.

Er dachte an die anderen Barrieren, auf die er auf seiner Suche nach KlaraMaria gestoßen war. Er dachte an die Blaue Dame. Er wusste, er sah in etwas hinein, das von seinem eigenen Bewusstsein projiziert wurde. Dieses Wissen erfüllte ihn für einen kurzen Augenblick mit Sorglosigkeit.

Er dachte an den Mann, dessen Boot er nun gemietet hatte, es war wieder ein Hindernis und zugleich eine Hilfe auf seinem Weg zu dem stillen Mädchen. Er betrachtete die Afrikanerin ihm gegenüber, es war wieder eine Manifestation des Weiblichen. Er konnte die Wiederholungen fühlen, er war in einer klanglichen Repetition gefangen, einer Art Endlosschleife. Aber zum ersten Mal in seinem Leben wusste er es. Mit diesem Wissen war eine Freiheit auf dem Weg, er konnte es hören.

«Wir werden angehalten», sagte die Afrikanerin.

Er horchte, in dem Schuppen war niemand.

«Wir sind in einer gewaltlosen Mission für Gott die Herrin unterwegs», sagte er. «Der Kosmos ist mit uns.»

Sie half ihm aus dem Rollstuhl und auf den Boden des Bootes, sie selbst legte sich auf eine Ducht, das Boot glitt unter dem Schlagbaum hindurch, auf der Plattform war keine Menschenseele zu sehen, sie waren im Gaswerkshafen.

«Warum hast du keine Kinder?», fragte sie.

Verwundert hörte er sich die Wahrheit sagen. Oder das Fitzelchen Wahrheit, das sich aussprechen lässt.

«Vielleicht habe ich nie daran geglaubt, dass ich innerlich genug Stabilität dafür haben würde. Um es einem Kind zumuten zu können. Ich wusste, ich könnte Kindern eine halbe bis eine Dreiviertelstunde lang etwas bieten. In der Manege. Im Scheinwerferlicht. Aber dass ich mich wohl eher nicht für einen längeren Zeitraum eigne.»

«Gab es jemals eine Frau?»

«Ernsthaft nur einmal. Und das war sehr kurz.»

Mit dem Ehrlichsein muss man aufpassen. Plötzlich konnte er hören, wie die Einsamkeit ihn umschloss. Er fühlte, wie sie lauschte. Er merkte, dass sie sein System in diesem Augenblick hörte und verstand.

«Auch mit Kindern ist man ziemlich oft allein», sagte sie. «Sogar in einer Familie. Kinder verändern sich sehr schnell. Es gibt keine Stabilität. Ständig wird man daran erinnert, dass sie bald aus dem Haus gehen. Ich bin jetzt seit einem Monat weg. Wenn ich in drei Wochen nach Hause komme, haben sie sich verändert, es ist, als sähe ich sie zum ersten Mal. Als wenn sie Fremde wären. Auch im Alltag. Vielleicht stimmt es, dass die Liebe ewig währt. Aber ihr Aussehen, ihre Gestalt, verändert sich die ganze Zeit.»

Vor dem Boot lag eine Nebelbank, sie fuhren hinein.

Die Langebro trat aus dem Nebel hervor. Die Brücke war abgesperrt. Vor dem Gebäude der Angestelltengewerkschaft HK hielt ein Auto. Jemand, dem in zwei europäischen Ländern der Führerschein entzogen wurde, hält instinktiv nach dem Verkehrspolizisten mit der Kamera Ausschau, Kasper entdeckte ihn auf dem der Brücke gegenüberliegenden Bürgersteig, neben dem Kontrollturm. Die Afrikanerin hatte ihn auch gesehen.

«Sie werden uns entdecken», sagte sie, «wir werden geschnappt, die Flotte patrouilliert hier überall.»

Kasper zeigte nach rechts, das Boot schwenkte in die Kanäle von Christianshavn. Der Großteil des Viertels war evakuiert, die Bürogebäude waren dunkel, die Wohnungen verlassen, die Straßen leer. Sie glitten unter der Brücke der Torvegade hindurch. Das Gewölbe verdichtete jeden Laut, konkave Flächen sammeln die Geräusche in einem Brennpunkt, Brückenbögen sind akustische Kristallkugeln, sie verdichten alle Signale der Umgebung. Kasper hörte das Echo der leerstehenden Wohnungen. Er hörte das Geräusch des Wassers, das vom Mauerwerk aufgesaugt wurde. Das Geräusch des nahenden Einsturzes. Und ein Stück entfernt: einen rätselhaften Klang der Tropen.

Im obersten Stockwerk des letzten Hauses in der Straße Overgaden neden Vandet, die am linken Ufer des Kanals verlief, sickerten durch verhängte Scheiben schmale Lichtstreifen in die Nacht.

2

Die Vögel des Regenwaldes sangen nicht, sie lachten, sie kollerten, sie röchelten. Im Hintergrund ahnte man den steilen blauen, im Dunst schwimmenden Schatten des Kilimandscharos. Am Fuße des Berges das saftige Grün der Serengeti. Vor der Savanne der Regenwald und die Vögel. Vor dem Regenwald eine Frau. In einem Sessel an einem Tisch mit zwei Flaschen Likör und einem Glas.

Vielleicht war sie 95, vielleicht auch 295, irgendwann in vorgeschichtlicher Zeit war sie mit dem Sessel verwachsen, es war nicht auszumachen, wo der Mensch aufhörte und das massive Möbelstück anfing.

Kasper fuhr mit seinem Rollstuhl an den Tisch heran. Er

wagte noch nicht, Atem zu holen. Dafür war der Geruch zu stark, der Geruch nach Tod und Likör.

Die Afrikanerin war an der Tür stehen geblieben.

«Mehlwürmer», sagte die Frau im Sessel. «Für die Vögel. Sie krabbeln unter den Teppich, da verfaulen sie dann. Kann man nichts gegen machen. Nimm ein Glas, lieber Freund. Wie haben wir denn hierhergefunden? Und wer ist das süße schwarze Schnuckelchen da?»

Das Zimmer hätte hell sein können, die Luft frisch, sechs Fenster zeigten auf den Kanal. Aber sie waren mit Rollos und Jalousien verbarrikadiert.

«Ich bin der Sohn von Maximillian Krone.»

«Können wir uns vielleicht ausweisen, mein Hübscher?»

Ihre Gesichtshaut war leblos wie die einer Wachspuppe. Das eine Auge blickte blind und graumeliert in den Dschungel, das andere war schwarz, voll intensiven Lebens. Es musterte Kaspers Pass.

Das Zimmer war groß, aber praktisch unzugänglich. Der Urwald war in stattliche Keramiktöpfe gepflanzt, die sich auf einem Nylonfilzteppich vor der afrikanischen Bildtapete breitmachten. Vor dieser Pflanzenwelt standen der Tisch, der Sessel und ein Ständer mit Wachstumsstrahlern. Rund um die Vegetation flatterten mindestens hundert Vögel. Die restlichen zwei Drittel des Raumes waren von einer kompakten Papier- und Pappmasse okkupiert. Vom Boden bis zur Decke türmte sich ein zusammenhängender Block aus Büchern, Fotoalben, Briefbündeln, Zeitschriften, Postkarten, Archivkästen, Katalogstapeln, Ölgemälden und Plakatrollen.

«Das ist nur ein Drittel», sagte sie. «Der Rest liegt in den Archiven der Königlichen Bibliothek. Auch die Filme und die Videos. Im Ganzen eintausendfünfhundert Stunden Film.»

«Sie haben meine Großmutter gekannt.»

Sie fasste eine Flasche mit zwei Händen und zeigte sie Kasper, der schüttelte den Kopf. Sie schenkte sich ein. Erst aus der einen Flasche, dann aus der andern, es war grüner und gelber Chartreuse. Sie mischte ihn im Verhältnis eins zu eins.

Das Glas war schmal. Aber was ihm an Durchmesser mangelte, hatte es an Länge, es war hoch wie eine Blumenvase. Vielleicht, um den langen Weg vom Tisch zum Mund zu verkürzen. Wenn es schnell gehen sollte.

Es sollte schnell gehen. Sie trank wie ein Bierbrauer, sie kippte das Zeug, ohne zu schlucken. Dann stellte sie das Glas hin und schnalzte mit der Zunge.

«Man muss sich ein bisschen verwöhnen. Besonders, wenn man allein ist. Henry ist vor zehn Jahren gestorben.»

Auf dem Fußboden konnte Kasper sehen, wie sehr sie sich verwöhnte. Dort standen zwei Reihen Flaschen, sorgfältig hintereinandergestellt wie Requisiten vor einer Vorstellung, von jeder Farbe an die zwanzig. Ihr Hirn musste in Alkohol und Zucker eingelegt sein, wie eine grüne Walnuss musste es aussehen. Er würde nie zu ihr durchdringen.

«Deine Großmutter war bei den Wiener Kindern dabei. Kam im März 1920 nach Dänemark. Sie hatten einen besonderen Pass um den Hals hängen. In Österreich wären sie verhungert. Sie war in derselben Gruppe wie Ilona Wieselmann. Debütierte mit achtzehn in *Das Nonnenkind* am Königlichen Theater. Eine von Ernst Rolfs zahlreichen Damenbekanntschaften. Verheiratet mit Aage Stentoft. Du weißt, der mit dem Ohrwurm *Dein Herz ist in Gefahr, Andresen.*»

Die Vögel waren still geworden. Ein neuer Klang begann den Raum zu erfüllen. Der Klang eines extremen Gedächtnisses, das allmählich in Gang kam.

«Deine Großmutter kam in Pflege. In einem Handarbeitsgeschäft in Ærøskøbing. Das hat der Jungfer wahrhaftig nicht geschmeckt. War wohl eher eine Art Zwangsarbeit. Im ersten Winter ging sie über das Eis nach Svendborg. Damals hatte der

Zirkus eine Revue dabei. Im Zelt. Sie ist mit einem der Revueschauspieler gereist. Es gibt ein Bild von ihr von damals. In einem Mantel, halb Schafswolle, halb Kamelwolle, hässlich wie die Nacht. Der Mantel, meine ich.»

Ein Vogel ließ sich auf ihrer Schulter nieder, ein Amazonensittich, ein Fünfzigtausendkronenvogel, blauemailliert, golden, rot, er gurrte, sie antwortete ihm aus tiefster Kehle mit einem identischen Ton. Er legte seinen Schnabel an ihre Hand.

«Ich weiß, was du denkst, mein Süßer. Du denkst: ‹Warum sucht sie sich nicht einen neuen Freund. Um mit ihm im Tiergarten spazieren zu gehen.› Ich bin erst gut achtzig. Aber das sagst du, weil du so ein Grünschnabel bist. Du hast nie die große Liebe erlebt. Es wird nie mehr so sein wie mit Henry. Ich kann nicht mal sein Foto hier stehen haben. Das große von '52, aufgenommen bei Elfelt. Es ist, als riefe es nach mir. Der Psychologe hat gesagt, ich soll es wegstellen.»

«War da was mit Religion? Mit der orthodoxen Kirche?»

Sie stippte einen Finger in ihr Glas und hielt ihn dem Vogel hin. Mit seiner gekörnten Zunge schleckte er den Likör auf.

«Hat mich die Polizei auch gefragt. Die Antwort ist nein.»

Sie leerte das Glas selber.

«Sie hat nichts bezahlt. Die Polizei. Ich habe immense Unkosten. Ich sammle für ein Museum. Die größte Sammlung der Welt. Normalerweise nehme ich viertausend Kronen. Wenn ich hier und jetzt auf etwas antworten kann. Falls ein Foto benötigt wird, macht es tausend extra. Wenn ein Buch erscheint, werde ich namentlich genannt.»

Er zog den Umschlag mit dem Rest seines Stipendiums aus der Tasche.

«War da was mit dem Training von Kindern?»

«Nonnen und Zirkus, das passt nicht zusammen. Dürfen wir mal das Geld sehen?»

Er zählte die Scheine auf den Tisch.

«Ich habe keine Nonnen erwähnt», sagte er.

Ihre Hände befühlten die Scheine. Er konnte ihren Klang erkennen, den Klang der Artisten. Sie war eine Schwester. Im Geiste.

«Mehrere Kinder sind auf Klosterschulen gegangen. Im Winter. Wenn der Zirkus Ruhepause hatte. Keine Probleme im Osten. Keine Feindschaft zwischen Kirche und Zirkus. Sie hielten zusammen, als sie nach Dänemark kamen. Hielten sich im Umkreis der russischen Kirche auf. Es gab da eine Frau, die sie vereinte.»

Das schwarze Auge blinzelte ihn an.

«Unter Umständen gibt es da ein Foto», sagte sie.

Er legte noch einen Schein auf den Tisch.

«Versuch's mal im Mittelgang.»

Er rollte seinen Stuhl in den Papierberg hinein. Der Mittelgang war eine Spalte zwischen den Stapeln. Ihre Stimme folgte ihm, durchdringend, wie der Schrei eines Vogels.

«Du stehst jetzt vor einem signierten Porträt meines sehr, sehr nahen Freundes Charlie Rivel. Rechts von ihm fangen die Alben an.»

Es waren sechs Regalbretter, sie setzten sich in ein fernes Dunkel fort. Es mussten insgesamt mindestens dreißig Regalmeter sein.

«Eines der ersten ist rot mit Goldprägung.»

Der Band war schwer wie eine Bilderbibel, er war mit Vogelkot befleckt, er legte ihn ihr hin.

Sie hätte gleich die betreffende Seite aufschlagen können, sie tat es nicht. Sie blätterte langsam um. Endlose Sequenzen sorgfältig eingeklebter Schwarzweißfotografien, signiert mit unleserlichen Unterschriften. Männer mit gekreuzten Armen und gewichsten Schnurrbärten. Frauen, die sich dem Wettkampf mit einem Sumoringer hätten stellen können, und man hätte keine müde Mark auf den Ringer gesetzt.

«Sie rief sie am Sonntag zusammen. Vor der Stadt lag eine Art Kloster. In Bagsværd. Liegt womöglich immer noch da. Sie bekam Ärger. Musste aufgeben. Der Sonntag ist kein freier Tag für Artisten. Und was wollte sie von ihnen? Sie bekam Ärger mit den Pflegeeltern.»

Kaspers Augen glitten über die Fotos. Er lauschte in sie hinein. In die Stimme der alten Frau vor ihm. Er hörte den Gang der Zeit. Die Geschichte. Sie hatte einen geschwächten Klang. Die meisten Ereignisse hinterlassen nur das schwächste Echo, die Menschen auf den Bildern waren tot, sie lebten nur noch in dem Bewusstseinsarchiv, das ihm gegenübersaß. Und bald würde auch sie nicht mehr sein.

«War irgendwas Besonderes mit den Kindern?»

Ihr Klang veränderte sich. Er verlor den Staub der Zeit. Er hatte etwas angesprochen, das keine Vergangenheit war. Sondern das Jetzt.

Er legte noch einen Geldschein auf den kleinen Stapel. Sie leckte sich die Lippen.

«Ich bin nicht so alt. Ich war damals noch ein kleines Kind. Aber es gab Gerüchte. Die sich hielten. Angeblich sollen einige große Zelteigentümer manche der Kinder bezahlt haben. Nur, damit sie anwesend waren. Bei den Vorstellungen.»

Sie schob ihm eine Flasche hin.

«Sei doch bitte so nett, mein Süßer. Ich habe Arthrose.»

Er schenkte ihr ein. Sie wandte sich an die Afrikanerin.

«Da hast du dir ein leckeres Stück Fleisch geschnappt, mein Püppchen. Obwohl er im Rollstuhl sitzt.»

Sie trank.

«Ich hab sie allesamt gesehen. Den berühmten Truxa und alles, was dann kam. Auch die ausländischen Illusionisten. Alles Handwerk. Es gibt keine Magie. Trotzdem wurden manche Kinder bezahlt. Man sagt, sie mussten bloß da sein, schon war der Zirkus voll. Alle Karten verkauft. Kein Unfall in der

Manege. Ist natürlich Aberglaube. Artisten sind abergläubisch. Zwei der Mädchen starben. Verkehrsunfall. Das andere ertrank beim Baden. Es gab Gerüchte. Dass ihnen das Leben genommen wurde. Eifersucht. Bei den andern Direktoren. Es gibt immer Gerüchte. Aber Henry hat trotzdem immer gesagt: ‹Es gibt nur zwei Dinge, für die die Menschen einen Mord begehen: Sex und Geld.›»

Ihre Finger hielten an einem Bild an.

«Einen Menschen kann eine Stimmung umgeben. Wie mich. Die Vögel lieben mich. Und die Männer. Männer und Vögel. Sie haben darum gekämpft, auf meinem Schoß zu sitzen. Vielleicht war es eine Stimmung. Die die Kinder umgab. An ein paar kann ich mich noch erinnern. Es war kurz nach dem Krieg.»

Kasper zog das Album zu sich herüber. Das Bild konnte in einem Schrebergarten aufgenommen worden sein. Sonnenschein. Sommerblumen. Zwölf Menschen um einen Gartentisch auf einer Rasenfläche. Am Tischende eine Frau in Schwesterntracht. Lang wie eine Giraffe. Mutter Rabia. Neben ihr eine jüngere Frau. Der Klang entstieg dem Foto, als wäre es eine DVD mit Tonspur. Es war die Blaue Dame. Als Zwanzigjährige. Bereits mit einem gewaltigen Klang. Wie der junge Bach. Noch nah an Buxtehude. Doch die großen Motetten sind schon in Sicht.

Am Tisch Frauen und Männer in den Vierzigern. Und ein Junge von etwa zehn Jahren.

Kasper legte seinen Finger auf den Jungen. Ein feiner Ton. Wie beim jungen Beethoven.

«Boras' Erbe», sagte die Frau. «Verschwand spurlos.»

Die Hände des Jungen lagen auf dem Tisch. Nicht, wie Kinderhände normalerweise liegen. Lebendig. Die Bewusstheit schon in den Nägeln. Es war Daffy.

«Was sagt das Gerücht?», fragte er. «Worum ging es?»

Sie räusperte sich. Er legte seinen letzten Schein auf den Tisch. Die Stimmung im Raum war magisch. Wirkliche Vertrautheit ist immer flüchtig. Er konnte hören, dass sie das ihr Leben lang verschwiegen hatte. Und er konnte ihren Schmerz hören, es verschwiegen zu haben.

«Es heißt, sie habe einmal die Pflegeeltern zusammengerufen. Und die Eltern anderer Kinder, die mitgekommen waren. Sie soll ihnen gesagt haben, die Kinder hätten ein Potenzial, eine Fähigkeit. So, wie man etwas in der Manege kann, sagte sie. So, wie die Manege ein heiliger Ort ist. Wo bisweilen etwas Göttliches geschieht. Wenn die Artisten geschult sind. Und vereint. Und das Licht angeht und die Musik spielt. Und die Gnade sich einfindet. Dann würden die Kinder etwas können. Kinder und gewisse Erwachsene. Falls sie geschult werden. Und vereint. Sie kam damit nicht durch. Vielleicht haben sie ihr nicht geglaubt. Und denk an die Zeit! Zwanziger und dreißiger Jahre. Die Armut. Die dänische Mentalität. Der Spiritismus. Geisterbeschwörerei. Sie musste die Kinder gehen lassen. Ist auch gut so. Ist sowieso Humbug gewesen.»

Kasper blickte in das schwarze Auge. Er erkannte die Frau wieder. Sie war das Orakel von Delphi. Sie war eine der Völven. Sie war die Hexe aus Andersens *Feuerzeug*. Die alte Furie, die Hakuin mit einem Besen zu Boden geschlagen hatte. Die Hetäre, die Marpa umstieß.

Er hatte Lust, ihr davon zu erzählen. Es Schwester Gloria zu erzählen. Aber vielleicht war der Zeitpunkt nicht so geeignet.

«Josef Kain?»

Sie schüttelte den Kopf. Aber ihr Klang nickte.

«Sie behauptete, der Mensch könne wie Gott werden», sagte sie. «Könne Gott begegnen. Ist das wahr?»

Heutzutage suchen selbst Orakel nach den endgültigen Antworten. Er zeigte auf den Urwald.

«Dein Vögelchen sitzt in der Klemme.»

Sie drehte sich blitzschnell um. Jetzt ruhte das blinde Auge auf Kasper. In einer fließenden, gelassenen Bewegung griff er sich sein Geld auf der Tischplatte. Teilte den Haufen in zwei. Legte ihr die eine Hälfte hin.

«Auch um Ihretwillen», sagte er. «Wir müssen einen Betrag finden, mit dem sowohl Ihr als auch mein Herz leben kann.»

Das schwarze Auge wurde böse.

«Du bist ein falscher Fuffziger», sagte sie. «Mit schlechtem Geschmack. Als ich klein war, haben wir Neger im Zirkus gezeigt. Hinter Gitterstäben.»

Kasper bekam nicht mit, dass die Afrikanerin sich bewegte. Eben stand sie noch an der Tür, im nächsten Augenblick lag sie über dem Tisch. Die eine Hand hatte den Amazonensittich gepackt, die andere den Nacken der Alten. Die beiden Frauen sahen sich an.

«Nehmen wir eventuell eine Entschuldigung entgegen?», fragte die Frau im Sessel.

«Wie war das mit Kain?», fragte Kasper.

Das schwarze Auge zeigte Angst. Im Allgemeinen wird keiner von uns des Lebens überdrüssig, wir wollen alle leben, das Alter spielt dabei keine Rolle.

«Es ist ein Gerücht», sagte sie. «Angeblich hat jemand versucht, sie aufzukaufen. Mehrere mittelgroße Zirkusse. Dabei wurde dieser Name genannt.»

Kasper sah ein letztes Mal auf das Bild. Einer der Männer starrte in die Linse, als wäre er bereit, gleich jemandem die Visage zu polieren. Kasper zeigte auf ihn.

«Es ist schwarzweiß», sagte er. «Aber eine Männerkennerin wie Sie würde sich bestimmt erinnern, ob diese Augen hier blau waren.»

«Türkis», sagte sie. «Wie eine Lagune im Stillen Ozean.»

«Und? Gibt's noch ein paar Infos mehr über den Mann?»

«Gert. Suenson. Marine. Ich weiß noch, wie ich ihn zum ersten Mal gesehen habe. Er war betrunken. Er lag über der Bar im

Restaurant Wivex und schlief. In seiner weißen Marineoffiziers-uniform.»

Die Afrikanerin stand auf. Ließ den Vogel fliegen.

«Ist das wahr?»

Die alte Frau hatte es geflüstert. Kasper hörte ihre Sehnsucht. Man kann sie bei allen Menschen hören. Aber bei den meisten ist sie in den Hintergrund getreten. Sie war plötzlich ganz davon erfüllt.

«Das wäre etwas anderes», sagte sie. «Sterben zu müssen. Wenn man wüsste, dass auf der andern Seite Liebe wäre.»

Kasper rollte rückwärts.

«Scheiß auf den Seelendoktor», sagte er. «Stellen Sie Henrys Foto wieder aufs Regal.»

3 |

Die Afrikanerin drückte auf den Knopf, das Tableau des Aufzugs war nicht erleuchtet, der Strom war ausgefallen. Sie half Kasper aus dem Rollstuhl, um sich mit ihm an den Abstieg zu machen.

Er hörte, wie das Tor zur Straße geöffnet wurde, einen Moment später die Treppentür. Die Afrikanerin stellte den Rollstuhl ab und sah Kasper nachdenklich an. Sie hatten keinen Menschen kommen sehen.

Kasper genoss den Klang der Schritte, die sich die Treppe hinaufbewegten. Die meisten Menschen steigen Treppen hinauf, als ob sie es gern überstanden wüssten. Als handelte es sich um eine Art Bewegungsmüll, auf den man am liebsten verzichtete. Der Mann, der ihnen entgegenkam, bewegte sich ungehetzt, genüsslich, konzentriert, fast lautlos.

Er trat um die Ecke, es war Kain. Er hatte fünf Stockwerke erklommen, seinem Atem war nichts anzumerken.

Er blieb stehen, als er sie sah.

Kasper ließ ihn nicht aus den Augen. Er lauschte Schwester Gloria. Ihr Klang deutete nicht darauf hin, dass sie ihn wiedererkannte. Sie hatte ihn nie gesehen.

«Kain», sagte Kasper, «ist einer meiner Logenbrüder, vom Seeoffiziersverein. Während du die Segel hisst und meine Rettungsweste bereitlegst, wechseln wir noch kurz zwei Worte.»

Die Afrikanerin sah vom einen zum andern. Kasper konnte das Zwiegespräch zwischen ihr und ihren Instinkten hören. Sie sagten ihr, dass etwas nicht stimmte. Trotzdem gehorchte sie.

Die Treppentür fiel hinter ihr ins Schloss.

«Die Polizei hat gesagt, du wärst nach Spanien ausgeliefert worden», meinte Kain.

Kasper reichte ihm den zusammengeklappten Rollstuhl. Hielt sich am Geländer fest. Gab dem Geschäftsmann seinen freien Arm. Kain nahm ihn. Behutsam, dicht an dicht, begannen sie den Abstieg.

Kasper spürte das Zittern des anderen Körpers, ganz schwach, auch das seines eigenen. Er spürte Kains Gefährlichkeit. Er wusste, er selbst war dem Tod jetzt näher als je zuvor in der Manege.

«Ich kann dir den Gang nach oben ersparen», sagte Kasper. «Wir müssen verhandeln. Ich habe mit ihr gesprochen. Mit der Vogeldame. Ich kenne die Vorgeschichte ein wenig. Was ich weiß, erzähle ich dir. Und du berichtest mir dafür ein bisschen von den Kindern.»

Kain trug einen sehr kurzen Haarschnitt. Um den rasierten Nacken wettzumachen. Man hatte versucht, das Henna zu entfernen, der Versuch war nicht ganz geglückt.

Unmerklich verstärkte Kasper den Druck auf Kains Arm.

«In den zwanziger Jahren bekommen die orthodoxen Nonnen in Dänemark eine einzigartige Führerin, Mutter Rabia. Sie muss das gewesen sein, was sie eine ungewöhnliche Bewusstheit nennen. Sie hat die Idee, Kinder heranzubilden, zu schulen.

Sie fängt bei den Artisten an. Vielleicht, weil viele Artistenfamilien die Ostkirche aufsuchen. Wo es einen Laienorden gibt. Vielleicht, weil nach dem Ersten Weltkrieg osteuropäische Kinder mit Klosterschulerfahrung nach Dänemark kommen.»

«Zu was wollte sie sie heranbilden?»

«Sie hatte die Idee, dass eine kleine Anzahl von Kindern und Erwachsenen unter bestimmten Umständen das globale Mitgefühl erhöhen kann. Ein Herzsignal aussenden kann. Ist das Galimathias?»

Kain antwortete nicht. Sie standen vor einem hohen Fenster. Die Scheibe war ein Glasmosaik, das Fensterbrett knapp über Kniehöhe. Kasper wusste, dass er den andern durch die Scheibe stoßen konnte. Sie waren im vierten Stock. In Kains Bewusstsein hörte er die gleiche Überlegung.

Vor ihnen auf dem Absatz standen zwei Stühle. Damit die Bewohner der betreuten Wohnungen, falls sie einmal die Treppe hochsteigen sollten, ihre langsam morsch werdenden Beine ausruhen konnten.

«In Kürze», sagte Kasper, «beenden wir beide unsern Lebenslauf. Womöglich im selben psychiatrischen Pflegeheim. Auf solchen Stühlen. Dort werden wir den Blumen begegnen, auf die wir getreten sind. Auch Verbrechen gegen Kinder.»

«Sie wurden nicht verschleppt. Das Mädchen hat mich aufgesucht. Sie hat einen Handel angeboten. Ich sollte die andern elf Kinder finden. Und sie herbringen.»

Kasper horchte in Kains System hinein. Vielleicht sagte er die Wahrheit.

«Was hast du dafür bekommen?»

Kain antwortete nicht.

«Mutter Rabia hat es nicht geschafft», sagte Kasper. «Irgendjemand hat die Kinder für wirtschaftliche Zwecke ausgenutzt. Geld anstelle von Mitgefühl.»

«Muss es ‹anstelle von› sein? Kann es nicht ‹sowohl – als auch› sein? Ich finde deine Aufnahme der Solopartiten großartig. Für Bach war es ‹sowohl – als auch›.»

Schweigend stiegen sie eine Etage hinab.

«Hier könnte alles enden», sagte Kasper. «Glücklich enden. Du gibst die Kinder zurück. Das Geld.»

Kain lachte still.

«Es endet sowieso glücklich.»

«Was wollten die Kinder?»

«Die Welt wird es erfahren. Zum richtigen Zeitpunkt. Auch das hat mit Mitgefühl zu tun. Das ist sehr schön.»

«KlaraMaria ist geschlagen worden. Bevor sie zu mir kam.»

Kain betrachtete seine rechte Hand. Kasper konnte hören, dass der Mann irgendwie selbst erschüttert war.

«Es sind extreme Kinder», sagte er. «Und daraus folgt, dass sie auch extrem zu Ohrfeigen einladen.»

Kasper horchte in den großen Klang neben sich. Kain war wirklich bewegt. In dem zusammenhängenden Teil seines Selbst. Der andere Teil war vorübergehend zur Seite geschoben worden.

«Du und ich», sagte Kain. «Wir könnten zusammen einiges auf die Beine stellen. Ich habe einen ganz besonderen Kreis von Menschen um mich versammelt. Und da ist der Kontakt zu den Kindern. Ich habe ein sehr großes Geschäft laufen. Wir könnten Geld verdienen. Und der Welt die Richtung weisen. Komm zu mir!»

Das Treppenhaus wurde vor Kaspers Augen zu einer Spirale.

«Denk darüber nach», sagte Kain. «Ich gebe dir meine Nummer.»

Automatisch reichte Kasper ihm den Lottoschein, Kain umgab eine Art Magnetismus, man konnte ihm nicht widerstehen, der Schein war mehr oder weniger vollgeschrieben, wie die Dur-Moll-Tonalität, mehr konnte kaum noch draufstehen, die Tanzkarte war allmählich ausgebucht. Kain notierte seine Nummer und reichte ihm den Zettel zurück.

Er zog ein Taschentuch heraus. Putzte sich die Nase.

«Ich bin ein leicht erregbarer Mensch», sagte er.

«Das sehe ich», sagte Kasper. «Weinst du auch, wenn du zur Bank gehst?»

Der Klang des anderen änderte sich. Sie standen gemeinsam am Rand und blickten in den Abgrund.

«Ich arbeite auf der Basis einer gesellschaftlichen Vision. Ich bin seit langem das Beste, was den Kindern passiert ist. Die Sache mit dem Mädchen war ein unglücklicher Zufall. Das wird nie wieder vorkommen. Das hier ist hochintensiv. Es ist ein Phänomen, wie es die Welt noch nicht gesehen hat. Den Kindern muss geholfen werden. Und sie müssen geleitet werden. Und das kann ich.»

Kasper hörte, wie sich das Loch in Kains System zu öffnen begann. Der gesunde Teil der Persönlichkeit wurde heruntergeschraubt. Und etwas anderes übernahm das Steuer. Er merkte, dass er selbst kurz davorstand, die Beherrschung zu verlieren.

«Ich habe vielen Menschen gelauscht», sagte er. «Und jetzt kann ich gerade hören, dass du ein Fund für jede Klapsmühle wärst.»

Sie hatten sich beide gleichzeitig am Wickel. Die Tür ging auf. In der Öffnung stand die Afrikanerin. Hinter ihr, in der Torwölbung, stand der stämmige Mann mit dem Hörgerät. Ernst.

Kain ließ Kasper los. Ging an der Frau vorbei. Kasper rief seinen Namen. Kain drehte sich um.

«In vierzehn Tagen», sagte Kasper, «komme ich dich im Knast besuchen. Und stutze dir die Haare.»

4 | Kasper klappte seinen Stuhl auf. Nahm Platz. Der stämmige Mann blieb stehen. Seine Nase war bandagiert. Aber nur mit einem dünnen Verband. Sein Schicksal musste ihn zum richtigen Chirurgen geführt haben. Kasper rollte zu ihm hin.

«Du und ich, Ernst», sagte er, «wir sind die starken Typen. Die ohne viel Worte vor die Tür gehen, wenn es was zu regeln gibt.»

Der Mann ging voran. Durchs Tor auf den Bürgersteig. Kasper schloss zu ihm auf. Ernst schaute auf Kaspers Bauch. Auf die Stelle, wo er das Projektil hatte einschlagen sehen.

«Ich gehe nie ohne meine Bilderbibel aus, ich stecke sie mir immer vorne in die Unterhose», sagte Kasper. «Sie war mein Schutzschild.»

Kein Widerhall im System des Gegenübers. Kein Sinn für Humor. Was die Arbeit des Clowns erschwert. Aber nicht weniger wichtig macht.

«Es gibt eine Stelle», sagte Kasper, «wo die Lungen zu Ende sind. Und die Nieren und die Leber und die Milz noch nicht angefangen haben. Genau dort ging der Schuss durch. Beim nächsten Mal musst du etwas höher zielen.»

Ernst nickte.

«Ich werd's mir merken», sagte er. «Ganz bestimmt.»

Auf der Brücke in der Verlängerung der Sankt-Annae-Gade stand ein Hubschrauber, sehr klein, wie ein größeres Goldfischglas. Kain schwenkte die Scheibe vor dem Cockpit auf und setzte sich hinein. Auf dem Pilotensitz saß Aske Brodersen.

Dort, wo Kasper und Ernst standen, war ein Café gewesen, die Scheiben waren zerschlagen, aber auf dem Bürgersteig standen noch Tische und Stühle, der Mann setzte sich auf einen Stuhl.

«Womit hast du sie abgeschnitten?», fragte Kasper. «Die Finger des Mädchens?»

Er wollte mit der Frage das System des andern knacken, es gelang, Kasper fing an, ihn zu hören, es war kein schöner Ton.

Dieser Mann schreckte vor nichts zurück, was Kasper hörte, war die reine Furchtlosigkeit.

Es gibt zwei Arten von Furchtlosigkeit. Die erste ist die Furchtlosigkeit der Liebenden, die Furchtlosigkeit der Mystiker, der Mut der *Kunst der Fuge*, der daraus entsteht, dass man sich ganz geöffnet und vollständig hingegeben und nichts zurückgehalten hat, und jetzt strömt die Welt in einen hinein und erfüllt einen, und man weiß, man hat das alles nicht nur geliehen bekommen, sondern wird es nie mehr verlieren.

Der Mut des Mannes war ein anderer. Er entsteht daraus, dass man die Quelle gefunden und sie ein für alle Male verschlossen und damit wertlos gemacht hat, sodass man immer die Ruhe bewahrt, selbst wenn das Leben auf dem Spiel steht, weil im Grunde nichts zu verlieren ist.

Er sah Kasper an.

«Du bist echt nicht schüchtern», sagte er. «Das muss ich zugeben.»

«Warum?», sagte Kasper. «Warum sie umbringen?»

Was uns Liebhaber des Glücksspiels auszeichnet, ist der Hang zu Situationen, in denen wir die Vorposten der Vernunft hinter uns gelassen und unser Schicksal dem überlassen haben, was man Zufall nennt.

«Ich habe sie geliebt», sagte Ernst. «Ich musste es tun.»

Im selben Augenblick, in dem die Worte ausgesprochen waren, hörte Kasper die Liebe erscheinen. Keine weltliche Liebe, keine Sehnsucht, kein Verlangen nach Sex oder Geld, das ist traumhaft schwach, verglichen mit dem Klang, der von diesem Mann eine Sekunde lang ausging. Es war die Sehnsucht der Sehnsüchte, das Begehren des Göttlichen, das er hörte.

«Sie hatte es. Und wollte es mir nicht geben. Was sollte ich machen?»

Es war eine Welt, die einen Augenblick lang offen stand. Ein Kontinent. Mitten auf der Straße Overgaden neden Vandet. Vor den verlassenen Kanälen und verfallenden Häusern. Es war der Wahnsinn derer, die an der großen Stille genippt haben und keine weiteren Tropfen davon bekommen. Kasper dachte an den Heiland. Gerade zu dieser Zeit war er schwer damit beschäftigt gewesen, seine Auferstehung und Wiederkunft zu organisieren. Nachdem ihn die Schüler verpfiffen und im Stich gelassen hatten und er gequält und gepeinigt und hingerichtet worden war.

Kasper betrachtete Ernst. Er wusste, dass er Aspekte dieses besonderen Gefühls erlauschte, das ein spirituell vollendeter Mensch bei seinen Verehrern weckt, selbst wenn dieser Mensch ein Kind ist.

Dann hörte Kasper Ernsts Trauer. Sie war weit entfernt, irgendwo an den Grenzen der Milchstraße, in einer Zukunft, die zwölf Wiedergeburten vor ihm lag. Aber sie war groß, sie hätte mühelos Christianshavn und Umgebung umschließen können. Es war die Trauer derer, die sich an ihrer eigenen tiefsten Sehnsucht vergangen haben.

«Könntest du mich eventuell zum Boot schieben?», sagte er.

Ernst stand auf und rollte Kasper zum Kanal. Die Afrikanerin stand am Kai. Sie und der Mann betrachteten sich aufmerksam, wie die Kobraschlange und die Zibetkatze. Ohne dass Kasper mit Sicherheit entscheiden konnte, wer von den beiden was war.

Schwester Gloria hob Kasper ins Boot. Sie startete den Motor. Über ihnen beugte sich der Mann vor. Er schnitt in die Luft, mit zwei Fingern.

«Mit einer Kneifzange», sagte er.

5

Das Boot passierte die Brücke, die Christianshavn mit der Arsenalinsel verband. Die Fahrrinne des Hafens hüllte sich in graue Wolken.

Die Afrikanerin half Kasper aus seinem Stuhl auf die hintere Ruderbank und legte ihm die Pinne in die nicht eingegipste Hand. Sie öffnete einen Stauraum. Fand einen Regenumhang, einen Südwester, Arbeitshandschuhe, Pulswärmer, einen flachen Flüssigkeitskompass, sie legte den Kompass auf die Bank, der Nebel kam und ging.

Er bemerkte ihre Ruhe. Er dachte an Grock. An seine Inez. Die ihn ein Leben lang begleitet, ihm den Rücken gestärkt hat. Treu wie ein Schoßhund. Brutal wie ein Leibwächter. Fürsorglich wie eine Krankenschwester.

Wieso war es ihm eigentlich nie gelungen? Die richtige Frau zu finden. Sanft. Geduldig. Loyal. Wieso waren die Frauen in seinem Leben Furien? Wie seine Mutter. Wie Sonja. Wie Stine. KlaraMaria. Wie Schwester Gloria. Schlappseilvirtuosinnen. Maschinenmeisterinnen. Hydrologinnen. Monsterkinder. Kampfsportnonnen mit Mann und Kindern.

Eine Böe riss einen Korridor in den Nebel. Am Ende des Korridors lag ein Gebäude, das Pylon 5 sein musste. Ein dreistöckiger, rechteckiger Silo aus Aluminium und Holz, errichtet auf einer Anlegeplattform aus Zement, die vor den Erschütterungen Teil des Bornholmer Kais gewesen war. Das Gebäude war mit Stahltrossen gegen neue Beben gesichert worden, wie ein Zelt mit Sturmseilen. Auf dem Dach standen ein Antennenwald und zwei rotierende Radarsensoren. An der Plattform waren zwei der flachen mattschwarzen Marineschnellboote vertäut.

Kasper gab Schwester Gloria die Ruderpinne. Zog den Pulswärmer über die gesunde Hand. Holte die Violine aus dem Kasten. Sie glitten an den Brückenpfeilern der Christian-IV.-Brücke entlang.

«Es ist alles bewacht», sagte sie. «Wir werden wenden müssen.»

Er stimmte die Geige. Er konnte plötzlich hören, was er den Frauen anbieten konnte: seinen Elan. Keine Frau steuert freiwillig mitten ins Kampftaucherkorps, ausgerüstet nur mit unerschütterlichem Optimismus und der *Partita in E-Dur*.

Ein Scheinwerfer wurde eingeschaltet.

«Darf ich meinen Gipsarm auf deine Schulter stützen?»

Er schloss die Augen und begann zu spielen und sprach dabei, um sie zu beruhigen.

«Soldaten lieben Musik, wenn die Leute sich schlagen, wird immer irgendetwas gespielt. Aber bis jetzt haben sie immer die falschen Stücke ausgesucht. Sie hätten an Bach denken sollen, dann hätten sie Blutbäder vermeiden können. Musik wie diese führt unmittelbar zum Waffenstillstand. Unmittelbar zur Schlichtung anstelle von Prozessen. Wir sind gleich drin.»

Er lehnte sich gegen die Musik. Sie öffnete das Herz, wie man eine Dose geschälte Tomaten öffnet. Sein eigenes Herz, das der Soldaten, Stines. Er wusste, dass sie auf die Plattform hinausgekommen war.

Das Boot glitt an den Autoreifen vorbei, die als Fender aufgehängt worden waren, Stille herrschte rundum, die Dichte des Nebels und der Musik erschuf ein wenig von der Intimität, die man beim Spiel unter freiem Himmel manchmal vermisst. Ein Gefühl, als spannte sich zwischen Außenministerium, Brücke, Plattform und Nationalbank die Decke eines Konzertsaals.

Schwester Gloria legte die Aluminiumschienen aus, zuerst war die Plattform ohne Leben, dann bewegten sich zwei Soldaten wie Roboter auf sie zu. Kasper wurde auf den Zement gezogen.

Neben Stine stand ein junger Mann. In Zivil, aber mit einem Klang wie ein Blasorchester. Irgendwo, irgendwann hatte Kasper diesen Laut schon einmal gehört. Stines Augen waren von der Musik wie gedopt. Sie starrten ihn an. Den Rollstuhl. Die Schienen. Den Gips. Die ägyptischen Bandagen. Schwester Gloria.

«Fünf Minuten», flüsterte er. «Es geht um Leben und Tod.»

Langsam arbeitete sich ihre Seele wieder an die Oberfläche empor. Sie holte tief Luft.

«Niemals!», sagte sie.

Aus den Bandagen nestelte er die Quittung für den Einschreibebrief mit KlaraMarias Zeichnung hervor. Stine las sie. Griff danach. Sie war weg.

Er wies mit dem Kopf auf Schwester Gloria.

«Sie ist von der Sitte», sagte er. «Du kannst mich hereinbitten. Oder wir reden im Präsidium weiter.»

6 |

Der Aufzug war aus Plexiglas. Der junge Mann versuchte, sich mit hineinzuzwängen, aber es gab nur Platz für vier, und der Stuhl nahm schon Platz für zwei ein. Kasper blockte ihn diskret ab, die Türen schlossen sich, sie sanken in die Tiefe. Wenn man sich nach unten bewegt, verlagern sich wegen der Druckveränderung alle Laute. Aber in Anbetracht von Stines Anwesenheit war die Abwärtsbewegung eigentlich eine ganz normale Situation. In ihrer Gesellschaft hatte es nie sehr lange gedauert, bis man den normalerweise üblichen Teil des Registers unter oder eben über sich ließ.

Sie passierten einen Kommunikationsraum, in dem Menschen mit Headsets an digitalen Schalttafeln saßen. Der Aufzug stoppte. Kasper ließ Stine zuerst aussteigen. Als Schwester Gloria ihn vorwärtsschob, stopfte er zwei Finger des Arbeitshandschuhs in die Vertiefung der Sperrklinke des Aufzugs. Das würde den elektrischen Kontakt blockieren und den jungen Mann auf der Plattform etwas Zeit kosten. Jungen Menschen tut es gut, ihre Fähigkeit zur Bedürfnisverzögerung zu trainieren.

Sie kamen durch eine kleine Kantine, im Rollen nahm Kasper einen Essteller von einem Stapel. Man konnte nie wissen, wozu es gut sein mochte, sind wir nicht alle bei Tölpel-Hans in die Lehre gegangen? Hinter ihnen war es still, der Aufzug war blockiert.

Sie betraten einen prächtigen Raum, groß und quadratisch wie eine Gymnastikmatte, aber bepackt wie ein Raumschiff. Die eine Wand war mit Flachbildschirmen bedeckt, welche die Meeresoberfläche zeigten. An einer andern Wand zehn Quadratmeter meteorologische Übersichtskarten. Konsolen mit Radardisplays. Eine Zehn-Meter-Granitplatte mit vielleicht fünfzig Seismographen. Ein Dutzend Schreibtrommeln, von denen die größte den Umfang der Klassenlotterietombola hatte. Drei Tischreihen mit PCs, hinter denen junge Menschen saßen, deren Körper in jeden Musikporno auf MTV gepasst hätten und deren Köpfe für eine Diss über Riemanns Geometrie wie geschaffen waren. Die freie Wand bestand aus einer Aquariumsscheibe von zwei mal vier Metern aufs Hafenbecken hinaus, der Grund war erleuchtet. Trotz des Schlamms sah Kasper Schwärme von Fischen.

Der Raum hatte einen verdichteten Klang, von Ventilatoren, Megabytes, Ziffernscharen, vom Rieseln flüssigkeitsgekühlter Prozessoren. Kasper empfand eine plötzliche Freude. Der Raum war die Antwort des 21. Jahrhunderts auf Kapitän Nemos Kommandobrücke. Kasper liebte die Naturwissenschaft. Und es machte gar nichts, dass die Naturwissenschaft ihn nicht liebte. Eine Liebe, die nicht erwidert wird, kann große Tiefe haben.

Stine betrachtete seine Verbände.

«Ich hatte einen Termin», sagte er. «Mit einigen dieser Individuen, die KlaraMaria entführt haben.»

Sie stützte sich auf die Granitplatte.

«Sie wird seit mehr als achtzehn Tagen vermisst», sagte er. «Die Prognosen für kleine Mädchen, die mehr als 24 Stunden von zu Hause wegbleiben, sind schlecht. Also dachte ich, dass du mir vielleicht weiterhelfen könntest.»

Sie drehte sich mechanisch um und ging voran, die Reihe der

Monitore entlang. Sie setzte sich. Die Afrikanerin schob Kasper zu ihr hin.

Es war ihr Arbeitsplatz. Eine Flasche Mineralwasser. Eine Hyazinthe in einem Pyrexkolben, falls sie sie geschenkt bekommen hatte, würde er nicht erfahren, von wem. Drei kurze Zimmermannsstifte. Daneben das Messer, mit dem sie angespitzt wurden. Ein Korb aus geflochtener Birkenrinde für die Späne. Eine kleine Dose Feuchtigkeitscreme.

Es war ein Tisch wie alle andern auch. Ein Quadratmeter Sperrholzplatte. Trotzdem hatte er eine Atmosphäre, dass den Besucher die Lust überkam, hier sein Lager aufzuschlagen. Er verströmte ihren Duft, er atmete ihn ein.

«Wir sitzen mitten in einem Spinnennetz», sagte sie. «Wir haben Verbindung zur Seismischen Sektion in Uppsala, zum Institut für Geophysik in Bergen. Zur ganzen Norwegian Seismic Array. British Geological Survey in Edinburgh. Zu den Europäisch-Mediterranen Seismologischen Zentren in Nizza und Madrid. Wir haben eine seismische Station am Vestvolden. Eine andere in den Kalkminen in Mønsted. Genau unter uns haben wir einen siebenhundert Meter tiefen Messbrunnen, der nach dem ersten Beben gebohrt und eingerichtet wurde. In ihm sitzen siebzehnhundert Fühler. Nebenan steht uns eine größere Ausrüstung als den Kollegen in San Francisco zur Verfügung. REFTEK-Schreiber. Meißnerseismographen. Das Heer lässt für uns fünfhundert Kilo Dynamit pro Woche explodieren, die Vibration wird von achthundert Geophonen aufgenommen. Sodass wir die Fortpflanzung der Druckwellen durch den Untergrund messen können. Wir messen Spannungsfelder. Elastische Druckveränderungen in den Erdschichten. Lokale Veränderungen des Magnetismus. Grundwasserveränderungen und Deformationen in einem Quadratmeternetz, das von Dragør bis Farum ausgelegt ist. Vier Biologen observieren Verhaltensänderungen kleiner Nager in den Wäldern rund um Kopenhagen. Einer chinesischen Theorie folgend, wonach die Tiere auf Beben reagieren, ehe sie stattfinden. Wir haben eine Abordnung vom Potsdamer GeoForschungsZentrum hier. Wir haben Hunderte von Geophysikern, Ingenieuren und Technikern, die uns helfen. Sie bearbeiten sechs Millionen Messergebnisse am Tag. Zweimal die Woche tritt einer unserer Geodäten, ein Publikumsliebling, im Fernsehen auf und berichtet, dass wir immer besser verstehen, was hier eigentlich vorgeht. Wie wahrscheinlich neue Beben sind. Und wie hoch das Risiko ist, dass große Teile Kopenhagens und Seelands evakuiert werden müssen.»

Jemand musste sich an dem Arbeitshandschuh zu schaffen gemacht haben. Kasper hörte den Aufzug kommen.

«Wir haben eine Reihe möglicher Erklärungen zusammengestellt. Morgen Abend gehe ich ins Fernsehen und zähle sie auf. Ich werde Folgendes sagen: Zusammen mit Island driftet Dänemark in einem Relativsystem nach Südosten. Aber wir kommen nicht weiter voran, Afrika driftet nach Norden und drückt gegen Eurasien. Die alpine Kollisionszone verschiebt sich nördlich. Das hat zu einer Explosion in der kristallinen Kruste geführt. Drei bis vier Kilometer unter Kopenhagen. Rund um den Explosionsort liegt eine Schicht schwerer Gesteinsarten, ähnlich wie bei der Silkeborganomalie. Das hat verhindert, dass die Druckwelle sich ausgebreitet hat. Weshalb das Beben nicht an anderen Orten registriert wurde. Der einzige Schaden, der entstanden ist, sind die oberflächlichen Erdrutsche. Man kann mit gutem Grund annehmen, dass es keine weiteren Beben geben wird. Erdbeben vorauszusagen ist schwierig. Wir haben keine sicheren Methoden. In größeren Tiefen können wir keine Spannungshäufungen messen. Wir wissen nicht, was die Erdoberfläche verkraften kann. Trotzdem sind wir zuversichtlich. Wir bleiben wachsam. Aber wir haben keinerlei Indizien für eine eventuell notwendige Evakuierung. Wir sind nicht der

Meinung, dass weitere schwere Beben kommen. Das werde ich morgen Abend sagen.»

«Das wird die Leute beruhigen», sagte er.

Sie lehnte sich vor. Unter anderen Umständen hätte er jeden Zentimeter, den sie ihm näher kam, genossen. Aber jetzt nicht.

«Ja», sagte sie still. «Und genau das ist unsere Absicht. Also eigentlich ist alles in Butter. Bis auf eins. Es ist alles gelogen.»

Einen Moment lang hatte Kaspers peripheres Gehör ausgesetzt, in diesem Moment der Unaufmerksamkeit war der junge Mann von der Plattform herbeigekommen.

«Er wurde ausgewiesen», sagte er zu Stine. «Er sollte längst außer Landes geflogen worden sein.»

Kasper erkannte ihn wieder, es war Mørks Page.

«Oberstleutnant Brejning», sagte Stine. «Ist für unsere Sicherheit mit verantwortlich.»

Der Offizier trat vor Kasper.

«Er wird gesucht», sagte er. «Er ist gewalttätig.»

Sie ließen Kasper aus den Augen. Unvorsichtig. Man soll die großen Clowns nicht aus den Augen lassen. Er hatte immer noch den Teller. Von einem Brett unter einer der Tafeln nahm er einen Zeigestock, er warf den Teller in die Luft, fing die rotierende Scheibe auf dem Fingernagel auf, zentrierte sie auf dem Stock, stellte diesen auf den Tisch und rollte den Stuhl vorwärts. Die jungen Leute und die Afrikanerin betrachteten hypnotisiert das wirbelnde Gyroskop.

Er rollte zu Stine.

«Wir nehmen ihn mit», sagte der Offizier.

Hinter Stine und dem Offizier schien plötzlich Polterabend gefeiert zu werden, der Teller war nicht aus Fayence, sondern aus echtem Porzellan, das konnte man im Augenblick seiner Auflösung hören, in einer Wolke kleiner Splitter.

Als der Offizier und Stine herumschnellten, zog Kasper die

oberste Schublade ihres Schreibtischs auf. Sie schloss nie ab, damals nicht und heute nicht, sie hatte blindes Vertrauen zur Welt. Leider ist ein solches Vertrauen nicht immer begründet.

Zuoberst lagen einige Geldscheine, unter den Scheinen ein Stapel Taschentücher, die nach Lavendel dufteten. Unter den Lavendeltüchern lag eine alte Bekannte. Von einer 17 × 17 großen Schwarzweißfotografie in einer Plastikhülle guckte KlaraMaria ihn an. Er steckte die Hülle in den Verband und drückte die Schublade zu.

Sie drehten sich um und sahen ihn an. Die jungen Leute sahen ihn an. Die Afrikanerin sah ihn an. Keiner traut einem wie eine Chorizo verschnürten Mann im Rollstuhl Tatkraft zu. Die Situation hatte sich in Unwirklichkeit aufgelöst. Sie war in der Schwebe. Damit arbeitet der Clown.

«Könnten wir uns kurz allein unterhalten», sagte er zu Stine.

Der Offizier schüttelte den Kopf.

«Es gibt Dinge», sagte Kasper, «die ein Mann für eine Frau nur unter vier Augen tun kann.»

Hinter Stine befand sich eine Art Schleusentür. Sie schob sie auf und trat hindurch. Die Afrikanerin hob Kasper mitsamt dem Rollstuhl über eine Schwelle, die dreißig Zentimeter hoch war. Sie kam mit. Schloss die massive Tür, als wäre sie aus Pappe.

«Brejning ist vom Militärischen Nachrichtendienst», sagte Stine.

«Deswegen sind wir so dicke Freunde», sagte Kasper. «Wir müssen versuchen, den Talenten der nächsten Generation Jugendzeit und Reife zu erleichtern, sie sollen es besser haben als wir.»

Der Raum, in dem sie sich aufhielten, war wie ein großer Besenschrank, mit einem Industriewaschbecken, Wandstaubsaugern, Regalen mit Reinigungsmitteln, schmalen Metallborden, die an die Wand gebolzt waren. Die Wände bestanden aus hellem Granit wie in einem Luxusbadezimmer.

«Hier fangen die Keller an», sagte Stine, «unter der Nationalbank.»

Er zog die Plastikhülle hervor, nahm das Foto heraus und legte es auf den Tisch.

«Es gab kein Erdbeben», sagte sie. «Zu keiner Zeit.»

Liebe hat etwas mit Wiedererkennen zu tun. Vom Unbekannten können wir fasziniert sein, es kann uns reizen, aber Liebe ist ein Gewächs, das langsam, in einem Ambiente der Vertrautheit, größer wird. Von der ersten Sekunde an, damals am Strand mit Stine, hatte er etwas wiedergehört, ein Vertrauen, jetzt war es wieder da. Und dann gab es noch etwas anderes, jetzt wie damals, etwas Fremdes, Unüberwindliches, wie ein unerforschter Kontinent. Es hatte sich mit der Zeit nicht gegeben.

«Wir haben es selbst gemerkt», sagte er. «Im Restaurant.»

«Wir haben eine Erschütterung der Erdoberfläche gemerkt. Lokal.»

«Die großen Erdbeben. Richter acht. Ich hab es in der Zeitung gelesen.»

«Der Richterwert ist ein Maß für die gesammelte Energieentladung. Die Summe einer Reihe örtlich variabler Konstanten und der Logarithmus multipliziert mit der auf dem Seismographen gemessenen Amplitude dividiert durch die Schwingungszahl. Aber es gab keinen Ausschlag. Keine Schwingung in der Erdkruste. Die beiden großen Ereignisse waren keine Erdbeben.»

«Erdrutsche?»

«Ein Erdrutsch ist ungleichmäßig. Er beginnt an einem Punkt und breitet sich exponentiell aus. Dies hier waren vollkommen gleichmäßige Bewegungen.»

Sie fasste ihn am Revers.

«Die sogenannte Verwerfungszone. Es ist ein Rechteck. Auf siebenhundert mal fünfzehnhundert Metern, plus Absenkung durch den gesamten Nyhavn. Gerade. Waagerecht.»

Ihr Gesicht war direkt vor seinem. Sie hatte einen Klang, den er nie gehört hatte. Ein Amalgam aus Verwunderung und Verzweiflung.

«Ein Erdbeben ist eine plötzliche Verschiebung in der Erdkruste sowie die Folgen dieser Verschiebung. Primärwellen und darauf folgende ringförmige Sekundärwellen, die die Schäden verursachen. In diesen Fällen hier gab es keine explosionsartige Verschiebung. Im ersten Augenblick ist alles normal. Im nächsten wird ein Viereck von siebenhundert mal fünfzehnhundert Metern um drei Meter abgesenkt. Und von Wasser bedeckt. Und steht still.»

«Die Höhlen im Kalk?»

«Erdrutsche in Grotten sind ungleichmäßig. Sie verlaufen nicht an der Maurerschnur entlang. Und enden nicht in der Waagerechten.»

Es wurde an die Tür gehämmert. Er legte ihr die Postquittung auf den Tisch, oben auf das Foto. An sie adressiert. Und unterschrieben mit der eigentümlich sicheren Hand eines zehnjährigen Mädchens. Er hätte nicht beschwören können, dass sie sie schon mal gesehen hatte.

«Trotzdem könnten wir uns vielleicht mit Erklärungen herauswinden», sagte sie. «Die Naturwissenschaft arbeitet so. Wir sagen Ereignisse rückwärts voraus. Ich bin sicher, es wäre uns gelungen. Wenn da nicht die Verlustzahlen gewesen wären.»

«Es gab keine Verletzten.»

«Nein. Gab es nicht. Was hältst du denn davon?»

«Ein Riesenglück. Man fühlt die Hand Gottes.»

Sie hielt inne.

«Das ist neu», sagte sie. «In deinem Wortschatz. Das mit Gottes Hand.»

«Ich bin im Wachstum begriffen. In stürmischer Entwicklung.»

Er konnte die Konzentration im Raum nebenan hören. Irgendjemand bereitete einen bösartigen Angriff auf die Tür vor. Er musste an die Blaue Dame denken. Und hörte, wie ein Kehrreim seines Lebens zur Wiederholung ansetzte: Kaum schickt man sich an, tiefen Kontakt mit dem Weiblichen aufzunehmen, rüstet sich vor der Tür das kollektive Unbewusste, mit Winkelschleifer und großer Diamanttrennscheibe.

«Zu groß», sagte sie. «Das Glück, meine ich. Zu viel Schwein. Wir baten um eine Folgenprognose. Von der Polizei, der Zivilverteidigung und der Havariekommission im Rat für größere Verkehrssicherheit. Wir baten sie, die erwarteten Verluste auszurechnen. Auf Grundlage der UCLA-Materialien in Los Angeles haben sie Erfahrung mit Erdbeben in Großstadtgebieten. Sie schätzten: nicht unter zehntausend Tote. Dreimal so viele Verletzte. Schäden am Leitungsnetz von einer Milliarde Kronen. An der Kanalisation für eine Milliarde. Schäden an Gebäuden für zehn Milliarden, in erster Linie durch Feuer und Einsturz. Die erste Senkung löste eine Druckwelle mit einer Wellenfront von drei Metern aus. Sie räumte die Bürgersteige und Fahrbahnen an den Kanälen. Riss achthundertfünfzig Autos mit sich. Fünfzig Meter Fahrbahn auf der Knippelsbro. Rauschte an achthundert Gebäuden vorbei. Mit mehr als dreißigtausend Bewohnern. Und niemand kam zu Schaden. Nicht ein ertrunkener Säugling. Nicht ein verunglücktes Auto. Nicht eine alte Dame, der man auf die Hühneraugen getrampelt ist.»

Eine Vibration pflanzte sich durch die Tür fort. Die großen Mächte, die den Prinzen daran hindern, seine Prinzessin zu kriegen, hatten angefangen zu schneiden.

Stine nahm die Plastikhülle vom Tisch, hinter dem Foto lag eine Kinderzeichnung.

«Die habe ich zwei Tage vor dem ersten Beben bekommen. In dem Brief. Dem Einschreiben.»

Die Zeichnung war bunt ausgemalt, sehr sorgfältig. Kasper

sah ein Schloss. Mit drei Türmen. Fische im Wallgraben. Häuser und Autos. Eine Ritterburg. Die Zugbrücke.

«Das ist das neue Außenministerium», sagte sie.

Er konnte es sehen. Die Treppen. Die Brücke. Das war nicht die Brücke über einen Wallgraben. Es war die Knippelsbro. Die Burg war keine Burg. Es war das Kreativzentrum «Wüstenfort». Die Stadt war keine Stadt, es war ein Stadtteil, es war Bremerholm. Sie hatte eine Vorlage gehabt, vielleicht einen Kopenhagener Stadtplan. In der rechten Ecke hatte sie unterschrieben: KlaraMaria, 10 Jahre. Und ein Datum: 24. September. Das war ungewöhnlich. Er hatte Tausende von Kinderzeichnungen gesehen. Vielleicht mal mit einer Jahreszahl. Aber nie mit einem Datum.

Und die Genauigkeit. Bei der Wiedergabe von Lone Bohrfeldts Geburtsklinik war sie ebenso genau gewesen.

«Es ist ein Plan», sagte Stine. «Ein sehr genauer. Wenn man ihm nachgeht. Hier ist die Nationalbank. Svitzers Verwaltungsgebäude im Nyhavn. Das Admiral-Hotel. Der Mastenkran. Die Trockendocks.»

Sie näherte ihr Gesicht dem seinen.

«Es ist eine Karte von der ersten Absenkung», sagte sie. «Bis in alle Einzelheiten. Abgeschickt 48 Stunden, bevor sie stattfand.»

Ein neues Geräusch drang durch die Tür, das Zischen von Gas aus Druckflaschen. Der Winkelschleifer hatte Gesellschaft von einem Schneidbrenner bekommen.

«Wir sollten bald gehen», sagte die Afrikanerin.

Sie machte eine Tür auf, sie führte in ein kleineres leeres Zimmer mit einer weiteren Tür, auch die machte sie auf, dahinter schien eine Treppe in bodenlose Finsternis hinabzustürzen.

Kasper versuchte sich zu sammeln, zu lauschen, aber sein Gehör war außer Betrieb. Er fühlte sich wie ein Kind, ein Wickelkind. Er wählte ein Gebet an die Jungfrau Maria, er stützte sich auf das Gebet und überließ Muttern die praktischen Dinge.

Die Afrikanerin nahm den Hörer vom Telefon auf dem Tischchen und wählte eine Nummer. Kasper hörte Franz Fieber antworten.

«Und hinterher holst du uns auf der Oberfläche ab», sagte sie.

«Das Foto», sagte er. «In deiner Schublade. Dafür fehlt uns noch eine naturwissenschaftliche Erklärung.»

Sie hatte es immer gehasst, wenn man eine Erklärung von ihr forderte. Oder eine Verabredung mit ihr treffen wollte. Sie hasste alles, was ihre Freiheit zu bedrohen schien.

«Sie hat mich aufgesucht.»

«Wo?», sagte er. «Ich – dein Dual, dein Seelenpartner – habe dich nicht finden können. Wie sollte es ein zehnjähriges Kind schaffen?»

Die Afrikanerin legte auf. Stine hielt die Tür zur Treppe auf.

«Durch ein Kanalisationsrohr», sagte sie, «und die zentrale Kabelführung von der Havnegade zum Holmen führt sie bis zur Metro.»

Sie trugen ihn Treppen hinunter, schoben ihn an einem unterirdischen Kanal entlang, ließen ihn auf einer Rutsche hinab. Er hatte seine Arme um die Schultern der Frauen gelegt, wohl wissend, dass sich schon wieder eine existenzielle Monotonie durchzusetzen begann. Aber vom Weiblichen geht halt ein ununterbrochener Strom heilender Vitalenergie aus. Gerade in seiner Lage, in der Rekonvaleszenzperiode, war diese Heilerqualität entscheidend. Bach hätte genauso gehandelt.

Sie erreichten den U-Bahn-Tunnel. Er war von Notlampen erleuchtet, die Gleise standen unter Wasser. Stine kniete sich vor den Rollstuhl.

«Das ist das letzte Mal», sagte sie, «dass wir beide uns sehen.»

Sie ließ ihre Fingerspitzen über seine Wunden und frischen Narben gleiten. Über die Schwellungen im Gesicht. Die Berührung war so sanft, dass sie ihm keine Schmerzen bereitete. Schon damals, bevor sie ihn verließ, hatte er, wenn sie ihn berührte, gefühlt, dass die größten Vorstellungen nicht auf einer Bühne oder in der Manege stattfinden. Die größten Vorstellungen finden statt, wenn Fingerspitzen einen hauchdünnen Schleier zwischen Menschen entfernen und das Universum in seiner Ganzheit enthüllen.

«Es ist normal», flüsterte er, «dass einem großen Liebesdurchbruch schwere Krankheit und Versehrung vorausgehen.»

«Es ist normal», flüsterte sie, «dass, wer nicht hören will, fühlen muss.»

7 | Für die meisten von uns wird das Verhältnis zur Geliebten durch ein bestimmtes Musikstück verkörpert. Mahler hatte eines der Adagios genommen, als er um Alma freite, für Jekaterina und Sergej Gordejew war es die *Mondscheinsonate* gewesen, für Kasper war es die *Chaconne*. Er hörte sie jetzt, im Tropfen des Wassers von den Wänden, im Echo des Tunnels, in den Atemzügen der Afrikanerin. Sie fühlte seinen Puls, ohne das Tempo zu drosseln, sie sagte nichts, aber er konnte ihre Sorge hören, sein Bewusstsein kam und ging.

Sie liefen eine Strecke ohne Licht, sie schob ihn eine Rampe hinauf, sie trug ihn, öffnete eine Tür, sie standen im Morgengrauen, sie waren am Nørreport. Überall waren Menschen, eine wachsende Menge. Menschenmengen hatte er immer vermieden, eine Menge hat zu viele Laute, es war einer der Gründe, weshalb er beim Zirkus geblieben war. In der Manege geblieben war. Bei der Musik. Wer auftritt, arbeitet an der Synchronisation der Laute aller andern mit seinem eigenen System. Als er das erste Mal auf dem Zirkusfestival in Monte Carlo gewonnen hatte, einen Silbernen Clown, war er nach der Preisverleihung vom Grand Palais, neben dem staatlichen Kasino, langsam zum Hafen hinuntergeschlendert. Neun von zehn Vorübergehenden hatten ihn wiedererkannt. Er hatte damals gedacht, das sei vielleicht eine andere Art, Probleme zu lösen. Wenn man nur berühmt genug ist, wenn man nur König ist, wenn nur das eigene Signal stark genug ist, übertönt man alle anderen.

Die nächsten zwanzig Jahre hatten diese Position zurechtgestutzt, vor allem die letzten fünf Jahre. Er hatte eingesehen, dass in einer größeren Versammlung weder der Virtuose noch der König in Sicherheit sind. Ganz zu Hause ist nur der Anonyme. Jetzt beachtete ihn keiner, und wenn es mal einer tat, dann nur, um zu verstehen, warum diese schwarze Prinzessin ihren gehbehinderten Stallknecht spazieren fuhr.

Jemand pfiff, drei Töne, einen reinen, gebrochenen C-Dur-Akkord, seinetwegen wurde gepfiffen, das ist der Nachteil für uns, die wir Opfer unseres eigenen Charismas geworden sind, er wurde auf einen Lift geschoben, in die Höhe gehoben, in den Kastenwagen gerollt, auf dem Fahrersitz saß Franz Fieber.

«Für dich», sagte Kasper, «war ich kinderloser Mensch drauf und dran, Gefühle zu entwickeln, die mit denen eines Vaters für seinen Sohn vergleichbar sind. Bis ich eben eine Information erhielt, die mich glauben lässt, dass ich dich erneut bei einer Lüge erwischt habe. Dieser Herr, dessen Gondel Schwester Gloria und ich uns ausgeborgt haben, mit den himmelblauen Augen und einem Teint wie ein Tournedos, ist keiner deiner Fahrer. Er ist Marineoffizier. Und steht mit dieser ganzen Geschichte hier in Verbindung.»

Franz Fieber zögerte. Kasper näherte sich mit seinem Stuhl dem Fahrersitz. Der Junge rückte von ihm weg.

«Gert Suenson», sagte er. «Vom Direktorium des Amts für Gewässer und Schifffahrt. Er ist Mitglied des Laienordens. Und verantwortlich für jeden Verkehr in und aus der abgesperrten Zone. Er hat der Polizei geholfen. Bei der Jagd nach Kain.»

Kasper schloss die Augen. Wie schrecklich ist es, eingesperrt zu sein, einerlei, wie die Zelle genannt wird: Manege oder allgemein akzeptierte Version der Wirklichkeit.

«Wir haben noch kein Frühstück gehabt», sagte er. «Ob es wohl noch ein bisschen Espresso gibt? Und einen Tropfen Armagnac?»

Sein Bewusstsein löste sich selbst auf, er wollte sich auf den Klang seiner eigenen Abwesenheit einstellen, dann sackte er weg.

SIEBTER TEIL

1 | Er wachte im Krankenhausbett auf, in seiner Zelle. Die Blaue Dame saß auf einem Stuhl am Kopfende.

Ihm brummte der Schädel, dagegen waren alle Kateranfälle seines Lebens zusammengenommen die reinste Hypochondrie.

Von unten zerrte jemand an ihm, er wurde unter die Grenze des wachen Bewusstseins gezogen. Er konnte jemanden singen hören, es war Stine.

Alle Frauen seines Lebens hatten gesungen, seine Mutter, Stine, KlaraMaria, die Nonnen, Sonja, der Polizeidamenchor, der Herrlichkeiten war kein Ende. Nur die Blaue Dame fehlte noch. Damit die Besetzung vollzählig war.

Stine lachte ihm zu, er sah, dass es ein Traum war, der auf wirklichen Ereignissen gründete, er entschloss sich, im Traum zu bleiben, er war noch nicht richtig in Form, um der Wirklichkeit zu begegnen.

Sie sang wie damals, spontan, nie mit Ansage. Sanft hatte sie ihn nach hinten gedrückt und seinen Kopf in ihren Schoß gelegt. Dann hatte sie ihn berührt. Seine Haut gestreichelt und gesungen.

Sie hatte die Klassiker gesungen, Kim Larsen, Shu-Bi-Dua, die großen Opern. Ihre Stimme war heiser, gedehnt, ach, wenn Larsen und Bundesen und Rachmaninow sie hätten hören können, sie hätten sich voll verstanden gefühlt. Sie fiel in die *Juwelenarie* aus Gounods *Faust*: «Ist's ein lieblicher Traum, der mich täuscht, der mich belüget!» Sie summte Rachmaninows *Vocalise*. Sie sang wie Renée Fleming. Mit der halben tonalen Spannweite. Aber genauso unbekümmert, sie passte die Melodie sofort an, auf der Stelle.

Ihre Finger auf seiner Haut hatten die Musik begleitet. Er verstand allmählich, was der Heiland damit meinte, Gottes Reich sei hier und jetzt, ihre Berührung und ihre Stimme errichteten rundherum das physische Paradies auf Erden.

Er fühlte sich wie ein Kind. Er hörte seinen eigenen Klangraum, er war zu neunzig Prozent weiblich, er fühlte sich wie eine Frau, vollkommen rezeptiv.

Er hörte die Erleichterung, einen Moment lang nicht nur Mann sein zu müssen. Sich durchschlagen zu müssen. Etwas in Schwung zu halten.

Er registrierte die Liebe in ihren Fingern. In diesem kurzen Augenblick war er akzeptiert. Wegen seines glatten Gesichts. Wegen seiner blauen Augen. Aus gar keinem Grund. Bloß, weil er da war.

Vielleicht tritt die Liebe ein, wenn es für einen andern und einen selbst in Ordnung ist, dass man ist, wie man ist. Obwohl man Kasper heißt. Und Frauen, inklusive derjenigen, die einen gerade berührt, derart viele Lügengeschichten aufgetischt hat, dass man gar nicht mehr weiß, wo Gottes der Herrin Wirklichkeit beginnt und die eigene Fabrikation endet. Und obwohl man derart viele Grenzen überschritten hat, dass man gar nicht mehr weiß, ob man noch nach Hause finden kann.

Er hatte ein Kribbeln in den Beinen verspürt. Er wollte weglaufen. Vor der unerträglichen Gewissheit, dass sich ein Augenblick wie dieser mit nahezu hundertprozentiger Wahrscheinlichkeit nicht wiederholt.

Sie modulierte *Bona Nox*. Ihre Stimme war zärtlich und beschützend zugleich.

Er merkte, wie die Stille sich weitete. Wie eine große Hand, die Anstalten machte, ihn aufzusammeln. Er schlug die Augen auf. Die Blaue Dame beugte sich über ihn. Sie strich ihm über die Stirn, mit einem feuchten Tuch.

«Du hast zwölf Stunden geschlafen», sagte sie. «Du überlebst. Wieder einmal.»

Er weckte seine Sinne. Die Umgebung war nur schwach hörbar, sie war fast weg. Er wusste, dass es an der Anwesenheit der Äbtissin lag. Er hatte es schon einige Male zuvor erlebt, zuerst mit seiner Mutter, dann ein paarmal mit Maximillian. Mit einzelnen Partnern in der Manege. Dann mit Stine. Mit KlaraMaria. Er musste erst vierzig werden, ehe er es ernsthaft zu glauben wagte. Dass das Gehör kollektiv ist. Wenn der Kontakt zweier Menschen intensiver wird, klingt die äußere Welt zunächst ab, dann fängt sie an, sich aufzulösen. Weil in diesen Momenten für jeden der beiden Menschen im Universum nur der andere existiert. Genau das bahnte sich nun an.

Eine Stimme flüsterte, es war seine eigene.

«Sie haben sie benutzt, vielleicht auch den Jungen, um die Beben vorauszusagen. Die Kinder müssen eine Art Hellsichtigkeit besitzen. Sie haben Immobilien in der City aufgekauft, sie wollen sie jetzt verkaufen, bald. Bis dahin jedenfalls werden sie die Kinder am Leben erhalten. Sie brauchen sie noch, alle beide. Um glaubhaft zu machen, dass keine Erdbeben mehr zu erwarten sind. Wir müssen die Polizei benachrichtigen.»

«Kein Problem», sagte sie. «Sie kann jeden Augenblick hier sein. Ihr wurdet gesehen, du und Schwester Gloria.»

Die Morgensonne stand sehr tief, ihre Farbe war von weißem Gold. Der Wasserspiegel lag regungslos da, wie eine strammgespannte Folie. Von der unbeweglichen Fläche wurde die Sonne des Himmels verdoppelt. Die Ausläufer der Stadt waren von einem schmalen Besatz weißen Dunstes verdeckt. Alle äußeren Laute waren vom Lauschen der Frau aufgesogen.

Sie hätten an jedem mythologischen Ort der Welt sein können. Sie wollte ihm etwas sagen, wortlos, mit ihrer Stille, er begriff es nicht.

«Du musst etwas essen», sagte sie.

Schwester Gloria brachte ihm ein Tablett, Suppe und Brot. Er betete ein kurzes Tischgebet, dann biss er in das Brot.

«Ein Gebet ist hervorragend, bevor man isst», sagte er. «Das Gebet lässt den Betenden einen mikroskopischen Tod und eine kleine Wiedergeburt durchlaufen. Man überlässt sich der göttlichen Formlosigkeit. Danach wird man neu erschaffen und ersteht als Säugling auf, mit allen Hirnzellen und Geschmacksknospen und der vollen Potenz und dem intakten Gehör. Ideell gesehen.»

«Und wenn ein Erzengel vor dir stünde», sagte die Afrikanerin, «du würdest deinen Mund nicht halten.»

Er biss ins Brot und dachte an seine Mutter. Die Semmel kam eben aus dem Ofen, die Rinde war dünn, glatt und hart wie Glas. Das splitternde Geräusch, als seine Zähne eindrangen, verriet ihm, dass sie mit einer Mischung aus Joghurt, Öl und Meersalz bepinselt und dann bei keramischer Hitze gebacken worden war. Ihr Duft war tief und komplex wie der eines Körpers.

«Als ich das erste Mal hier war», sagte er, «vor einem Jahr, in der Nacht, hast du vor der Tür der Blauen Dame gewartet. Warum eigentlich?»

«Mutter Maria hatte mich darum gebeten.»

«Wann?»

«Am selben Tag, ein paar Stunden vorher.»

Die Suppe war aus Ochsenfleisch gekocht worden, sie schmeckte nach dem ewigen Leben und danach, dass alle lebendigen Wesen sich gegenseitig auffressen.

«Ein paar Stunden vorher konnte sie nicht gewusst haben, dass ich kommen würde.»

«Sie wusste es seit Jahren. Wir haben dich im Fernsehen gesehen. Bei einem meiner ersten Aufenthalte in Dänemark. Ab und zu sieht Mutter Maria gerne fern. Besonders Zirkussendungen. Wir sahen den Cirque du Soleil. Sie fragte, wer denn der Clown sei. Eine Schwester sagte: ‹Er ist Däne.› Sie sagte: ‹Er wird uns besuchen kommen.› Nur das. Mehr nicht. ‹Er wird uns hier besuchen kommen.›»

Kasper stippte sein Brot in die Suppe. Kaute mechanisch.

«Mutter Maria», sagte die Afrikanerin, «hat gesagt, jemand habe gemeint, die großen Komponisten seien Heilige, die auf die Welt gekommen seien und sich unter uns gemischt hätten. Um uns zu helfen. Dann versteht man es tatsächlich besser. Bach, zum Beispiel.»

Sie war noch immer ganz verwirrt von der Serenade. Es war bewegend. Andererseits ist es wichtig, den Menschen dabei behilflich zu sein, sich von ihrer Faszination zu emanzipieren.

«Wie die großen Köche», sagte er. «Ihr müsst einen unten in der Küche haben. Wenn du Großpapa jetzt also ein bisschen in Ruhe lassen könntest. Er muss verdauen.»

Die Blaue Dame war im Raum. Er hatte sie nicht kommen hören.

«Unmöglich, 35 Jahre im Zirkus zu sein», sagte er, «ohne einem Mörder zu begegnen. Wenn ich der Stelle in ihnen lauschte, von der aus der Mord begangen worden war, hörte ich nie sie selbst. Ich hörte eine Besessenheit. Etwas anderes hatte sie okkupiert. Die Frage der Schuld ist verwickelt. Akustisch gesehen.»

Sie sagte nichts.

Er spürte seinen Zorn.

«Ich habe ihn identifiziert», sagte er. «Den Mörder des Kindes. Ich könnte ihn aus dem Verkehr ziehen. Ein für alle Mal.»

«Kein Zweifel, du könntest das», sagte sie.

Sein Zorn war weg. Hinterließ Trauer. Ausweglosigkeit.

«Kain», sagte er. «Hat sich mit den Folgen einer Katastrophe vor Kopenhagen beschäftigt. Und nun haben wir ein Erdbeben.»

«Für den, der betet», sagte sie, «nimmt die Anzahl auffälliger Zufälligkeiten zu.»

Er brauchte lange, um den Kopf zu wenden. Als die Tat endlich vollbracht war, war ihr Stuhl leer. Sie war verschwunden. War sie überhaupt da gewesen?

Die Afrikanerin schob ihn durch die weißen Gänge.

«Ich habe einen Vertrag mit ihr unterzeichnet», sagte er. «Mit dem Risiko, meine Karriere aufs Spiel zu setzen. Ich soll die erwischen, die es auf KlaraMaria abgesehen haben. Euch helfen. Wenn sie wusste, dass ich kommen würde, warum dann die Bedingungen?»

Sie fuhren mit dem Aufzug hinunter. Ehe sie antwortete, waren sie unten angekommen und ausgestiegen.

«Mutter Maria», sagte sie, «hat oft gesagt, dass es den Menschen nicht guttut, das religiöse Mysterium zu billig zu erhalten. Dann können sie es nicht richtig würdigen. Besonders Bankleute nicht.»

«Bankleute?»

«Als wir dich im Fernsehen gesehen haben. Wir haben viel gelacht. Auch Mutter Maria. Hinterher sagte sie: ‹Was wir dann herausfinden werden, ist, ob er im eigentlichen Sinne Clown ist. Oder ein Banker mit besonderen Talenten.›»

Er betete. «Gott Herrin, lass mich lange genug leben, um eine Voodoo-Puppe zu basteln und die Blaue Dame mit Nadeln zu durchstechen.» Dann ging ihm auf, was er gerade tat. Er lehnte sich an den Schmerz seines eigenen Zorns, die Hälfte allen Unmuts ist nach innen gerichtet.

Die Bewegung hatte aufgehört, der Stuhl stand still.

Eine flache Hand legte sich auf seinen Nacken. Er spürte ihre Wärme, Dankbarkeit erfüllte ihn. Er konnte hören, dies war ihre Art, Entschuldigung zu sagen. Weiter würde die Afrikanerin nicht gehen. Es war auch weit genug.

Sie hielten vor einer Tür, sie ging auf, sie schob ihn in den kleinen Park hinaus.

2 | Die Blaue Dame saß auf einer Steinbank, sie hatte seinen Geigenkasten unter dem Arm. Sie stand auf und übernahm den Rollstuhl. Die Afrikanerin ging, langsam fuhr ihn die Äbtissin den Pfad am See entlang.

Das Licht und die Laute des Frühlings gingen ihm ins Blut wie ein ungepanschter Wein, wie das erste Glas eines vollreifen Jahrgangs-*Krugs*, den großen Champagnern wird vom Schöpfer persönlich Leben eingehaucht, nämlich in dem Augenblick, in dem sie die Mundhöhle ausfüllen, und danach kehrt dieses Leben in die Erinnerung zurück, punktuell, unfreiwillig und schockartig, jahrelang, wie die Nachwirkungen eines phänomenalen Psilocybinrausches.

Das Rascheln des sanften Windes in dem, was sich in wenigen Augenblicken in Buchenlaub verwandeln würde, spielte den *Sacre du printemps*, trotzdem hörte er, irgendwo in der Frühlingsmusik des Weltwerdens, den Winter. Irgendwo im Champagnergeschmack lauerte der Angostura.

«Zwei Beamte von der Abteilung Ausländerkriminalität sind gekommen, dich zu holen», sagte die Frau.

Sie legte den Geigenkasten auf seinen Schoß.

«In den großen spirituellen Traditionen», sagte sie, «kann der Lehrer den Schüler nicht auffordern zu fragen. Nicht einmal in Bedrängnis. Nicht einmal, wenn er vor der allerletzten Möglichkeit überhaupt steht, eine Frage zu stellen.»

Die Stimme war ernst. Aber tief, tief drinnen meinte er eine Andeutung von Neckerei zu hören. Er empfand ein förmliches körperliches Unbehagen. Wegen ihres Mangels an Delikatesse.

«Der Grund ist einleuchtend», sagte sie. «Der Lehrer kann im Schüler keine Offenheit erschaffen. Kein Mensch kann einen andern Menschen öffnen. Alles, was wir tun können, ist warten. Und dann in die Offenheit hineinarbeiten, wenn sie eintritt. Ist das nicht auch die Methode des Clowns?»

Sie hatte innegehalten. Er hörte ihr Mitgefühl trotzdem. Es war umfassend. Es erstreckte sich über Bagsværd und die angrenzenden Gemeinden. Es enthielt auch die Neckerei, konnte er plötzlich hören. Und es enthielt eine gewisse rustikale Grobheit.

Sie sprach ihm aus dem Herzen.

«Viele Weltreligionen sind zu weit gegangen. Im Versuch, das Böse vom Guten zu scheiden. Auch das Christentum. Nicht, dass wir nicht aussondern sollten. Aber wenn die Trennung zu strikt wird, wird sie unmenschlich. Ich habe immer viel von Leibniz gehalten. In der *Theodizee* sagt er, Gott sei wie eine Köchin. Wenn sie Brot gebacken hat, hat sie ihr Bestes getan. Und alles gehört dazu. Auch das Schwarze auf der Kruste. Auf eine Art muss auch das Böse von Gott stammen. Sonst wäre es hier gar nicht auszuhalten. Für uns Menschen. Mit unseren Fehlern. Ich habe Leibniz immer als großen Starez empfunden. Wir haben ihn nur noch nicht kanonisiert. Wenn er greifbar gewesen wäre, wäre er ein Mann für mich gewesen.»

Kasper spürte einen Ruck. Er wäre fast aus dem Rollstuhl gefallen. Frechheit ist unentbehrlich. Aber das Patent darauf haben die Clowns. Sie gehört nicht in den Bereich der Kirche. Die Kirche soll den Kammerton halten. Dann können wir andern uns um die schiefen Intervalle kümmern.

Der Rollstuhl hielt an einer Bank, sie setzte sich.

«Einwegkörper», sagte sie. «So nannte Mutter Rabia unsere physische Gestalt. Sie ist von der Sexualität nicht zu trennen. Kein Mensch, der über eine physische Gestalt verfügt, ist permanent entsexualisiert. Ich hätte Männer nicht entbehren können. Kann es nach wie vor nicht. Und werde es nicht können.»

Sie lachte glücklich, wie ein kleines Mädchen. Kasper fühlte den Champagner auf der Zunge. Er hörte einen neuen Ton. Es war eine innigere Ebene des Vertrauens. Der Ton kam aus seinem eigenen System.

«Ich habe eine Frage», sagte er.

Er hatte den Geigenkasten aufgeklappt und das Instrument herausgehoben.

«Es geht um die *Chaconne*», sagte er.

Er stimmte die Saiten. Dann nahm er Anlauf und sprang. In die Musik. Währenddessen sprach er, das heißt, halb sprach er, halb sang er. Begleitete die Musik. Als wären seine Worte der Text zu den Chorälen, die Bach in ihren Ablauf eingearbeitet hatte.

«Sie ist dreigeteilt», sagte er, «ein Triptychon, mit drei Flügeln, wie ein Altaraufsatz. Ich habe immer gewusst, dass in diesem Musikstück eine Tür zum Himmelreich führt, es ist eine Laut-Ikone, das stand für mich fest, seit ich es zum ersten Mal gehört habe. Und ich habe immer gewusst, dass es um den Tod geht. Ich habe es zum ersten Mal gehört, als ich vierzehn war, gleich nach dem Tod meiner Mutter.»

Die Musik erforderte seine ganze Kraft, es gab keinen Takt in der *Chaconne*, dessen Überschrift nicht lauten könnte: «Mann oder Frau kämpft mit Geige». Trotzdem registrierte er die Konzentration der Blauen Dame. Sie war allumfassend. Sie holte den See und den Wald und den Himmel in ihr Gespräch, löste sie auf und verwandelte sie in Aufmerksamkeit. Die Umgebung lichtete sich, bis nur noch er und sie und die Geige und Bach übrig blieben.

«Sie war die Königin des durchhängenden Seils», sagte er, «das Schlappseil ist die technisch schwerste Disziplin im Zirkus. Wir befinden uns am Anfang der Siebziger, das Sicherheitsnetz war noch keine Pflicht, ab und zu trat sie ohne auf.»

Seine Finger bewegten sich schneller.

«D-Moll, es geht um den Tod. Bach hatte Maria Barbara und zwei Kinder verloren. Und er hatte sie geliebt. Das Thema ist ein Todesthema. Hörst du das, die Unerbittlichkeit, die Unabänderlichkeit des Schicksals, wir alle müssen sterben. Und hör mal, wie er hier im ersten Teil das Register wechselt, Quadrupelgriffe benutzt, um die Illusion mehrerer Violinen hervorzurufen, die miteinander im Dialog stehen. Sie verwandeln sich in die vielen Stimmen, die in jedem Menschen stecken, in uns allen. Einige dieser Stimmen nehmen den Tod an, andere nicht. Und jetzt hebt die lange Arpeggio-Passage an, wirbelnd, das Gefühl der Energieakkumulation wächst durch die Bewegung über drei oder mehr Saiten, hörst du, man könnte schwören, es wären mindestens drei Geigen.»

Er sah nur ihre Augen. Der Klang der Blauen Dame war farblos geworden. Ihr Mitgefühl umgab ihn auf allen Seiten, er fühlte sich wie in einem Kolben, in einem Konzertraum vollkommenen Verständnisses und vollkommener Akzeptanz.

«Ich habe ihr vom Manegeneingang zugeschaut. Sie ist vielleicht zweimal im Jahr ohne Netz aufgetreten. Mein Vater hat nicht eine dieser Vorstellungen gesehen. Wenn abzusehen war, dass sie das Netz entfernen lassen würde, ging er. Aber ich habe sie immer gesehen. Ich habe sie immer verstanden. Mit Worten lässt es sich nur schwer erklären. Aber an diesen Abenden war ihr Klang ganz außergewöhnlich. Er war vollkommen ruhig. Wenn man etwas darüber sagen kann, dann Folgendes: Sie ist aus zwei Gründen ohne Netz aufgetreten. Der eine war die Liebe zum Zirkus und zu den Zuschauern. Der Zirkus war dem Tod immer sehr nah gewesen. Im Zirkus ist wenig Schmu. Wenig Kulissen. Nichts da mit schrägen Brettern, um unnatürlich hoch springen zu können. Keine Stuntmen, kein Double. Zirkus ist eine extreme Form szenischer Ehrlichkeit, eine Ehrlichkeit, die für sie ausschlaggebend war, der Zirkus war für sie gewissermaßen eine Liebeshandlung.»

Das beinah klagende Insistieren der Musik wuchs unter seinen Fingern an.

«Der zweite Grund hatte mit ihrer tiefsten Sehnsucht zu tun. Darüber sprach sie nie. Aber ich konnte sie hören. Konnte den anhaltenden Ton in ihr hören, im Orgelpunkt des Herzens, verstehst du, was ich meine? Man kann es bei manchen der großen Musiker hören. Bei großen Komikern. Bei Bergsteigern. Ich konnte es bei Tati hören. Bei Messner. Bei euerm verrückten Fahrer. Es ist die Sehnsucht nach den Antworten auf die großen Fragen. Die Sehnsucht nach dem Göttlichen. Unter der Schminke. Unter dem total affigen Make-up. Die echte Sehnsucht. Und das ist die feinste Balance. Für uns Betroffene. Zwischen Himmel und Erde. Und an dem Abend, als sich meine Mutter mitten zwischen den Masten befand, zehn Meter über dem Boden, da veränderte sich ihr Klang. Und ich hörte etwas, was ich nie zuvor gehört hatte.»

Er näherte sich dem Ende des ersten Teils, die Anzahl simulierter Stimmen war maximal, er hatte nie ganz und gar verstanden, wie Bach vorgegangen war, bisweilen hatte er den Gedanken, dass es womöglich nicht nur eine *Chaconne* gab, dass es vielmehr eine fließende, tonale Virtualität war, die sich unentwegt vervielfachte und nie zu Ende kam. Vielleicht sind Menschen genauso, vielleicht ist jeder von uns nicht eine Person, sondern eine endlose Sequenz einmaliger Konstellationen im Jetzt, aber vielleicht wird das nun zu kompliziert, oder? Das ist die Frage bei den großen Improvisationen: Können wir zum Thema und zum Grundton zurückfinden?

«Die Sehnsucht nach dem Göttlichen», sagte er, «nach dem, was die physische Gestalt nie ganz in sich aufnehmen kann, sie war gewachsen. Während der letzten Monate. Das habe ich gehört. Es war eine kleine Verschiebung. Aber entscheidend. Normalerweise konnte ich bei ihr immer den Teil hören, der ununterbrochen nach mir horchte. Nach meinem Vater. Nach den Proben und dem Reinemachen und dem Einkauf und dem Kochen und der Normalwirklichkeit. Aber in diesem Augenblick wurde dieser Teil ausgeblendet. Dafür wurde etwas anderes aufgedreht. Ich wusste es, bevor es geschah. Dass sie alles andere vergessen hatte. Und ihr nur Gott noch gegenwärtig war. Ich sah ihr in die Augen. Sie waren fern. Aber vollkommen glücklich. Und dann stürzte sie.»

Das Thema kam wieder, andeutungsweise, der erste Teil war zu Ende, in den Noten war keine Unterbrechung verzeichnet, aber Kasper machte eine Pause.

«Ich ging zu ihr. Alle anderen waren wie gelähmt, ich war der Einzige, der sich bewegte. Ich hörte ihren Klang. Ihr Körper war tot. Aber ihr Klang war lebendig. Er war nicht unglücklich. Er war vergnügt. Es war kein Unfall. Nicht aus höherer Sicht. Aus höherer Sicht hatte sie bloß eine bestimmte Tür geöffnet. An und für sich die beste Tür, die es gibt.»

Er begegnete dem Blick der Blauen Dame. Sie hatte dieselbe Frequenz wie er. Er wusste nicht, welches Leid ihr Leben aufzuweisen hatte. Aber er merkte, dass sie seines kannte. Und sehr viel mehr als das.

«Aber für mich und meinen Vater war es nicht so leicht.»

Der Bogen fand die Saiten.

«Der zweite Teil ist in Dur. Barmherzig. Tiefe Trauer. Es war wie Balsam für meine Seele. Bach hatte etwas verloren, genau wie ich, ich konnte es hören. Und hatte einen Weg durch den Verlust gefunden. Ich spielte ihn immer wieder. Hör doch: Der Trost wird nahezu triumphierend. Er bringt die Violine dazu, Trompeten nachzuahmen. Hier, ab Takt 165, verstärkt er den Fanfareneffekt, indem er im Auftakt zum zweiten Taktteil mit dem dritten Finger auf der d-Saite und gleichzeitig die leere a-Saite spielt. Damit werden die Obertöne zum a verstärkt. Hör zu, das geht bis zum Takt 177 weiter. Hier setzt tiefe, ruhige Freude ein. Mit zahllosen Vorhalten, die das Gefühl von Sehnsuchtsfülle vermitteln. Mit dem Tod ist er zur Ruhe gekommen. Als ob das nicht gereicht hätte. Aber es reichte nicht. Etwas noch Größeres bahnt sich an. Ab Takt 201 hebt das Raumschiff langsam ab. Der zweite Teil schließt mit Arpeggio-Passagen, wie der erste. Und jetzt hör dir den Anfang des dritten an.»

Er spielte den gebrochenen Akkord.

«Wir sind wieder in d-Moll. Es ist derselbe Akkord, den Brahms in seinem ersten Klavierkonzert benutzt, im Einleitungsthema. Die *Chaconne* sendet ihre Strahlen durch die gesamte klassische Musik. Wir nähern uns Takt 229, der in die Bariolage übergeht, er schaukelt zwischen der leeren a-Saite und Tönen, die sich auf der d-Saite bewegen. Das ist zugleich weinerlich und ungeheuer kraftvoll. Der Tod aus dem ersten Teil kehrt zurück, aber nun im Lichte des Trostes und des Triumphs und des Herzensfriedens im zweiten Teil. Es ist Musik, die alle Grenzen nach oben durchbricht. Es ist eine Art zu leben, wo der Tod stets präsent ist, und trotzdem gibt es eine Menge Überschuss und Energie und Mitgefühl. Hör mal hier, ab 241 und folgende. Es ist der Tod selbst, durchleuchtet von Bewusstheit. Bach sagt nicht nur, dass man weitgeöffneten Auges ins Totenreich gehen kann. Er tut es selbst, in der Musik. Was ist das Geheimnis? Das ist meine Frage.»

«Vergebung», sagte sie. «Das Geheimnis ist Vergebung. Vergebung ist nicht mit Gefühlen aufgeladen, sie ist der gesunden Vernunft sehr nahe. Sie kommt mit der Einsicht, dass der andere gar nicht anders handeln konnte. Und du selbst auch nicht. Die wenigsten von uns haben in den entscheidenden Situationen eine echte Wahl. Du hast einen Verlust erlitten. Für den du seitdem alle Frauen verantwortlich machst. Mich auch.»

Er schwieg. Er hatte noch mehr fragen wollen. Auf welchem Weg Maximillian sich befand. Welchem Quell seine Liebe zu Stine entsprungen war. Seine Liebe zu KlaraMaria.

Die Fragen waren schon beantwortet. Er und die Blaue Dame standen in einer Sphäre, in der die Antworten zu finden waren. Oder an ihrer Schwelle, sie hatte ihn hergeführt. Er wusste nicht, wer die Musik spielte, aber sie spielte, irgendjemand trug für die Ganzheit Sorge. Er sah die Frau vor sich, aber sie bebte, als wäre sie ein Teil der *Chaconne*. Er hörte auch KlaraMaria,

Stine, Maximillian. Auch seine Mutter. Für immer sind wir in ein Gewebe aus Tönen und Herzgefühlen eingesponnen, für dieses Gewebe macht es im Grunde keinen Unterschied, ob die Menschen lebendig sind oder tot.

Er legte die Geige in den Kasten, irgendjemand legte die Geige in den Kasten.

Er kam aus dem Stuhl hoch, er verstand nicht, wie, zwar ist die Bibel voller Geschichten von Tauben, die hören, und Lahmen, die gehen, aber die Geschichten zu hören ist das eine, es selbst zu erleben ist etwas völlig anderes.

Er setzte sich rittlings auf sie, so hätte sich eine Frau auf einen Mann setzen können.

«Ich weiß nicht, ob du mir erlauben würdest, deine Brust zu berühren?», sagte er.

Sie öffnete die kittelartige Tracht. Seine Hände glitten über ihre Haut. Sie war mindestens siebzig. Die Haut war pergamenten und zitternd vor Leben zugleich.

Das feste Gewebe unter Kaspers Händen erinnerte ihn daran, dass sie nie gestillt hatte.

«Wie ist es eigentlich», fragte er, «nie Kinder gehabt zu haben?»

«Es gab einen Zeitpunkt», antwortete sie, «ich muss an die sechzehn gewesen sein, es spielte sich zwischen Mutter Rabia und mir ab, vielleicht könnte man sagen, dass es ungefähr deinem Unglück entsprach. Es war eine dieser Situationen, nach denen nichts mehr so ist wie vorher. Bei der Gelegenheit bekam ich das Gefühl, dass alle Kinder im Grunde meine sind. Dass es nicht hundertprozentig sinnvoll ist, einige wenige Kinder aufgrund einer dünnen biologischen Zusammengehörigkeit speziell meine zu nennen. Von da an gehörte ich – glaube ich – allen Kindern.»

Ihr normaler Klang und ihre normale Farbe kehrten allmählich zurück. Auch die Umgebung kam wieder. Und mit ihr die Afrikanerin.

Sie stand, höflich abwartend, ein Stück den Pfad hinunter. Neben ihr standen einige der Kinder. Kasper erkannte seinen Partner von der Christians Brygge, den Knaben mit ADHS und Wasser im Kopf.

Er setzte sich wieder in den Rollstuhl. Und rollte vorwärts. Die Afrikanerin trat hinter ihn.

«Die tiefsinnigen Schüler», sagte er, «haben immer eine besondere spirituelle Anleitung benötigt.»

Die Kinder sahen ihn versonnen an.

«Ich finde, das solltest du der Fremdenpolizei melden», sagte die Afrikanerin. «Die warten schon seit einer Stunde.»

3

Außer ihm und Schwester Gloria befanden sich fünf Menschen im Raum, die Blaue Dame, Mørk, die Frau vom Strandvej, die ihn später im Präsidium verarztet hatte, und die rote Bete mit den Smaragdaugen. Darüber hinaus der gutgekleidete Greis aus dem Kirchenministerium, Weidebühl. Sie saßen an dem rechteckigen Tisch, an dem Kasper zum ersten Mal mit Mutter Maria gesprochen hatte. Auf dem Tisch stand ein Nagra-Tonband.

«Wir haben mit KlaraMaria gesprochen», sagte der ältere Herr, «am Telefon, mehrmals, das hat uns beruhigt. Wir sind der Überzeugung, dass wir sie jederzeit zurückhaben können. Wir kennen die Vereinbarung, die Sie mit dem Stift getroffen haben. Sie haben Ihren Teil erfüllt. Draußen hält ein Streifenwagen. Er bringt Sie ins Hauptkloster in Audebo. Wo sie Ihnen Ihr Lager bereiten. Dort bleiben Sie, während die beiden Kinder zurückkehren und Ihr Verfahren noch anhängig ist.»

«Weidebühl», sagte die Blaue Dame, «ist Anwalt, Rechtsberater des Kirchenministeriums und sitzt im Vorstand des Stifts und des Wohltätigkeitsfonds.»

Für Männer ist es schwer, sich herauszuputzen. Und wird mit dem Alter nicht leichter. Der Anwalt musste über achtzig sein, die Zeit hatte seinem Körper jegliche Struktur genommen. Aber sein Schneider hatte ein christliches Wunder vollbracht. Der hellblaue Anzug hatte an seinem Torso die Auferstehung des Fleisches zustande gebracht. Aber oberhalb des Kragens ist auch der beste Schneider machtlos. Der Mann glich einer Schildkröte. Nun sollte man Schildkröten nicht unterschätzen. In den frühen sechziger Jahren, als auf den Märkten noch Gaukler mit dressierten Kriechtieren auftraten, hatte Kasper hundert Jahre alten russischen Landschildkröten bei der Paarung zugesehen. Sie hatten gebrüllt wie erwachsene Menschen.

«Das Innenministerium hat uns versprochen, Ihre Aufenthaltserlaubnis zu verlängern», sagte der Anwalt. «Und mit dem Finanzamt zu sprechen. Das Integrationsministerium will Sie bei der nächsten Gesetzesvorlage zum Einbürgerungsbescheid berücksichtigen. Das Folketing erteilt die Staatsbürgerschaft zweimal im Jahr, im Juni und im Oktober. Bis zum 1. Juli können wir für Sie den dänischen Pass bekommen. Einen Vergleich mit dem Finanzamt bis zum 1. September. Verhandlungen mit den spanischen Behörden im Laufe des Herbstes. Das heißt, Sie können noch vor Jahresende auf die großen Bühnen zurückkehren.»

Die Stimmung im Raum war pastoral, hellgrün, in F-Dur, wie in Beethovens sechster Symphonie. Wie wenn die ganze Familie versammelt ist, um dem Uropa zu eröffnen, dass er ins Pflegeheim soll, und er es gefasst aufgenommen hat.

Kasper blickte zur Blauen Dame hinüber. Ihr Gesicht war ausdruckslos.

«Hätten wir», sagte er, «die Gespräche mit KlaraMaria vielleicht zufällig auf Band?»

Die Frau von der Reichspolizei beugte sich vor und schaltete das Nagra an.

Das Band lief ohne Rauschen. Es war kein Klingelton zu hören. Nur ein leichtes Kratzen, als der Hörer abgenommen wurde. Eine Frau meldete sich, die Blaue Dame. Eine Männerstimme sprach.

«KlaraMaria ist bei uns zu Besuch. Ihr geht's gut. Sie möchte mit Ihnen sprechen. Sie bleibt eine Woche hier. Dann kommt sie zurück.»

Es war Kains Stimme.

Für das gewöhnliche Ohr war jetzt alles still. Für Kasper – oder seine Phantasie – bewegte sich jemand durch einen großen Raum, über einen Teppich. Der Telefonhörer wechselte die Hand.

«Maria. Ich bin's.»

Sie sagte nicht «Mutter». Nur «Maria».

«Es geht mir gut. Ich komme in einer Woche zurück. Ihr braucht euch keine Sorgen zu machen.»

Die Äbtissin sagte etwas, das Kasper nicht verstand. Ihre Stimme war tonlos. Dann kam die Männerstimme wieder.

«Sie werden alle drei Tage angerufen.»

Die Verbindung wurde getrennt.

Sie sahen Kasper an.

«Hören wir noch den nächsten», sagte er.

«Sie haben wieder angerufen», sagte der Anwalt. «Wie versprochen.»

Die Frau wechselte das Band und spulte zurück. Diesmal hörte man das Klingeln. Das bedeutete, dass die erste Aufnahme vom Anrufbeantworter des Stifts stammte. Danach hatten sie das Nagra installiert. Und auf den nächsten Anruf gewartet.

Der Klingelton war eine Spur schwächer und langsamer. Der Anruf kam von einem Mobiltelefon. Die Blaue Dame meldete sich. Es entstand eine kurze Pause. Dann kam KlaraMarias Stimme.

«Es geht mir gut. Ihr braucht keine Angst zu haben. Ich komme bald wieder. In ein paar Tagen. Bastian auch.»

Die Verbindung wurde getrennt.

Sie sahen Kasper an.

«Der Anruf ist eine Fälschung», sagte er. «Sie spielen eine gute digitale Aufnahme ab, sicher von einem DAT-Recorder in ein Handy, in einem Auto, das auf der Autobahn fährt. Um nicht aufgespürt zu werden. Der Anruf garantiert nichts. Nicht einmal, dass sie lebt.»

Kein hellgrüner Klang mehr im Raum.

«Die Kinder sind auf irgendeine Art hellsichtig, KlaraMaria hat die ersten Beben vorausgesehen. Sie hat eine Karte des betreffenden Gebiets angefertigt und einer Geodätin geschickt. Leute mit Verbindung zur Konon haben Grundstücke in der City aufgekauft. Sie sollen versteigert werden. Am Freitag.»

«Sie sind vom Zirkus», sagte der Anwalt. «Sie haben Busladungen voll von Wahrsagerinnen und Sterndeutern gesehen. Ist doch Quatsch! Keiner kann in die Zukunft sehen.»

«Es sind keine gewöhnlichen Kinder», sagte Kasper. «Ich habe sie kennengelernt. Sie haben eine spezielle Schulung gemacht.»

Er sah die Blaue Dame an. Sie rührte sich nicht.

«Was wollt ihr eigentlich von mir?», sagte Kasper. «Ihr seid doch hier nicht im Rudel aufgekreuzt, nur, um dabei zu sein. Obwohl das bestimmt auch ein Grund ist. Ihr wolltet wissen, was ich von den Aufnahmen halte. Aber da ist noch was.»

Der Anwalt nickte.

«Wir möchten Sie bitten zu schweigen. Wobei ‹bitten› nicht das rechte Wort ist. Wir möchten Sie darauf aufmerksam machen, dass Sie keine andere Wahl haben. Sie werden jetzt weggefahren. Der Fall wird abgeschlossen. Morgen haben wir den richtigen Anwalt für Sie. In zwei Wochen sind Sie auf freiem Fuß, mit einer Entschuldigung der Polizei. Und während dieser zwei Wochen lehnen Sie es ab, sich zu äußern. Das gute Recht jedes Beschuldigten. Von dem Sie Gebrauch machen. Sie werden verschlossen sein wie eine Auster. Denn falls nicht, haben

Sie alles verscherzt. Sie sehen diesen Ort nicht wieder, Sie sehen die Kinder nicht wieder, Sie werden jeden juristischen und diplomatischen Beistand verwirkt haben.»

Er sah Kasper an und nickte. Die Bewegung duldete keinen Widerspruch.

«Wir danken für die Hilfe», sagte er. «Im Namen des Stifts und der Polizei. Und wünschen gute Besserung.»

«Ich habe mit diesen Leuten zu tun gehabt», sagte Kasper. «Die Kinder kommen nicht zurück.»

«Wir danken Ihnen für das Gespräch», sagte der Anwalt.

Der Rollstuhl behinderte Kasper ein wenig. Aber nicht so sehr, dass jemand hätte reagieren können. Bevor er sich über den Tisch gelehnt und den Alten vom Stuhl gezogen hatte.

«Sie verschwinden», hauchte er. «Sie werden außer Landes gebracht. Sie sind Goldminen ohne Grenzen. Und wenn das passiert, dann gnade dir Gott!»

Zwei Rohrzangen auf einem Hebebock schlossen sich von hinten um Kaspers Handgelenke. Die Afrikanerin setzte ihn in den Rollstuhl zurück.

«Ihr braucht mich noch», sagte er. «Ich kann das Mädchen hören. Ich kann sie beide hören. Gebt mir zwölf Polizeibeamte. Und 24 Stunden.»

Sie erhoben sich.

«Sie haben die vierzig erreicht», sagte der Anwalt. «Das Gehör nimmt nach der Geburt exponentiell ab.»

«Stimmt», sagte Kasper. «Ich kann nicht mehr mit Sicherheit bestimmen, ob es eine *Grand Complication* ist. Oder doch der *Streithengst von Schaffhausen*. Deine Uhr.»

Alle im Raum sahen den Anwalt an. Zwei magere, knochige Handgelenke wuchsen nackt aus den Ärmeln und den kreideweißen Manschetten. Er trug keine Uhr.

«In der Westentasche», sagte Kasper.

Noch einmal kam er aus dem Rollstuhl, ehe Schwester Gloria

ihn zurückhalten konnte. Zog in einer einzigen geschmeidigen Bewegung die Uhr aus der Tasche und legte sie auf den Tisch.

Das Gehäuse war aus Gold. Auf den ersten Blick war die Uhr eher unauffällig. Das Armband war aus braunem Leder.

Kasper drehte sie um. Jetzt war alle Unauffälligkeit dahin. Die Rückseite war aus Saphirglas. Durch das Glas erblickte man die minutiöse Vielfalt in einem mechanischen Werk aus reinstem Gold. Mit fünfzehnhundert Teilen.

«Il Destriero Scafusia», sagte er. «Von der International Watch Company. Ein etwas dichterer Klang als die *Grand Complication*. Aufgrund des Goldes. Der Welt teuerste Armbanduhr. Wie sieht's eigentlich mit der christlichen Demut aus?»

Die Schildkröte lief rot an.

«Schafft ihn hier weg», sagte er.

Die Blaue Dame hob die Hand. Alle blieben stehen.

«Ihm fehlt noch der Segen», sagte sie. «Das ist der letzte Teil des Vertrags. Ich möchte ihm die Kirche zeigen. Das dauert keine zehn Minuten.»

4

Sie schloss das Tor hinter ihm, sie waren allein im Hof. Selbst im Windschatten konnte er merken, dass es aufgefrischt hatte. Sie half ihm aus dem Rollstuhl. Gab ihm die Krücken. Körperlich gesehen war er auf dem Weg der Besserung.

«Sie wissen alles über die Kinder, was wichtig ist», sagte sie. «Aber sie können es nicht öffentlich eingestehen. Sie warten nicht darauf, dass sie zurückgebracht werden. Sie planen eine Aktion.»

«Sie brauchen mich», sagte er. «Ich war es, der sie aufgespürt hat. Ich weiß etwas, was sie nicht wissen. Ich muss da sein.»

Sie standen vor der Kirche. Sie war winzig. Wie eine größere Gartenlaube.

«Eine der kleinsten Kreuzkuppelkirchen der Welt», sagte sie. «Und eine der schönsten. Errichtet 1865, zur selben Zeit wie die Russische Kirche in der Bredgade. Damals kam die Ostkirche nach Dänemark. Gleichzeitig übersetzte Grundtvig die byzantinische Lichtmystik.»

«Du lässt mich raus», sagte er. «Im Zaun ist bestimmt eine Tür.»

«Du kannst nicht ohne Krücken gehen. Und selbst mit Krücken kommst du nicht sehr weit.»

Sie hatte recht. Sie machte die Tür auf. Sie traten ein.

«Der Narthex. Kein Ungetaufter darf hier weitergehen.»

Es war kühl und still.

Die Kirche zeigte nach Süden. Er überlegte, ob er nicht eines der farbigen Mosaike zerschlagen und das Seeufer erreichen und ein Boot finden könnte. Er wusste, es war hoffnungslos.

Sie stieß eine weitere Tür auf, er trat einen Schritt zurück.

Erst sah es aus, als stünden sie vor einer Feuerwand. Dann sah er, dass es Ikonen waren. Eine Wand aus Ikonen. Von oben erleuchtet, vom Sonnenlicht, das offenbar durch Öffnungen in der Kuppelstruktur flutete. Das Licht löste die Bilderfläche in ein verschiedenfarbiges Feuer auf. Ein Feuer aus Gold. Ein Silberfeuer. Purpur, ein blaues Glühen, grüne Flammen, wie Wasser, das brannte. Und in dem Feuer die stillen, ausdrucksstarken Gestalten. Der Erlöser, das Kind, die Frauen. Die heiligen Männer. Mehr Frauen, mehr Kinder. Mehr Erlöser.

«Hier spielen wir», sagte sie. «Jeden Tag. Wir erwärmen den Wein auf 27 Grad. Durchbohren das Brot mit Lanzen. Singen. Tanzen. Der kosmische Zirkus. Es würde dir gefallen.»

Er wich vor ihr zurück.

«Im spanischen Strafrecht gibt es eine spezifische Begnadigungsmöglichkeit», sagte sie. «Wenn der Angeklagte auf Lebenszeit ins Kloster geht. Das erhöht seine Chancen erheblich.»

Sie versperrte ihm den Weg. Irgendetwas drückte ihn über

die Türschwelle auf die Ikonenwand zu, vielleicht war es ihr Klang.

«Ich bin nicht getauft», sagte er.

«Bei besonderen Gelegenheiten», sagte sie, «sind wir gezwungen, unkonventionell zu sein.»

«Ich habe immer versucht, die Leute nicht zu kränken», sagte er. «Das ist schlecht für den Kartenverkauf.»

«Du hast fünf Minuten», sagte sie. «Vielleicht solltest du dich nicht weiter um den Kartenverkauf kümmern. Und dich lieber auf das Wesentliche konzentrieren.»

Er trat unter die Kuppel. Vor die Wand aus Licht.

«Wir haben zwei Wörter für das Beichten», sagte sie. «*Penthos*, bereuen. Und *metanoia*, sich umbesinnen.»

Er folgte ihrem Blick. In dem winzigen Seitenschiff stand so etwas wie ein klitzekleiner Bauwagen, aus geöltem Palisanderholz.

«Wir und einige andere orthodoxe Kongregationen haben den Beichtstuhl beibehalten. Kannst du dir einen besseren Ort für deine letzten fünf Minuten vorstellen?»

Er trat hin und öffnete die Tür. Der Grundriss betrug kaum einen Quadratmeter, die Größe einer Standardtoilette in einem Wohnmobil. Er ließ sich auf einem plüschbezogenen Klappstuhl nieder. Vor seinem Gesicht befand sich eine Scheibe aus getöntem Glas, die unten perforiert war. Er zog die Tür zu. Ein schwaches Licht ging an, wie von einer Dunkelkammerlampe. Durch Holz und Glas hörte er, wie die Frau auf der andern Seite Platz nahm. Für die Beziehung zwischen dem Männlichen und dem Weiblichen war die Situation symbolisch. Und zwischen Gott und den Menschen. Total versessen darauf, Kontakt zueinander aufzunehmen, aber immer getrennt durch eine hauchdünne Membran.

«Ich möchte gerne beichten», sagte er.

«Sei willkommen.»

Es war nicht die Stimme der Äbtissin. Er gab den Versuch auf, sie zu identifizieren. Er war nicht gekommen, um eine typologische Bestimmung vorzunehmen, er war gekommen, um sich bedingungslos hinzugeben.

«Ich trage an einer sehr tiefen Trauer», sagte er.

«Hast du versucht zu beten?»

«Ich habe nichts anderes getan. Aber das ist nicht genug. Ich wurde von einer Frau verlassen.»

«Was war dein Anteil daran?»

«Ich hielt mein Herz zu offen», sagte er.

«Was sollen wir deiner Meinung nach tun? Dich kanonisieren?»

Erst traute er seinen Ohren nicht. Dann machte er die Tür auf und kam vom Stuhl hoch. Er ließ die Krücken liegen, bewegte sich auf allen vieren um den Wagen herum und riss die Tür auf, alles in einer Bewegung.

Zuerst sah er nur die blaugraue Tracht, die sie trug. Dann streifte sie die Kopfbedeckung ab, und er sah ihr Haar und ihr Gesicht. Er hatte gewusst, es würde Stine sein. Und hatte es doch nicht gewusst.

«Du missbrauchst das Vertrauen eines Herzens zu Gott», sagte er.

«Du bist in Klausur. Das ist Gotteslästerung.»

Er ballte die Hand zum Schlag, sie sprang von ihrem Stuhl auf, geschmeidig wie eine Katze. Er zauderte, damit war es zu spät, Gewalt muss spontan und frisch sein. Vorsätzliche Gewalt ist unmenschlich.

Die Blaue Dame stand hinter ihm.

«Noch vier Minuten», sagte sie. «Dann fahren sie dich nach Audebo. Und Stine zur Arbeit.»

Dann war sie verschwunden.

5| «Du machst mit», sagte er, «bei diesem Schwindel. Damals schon. Du warst eine Karnevalsnonne.»

Stine sagte nichts.

Er hätte sich gerne gesetzt, aber es gab keine Sitzgelegenheit. Sein Körper fühlte sich lahm an. Eine alte Lähmung. Die daher kommt, von Frauen manipuliert zu sein. Nicht nur in diesem Leben, sondern schon in vielen Leben davor.

«Du schuldest mir eine phantastische Erklärung», sagte er. «Und die wirst du mir auch geben. Aber nicht jetzt.»

Sie sagte nichts.

«Sie haben die Kinder immer noch nicht gefunden. Sie wollen mich aus dem Verkehr ziehen. Ich werde jetzt weggefahren. Draußen wartet ein Streifenwagen auf mich.»

Er sah weg. Um nicht ihr Gesicht sehen zu müssen.

«Irgendwann kommen wir alle in die Situation, ein Kind im Stich zu lassen», sagte er. «Man kann es nicht verhindern. Deshalb wollte ich keine Kinder. Das war der wirkliche Grund. Und nun habe ich doch noch einem Kind etwas versprochen. KlaraMaria, ich habe versprochen zurückzukommen, um sie zu holen. Ich muss dieses Versprechen halten.»

«Warum, du bist doch fast ein Fremder für sie.»

Er suchte nach Worten, er sah das Brot auf dem Altar.

«Als ich klein war, in ihrem Alter, und Brot bekam, frisch aus dem Ofen, oder Süßigkeiten, damals teilten wir mit den andern. Wir waren immer ein ganzes Rudel von Kindern, Artistenkindern, wir hatten immer Hunger. Und alle gaben etwas ab. Wir wussten, ohne dass es gesagt werden musste, dass Brot besser schmeckt, wenn man es mit andern teilt. Wir versuchten gar nicht, das zu erklären. Aber es war eine sehr körperliche Empfindung. Der Geschmack war besser. Später vergisst man es, ich habe es vergessen. Aber hier in den letzten Tagen ist es mir wieder eingefallen. Was wir damals wussten, war, dass man die großen Dinge nicht für sich allein haben kann. Wenn einer hungert, spüren alle andern den Hunger auch. Mit dem Glück ist es das Gleiche. Privates Glück gibt es nicht. Oder Freiheit. Wenn sie nicht frei ist, bin ich's auch nicht. Sie könnte ebenso gut ich sein. Vielleicht ist das Liebe.»

Er hatte sie erreicht. Er konnte es hören. Die Kuppel über ihnen fokussierte ihre Geräusche, wie eine Manege. Der Augenblick hatte einen vollen Ton.

«Was soll ich deiner Meinung nach tun?», fragte sie.

«Ich möchte dich bitten, dich auszuziehen.»

Ihr Klang verhallte, als hätte man ihr eine Eisenstange auf den Kopf geschmettert.

Er streifte seine Jacke ab. Fing an, seine Hose aufzuknöpfen. Er konnte nur seine rechte Hand benutzen. Diese Frau vor ihm glich einem Menschen, der halluzinierte.

«Wir tauschen die Kleider», sagte er. «Das ist die einzige Chance. Draußen halten zwei Streifenwagen. Wir steigen einfach jeder in den falschen ein. Dich fahren sie zum Hausarrest nach Audebo. Wenn ihr ankommt, gibst du dich zu erkennen. Mich fahren sie in die Stadt. Ich finde schon einen Weg, wie ich ihnen entwische.»

Sie bewegte sich nicht. Er stand in Boxershorts vor ihr. Eine Entweihung des Ortes war nicht ganz von der Hand zu weisen.

«Du musst völlig wahnsinnig sein», sagte sie.

Er machte sich ganz locker wie vor einem hohen Bluff beim Poker. Er stellte sich auf weiblich ein. Falls nötig, darauf, alles zu verlieren.

«Die Leute da drin», sagte er, «die Polizei, die haben KlaraMarias Entführer nie gesehen. Aber ich. Das sind nicht Hinz und Kunz. Das sind der böse König und die böse Königin. Die Kinder kommen nicht zurück. Im Gegenteil, sie werden noch weiter weggebracht.»

Sie starrte ihn an. Dann hob sie die Hände und knöpfte den ersten Knopf auf.

«Dreh dich um», sagte sie. «Und mach die Augen zu.»

Er drehte sich um und lehnte die Stirn an das duftende Holz des Beichtstuhls.

Er stellte das Gehör auf ihre Nacktheit ein, auf ihre Haut. Er brauchte sie nicht zu sehen, um darin unterzugehen. Es war einer der versöhnlichen Aspekte eines Gehörs wie des seinen. Man konnte sich im Schwimmbad vor die Damenabteilung stellen und sie fühlen, als wäre man selbst drin.

«Du hältst dir die Ohren zu», sagte sie. «Sonst wird die Aktion abgeblasen.»

Er hielt sich die Ohren zu.

Sie klopfte ihm auf die Schulter, er drehte sich um. Sie hatte seine Sachen angezogen. Sie sah sich mehr denn je ähnlich. Jacke, Hemd und Hose betonten ihre Weiblichkeit. Es gibt Menschen, deren Wesen durch jede Verkleidung hindurchstrahlt.

Er zog ihre Bluse an, dann den blauen Kittel, undeutlich sah er sein Bild in der Fensterscheibe zum Hof, er steckte seine Haare unter die Kopfbedeckung.

«Sonnenbrille?», sagte er.

Aus einer Tasche, die auf dem Boden stand, holte sie eine Sonnenbrille und einen kleinen Schminkspiegel.

Wenn er zwanzig Minuten und einen Schminkkoffer gehabt hätte, hätte er etwas mit seinem Gesicht machen können. Aber jetzt konnte er es nur noch verstecken. Er fand ein Taschentuch in der Tasche, setzte die Sonnenbrille auf, faltete das Tuch auseinander und hielt es vors Gesicht, als wollte er Tränen verbergen.

Er schlüpfte in ihre Sandalen, sie hatte seine Schuhgröße. Er war von ihren Füßen immer fasziniert gewesen, sie waren groß, stark, flach, die Zehen standen fächerförmig ab, er konnte hören, wie oft sie in der Gegend von Skagen barfuß herumgelaufen war, auf Fischgrätenparkett, auf gewalzten Grünflächen und Privatstränden. Er warf einen letzten Blick auf die Krücken. Dann setzten sie sich in Bewegung.

Trotz der Schmerzen ließ er sich in seine eigene Weiblichkeit sinken. Fiel in die Schwere des weiblichen Gangs, die Elastizität der Gehbewegungen, das leichte Rollen in den Hüften. Sie öffnete die Tür. Sie standen im Hof. Wind wehte ihnen ins Gesicht.

«Groteske Aktion», sagte sie.

«Du bist überzeugend», sagte er. «Total männlich. Gleich neben der Tür steht mein Koffer. Trage ihn vor dem Körper. Tu so, als wäre er schwer. Männer und Frauen gehen gleich, wenn sie etwas Schweres tragen. Hebe ihn ein wenig an, sodass er teilweise dein Gesicht verdeckt. Und setz dich nach hinten, ohne etwas zu sagen.»

«Das geht schief.»

«Die Aktion ist zum Gelingen verurteilt. Das ist ein Archetypus mit eingebautem Erfolg. Wie im *Fidelio*. Sie fahndet in der Unterwelt nach ihrem Geliebten. Verkleidet als Mann. Wenn die Liebenden sich ernsthaft einander nähern, werden sie dazu gedrängt, das andere Geschlecht in sich selbst zu erforschen. Auf der andern Seite der Reise erwartet sie die große Liebesbegegnung.»

«Auf der andern Seite erwartet mich, dass ich dich nie mehr wiedersehe.»

«Du entkommst ihnen. Du überzeugst die Afrikanerin und Franz Fieber. Die beiden sind meine loyalen Stützen. Ihr nehmt einen Wagen. Und holt mich im Reichskrankenhaus ab. In einer Stunde.»

Die Blaue Dame musste auf sie gewartet haben. Am Wasserbecken. Hinter den Büschen. Musste dem Wasser gelauscht haben. Jetzt standen sie vor ihr.

Sie sah sie an. Zum ersten Mal hörte er, wie sie ihr Gleichgewicht verlor. Ihr wurde ein wirklicher Schock versetzt. Aber beinahe augenblicklich wurde die Stille wiederhergestellt.

Sie würde nicht schreien. Sie würde sich umdrehen, um den Hof zu überqueren und Mørk zu rufen, ohne ihre Ruhe zu vergeuden. Im selben Augenblick würde er ihr das Taschentuch vor den Mund pressen. Es wäre ein weiterer Schritt in Richtung seines ethischen Zusammenbruchs: Gewalt gegen ältere Damen und Klostervorsteherinnen. Aber es müsste sein.

Sie ignorierte Kasper und sah Stine an. Ihre Männerkleidung und ihren Pagenkopf.

«Kasper Krone», sagte sie zu ihr. «Im Gang warten zwei Polizeibeamte auf dich. Stine geht einfach zum Tor, wo ein Streifenwagen hält. Sie haben versprochen, sie nach Kopenhagen zu fahren. Gott sei mit euch.»

6 |

Vor dem Eingang hielten zwei Autos, ein Streifenwagen und ein ziviler Renault. Neben dem Streifenwagen warteten zwei Beamte. Er ging auf den Renault zu. Lehnte sich gegen den Wind. Aus dem Wagen stiegen die beiden Mönche.

Er hörte zwei Reaktionen, als sie ihn sahen. Ein Amalgam aus Überraschung und Mitgefühl wegen des Taschentuchs und der Tränen. Und das Beben der Instinkte, die eine Frau wie er bei Männern wachrufen musste, die keine Kastraten oder Engel waren.

Sie hielten ihm die Tür auf, er setzte sich in den Fond.

Stine kam aus dem Gebäude, sie hatte die Jacke über den Kopf gezogen. Mørk kam gleich hinter ihr, die Blaue Dame ging neben ihr, sie sprach zu den Beamten.

«Ich habe ihn gebeten, den Kopf zu verhüllen», sagte sie. «Er muss geschont werden, falls die Presse auftauchen sollte. Wir wollen nicht riskieren, dass ihn jemand erkennt.»

Der Renault mit Kasper startete und schwenkte aus der Einfahrt.

Er ließ sich in den Sitz sinken, überließ sich der Erschöpfung, oft genug erwartet uns die Erschöpfung in einem Auto. Er erinnerte sich an den süßen Augenblick des Einschlummerns im Vanguard, als er klein war, an das Gefühl von Helene Krones nacktem Arm an seiner Wange. Er wünschte, sie säße jetzt neben ihm, ist es etwa eine Schande, seine Mutter zu vermissen, wenn man 42 ist und auf einem über ein Desaster gespannten Seil balanciert? Er hatte Sand in den Gliedern. Hätte er bloß Kaffee, hätte er Armagnac, hätte er doch bloß ein wenig organische Chemie, damit er sich wachhalten konnte!

Er hatte nichts von alledem. Stattdessen kam das Gebet in Gang. Das Gebet ist ein Papierschiffchen der Wachheit auf dem weltlichen Strom der Müdigkeit.

Er könnte aufgeben. Er könnte sich zu erkennen geben. Nach Audebo gefahren werden. Sich dem Schlaf überlassen. Darauf warten, dass sie seine Sachen in Ordnung brachten. Sie würden halten, was sie versprochen hatten. Ab November könnte er wieder im Kopenhagener *Zirkusgebäude* auftreten. Und am ersten April mit Benneweis in Bellahøj.

Er hörte Maximillians Stimme. Sie drang zu ihm aus einer Zeit vor dreißig Jahren. So frisch, als wäre die Zeit bloß ein akustischer Filter, den wir einsetzen, um nicht mit der Tatsache konfrontiert zu werden, dass alle Geräusche überall und immer zugegen sind. Sie hatte eine schwache Dialektfärbung, er war ja in Tondern aufgewachsen.

«Ich beschloss, wenn ich jemals ein Kind haben sollte, würde ich es nachts nicht wecken. Ich würde es aus dem Wagen in sein Bett tragen.»

Der Lyngbyvej endete, sie kreuzten das Vibenshus Rondell.

Er sprach zu den beiden Rücken vor sich, in das Taschentuch, tränenerstickt.

«Wir legen das ewige Gelübde ab», sagte er. «Wenn wir Nonnen werden. Absoluter Gehorsam. Besitzlosigkeit. Keine Sexualität. Letzteres ist am schwersten. Das ist auch der Grund, weshalb ich weine. Stellen Sie sich mal meine Lage vor. Eine Frau Anfang dreißig. Voller Lebenshunger.»

Die beiden Rücken vor ihm erstarrten, als hätte die Rückenmarksflüssigkeit angefangen zu koagulieren.

«Die Menschen draußen verstehen uns nicht. Ihr kennt die vulgären Geschichten von Nonnen und Matrosen. Die sind überhaupt nicht wahr. Wovon man wirklich träumt, wenn man seinen Kopf aufs Fakirlager gebettet und die Hände auf die Decke gelegt hat, sind zwei stramme Polizisten.»

Ihr Klang versiegte, wie bei Leuten, die kurz vor der Ohnmacht stehen. Ihr Kontakt zur Normalwirklichkeit war kurzzeitig geschwächt.

«Hier links», sagte Kasper.

Sie bogen in den Blegdamsvej.

«Da rein», sagte er.

Der Wagen schwenkte zum Haupteingang des Reichskrankenhauses.

«Können Sie hier kurz warten?»

Sie hielten an.

«Ich gehe mal eben in den Kiosk», sagte er. «Zwei Bacardi holen. Und eine Packung Pariser.»

Er stieg aus. Lehnte sich gegen den Wind. Hörte, wie sich hinter ihm der Renault vom Bordstein löste. Wie er sich davonstahl. In unregelmäßiger, ruckelnder Fahrweise.

7

Die schweren Gardinen waren vorgezogen, die Rollläden heruntergelassen, die einzigen Lichtquellen im Raum waren der Flachbildschirm eines eingeschalteten Rechners und die

Nachtlampe neben dem Bett. Maximillian Krones Antlitz ähnelte einer Ledermaske, er sah aus wie der Grauballe-Mann. Die Augen waren geschlossen. Sein Atem ging stoßweise, dahinter hörte Kasper das strapazierte Herz. Unter der Decke schaute ein Fuß hervor, der Knöchel war voller Stasen.

Der Kranke schlug die Augen auf.

«Die Verkäufe wurden vor zehn Minuten in der Hestemøllestræde registriert. Das heißt, sie sind ins Grundbuch eingetragen worden. Die Auktion hat stattgefunden.»

Maximillian tastete nach der goldenen Brille auf dem Tischchen neben seinem Bett. Arm und Hand waren mager und runzlig wie eine Vogelkralle.

Er setzte die Brille auf und musterte Kasper. Musterte die Nonnentracht.

«Ich freue mich sehr», sagte er, «dass du dich hier an meinem Sterbelager von deiner besten Seite zeigst.»

«Ich bin eben der Polizei entwischt.»

«Das meine ich ja mit deiner besten Seite.»

Kasper konnte die Worte gerade noch wahrnehmen, die Stimme war ein Fragment.

«Ich habe Freunde mit Büros am Hafen», hauchte Maximillian. «Ich habe sie angerufen. Sie können hören, dass ich aus dem Grab zu ihnen spreche. Sie machen sich schon in die Hosen. Ich rufe an, um euch frohe Weihnachten zu wünschen, sage ich. Weil die Voraussetzungen, dass ich meinen Wunsch zu gegebener Zeit aussprechen kann, nicht zum besten stehen. Und dann rufe ich an, damit ihr alle Vorstandssitzungen absagt und euch mit einem Fernglas ans Fenster begebt und zur Tippen hinüberschaut. Zur Konon. Angeblich soll da auf ihrem Dach was im Gange sein.»

Die Tür ging auf. Stine stand im Raum, noch in Männerkleidung. Hinter ihr die Afrikanerin und Franz Fieber. Der Kranke hatte sie nicht kommen hören.

Kasper holte den Taxibon hervor. Er wählte Mørks Nummer.

«Hallo?»

«Da passiert was auf dem Dach», sagte er. «Der Konon.»

«Woher willst du das denn wissen? In Audebo, ohne Kontakt zur Umwelt?»

«Platztausch. À la Houdini. Ich bin in Kopenhagen. Hautnah an allem dran.»

Kasper hörte Mørks Atemzüge, im e-Moll-Streß, besorgt, unruhig, gequält.

«Man hat mich aus dem Verkehr gezogen», sagte Mørk. «Der Minister hat die Sache selbst in die Hand genommen. Noch ein Fehltritt, und ich werde zwangspensioniert. Ich würde nicht mal zugeben, dass ich diesen Anruf bekommen habe.»

«Einen Polizeihubschrauber. Nur zwölf Leute. Es geht um das Leben von zwei Kindern.»

«Fahr nach Audebo. Genieße die Ruhe. Bereite dich auf deinen nächsten Houdini vor. Hör dir Prokofjews *Peter und der Wolf* an. Oder geh hin, wo der Pfeffer wächst.»

Der Hörer wurde aufgelegt. Stine durchquerte den Raum.

Sie umarmte den Kranken. Ließ ihre Finger über die Lederhaut gleiten. Maximillians Gesicht fing schwach an zu glühen, naturwidrig. Als erstünde eine Leiche von den Toten auf. Kasper hatte davon gehört. Dass Schwiegertöchter den Philippinengraben zwischen Vätern und Söhnen zuweilen überbrücken können.

«Ich habe immer das Gefühl gehabt, dass wir uns gegenseitig verstehen», flüsterte Maximillian. «Unser Leiden. Mit diesem Borderlinetransvestiten schicksalhaft verbunden zu sein. Aber wenn ich dich so in seinen Secondhandklamotten sehe, dann regt sich bei mir doch der Zweifel.»

Kasper zog den Brokat zur Seite und die Rollläden hoch. Das plötzliche Licht blendete ihn zunächst. Dann sah er zum Nordhafen hinüber. Die Tippen war von dem Containerhafen und den Bürogebäuden verdeckt.

«Ich besorge mir eine Knarre», sagte er. «Ich geh da rein. Von der Straße aus. Neue Taktik. Es hat noch nie ein Hindernis gegeben, das mich aufhalten konnte. Ich hab's ihr versprochen!»

Er hörte das Mitleid der andern. Seines Vaters. Stines. Der Blauen Dame. Er sah sich um. Die Äbtissin war nicht im Raum. Sie musste irgendwo in ihm stecken. Vielleicht im Herzen. Es war keine Stimme, die er hörte, sondern die Überzeugung. Dass er seinen Schwung verbraucht hatte. Er würde nicht durchkommen.

Maximillian hob ein Handy hoch. Seine Stimme war zu schwach. Sie mussten näher an ihn herantreten.

«Sie haben angerufen», sagte er. «Meine Logenbrüder vom Holmen. Sie versuchen, mit einem Hubschrauber auf dem Dach zu landen. Auch wenn es mit zwanzig Metern in der Sekunde stürmt.»

«Wie viel Zeit haben wir?»

Stine hatte gefragt. Er verstand nicht, warum.

«Eine Stunde.»

Franz Fieber hatte die Antwort gegeben.

«Sie können bei diesem Wetter nicht landen. Aber der Wind flaut langsam ab. In einer Stunde wird es gehen.»

«In einer Stunde können wir drin sein», sagte Stine.

Kasper starrte sie an. Schüttelte den Kopf.

«Früher hast du mir mal vertraut», sagte sie. «Jetzt darfst du's nochmal.»

Etwas in ihm gab nach. Oder sprang wie eine Feder in einem mechanischen Spielzeug. Das Gebet setzte sich in Gang. An das Weibliche. Die Jungfrau Maria. Maria Magdalena.

«Also gut», sagte er.

Sie drehte sich auf dem Absatz um.

Vor seinen Augen kletterte Maximillian aus dem Bett.

Es war wie ein direkter Blick ins Grab. Er war abgezehrt wie ein Überlebender aus Neuengamme. Er konnte keine fünfzig

Kilo mehr wiegen. Was ihn in Bewegung setzte, waren keine biologischen Prozesse mehr. Es war der Wille und eine nicht-körperliche Begeisterung.

«Ich muss mit», sagte er.

Kasper hob den Arm, um seinen Vater aufzuhalten. Schwester Gloria stellte sich neben den Kranken. Fasste ihn unter.

«Bei meinem Volk», sagte sie, «den Luo, nimmt man mindestens einen Vertreter der Alten und Weisen mit in den Krieg.»

«Aber sucht man sich dann ausgerechnet einen fortgeschrittenen Alzheimer aus?», sagte Kasper.

Sie gingen an ihm vorbei. Er schlurfte ihnen hinterher. Er nahm den Morgenrock des Krankenhauses von der Stuhllehne. Legte ihn seinem Vater um die Schultern.

8 |

Der Krankenwagen des Klosters hielt auf dem Parkplatz, der an den Fælledpark grenzte, neben dem Patientenhotel. Erst jetzt sah Kasper, dass er, abgesehen von den Dagmarkreuzen an den Seiten, mit den Ambulanzen des Reichskrankenhauses identisch war. Franz Fieber saß am Steuer.

Auf der Pritsche lag Kaspers Koffer. Stine öffnete ihn. Er enthielt nicht mehr Kaspers Sachen, sondern dünne, zusammengelegte Blaumänner. Und lange, dünne, zusammengelegte Handschuhe.

Stine faltete die Blaumänner auseinander und verteilte sie. Sie streiften sie über, ohne Fragen zu stellen, auch Kasper. Maximillian musste den Hausmantel ablegen, um hineinzukommen, einen Moment lang stand er in Unterhosen da, Kasper musste wegsehen.

Stine teilte Stirnlampen aus, das kleine Gehäuse mit den Leuchtdioden wurde mit einem Gummiband am Kopf befestigt.

Stine schaltete ihre an. Sogar bei Tageslicht erfüllte sie das Innere des Krankenwagens mit einem grellen blauen Schein.

Sie trat zur Seite. Die Afrikanerin griff nach einem Ring zu ihren Füßen und zog. Anderthalb Quadratmeter Wagenboden schwenkten nach oben. Kasper blickte auf eine geometrische Form, die er kannte, ein Mäanderband. Der Krankenwagen hielt über einem Gullydeckel.

Stine reichte der Afrikanerin einen Ring mit einem Haken. Sie selbst hielt das gleiche Werkzeug in der Hand. Die Haken passten in die zwei Ösen der massiven Eisenscheibe. Die beiden Frauen hoben den Deckel in das Auto und beförderten ihn zur Seite, als wäre es ein Stück Tupperware.

Kälte strömte in den Krankenwagen. Unter der Öffnung war ein Schacht, der sich im Dunkel verlor. An seiner Wand führten Steigeisen in die Tiefe.

Stine ließ sich in das Loch fallen, sie verschwand wie eine Illusionistin. Kasper sah hinunter, sie hatte die Eisen ergriffen und war schon drei Meter tief gestiegen.

«Und jetzt Kasper», sagte sie.

Er konnte sein eigenes Vertrauen in sie hören. Im Grunde war es ihm nie abhanden gekommen. Im Grunde hatte er immer gewusst, ihr, gerade ihr, würde er ohne Umschweife in die Unterwelt zu folgen wagen. Das Problem war nur gewesen, die Erlaubnis dafür zu erhalten.

Trotzdem schlug er ein Kreuz. Nur ein kleines, vor dem Herzen. Nichts Auffälliges. Stellte das Gebet deutlicher ein. Dann schwang er sich hinter ihr her.

Es war kälter, als er gedacht hatte. Hinter ihm kam die Afrikanerin. Sie trug Maximillian auf dem linken Arm, mühelos, wie eine Stoffpuppe. Kasper sah, dass sie sich die beiden Infusionsbeutel, die über Schläuche und Kanülen mit dem Arm seines Vaters verbunden waren, unter den Arm geklemmt hatte.

Die Steigeisen endeten auf einem schmalen Absatz. Franz Fieber war als Letzter unten. Als sie vollzählig waren, drehte Stine sich um. Der Lichtkegel der Diode bestrich die Umgebung.

Als Erstes nahm Kasper den Gestank der Kloake wahr. Er überstieg alles, was er oben auf der Erde erlebt hatte, selbst im Zirkus. Das Zweite war die Schönheit des Anblicks. Sie machte den Gestank sozusagen wieder wett.

Sie standen in einem riesigen Tunnel mit ovalem Querschnitt. Auf seinem Grund floss ein schlammiger schwarzer Fluss.

Stine bemerkte ihre Andacht.

«Der Abwasserkanal», sagte sie. «Per Hand gegraben. Ende des 19. Jahrhunderts. Vier mal sechs Meter. Der Boden gegossen. Hochgemauert. Die Röhren sind kleine Abwasserrohre aus PVC.»

Jetzt sah Kasper sie auch, Bündel von Plastikrohren, aufgehängt an den Wänden.

«Oberschlächtiges System», sagte Stine. «Für den Fall, dass sich einmal alle zehn Jahre das Wasser staut und die Kanalisation überläuft. Das überschüssige Wasser wird direkt in den Öresund geleitet. Der andere Hauptkanal verläuft von Nørrebro unter Frederiksberg und dem Bahngelände entlang und mündet in den Teglværksgraben.»

Sie ging voran, sie folgten ihr langsam. Im Dunkel außerhalb des Lichtkegels beobachtete Kasper kleine perlenförmige Lichter, wie ein Sternengewimmel gerade über der Wasseroberfläche. Er richtete das Licht seiner Stirnlampe auf die Galaxis – und sah die Ratten. Es waren nicht Hunderte, es waren Tausende, auf den Leitungen, auf dem schmalen Pfad auf der andern Seite des unterirdischen Flusses und an dessen Rand. Zum ersten Mal im Leben nahm er die Eleganz dieser Tiere wahr, er hörte sie, er hörte ihre Gewandtheit, ihre breitgefächerte Intelligenz, ihre Anpassungsfähigkeit. Er erinnerte sich an einen Versuch, er war Berater des Instituts für Akustik gewesen, an der Technischen

Hochschule, das Experiment hatte in der Versuchsstation der Landwirtschaftlichen Hochschule in Tåstrup stattgefunden. Sie hatten den Effekt von Musik auf Haustiere untersucht. Für die Kühe hatte er Händel vorgeschlagen. Große eckige Musik. Für die Schweine Saint-Saëns. Irgendeiner hatte auch Ratten dem Experiment unterzogen. Sie standen auf Bach, er konnte es merken. Hörte es an ihrer Lebensfreude. Die Klavierkonzerte hatten ihre Fruchtbarkeit verdoppelt.

«Ich habe sie immer gemocht.»

Stine stand hinter ihm.

«Als ich Oberingenieurin wurde, wurde ein Fest organisiert. Ich war furchtbar jung. Und die erste Frau in so einer Stellung. Am selben Morgen hatte ich zwei Rattenjunge gefunden, die in den Unterwasserpumpen ertrunken waren. Auf dem Fest habe ich sie getragen. Als Ohrringe. Am Schwanz aufgehängt. Sie baumelten gegen meinen Hals.»

Sie scherzte nicht.

«Wieso?»

Sie suchte, im Innern.

«Vielleicht», sagte sie, «habe ich den Menschen immer gerne zeigen wollen, was dahinterliegt. Darunter. Wie hoch der Preis ist.»

«Haben sie es verdaut?»

«Keiner hat einen Bissen runtergekriegt. Ich musste sie wieder abnehmen. In der Toilette wegspülen.»

Sie waren etwa zehn Minuten gegangen. Die langsame Strömung des Wassers zeigte, dass der Tunnel nur unbedeutend abfiel. Er hörte, wie sich die Wände zurückzogen. Der Widerhall verzögerte sich, sie mussten in eine Art Höhle gelangt sein.

Von oben kam schwaches Licht. Wie durch einen Durchbruch in einer Kirchenkuppel. Die Decke öffnete sich zu einem Schacht hin.

«Entlüftungskanal und Fluchtweg. Allein hier gibt es vierhundert davon.»

Der Lichtkegel von Stines Lampe zeigte Rohröffnungen auf verschiedenen Ebenen.

«Strom, Telefon und Breitband sind der Oberfläche am nächsten, Frost macht ihnen nichts aus.»

Der Lichtkegel senkte sich um einen Meter, zu einer tiefer liegenden Kabelführung.

«Militärkabel. Das da ist das NATO-Hauptkabel für nichtdigitale Information. Es verläuft am Roskildevej entlang zur Verwaltung in Koldsås.»

Der Lichtkegel wanderte noch tiefer.

«Gas, Wasser. Fernwärme. Und dann die Kanalisation. Der Untergrund von Kopenhagen ist nicht massiv. Er ist porös wie ein Bienenstock.»

Der Lichtkegel bewegte sich waagerecht. Er ruhte auf einer Metalltür mit einem Starkstromhinweis.

Die Afrikanerin trat an die Tür, mit einer handlichen roten Brechstange. Sie bog die Tür auf, wie man eine Dose Bier öffnet.

Sie war nur Dekoration. Dahinter war die echte Tür, vier Quadratmeter rostfreie Panzerplatte, die einem Raketenangriff hätte widerstehen können. Franz Fieber pfiff leise durch die Zähne.

«Von hier aus wird alles gesteuert», sagte Stine. «Wir müssen da rein.»

Franz Fieber öffnete seine Diplomatentasche, auf schwarzem Samt lagen blanke Instrumente wie für eine Kieferoperation. Er zeigte auf eine Metallbox von der Größe und der Art eines Haartrockners, sie hing einen Meter rechts von der Tür.

«Die Sirene, der Alarm», sagte er. «Wenn wir den kappen, werden oben sofort der Sicherheitsdienst und die Polizei angeklingelt. Wir müssen das Telefon unterbrechen.»

Er ließ die Finger über ein Tableau mit Tasten links von der Tür gleiten.

«Ein elektrisches Blockschloss. Das heißt, die Pickpistole können wir vergessen. Und der Alarm deckt die ganze Tür ab.»

Er reichte Kasper einen schwarzen Gummihammer, wie ihn Ärzte benutzen, um bei Delirium tremens die Reflexe zu prüfen.

«Testen wir mal dein Gehör.»

Er wies auf die Mauer, Kasper klopfte behutsam.

«Wir suchen nach einer Kontakteinheit für das Tableau. Sie verbindet den Alarm mit der Netzspannung der Station. Und mit einer Batterie, bei eventuellem Stromausfall. Wenn du sie lokalisieren kannst, kann ich durch die Wand bohren.»

Kasper klopfte vorsichtig.

«Kann da was drin sein, das rasselt?», fragte er.

Franz Fieber schüttelte den Kopf.

«Du musst auf den Schlüsselkasten gestoßen sein.»

Kasper machte auf der andern Seite der Tür weiter. Alle Augen waren auf ihn gerichtet.

Er hörte etwas.

«Elektronik?», fragte er.

«Eine Leiterplatte.»

«Und sonst?»

«Eine Batterie. Ein Lautsprecher für den Alarm.»

«Kleine Federn?»

«Ergibt Sinn. Die Tür muss federbelastet sein. Wird sie geöffnet, startet der Sabotagealarm.»

Franz Fieber steckte einen langen Steinbohrer auf eine Bohrmaschine. Bohrte. Führte einen Zahnarztspiegel und zwei auf einer Stange befestigte Zangen durch das Loch. Er schnitt. Montierte eine Diamanttrennscheibe auf einen kleinen Akkuwinkelschleifer. Setzte ihn an die Türscharniere. Die Scheibe durchtrennte den gehärteten Stahl wie Butter. Die Afrikanerin stützte die schwere Tür, als sie aus dem Falz glitt.

Der Raum dahinter war sehr klein. Kasper hörte das gefährliche Wispern elektrischer Hochspannung. Stine und Franz Fieber arbeiteten an den Schalttafeln.

«Die Bahn muss fahren», sagte sie. «Die Pumpstation muss funktionieren. Und der Aufzug nach oben. Alles andere wird abgeschaltet.»

Sie hielt eine Kneifzange, ihre Isolation war dick wie ein Paar Winterfäustlinge. Sie schnitt, ein Funkenregen sprühte auf sie herab.

«Der Rest ist auf den Schalttafeln», sagte Franz Fieber. «Ein übergeordnetes Vierhundert-Kilovolt-Kabel versorgt Kopenhagen. Darunter liegt ein Hundertzwanzig-Kilovolt-Netz. Darunter dreißig und zehn Kilovolt. Die Überwachung zieht ihren Strom direkt aus dem Hundertzwanzigernetz, um die Wahrscheinlichkeit zu mindern, dass es ausfällt.»

Er drückte einen Schalter nach dem anderen nach unten, während er sprach.

«Wir verabschieden uns jetzt von der Abwasserverwaltung der Stadt Kopenhagen.»

Er drückte den Schalter nach unten.

«Von der Abteilung Kabellegung der Telekommunikationsbehörde.»

Er drückte den Schalter.

«Von der Wartungsabteilung unserer Energieversorgungsgesellschaft.»

Er drückte den Schalter.

«Vom Chefbüro der NATO. Von der gesamten digitalen Überwachung des Kopenhagener Untergrunds.»

Franz Fieber verband die Enden zweier Leitungen mit einem Schalter und betätigte ihn. Der Tunnel war hellerleuchtet.

Was sie umgab, war keine Höhle. Es war ein sehr großer Saal. Mehr als fünfzig mal hundertfünfzig Meter groß. Die Decke bestand aus gemauerten Gewölben. Der Abwasserkanal führte in etwa zwei Metern Höhe durch den Raum. Unter ihnen waren Reste eines Mauerwerks, wie von kleinen Kabinen.

Stine folgte seinem Blick.

«Gräber», sagte sie. «Mehr als fünftausend. Es sind die Keller unter einem der frühesten katholischen Nonnenklöster.»

Zu ihren Füßen verliefen zwei schmale Gleise. Vor ihnen hielt ein Wagen, der aussah, als gehörte er zur Achterbahn im Tivoli.

«Die Gleise für die Loren», sagte Stine. «Man hat sie angelegt, als man damals für das Güterbahngelände ausgehoben hat. Sie haben sich durch die alten Müllkippen gebuddelt. Sie mussten zwölf Millionen Tonnen Erde der Klasse drei loswerden. Also haben sie die Schienen gelegt. Und haben die Erde zum Nordhafen gebracht. Haben die Kläranlage und den Jachthafen Lynetten darauf aufgebaut. Und es für die Auffüllung vor Tippen benutzt.»

Die Gleise kamen aus einem schwarzen Tunnel links von ihnen.

«Die führen nach Tingbjerg raus», sagte sie. «Zum Hauptkomplex der Kopenhagener Wasserversorgung. Sie benutzen es zur Wartung der Wasserleitungen und des Kanalisationsnetzes. Die Kopenhagener Abwasserkanäle stehen kurz vor dem Aus. Die müssen sich ganz schön ins Zeug legen. Bloß, um den Kollaps hinauszuschieben.»

Sie zog die Tür der Lore auf. Sie setzten sich hinein. Franz Fieber steuerte. Irgendwo erwachte ein großer Elektromotor zum Leben. Der Wagen setzte sich in Bewegung.

Die Beschleunigung war abrupt, wie bei einem Jet. Die Notbeleuchtung des Tunnels vor ihnen war erloschen. Der Wagen schoss ins Dunkel. Der Tunnel schlängelte sich.

Die Finsternis war vollkommen, abgesehen von einem schwachen Reflex der Armaturleuchten auf Franz Fiebers Gesicht. Kaspers Gehör registrierte eine Ausweitung des Tunnels, dann eine Verjüngung, registrierte, dass die gemauerten Wände in

Zement übergingen. Vielleicht war es auch nur die Auskleidung seines eigenen Nervensystems, was er da hörte.

Er lehnte sich an Stine.

«Du hast von mir gewusst. Schon vor dem Tag am Strand. Du bist nicht von deinem Boot abgetrieben worden. Ich war nur eine Spielfigur.»

Sie fuhren eine Strecke entlang, die beleuchtet war, er konnte ihr Gesicht sehen.

«Wird im Zirkus gedopt?», fragte sie.

Er hatte keine Ahnung, worauf sie hinauswollte.

«Nur in den Kraftdisziplinen. Anabolika. Es gibt keine internationalen Kraftübungen mehr ohne Anabolika.»

«Schwester Gloria hat uns eine Liste gezeigt. Aus der *Wochenschrift für Ärzte*. Eine Liste der Stoffe, die am stärksten abhängig machen. Sie werden im Labor hergestellt. Die wenigen Menschen, die sie genommen haben – der Erfinder und ein paar Laboranten –, sind den Rest ihres Lebens damit beschäftigt, Geld zu beschaffen. Ein Schuss kostet ab hunderttausend Kronen aufwärts. Die Wirkung hält zwischen einer Minute und zehn Minuten an. Und wird als extrem erhöhtes Klarheits- und Liebesempfinden beschrieben.»

Der Tunnel weitete sich. Diesmal wölbte sich eine Decke mit den Ausmaßen eines Hangars über ihnen. In dem Zwielicht erkannte er Spuren eines Bauwerks, das einmal ein Altar gewesen sein konnte.

«Es sind die Überreste der Fundamente der ersten jüdischen Synagogen», sagte Stine. «Erbaut auf einem heidnischen Opferplatz.»

Dann zeigte sie auf Gegenstände, die wie umgestürzte Baumstämme aussahen.

«Alte Wasserrohre. Aus ausgehöhltem Holz.»

Kaspers Gefühl für seine Stadt veränderte sich. Er hatte geglaubt, sie stehe auf Kalk und Lehm. Aber das war nicht der Fall.

Sie stand auf Müll und den zerfallenden Teilen ihrer religiösen Vorzeit.

Er justierte das Gebet. Das Einzige, worauf man sich verlassen konnte. Gemeinsam mit der Liebe. Und auf die auch nur mit Abstrichen.

«Fünftausend Menschen.»

Das flüsterte ihm Stine ins Ohr. Er hatte ihren Atem immer geliebt, er veränderte sich mit ihren Stimmungen, oder vielleicht mit seinen? In diesem Moment war ein Hauch von Petroleum darin.

«Hat Mutter Maria geschätzt. Als Gloria von den Stoffen berichtete. Fünftausend Menschen global, die sie genommen haben. Nicht die chemischen. Aber die etwas Verwandtes erlebt haben. Die entdeckt haben, dass die Wirklichkeit ein Vogelbauer ist. Und die nach dem Gittertürchen suchen, das ins Freie führt.»

Er drehte sich um und sah ihr in die Augen. Sie und die Blaue Dame und KlaraMaria, sie könnten eine Gesellschaft gründen. Und ihren rücksichtslos starren Blick einer Abrissfirma vermieten.

«Wir haben dich im Fernsehen gesehen», sagte sie. «Die Schwestern und ich. Vor zwölf Jahren. In einer Pause zwischen zwei Nummern. Als es still war. Da sagt Mutter Maria: ‹Er ist einer von denen, die diese Stoffe probiert haben. Er ist ein Wahrheitssuchender.› Und dann sieht sie mich an. Und sagt: ‹Du könntest mit ihm Kontakt aufnehmen.› Und ich sage: ‹Warum sollte ich?› Und sie: ‹Um ihm beim Suchen zu helfen. Und weil er einen Draht zu Kindern hat.› Deshalb bin ich gekommen. Auf meine Art.»

«Warum dann diese Unfreundlichkeit? Die Flucht, den Strandvej entlang? Am Anfang.»

Sie zögerte.

«Als ich dir gegenüberstand, da konnte ich spüren, dass es so vieles gab, was du nicht unter Kontrolle hattest. Dein inneres Tohuwabohu. Und noch etwas anderes. Es fühlte sich plötzlich unüberschaubar an. Erdrückend.»

In den letzten Minuten hatte er weiter vorne einen Lärm gehört. Wie von großen Turbinen. Jetzt nahm das Geräusch an Lautstärke zu, es klang wie ein Wasserfall. Die Lore stoppte. Der Tunnel endete an einer Betonwand. Zu ihren Füßen wurde das dunkle Wasser durch ein Kanalgitter abgesaugt.

«Mittagspause», sagte Stine. «Drei Minuten.»

Schwester Gloria packte einen Rucksack aus. Verteilte Brot und Käse. Kasper drehte sein Brot zwischen den Fingern. Der Kloakengestank war nicht vergangen, wie man hätte hoffen können. Weil man sich vielleicht daran gewöhnt hätte. Er hatte sogar noch zugenommen. Und war nun vermischt mit dem Geruch gammelnder Fettstoffe wie aus der Sammelgrube eines Spülbeckens, freilich in höchster Potenz.

An der Tunnelwand war ein Metalldeckel, Stine hebelte ihn mit der roten Brechstange auf. Hinter dem Deckel verbarg sich eine Leuchtziffertafel eines Typs, den Kasper nicht kannte. Franz Fieber stöpselte den tragbaren Rechner in die Tafel. Er und Stine beugten sich über den Schirm.

Stine aß dabei. Ungestört. Er musste an die Szene denken, als sie ins Bad kam und er auf dem Klo saß. Er war gerade mit seinem morgendlichen Stuhlgang beschäftigt, eine rituelle Angelegenheit. Auf der Minianlage auf dem Toilettenregal hatte Hans Fargius BWV 565 gespielt, auf der restaurierten Barockorgel in der Kirche der heiligen Kristina in Falun. Stine hatte die Tür aufgemacht, war eingetreten und hatte die Musik leiser gestellt. Sie hatte ein belegtes Brot in der Hand, so wie jetzt. Allerdings mit Avocado und einem Camembert *au lait cru*.

«Ich muss dir was Wichtiges mitteilen», hatte sie gesagt.

Er merkte, wie sich sein Unterleib verkrampfte. Alle Lebewesen wollen in Ruhe scheißen. Man kann sich nicht zur Wehr setzen, während man gleichzeitig das untere Ende seines Torsos entspannt. Niemandem einen Kopfstoß versetzen. Oder mit dem Finanzamt korrespondieren.

Sie hatte von ihrem Brot abgebissen. Sie war gänzlich unbeeindruckt. Plötzlich hatte er verstanden, dass selbst tiefsitzende Hemmungen kulturell bestimmt sind. Und dass sie dem irgendwie entkommen war.

«Ich habe heute Morgen etwas entdeckt», hatte sie gesagt. «In dem Moment, als du die Augen aufgeschlagen hast. Und alles gerade anfangen wollte. Da war mir, als säße ich an deinem Totenbett.»

Er hatte nichts sagen können. Er saß auf dem Klo. Und sie redete, als spielte sie in irgendeinem Shakespeare-Stück. Ihm fehlte jeglicher Bezugsrahmen, von dem er in dem Augenblick hätte ausgehen können.

«In dem Moment», sagte sie, «wurde mir klar, dass ich dich liebe.»

Was sollte er darauf entgegnen? In seiner Lage?

«Wenn du vielleicht mal kurz rausgehen könntest», hatte er gesagt. «Ich will mich nur eben abwischen.»

Sie hob ihren Kopf vom Bildschirm.

«Wir sind an der zentralen Pumpstation, bevor die Rohre unter dem Hafen verschwinden. Auf der andern Seite müsste ein neues Rohr sein, noch unbenutzt. Aber wir müssen an dem Pumpwerk vorbei.»

Sie drehte sich wieder zum Bildschirm. Kasper hörte seinen Vater neben sich. Maximillian stützte sich auf eine von Franz Fiebers Krücken. Die Afrikanerin hatte die Infusionsbeutel in die Brusttaschen des Blaumanns gesteckt. Vater und Sohn betrachteten vereint die beiden Frauen und den Jungen. Die sich über den Computer und die Anzeigetafel beugten.

«Sie sind wie Soldaten», sagte Maximillian. «Elitesoldaten. Aber ohne Wut. Was treibt sie an?»

Kasper hörte, wie sich sein System und das seines Vaters aufeinander abstimmten. Das geschieht in allen Familien. Zwischen allen Menschen, die sich mögen. Aber nur selten. Und in der Regel merkt es keiner. Dass einen kurzen Augenblick lang die Masken fallen. Die Neurosen. Die Grundtraumata. Einen kurzen Augenblick lang sind alle früheren Fehltritte vergessen, die wir so sorgfältig im Gedächtnis bewahren, damit wir uns bei sich bietender Gelegenheit erpressen können. Einen kurzen Augenblick lang sind sie vergessen, und man vernimmt die ganz gewöhnliche Menschlichkeit. Zart, aber nachdrücklich. Zwischen Ratten und Pumpwerk und schlammigen Flüssen.

«Sie sind von etwas erfüllt», sagte der Kranke. «Das so stark ist, dass sie sich dafür totschlagen lassen würden. Ich spüre das. Aber was ist es bloß?»

Kasper hörte die Sehnsucht in der Stimme seines Vaters.

«Deine Mutter – und Vivian», fuhr Maximillian fort. «Die beiden Frauen. Bei den beiden war ich wirklich nah dran, alle meine Vorbehalte aufzugeben. Aber wenn's drauf ankommt, dann wagt man es nicht. Auch die Liebe zum Zirkus. Ich hab es nicht gewagt. Und zu dir.»

Sie sahen sich in die Augen. Ohne Vorbehalt.

«Das mit dir», sagte Maximillian, «war das Beste, was Helene und ich zustande gebracht haben. Wir haben so manches geschafft, was gut war. Aber das war das Größte.»

Kasper streckte seine Hand aus und legte sie dem Kranken an die Schläfe. Einen Moment lang hielt Maximillian die Intensität aus, dann wandte er sich ab. Und doch war es der längste Kontakt mit seinem Vater, an den Kasper sich erinnern konnte.

«Die leert das in 180 Sekunden», sagte die Afrikanerin. «Dann gehen wir durch.»

Kasper hörte, wie sich das Geräusch der kolossalen Pumpe änderte. Er drehte sich zu dem blanken Zylinder, er war so groß wie der Gärbottich einer Brauerei. Seine Wände glänzten vom

Kondenswasser. Wo das Wasser auf den Beton des Tunnels tropfte, wuchs gegen alle Natur eine Pflanze, dunkelgrün mit glatten Blättern. Stine bückte sich und pflückte ein Blatt. Sie hielt es ihm vor die Augen. Auf der dunkelgrünen Oberfläche lag ein Wassertropfen.

«Eine Art Haselwurz. Überlebt sogar bei Notbeleuchtung.»

Sie stand dicht neben ihm.

«Ich hatte eine gute Kindheit», sagte sie. «Keinen Tag im Rollstuhl. Nichts Schlimmeres als zwei Stiche und ein bisschen Chlorhexidin in der Notaufnahme. Aber ich hatte ein Spiel.»

Der Tropfen fing an zu wandern, am Rand des Blattes entlang.

«Ich versuchte, den Tropfen zu verstehen. Versuchte zu verstehen, was ihn zusammenhielt. Was ihn daran hinderte, sich in kleinere Teile aufzulösen.»

Die Bewegung musste von ihren Händen stammen. Aber sie rührten sich nicht. Sie waren größer als seine. Geädert. Erst kühl. Aber wenn sie ihn berührt hatte, seine Haut gestreichelt, nur eine Minute, wurden sie sehr warm. Blieben aber immer ruhig.

«Was hält ihn zusammen?»

Er hatte ihre Neugier geliebt. Sie war ein Hunger, sie war unersättlich. Wie die Neugier eines Clowns. Und eines Kindes. Eine Offenheit, ein Appetit auf die Welt, der nichts als gegeben hinnimmt.

«Ich spiele das Spiel immer noch», flüsterte sie. «Nur ein bisschen anders. Etwas mehr Konzentration. Etwas mehr Power. Das ist der einzige Unterschied. Zwischen dem Mädchen und der Frau. Zwischen dem Kind und der Erwachsenen. Ich sammle alles, was wir über die Kohäsionskraft in Flüssigkeiten im Verhältnis zur Luft wissen. Die Elastizität des Tropfens. Sein Versuch, eine möglichst kleine Spannungsenergie zu finden. Der Dirichletsche Satz von den Primzahlen. Normalerweise können wir immer nur zwei, drei Sätze auf einmal im Bewusstsein festhalten. Ich versuche sie alle festzuhalten. Wie eine fachliche Intuition. Und wenn ich dann kurz davor bin zu verstehen, ganz, ganz dicht dran, und die Seele beinah explodieren will. Dann lasse ich alles Verständnis fahren und lasse mich von dem Tropfen aufsaugen.»

Das Blatt war still. Der Tropfen auch. Nichts rührte sich. Er hörte, wie das letzte Wasser von der Pumpe abgepumpt wurde.

«Und dann, für den Bruchteil einer Sekunde, ist es, als gäbe es zwischen dem Tropfen und mir keinen Unterschied.»

Behutsam, ganz behutsam legte sie das Blatt auf den grauen Beton.

«Wenn das passiert, wenn das ein seltenes Mal passiert, ahnt man, was es kosten würde. Wirklich dahin zu kommen. Ein Preis, den kein Forscher bezahlen kann. Und nach wie vor Forscher sein kann. Das würde das Verständnis an sich kosten. Man kann nicht zu etwas ganz hinkommen und es gleichzeitig verstehen wollen. Sprechen wir über das Gleiche?»

Auf der Außenseite des Zylinders waren Sprossen. Sie führten etwas über drei Meter in die Höhe. Vom Ausgang der Pumpstation zweigten drei Röhren ab. Die kleinste hatte einen Durchmesser von vielleicht 75 Zentimetern.

Der Zylinder war normalerweise mit einem Deckel und einem elektrischen Schloss verriegelt, es war aufgesprungen. Stine musste es von der Leuchtziffertafel aus geöffnet haben.

«Jetzt wissen sie», sagte sie, «in der zentralen Überwachung, dass etwas nicht stimmt. In fünf Minuten kommt die Gemeinde. Die Telekom und das Militär. In Massen. Mit Hunden und Rauchmasken. Aber dann sind wir schon weg.»

Sie schwang sich über den Rand des Pumpengehäuses. Kasper versuchte zu folgen. Sein Körper machte schlapp. Sie zog ihn zu sich hoch. Zwei Röhren waren von elektrischen Ventilen verschlossen. Die letzte stand offen. Stine schaltete die Stirnlampe an.

Sie blickten in eine mustergültige Welt. Die Röhre war vollkommen rund und mit tiefgrünem Stoff ausgelegt, der einen gedämpften Hall ergab wie der *softtone* einer Soffittenlampe.

«PVC», sagte sie. «Die Kanalisation war bei der Aarsleff AG in Behandlung, was ihr Leben ein bisschen verlängert. Das heißt, sie hält noch ein paar Jahre durch. Sie haben den Röhren einen inneren PVC-Strumpf angezogen.»

Der Blick in die Röhre schien endlos.

«Als sähe man in seinen eigenen Geburtskanal», sagte er. «Wunderschön. Sind die Überwachungskameras abgeschaltet?»

Sie nickte.

«Sollten wir diesen unbeobachteten Augenblick», sagte er, «nicht zu einem kleinen Kuss nutzen?»

Sie versuchte, von ihm wegzukommen. Aber sie stand auf schmalen Sprossen.

«Ich weiß», sagte er, «du würdest wahrscheinlich einwenden, dass Gott uns sieht. Aber Gott ist auf unserer Seite. Und Kierkegaard. Erinnerst du dich daran, was er im *Leben und Walten der Liebe* schrieb? Jede Liebesbeziehung ist ein freches Dreiecksverhältnis. Du, ich und der Herrgott.»

Sie schüttelte den Kopf.

«Goethe», sagte er. «Und Jung. Und Grof. Und Bach. Sie sind sich alle einig. Vor den großen Erfolgen steht man Mund an Mund mit der Geliebten vor seiner eigenen Geburt.»

Sie befreite sich aus ihrem hypnotischen Zustand.

«Pop», sagte sie. «Du warst nie etwas anderes als Pop!»

Ihr Zorn klang kondensiert, wie Säure. Vielleicht, weil sie von diesem kolbenähnlichen Pumpengehäuse umgeben waren. Es wirkte wie ein akustischer Hohlspiegel, der den Klang verstärkte und konzentrierte. Sie hatte eine melodische Stimme. Veredelt im Mädchenchor von Zahles Schule. Unter Hess-Theissens Leitung. Und gleichzeitig war sie wie eine Peitsche. Er hatte miterlebt, wie sie einen superelliptischen Sitzungstisch mit lauter Oberingenieuren zum Gefrieren brachte.

«Ich dürste nach dir», sagte er.

«Dein ganzes Wissen», sagte sie. «Alles nur geborgt. Gestohlen. Patchwork!»

Sie ergriff seine Jacke.

«Deine Gefühle. Keine Tiefe. Du rennst, Kasper. Du flüchtest. Eines Tages wirst du eingeholt. Von der Tiefe. Deinen Liebeserklärungen. Du lebst und laberst, als wenn du die ganze Zeit in der Manege stündest!»

Er fing an zu summen. Die Akustik in dem Stahlbehälter war phantastisch. Der Ton kroch einmal um die Wand herum und kam zurück wie in einer Flüstergalerie. Er summte acht Takte, bezaubernd, unwiderstehlich, fabelhaft.

«Die *Pariser Symphonie*», sagte er. «Im Durchführungsteil des ersten Satzes. Wo das Hauptthema mit einem Crescendo moduliert. Und im letzten Satz. Am Schluss der Exposition. Simuliert er eine Fuge. Ohne sie durchzuführen. Das ist Pop. Er weiß es auch selber. Schreibt aus Paris an seinen Vater, jetzt hör mal zu, Vater, ich mach das so und so, in dem und dem Takt, das Publikum heult Rotz und Wasser, sie werden es lieben. Pop. Aber es wirkt. Es geht direkt ins Herz. Technisch nichts Außergewöhnliches. Keine fachliche Tiefe. Aber es verzaubert. Es funktioniert. Es wirkt absolut perfekt.»

Er beugte sich zu ihr vor.

«Das Herz. Und die Intensität. Für die beiden Dinge bin ich in die Manege gegangen.»

Ihre Gesichter befanden sich unmittelbar voreinander. Er wich keinen Zollbreit.

Sie zog sich die Rohröffnung hoch.

«Immer zwei Personen auf einmal», sagte sie nach hinten. «Das wird die Rutschbahnfahrt eures Lebens. Sie fällt sechzig Meter unter die Meeresoberfläche. Ihr bremst, indem ihr Füße und Ellbogen gegen die Seitenwände presst.»

Er setzte sich neben sie. Sie ließen los.

9|

Zuerst war es wie ein freier Fall. Das PVC bot kaum einen Widerstand, man schien auf einem Luftkissen zu gleiten. Kasper entspannte sich, lehnte sich zurück, spürte, wie ihr Körper an seinen gedrückt wurde. Das einzige Geräusch war ein schwaches Echo des Textils auf der Unterlage. Und eine ferne, kaum hörbare Ahnung dessen, was sie vorne erwartete.

Die Kurve wurde flacher.

«Ein paar Minuten noch», sagte sie. «Das ist die längste Rutschbahn Nordeuropas. Als sie fertig waren, hat Aarsleff die Abteilungsleiter zur Probefahrt eingeladen. Sie ließen uns mit einem Glas Schampus runtersausen. Das ist ein Hochdruckrohr. Es hat keine Ventile. Keine Nähte.»

Es wurde kühler.

«Du hast meine Eltern aufgesucht», sagte sie.

Sie war seit drei Wochen weg gewesen. Er hatte gedacht, er würde wahnsinnig werden. Er hatte die Adresse, die er in ihrer Wohnung gefunden hatte, umkreist wie ein krankes Tier. Dann war er hingegangen.

Das Haus lag am Rande von Holte, nah am See, am Ende eines Gartens mit alten Obstbäumen, das Grundstück grenzte an Felder und Wälder. Die Mutter ließ ihn herein und kochte Tee. Sie ähnelte Stine auf eine Art, dass ihm schwindelte. Der Vater war stehen geblieben, er blieb auch während des folgenden Gesprächs stehen, wie, um aus den Regalen Kraft zu ziehen. Ohne etwas zu sagen.

Kasper sagte auch nichts. Es war die Atmosphäre der Räume, die das Wort führte.

Eigentlich war es ein bescheidenes Haus. Sowohl der Mann als auch die Frau hatten einen bescheidenen Klang.

Aber es war diese besondere Bescheidenheit, die entsteht, wenn die Familie seit zweihundertundfünfzig Jahren auf einer Welle bürgerlicher Kultur und Finanzkraft reitet. Kasper war schon früher auf dieses Geräusch gestoßen, aber nicht so hautnah. Es hatte etwas Grenzenloses, die beiden älteren Menschen vor ihm hatten keinerlei Vorbehalte, sie mussten nichts mehr beweisen, seit acht Generationen hatten sie Börsenmakler und Pianisten und Skagen-Maler und Doctores der Philosophie hervorgebracht, und vor gerade mal hundert Jahren hatte sich Hans Christian Andersen von ihrer Familientafel erhoben, an der er zu Abend gegessen hatte, und was sollen wir bloß mit den Gemälden des Goldenen Zeitalters anstellen, auf deren Rückseite die Künstler für die Ururgroßmutter eine Widmung geschrieben haben, denn bei uns gibt es so schrecklich viele davon und zu wenig Platz an den Wänden?

Kaspers Ohren hatten horchend nach den Kosten geforscht, wo war der Preis für die Verfeinerung und den weiten Horizont? Bei Rivels letztem Auftritt in Kopenhagen hatte Kasper mit ihm die Garderobe im *Zirkusgebäude* geteilt, die grüne Garderobe. Rivel hatte überzogen, Kasper hatte es hören können, Rivel selbst hatte es gehört. Dem alten Clown standen Tränen in den Augen, als er aus der Manege kam.

Er hatte Kasper angesehen.

«Ich habe mein Timing verloren», sagte er. «Vor zwanzig Jahren wollten sie mich gar nicht mehr gehen lassen. Jetzt haben sie mich gedemütigt. Mit ihrer Langeweile. Alles hat seinen Preis.»

Ein Mädchen war ins Zimmer getreten. Jünger als Stine. Elfenartig. Mit einem breiten Mund und einem schmalen Gesicht. Sie hatte etwas von Stines Klang. Und Schönheit.

Er bekam einen Schock und musste sich sammeln. Stellte sein Gehör ein. Die Verbindung zwischen dem mentalen und dem symbolbildenden Teil im Bewusstsein des Mädchens war gestört. Die klangliche Ganzheit war unstrukturiert. Aber ihr Herz war weit, großzügig, rückhaltlos. Er hatte es schon einmal gehört, auf Wohltätigkeitsveranstaltungen. Musste das Williams-Syndrom sein. Ein Chromosomendefekt.

«Ich bin ein Freund von Stine», sagte er.

«Sie sind ihr Geliebter», sagte die Mutter.

«Sie ist weggegangen», sagte er. «Ich weiß nicht, wo sie ist.»

Die Frau schenkte Tee ein.

«Als Stine klein war», sagte sie, «wollte sie nicht gefüttert werden. Unter keinen Umständen. Ich habe sie schließlich auf den Boden gesetzt. Mit dem Teller. Sie wollte sich auch nicht an die Hand nehmen lassen, wenn wir einkaufen waren. Ich wusste mir keinen Rat mehr.»

Sie streckte die Hand aus und berührte ihren Mann. Kasper hörte die sexuelle Spannung zwischen ihnen. Vollkommen frisch. Nach so vielen Jahren.

«Sie ist verreist», sagte die Mutter. «Wir haben keine Adresse. Sie schreibt uns. Aber ohne Absender.»

«Wenn ich einen Umschlag sehen könnte», sagte Kasper. «Ich könnte sie aufspüren. Ich habe unbegrenzte Mittel.»

Sie sahen ihn an. Er wusste, dass sie seine Verzweiflung verstanden. Er merkte ihr Mitgefühl.

«Sie muss ihr Einverständnis geben», sagte der Vater. «Und wir können sie nicht fragen.»

Kasper hätte zum Mörder werden, ihnen an die Kehle springen können. Hätte ihnen das Haus überm Kopf anzünden können. Er war einfach nur stehen geblieben.

Die Mutter hatte ihn nach draußen begleitet. Ihre Ähnlichkeit mit Stine war überwältigend. Die Worte, die jetzt gesagt wurden, kamen über Kaspers Lippen. Aber wer sie eigentlich äußerte, wusste er nicht.

«Wenn Sie Menschen berühren. Werden Ihre Hände dann warm?»

Sie sah ihn erstaunt an.

«Ja», sagte sie. «Das sagt man. Dass sie nach etwa einer Minute sehr warm werden.»

Draußen war er kreuz und quer über die Wege gelaufen, ohne zu wissen, wo er sich befand. Als er wieder zu sich kam, hatte er die Orientierung verloren, er war ein paar Kilometer weiter, irgendwo im Naturreservat Vaserne. Als er sein Auto wiedergefunden hatte, war es Nacht geworden.

Hinter ihnen im Röhrentunnel hörte er das gedämpfte Zischen der drei anderen. Und hin und wieder ein Pochen, wenn eine Krücke gegen die Wand schlug.

«Du hast mich vermisst», sagte sie.

Sie sagte es verwundert, offen, als wenn sie es nun erst wirklich verstünde.

Das Gefälle wurde steiler.

«Wir sind bald am Ende», sagte sie.

Die Krümmung der Röhre flachte sich ab, sie hielten an. Sie schalteten die Stirnlampen ein, der Tunnel endete vor ihren Füßen.

Sie kamen in einen quadratischen Raum von fünf mal fünf Metern. Rohre aus Beton und Plastik kreuzten einander, Stine legte die Hand auf das größte.

«Die zentrale Kabelführung. Von Kopenhagen nach Amager.»

In die Wand war eine Stahlplatte eingelassen. Sie berührte sie mit den Fingerspitzen. Sie glitt zur Seite.

«Die Fluchtwege sind gesetzlich vorgeschrieben», sagte sie. «Ich war dabei, als die Abteilung Bau und Technik der Stadt Kopenhagen die Genehmigung für die Auffüllung vor Tippen erteilte. Wir haben uns diesen Notweg ausbedungen. Der Ausgang befindet sich direkt unter der Konon.»

Franz Fieber verließ die Röhre. Dann die Afrikanerin. Sie hatte Maximillian am Tragegurt festgemacht. Sein Vater hielt ein Telefon in der Hand.

«Sie haben den Hubschrauber gelandet», sagte er. «Bei schwerem Sturm.»

Aus der Röhre, die sie eben verlassen hatten, drang ein fernes Rauschen. Stines Gesicht wurde leer.

«Wasser», sagte sie. «Sie haben uns mit der Hauptleitung aus Tingbjerg verbunden. Sie wollen uns ersäufen.»

Sie schüttelte den Kopf.

«Wer?», sagte sie.

Maximillian lachte still.

«Egal, wer da auf den Knopf drückt», sagte er, «hinter ihnen steht ein System, das die Wirklichkeit aufrechterhält.»

Sie drängten sich in der engen Kabine zusammen. Eine Innentür mit Glasscheibe glitt zu. Die Außentür fing an, sich zu schließen. Wasser schoss aus der Vinylröhre. Wurde zu einem massiven Strahl, der mit Donnerkrachen die gegenüberliegende Wand traf. Die kleine Kabine schwebte in die Höhe.

«Lasst uns beten», sagte Kasper, «nur einen Moment.»

Sie starrten ihn an.

«Das Gebet», sagte er, «ist die echte Himmelsleiter, auf der Gottes Engel auf- und niedersteigen, der ganz große Fahrstuhl. Außerdem, wir werden es brauchen.»

Für einen Moment schlossen sie alle die Augen.

Es war ein Hochgeschwindigkeitsfahrstuhl. Sie gingen in die Knie, nach dreißig Sekunden erlebten sie echte Schwerelosigkeit.

Oben kamen sie in einen Raum aus poliertem Granit. Kasper erkannte die Struktur der Steinoberfläche. Sie mussten in den Kellern der Konon sein. Gegenüber öffneten sie die Doppeltür des Gebäudeaufzugs. Sie traten ein. In der Kabine hätte man Feste feiern können.

Stine zögerte. Mit dem Finger auf dem Knopf.

Kasper hörte, wie sich die Autorität im Raum verschob. Sie näherten sich anderen Menschen. Dem Arbeitsgebiet des Clowns.

«Vielleicht sollten wir unsere Anzüge ausziehen», sagte er. «Sie sehen aus wie Uniformen.»

Er zählte zwanzig Stockwerke, dazu ein OG ohne Etagennummerierung. Der Fahrstuhl bremste.

Seine Tür öffnete sich auf einen der geschmackvollsten Räume, die Kasper je gesehen hatte. Die Wand vor ihm war oval und mit Treibholz bekleidet. Das Holz war vom Seewasser silbergrau patiniert, es war am Ufer rundgeschliffen worden, der Eindruck war roh und ungeheuer fein zugleich. Der Boden war aus Marmor. Unter anderen Umständen wäre er stehen geblieben. Um den Anblick zu genießen. Und den ganz speziellen Raumklang.

Aber nicht jetzt. Vor dem Fahrstuhl stand ein Mann in grüner Uniform. Mit einer Maschinenpistole. Aske Brodersen.

Kasper hatte sich nie etwas aus Waffen gemacht. Er wäre nie auf die Idee gekommen, auch nur so etwas wie eine Stöpselpistole in seine Vorstellung mitzunehmen. Nicht einmal so einen Revolver, aus dessen Mündung ein Fähnchen flutscht, auf dem «Peng!» steht.

Wenn er die Waffe trotzdem als automatische *Bushmaster* erkannte, dann, weil er sie auf Wochenmärkten gesehen hatte. Er war mit dem russischen Staatszirkus durch die östlichen Provinzen getourt, auf den dortigen Märkten hatten Haufen von MPs gelegen, und Opium in rauen Mengen, Seite an Seite, nie würde er den Duft frischer Curryblätter, säurefreien Waffenöls und des Rohopiums vergessen.

Er ließ den blauen Rock um seine Hüften schwingen. Und fragte mit hoher Stimme:

«Wo ist bitte die Damentoilette?»

Der Mann vor ihm stockte. Die Höflichkeit ist tief verwurzelt bei den Dänen, karmisch, sie geht auf die feudalen Strukturen im Absolutismus zurück. Kasper schwebte über den Boden.

«Zeigen Sie mir den Weg?», hauchte er.

Dann nickte er kurz und versetzte ihm einen Kopfstoß.

Aske Brodersen sank in die Knie, wie um zu beten. Die Afrikanerin nahm ihm die Waffe ab. Sie hielt sie am Lauf, mit dem Kolben nach unten.

In der Wand vor ihnen war eine Tür aus Edelholz. Gebogen wie die Wand. Zwei Meter breit. Sie öffnete sich wie auf einem Luftkissen, laut- und widerstandslos. Sie betraten einen Raum aus Licht.

Die Wände waren aus Glas. Das Dach war aus Glas. Der Boden war aus Glas. Getragen von schmalen, verchromten Stahlträgern. Der Raum hatte die Form einer fliegenden Untertasse. Unter ihren Füßen wogte das Meer, achtzig Meter tief. Vor den gebogenen Glaswänden lag Kopenhagen. Sie befanden sich in einer solchen Höhe, dass man die Meteorologie der Stadt erkennen konnte. Sie waren über den Wolken, die Frederiksberg bedeckten. Über einer Art Unwetter im Süden. Über der Abendsonne auf der Innenstadt.

Durch den Raum kreiste die Silhouette eines riesigen Rades. Es war der Schatten des Hubschrauberrotors, die Maschine stand direkt über ihnen, das Glasdach war die Landebahn.

An einem langen Flügel stand Josef Kain.

Jeder Clown hat eine reiche Erfahrung mit Gesichtern, die Überraschung ausdrücken. Kains Gesicht war etwas Besonderes. Kasper hatte so etwas schon hin und wieder erlebt. Bei einigen ganz Großen des Showbusiness. Wenn man erst mal auf den Gedanken gekommen ist, dass einen nur noch der Herrgott selbst überraschen kann, hat man sich in gewisser Weise verwundbar gemacht.

Auf einem Sofa saß KlaraMaria, neben ihr ein dunkelhäutiger Junge.

Sie sprang auf und lief durch den Raum.

Sie rannte in Stines Arme. Drückte sich an sie.

«Mama», sagte sie.

Sie presste ihren Kopf gegen Stines Bauch. Und wiederholte das Wort. Eine schöne Szene. Vielleicht an der Grenze zum Sentimentalen. Das Mädchengesicht drehte sich zu Kasper um. Es war angelisch, engelsgleich, bis KlaraMaria lauthals loslachte. Sentimentalität wird vom Kosmos immer nur vorübergehend erlaubt.

«Papa», sagte sie.

Kasper sah sich um. Um zu sehen, wer da hinter ihm stand. Aber da war keiner.

«Ich war schwanger», sagte Stine. «Als ich dich verlassen habe. Sie ist deine Tochter.»

In der Decke musste eine Luke gewesen sein, Kasper hatte sie übersehen. Und eine Sekunde lang hatte ihn sein Gehör im Stich gelassen. Der Mann, der auf dem Boden landete, musste aus vier Metern Höhe gesprungen sein. Trotzdem landete er wie eine Katze. Es war Ernst. Er trug keinen Verband mehr. Die Nase schien richtig gut auszuheilen. Etwas Puder, und er hätte für ein Fitnessstudio posieren können. Sein Klang war weich und hellwach. Seine Lippen bewegten sich, als spräche er mit sich selbst. Plötzlich kapierte Kasper, dass das Hörgerät Kopfhörer und Mikro waren. In den Händen hielt er eine Waffe. In dem Moment, in dem er unten aufkam, erschoss er die Afrikanerin.

Es war eine so dicht aufeinanderfolgende Reihe von Schüssen, dass es sich wie Husten anhörte. Die Wucht der Projektile hob die Frau vom Boden ab und schleuderte sie gegen die Wand. Für den Bruchteil einer Sekunde schien der Körper hängen bleiben zu wollen, dann kippte er mit dem Gesicht voran auf den Boden.

Der Mann schwenkte die Waffe zu Kasper hinüber. Er ließ sich kurz von der Frauenkleidung verwirren. Kaspers Körper straffte sich, er bereitete sich auf den Einschlag vor. Er verspürte eine besondere Süße bei der Erkenntnis, dass das Gebet nie aufgehört hatte. Er würde sterben, aber der großen Liebe zugewandt. Seine Vorbilder waren die besten. Jesus. Gandhi. Prinzessin Pemasal.

Maximillian warf die Krücken weg und warf sich vor Kasper. Die Projektile kamen in einer aufwärtsgerichteten Kurve, sie trafen ihn in die Hüfte und bis über die Brust, er schien rückwärts auf Kasper zuzuschweben. Die Austrittsbahnen der Projektile öffneten seinen Rücken wie einen Reißverschluss, Kasper wurde mit Blut und Gewebe bespritzt. Dann prallte sein Vater gegen ihn, und sie stürzten zusammen zu Boden.

Der stämmige Mann sah sich um. Um sicherzugehen, dass er sein Projekt in Ruhe abschließen konnte. Kasper empfand einen Hauch von Bewunderung. Jeder große Improvisator erkennt den andern. An seiner Fähigkeit, mitten in einer erfolgreichen Aktion das Ganze im Blick zu behalten.

Die Maschinenpistole richtete sich auf Kasper.

In dem Augenblick wurde ihm klar, dass die Afrikanerin am Leben war.

Als sie getroffen wurde und fiel, war er davon überzeugt gewesen, dass sie tot sein musste, und sein Gehör hatte sie aus seinem Schallbild ausgeschlossen. Es ist diese Form der Neunmalklugheit, die uns Menschen Grenzen setzt und unsere Empfänglichkeit für das wirklich Wunderbare hemmt.

In Marokko, beim Cirque du Maroc, am Rande der Sahara, hatte er miterlebt, wie sich zwei Zirkuslöwen paarten. Es hatte sich auf dem Weg vom Manegeneingang zum Käfig ereignet, alle hatten sich verzogen, auch der Dompteur, alle Türen wurden verriegelt, Kasper hastete mit einem Techniker in einen Zirkus-Jeep. In der Eile verlor der Techniker seine Mütze, öffnete die Tür und lehnte sich hinaus, um die Mütze aufzuheben. Die Entfernung zu den Löwen betrug 75 Meter. In der Zeit, die er brauchte, um sich 75 Zentimeter tief zu bücken, erreichte das Löwenmännchen das Fahrzeug. In derselben Sekunde, in der Kasper den Mann ins Auto zerrte und die Tür zuschlug, gruben sich die Pranken des Löwen in die Wasserkanister über dem Trittbrett.

Den Klang, der das Raubtier umgab, hatte Kasper nicht noch einmal hören wollen.

Nun hörte er ihn doch wieder. Bei einer Frau.

Die Afrikanerin sprang unmittelbar aus ihrer liegenden Stellung auf. Und erreichte Ernst in einer einzigen Bewegung.

Sie schlug ihm mit gestrecktem Arm gegen den Kopf, wie mit einer Pleuelstange. Dann nahm sie ihn in den Schwitzkasten und rammte seinen Kopf gegen den Flügel. Der gab einen Laut von sich wie ein chinesischer Tempelgong. Der Körper des Mannes schlackerte, sackte in sich zusammen und endete im Schneidersitz.

Das Kleid der Afrikanerin schien sich in zwei Hälften zu teilen, es rutschte rechts und links an ihr hinunter. Es war der Tragegurt, durchgeschnitten wie mit einer Blechschere. Leder und Stahleinsatz mussten wie eine schusssichere Weste gewirkt haben.

Ihre Hände krümmten sich.

«Nicht töten», sagte Kasper. «Wir müssen zusehen, dass wir das Böse nicht ausgrenzen. Es wird dich dein ganzes Leben lang verfolgen. Meister Eckhart sagt irgendwo ...»

Die Afrikanerin sah ihn an. Er hatte sie erreicht. Vielleicht nicht mit seiner Weisheit. Eher durch den Überraschungseffekt. Ihr Unterkiefer klappte herunter.

Der Mann zu ihren Füßen kam auf die Knie und schlug mit dem schmalen Lauf der Waffe auf sie ein. Kasper hörte, wie der Oberschenkelknochen brach.

Ihre Augen wurden rötlich. Als liefe Blut in die weiße Haut um die Iris. Sie bückte sich. Schlang die Arme um den Mann unter sich. Hob ihn hoch.

Sie fing an zuzudrücken. Sie trug einen Mann von neunzig Kilo plus ihr eigenes Gewicht. Mit einem Oberschenkelbruch. Kasper merkte, dass er in die Zukunft lauschte. Er hörte einen Vorgeschmack dessen, was wir zu erwarten haben, wenn Afrika in Kürze die Geduld verliert und sich erhebt.

Die Augen des Mannes traten aus ihren Höhlen. Kasper hörte ein Handgelenk knacken. Ernsts Finger waren im Abzugbügel eingeklemmt.

Die MP ging los. Der Projektilschwarm zeichnete ein halbes Herz auf die Spiegelglasscheibe. Die Scheibe zerbrach und wurde in den Raum geweht.

Sie zerbrach in Scherben in der Größe von Esstischplatten. Im selben Moment hörte Kasper den Wind.

Er hatte zugenommen. Kasper hatte sich vom Sonnenschein täuschen lassen. Und hatte nicht daran gedacht, dass er sich in so großer Höhe befand. Es war kein gewöhnlicher Wind. Es war ein Jetstream, ein Aprilsturm.

Die zerbrochene Glaswand fegte durch den Raum und wurde hinter Kasper zu Pulver zerkleinert. Dann ergriff der Wind die Möbel, die Kinder, Kain, die Afrikanerin und schleuderte sie an die Wand.

Kasper sah, wie sich der Flügel aufbäumte, als wollte er Männchen machen. Dann kam er geflogen und zerschellte an der Wand.

Einen kurzen Moment lang war alles in der Schwebe. Da ergriff Kasper die beiden Kinder. Er zog sie über Maximillian zu sich herunter und machte sie an einer Säule fest.

Im nächsten Augenblick, als der Wind sich zurückzog, kam der Sog, wie bei einer Flutwelle, die auf die Küste geprallt war.

Dadurch entstand ein Luftzug nach draußen, als hätte eine Jetmaschine im Flug eine Passagiertür verloren. Kasper blickte sich nach Stine um. Sie saß auf dem Boden und klammerte sich an einer Säule fest. Er sah, wie Kain sich zur Tür hinarbeitete.

Die Afrikanerin ließ Ernst los. Kasper sah, dass er mit der Waffe hantierte und sie in Stellung bringen wollte. Und dass er verstand, dass seine Hände ihm nicht mehr gehorchten. Dann zog ihn der Unterdruck nach hinten, zuerst langsam. Ernst ging in die Knie, um aus dem Sog herauszukommen, es gelang nicht. Er griff nach einer Säule, aber die Hände versagten ihm den Dienst. Dann wurde er auf das Meer hinausgezogen.

Über sich hörte Kasper, wie die Rotorblätter des Hubschraubers beschleunigten. Er hörte das Geräusch, als die Schnappschlösser der Vertäuung gelöst wurden. Dann zerrte der Wind die Maschine von dem Gebäude.

Er sah nicht hoch. Er sah seinem Vater ins Gesicht. Sie lagen dicht beieinander. Maximillian lächelte.

Es gelang ihm, die Hand zu heben. Er streichelte Kasper die Wange.

«Ich weiß, was du sagen willst. Dass es schön war. Bewegend. Dass ich mich für dich geopfert habe. Um ein wenig dafür zu büßen, dass wir dich in heillose Dinge verwickelt haben. Und das stimmt, verdammt nochmal. Das stimmt.»

Er versuchte, Luft zu holen. Der Mund seines Vaters füllte sich mit Blut. Es hatte zwei Farben. Es war das dunkelrote strömende Blut der Venenläsionen. Und das hellrote Arterienblut. Letzteres gab ein Geräusch wie ein leises Sieden von sich, von den mikroskopisch kleinen Sauerstoffbläschen, die durch die Oberfläche brachen.

«Ich bin ein Mann mit Energie», flüsterte Maximillian. «Ich

kann es mir leisten, dir recht zu geben. Nur einmal. Hier, zum Schluss.»

Obwohl die Stimme nur noch ein schwächstes Wispern war, war sie vital. Wie zu der Zeit, als sein Vater um die vierzig gewesen sein musste. Maximillians Körper war ein Nähzwirn im Universum. Aber sein Bewusstsein war ungeschwächt.

«Meine Fresse, die Sterbeszenen, die konnte ich immer mit am besten leiden. Kannst du dich an Basotto erinnern? Die kamen immer wieder rein, um nochmal zu sterben. Wir haben uns vor Lachen fast in die Hose gemacht. Aber das hier. Das wird der letzte Auftritt.»

«Bist du dir da ganz sicher, Großvater?»

Es war das Mädchen, das gesprochen hatte. Der Sterbende fixierte sie.

«Ist es nicht ein wenig spät», hauchte er, «dass ich meinen Enkelkindern vorgestellt werde?»

«Es ließ sich leider nicht früher einrichten», sagte Kasper.

«Du darfst nicht sprechen», sagte das Mädchen. «Du musst daran denken, dass du sterben musst.»

«Was, zum Teufel?», sagte Maximillian.

Sie hatte sich über ihn gebeugt. Sie hatte ihm eine Hand auf die Brust gelegt. Und eine Hand auf seinen Kopf.

«Bastian», sagte sie.

Der dunkelhäutige Junge kniete neben Maximillians Kopf. Die beiden Kinder umgab eine Konzentration, die Kasper bei Kindern nie vernommen hatte. Ja, kaum bei Erwachsenen.

Behutsam drückte Kasper den Körper seines Vaters an sich. Er merkte, wie sich etwas in seiner Hand bewegte wie ein Tier. Er begriff, dass es das Herz war. Die Projektile hatten die Rückseite des Brustkorbs geöffnet und das noch schlagende Herz freigelegt.

«Eigentlich», sagte das Mädchen, «gibt es nichts, vor dem man Angst zu haben brauchte.»

Kasper hörte die Stille. Kugelförmig breitete sie sich von einem Punkt zwischen den Kindern aus und löste alle Laute auf. Sie beseitigte den Sturm. Den Saal aus Glas. Die Körper. Die Gegenwart. Dänemark. Das Letzte, das Kasper sah, war das Antlitz seines Vaters. In dem Moment, in dem das Bewusstsein aus den Augen gesaugt und durch einen Tunnel fortgezogen wurde. Danach war alles weg.

ACHTER TEIL

1 | Sie brachten ihn zu dem Teil des Fliegerhorstes Værløse, den die Luftwaffe behalten hatte. Zu einem Komplex kleinerer Baracken, die halb in der Erde vergraben waren, gleich neben einem abgesperrten Gelände, das von Bohrungen zum Ableiten durchlöchert und von Schildern mit der Aufschrift «Verseucht» umgeben war.

Es fing an zu regnen, als sie durch Jonstrup fuhren. An den drei Tagen, an denen sie ihn verhörten, regnete es ununterbrochen.

Sie ließen ihn etwa drei Stunden pro Tag schlafen, er konnte den Zeitraum nur schätzen, er hatte keine Uhr. Sie gaben ihm nichts zu essen und boten ihm lediglich Kaffee und Saft an, er trank nur Wasser, falls sie ihm etwas in den Saft oder den Kaffee getan hätten.

Er hörte den Regen auf dem Dach spielen, vielleicht waren es Bachs Kantaten. Nach zwei Tagen konnte er Haydns sechs Streichquartette hören, ganz deutlich, diejenigen, die Haydn nach zehn Jahren Pause geschrieben hatte. Und danach Mozarts sechs Quartette, die Antwort auf Haydn. Zu der Zeit hatte Kasper angefangen, mit offenen Augen zu träumen, ihm dämmerte, dass die Musik und der Regen zu seinem Überleben da waren. Um in einer Wirklichkeit, die allmählich auseinanderfiel, einen Zusammenhang zu schaffen.

Es waren dreimal zwei Vernehmer, immer ein Mann und eine Frau, sie mussten seine Beziehung zu Frauen erkannt haben. Die Frauen waren warm und mütterlich, jedes Verhörteam arbeitet mit dem Gegensatz zwischen dem guten und dem bösen Elternteil, er hatte Lust, sich am Busen der Vernehmerinnen auszuweinen, zweimal tat er es auch, während die Fragerei weiterging.

«Warum wurden die Kinder entführt?»

«Ich weiß es nicht», sagte er. «Könnte es etwas mit Lösegeld zu tun haben oder mit Sex?»

«Du hast von Hellseherei gesprochen.»

«Das muss ein Missverständnis sein», sagte er. «Hellseherei ist Aberglaube, ich bin nicht abergläubisch, habt ihr das schriftlich oder auf Band?»

«Warum bist du nach Dänemark zurückgekommen?»

«Ich bin zurückgekehrt, um in meinem heimatlichen Nest zu sterben. Ich bin jetzt zweiundvierzig. Ihr wisst schon, wie die Elefanten. Für mich ist Dänemark ein Elefantenfriedhof.»

«Warum hast du deine Verträge gekündigt?»

«Ich habe nicht mehr die Kraft, die ich mal hatte.»

«Du hast die Kinder schon mal gesehen. Wo?»

«Sie sind mir nie unter die Augen gekommen.»

«Das Mädchen sagt, sie habe dich schon einmal getroffen.»

«Sie bringt das durcheinander. So ist es, wenn man geliebt und vergöttert wird und in der Zeitung steht. Dann glauben Kinder und Erwachsene, dass sie einen kennen. Euch hatte ich auch in Verdacht. Dass ihr nur in der Nähe des Ruhms sein wollt.»

«Im April letzten Jahres warst du zum ersten Mal im Kloster.»

«Ich war vor einem Monat zum ersten Mal da. Direkt vom Flughafen aus.»

«Warum haben sie dich geholt?»

«Fragt sie doch selber. Es sind barmherzige Schwestern. Ist es nicht ihr Job, verirrte Seelen aufzupäppeln?»

Nach zwei Tagen fingen die Drohungen an.

«Die Frau», sagten sie. «Und das Kind. Wir können sie auf

unbegrenzte Zeit festsetzen. Der zivile Ausnahmezustand setzt die Gesetze außer Kraft.»

«Was hat das mit mir zu tun?»

«Du wirst morgen nach Spanien ausgeliefert.»

Er lachte innerlich. Ein stilles, privates Lachen. Er empfand keine Angst mehr. Man kann einem Menschen vieles nehmen, aber nur bis zu einem gewissen Grad. Dann ist er frei.

«Kain», sagte die Frau, die ihm gegenübersaß. «Was sagt dir der Name?»

«Ist das nicht was aus der Bibel?»

«Wann hast du ihn zum ersten Mal gesehen?»

«Wenn ich ein bisschen auf deinem Schoß sitzen», sagte Kasper, «und meine Gedanken ordnen dürfte. Dann käme eventuell was dabei raus.»

Sie hatten ihm einen Stuhl mit schräger Sitzfläche gegeben. Dauernd rutschte er herunter. Er hatte schon von solchen Stühlen gehört, einige marokkanische Artisten wurden so von der Fremdenlegion verhört, in Ajaccio auf Korsika. Sie hatten erzählt, die Stühle seien schlimmer als Prügel gewesen. Kasper hatte es ein paar Stunden ausgehalten. Bis er mitten im *Dissonanzquartett* war.

«Ich will einen andern Stuhl», sagte er. «Muss ja kein Eames Lounge Chair sein. Aber besser muss er sein. Sonst passiert ein Unglück.»

Sie hatten nicht reagiert. Sie hatten nicht geglaubt, dass er noch Saft in den Batterien hatte. Er war aufgestanden, hatte den Stuhl mit dem Fuß in die Luft bugsiert und dem Mann gegenüber auf den Kopf geschlagen.

In der nächsten Sekunde war der Raum voller Leute, man hatte ihm schwarze Handschellen angelegt, wie Kabelbinder, aus Plastik. Aber seinen Stuhl bekam er.

«Haben die Kinder eine besondere Begabung?», fragten sie.

«Sie scheinen talentiert zu sein», antwortete er. «Sie können bestimmt kacken und trommeln zur gleichen Zeit. Wie wär's, wenn ihr sie selber fragt?»

An die Wand war ein länglicher Spiegel montiert, er changierte wie von Öl überzogen, es war ein venezianischer Spiegel zur Identifizierung von Verdächtigen. In seinem Fall waren die Ausgaben vergeudet, er hörte jede Bewegung hinter der Scheibe. Er hätte sich höchstens darüber beschweren können, dass das Glas einige der hohen Frequenzen ausblendete, wie feuchte Luft.

Meistens hörte er Mørk. Manchmal die Baronin vom Strandvej. Männer und Frauen mit dem Klang der Autorität. Zweimal hörte er eine Stimme, die dem Außenminister gehören konnte, er erinnerte sich an das Schallmuster aus einer der Logen bei einer Galavorstellung. Vielleicht war auch alles nur Einbildung. Das Einzige, was er sich auf keinen Fall einbildete, war der Regen.

Nach zwei Tagen hatte er begriffen, dass sie gar nicht nach der Wahrheit suchten. Sie suchten nach einem Konstrukt. Mit dem sie und die Öffentlichkeit leben konnten.

«Wurden die Kinder missbraucht? War es deshalb?»

Er hatte den Kopf gehoben und ihnen in die Augen geschaut.

«Das war das Motiv», sagte er. «Aber sie schafften es nicht. Das und vielleicht das Geld. Der Fürsorgefonds des Klosters ist wohlhabend. Seit Anfang des letzten Jahrhunderts. Schenkungen von Familien der russischen Oberklasse. Die auf der Flucht vor der Revolution nach Dänemark emigrierten.»

Er merkte, dass er einen Zugang zu ihnen gefunden hatte. Von da an kontrollierte er sie.

«Was sollte die Frau tun, die Ingenieurin im Turm?»

«Eine frühere Freundin. Ich musste die Hilfe in Anspruch nehmen, die sich anbot.»

«Und was solltest du machen?»

Er saß wie auf einer Rasierklinge. Er musste sich Mørks Hilfe versichern. Und den Mann und die Frau vis-à-vis beruhigen.

«Die polizeiliche Abteilung des Innenministeriums nahm Kontakt mit mir auf. Weil ich das Mädchen unterrichtet hatte. Eine routinemäßige Nachfrage. Ich bot an, ihnen zu helfen. Ich hoffte, es würde mir in der Verhandlung nützen.»

Ihre Gesichter waren ausdruckslos. Aber ihre Erleichterung war eindeutig.

Irgendwann musste er doch das Bewusstsein verloren haben. Er hatte nicht auf den Wechsel geachtet, aber er nahm wahr, dass der Raum sich verändert hatte, die Wände waren auf einmal gelb, plasmatisch.

Er lag auf einer dünnen Matratze, er konnte sie hören, die ihn befragten, er konnte die Fragen verstehen, aber er konnte die Fragenden nicht sehen.

Er wusste, dass er eine Form von Psychose durchlief, von innen. Zwischen den wogenden Wänden formten sich Menschenkörper mit Tierköpfen, er begriff unmittelbar, dass Menschen, die unvorbereitet in eine derartige Lage gerieten, in der er sich hier befand, den Verstand verlieren mussten.

Er registrierte, dass nur das Gebet ihm eine Form von Gemütsruhe sicherte. Es strömte ruhig dahin, wie eine tiefe, musikalische, wahllose Billigung der ihn umgebenden Unstrukturiertheit. Das Gebet ist ein Floß, es bringt uns wohlbehalten durch Scheidungen, Kater, Pilztrips, Verhöre hoch drei, einem Ondit zufolge sogar durch den Tod.

Das Gebet und die Liebe. Er dachte an Stine.

Sie war einige Jahre weg gewesen, er hatte alles probiert, Drohungen und Erpressungen gegenüber dem Geodätischen Institut, er hatte es bei der Abteilung für vermisste Personen von Interpol versucht, bei Privatdetektiven, Anwälten mit internationalen Kontakten, er hatte in den großen europäischen Zeitungen Anzeigen unter «Persönliches» aufgegeben. Ohne Ergebnis.

Eines Nachmittags war er nach Holte hinausgefahren, zu ihren Eltern. Es war Winter, ihr Vater stand im Garten und beschnitt Obstbäume mit einem Pfropfmesser. Kasper schaute dem Mann ein Weilchen bei der Arbeit zu. Während er seinen Klang einsog. Irgendetwas darin erinnerte an Stine.

«Mit der Liebe sollte man nicht zu sentimental sein», hatte Kasper dann gesagt. «Meistens könnte alles, was die Leute Liebe nennen, genauso gut mit einem andern Partner stattfinden, auch hier in Holte. In einer Liebe steckt richtig viel praktisches Arrangement, ich höre das, und so hat es auch seine Ordnung. Je genauer die Menschen zusammenpassen, je weiter man sich vorwagt, desto weniger Wahlmöglichkeiten gibt es. Ich kann es nicht erklären, aber es ist wie mit meinem Beruf, ich hätte nicht viel anderes werden können, da gibt es wenige oder keine Alternativen. Das ist wie mit Stine und mir, wie eine Vorstellung, die abgebrochen wird, obwohl sie kaum angefangen hat, und es sind bereits 24000 Karten verkauft worden, ich habe eine Verantwortung gegenüber den Zuschauern. Und die Zuschauer sind all die Teile von mir und ihr, die sich gegenseitig haben wollen, nicht nur der innere Prinz und die innere Prinzessin, auch die inneren Krüppel, die Zwerge, die inneren missratenen Kinder. Sie sitzen auf ihren Plätzen und warten, weil sie wissen, dass diese Vorstellung hier dazu bestimmt ist, zu Ende gespielt zu werden. Sie ist sozusagen höheren Orts bestellt worden. Irgendwo außerhalb der normalen Engstirnigkeit ist ein Vertrag unterschrieben worden, der eingehalten werden muss, ich fühle das.»

Der Mann blickte auf. Er hatte Tränen in den Augen.

«Ich kann nichts tun», sagte er.

Kasper war dann zu seinem Vater gefahren. Maximillian war wieder in die Villa in Skodsborg gezogen, eigentlich sollte man sich eher davor hüten, an die Orte zurückzukehren, an denen man einen großen Verlust erlitten hat; die Villa war erfüllt von Helene Krones Echo.

Sie hatten sich in ein Zimmer gesetzt, das aufs Wasser hinausging, sie waren umgeben von den richtigen Möbeln, den richtigen Bildern, der richtigen Aussicht, leider sind die Materialien nicht genug, es muss ihnen auch Leben eingehaucht werden, jemand muss in das Instrument blasen.

«Du hast immer eine Menge Sachen geheim gehalten», sagte Kasper, «was voll und ganz meinen Beifall findet, ich habe auch meine Geheimnisse, aber über Stine, ich habe es immer gehört, über Stine weißt du irgendwas, jetzt ist es so weit, jetzt musst du damit rausrücken.»

Maximillian hatte sich umgesehen, ohne zu finden, was er suchte, einen Ausweg, das ist der Nachteil, wenn man sich teuer, aber schlicht einrichtet, das Drumherum bietet keine Ausflucht und keinen Schlupfwinkel mehr.

«Die Polizei hat ein zentrales Register, ich habe ihren Namen nachgeschlagen. Sie hat zwei Jahre in der Frauenabteilung in Horsens gesessen. Wegen Totschlags. An die Einzelheiten kam ich nicht ran.»

Er begleitete Kasper hinaus.

«Mein Problem ist», sagte Kasper, «auch wenn sie eine ganze Familie hingerichtet und verspeist hätte, ich würde sie weiterhin lieben.»

Maximillian machte die Tür auf.

«Ich auch», sagte er.

Vater und Sohn blickten über die schneebedeckten Wiesen. Ihr Klang war verwandt. Sehr oft wird ein bestimmter Aspekt der Einsamkeit von einer Generation an die nächste weitergegeben.

«Trotzdem müssen wir ja leben», sagte Kasper. «Ich bin dabei, mich umzustellen, auf den eher krankenschwestermäßigen Typ. Sie darf auch gern dem Ethik-Rat angehören. Und in der ehrenamtlichen Gemeindearbeit tätig sein.»

«Wenn du fündig wirst», sagte Maximillian, «und sie eine Mutter oder eine ältere Schwester hat. Kannst du dann kurz deinem Vater Bescheid geben?»

Die Baronin vom Strandvej half ihm aus der Psychose. In eine Realität, die nicht so großartig viel besser war als vorher. Sie fühlte seinen Puls. Schob seine Lider hoch und leuchtete ihm in die Augen. In gewissem Sinne beruhigte es ihn trotzdem. Es war ihnen offenbar wichtig, ihn am Leben zu erhalten.

Irgendwann gegen Ende, obwohl er zu dem Zeitpunkt nicht wusste, dass es das Ende war, verließen sie den Raum. Vivian die Schreckliche kam herein. Erst konnte er sie nicht sehen, sein Sehvermögen war schlecht, auch sein Gedächtnis. Aber er erkannte ihr As-Dur. Die Tiefe der Tonart. Deren Mitgefühl. Er erinnerte sich, dass Mozart viele Theaterkompositionen geschrieben hatte. Seine Musik auf die Sänger eingestellt hatte. Und passend zu ihrer Tonart komponiert hatte. Für Vivian hätte er eine Arie über ein gebrochenes Herz geschrieben. In As-Dur.

Er verstand nicht, wie sie sich Zugang verschafft hatte. Aber wenn es überhaupt jemanden gab, der dazu fähig war, dann sie.

Er wusste, dass er nichts fragen konnte. Es gäbe Mithörer wie bei einer Studioaufnahme. Er tat es trotzdem.

«Die Kinder und Stine?»

«Sind in Sicherheit.»

Er versuchte, sich nichts anmerken zu lassen. Aber in ihren Augen konnte er sein Spiegelbild erahnen. Er musste einem Gespenst ähneln.

«Kain und die Frau?»

«Verschwunden.»

Sie hatte einen kleinen Ghettoblaster dabei. Sie stellte ihn auf den Tisch und schaltete ihn an. Tom Waits sang *Cold Water* aus dem Album *Mule Variations*, tiefe Einsamkeit und tiefe spirituelle Sehnsucht, die nicht nach Hause gefunden hat und es in diesem Leben wahrscheinlich auch nicht mehr schafft, bei 140 Dezibel in einem Bunker aus dem Zweiten Weltkrieg. Das würde all ihre kleinen Kondensatormikros lahmlegen.

Sie beugte sich zu ihm hinunter.

«Ich habe den staatlichen Obduktionsbericht gesehen. Tod durch Herzschlag. Soll ich ihn revidieren lassen?»

Er schüttelte den Kopf.

«Wie sieht die offizielle Geschichte aus?», fragte sie.

«Ein Kompromiss. Die Kinder wurden entführt. Eine Mischung aus sexuellen und wirtschaftlichen Motiven. Aber die Entführer kamen nicht ans Ziel.»

«Die Wirklichkeit wird aus Kompromissen erschaffen», sagte sie. «Die können die Menschen ertragen. Viele meiner Patienten ziehen es vor, bei laufendem Fernseher zu sterben. Dein Vater und ich, wir hatten das hinter uns. Wir waren auf dem Weg in ein unbekanntes Land.»

Sie war weg. Das Verhörteam war wieder da, sie fragten, er antwortete, er verstand weder die Fragen noch seine eigenen Antworten. Auch Mørk stand im Raum. Mit einem Cuttermesser. Er schnitt die Kabelbinder auf, dankbar rieb Kasper sich die geschwollenen Hände.

«Kain und die Frau», sagte er. «Dass sie entkommen sind. Gehörte das zu einem Deal?»

Mørk schüttelte den Kopf. Kasper hörte, dass es stimmte.

«Der Avedøredamm ist geschlossen. Das Abpumpen des Wassers hat begonnen. In sieben Monaten soll die Innenstadt wieder zugänglich sein. In achtzehn Monaten sieht die Stadt wieder aus wie früher. Mit Narben. Aber sonst, als wäre nichts geschehen.»

«Die Wüstenväter», sagte Kasper. «Und Hegel. Und Karl Marx. Und die Verfasser des Alten Testaments. Sie haben entdeckt: Wenn ein Mensch oder eine Stadt gewarnt worden war, vom Göttlichen, und nicht hören wollte, dann wiederholte sich die Geschichte. Zuerst als Warnung. Dann als Katastrophe.»

Unter der Erschöpfung seines Gegenübers hörte Kasper die Wut. Aber man muss die Menschen aufrütteln, darum geht's. Und es ist völlig in Ordnung, dass in manchen Fällen zuerst der Hass zum Leben erwacht.

«Für Religionen interessiere ich mich nicht im Geringsten», sagte der Beamte. «Und für Karl Marx und die Wüstenväter noch viel weniger.»

«Es ist nie zu spät zum Klügerwerden», sagte Kasper. «Nicht mal dort, wo du dich befindest. Drei Viertel deines Systems ruhen ja schon im Grab.»

Mørk zog sich zurück. Ohne Manegentraining, ohne fünftausend Nächte mit zweitausend Menschen, die auch am Ausgang die Hand auf der Tasche halten, ist es schwer, dem Clown gegenüber das letzte Wort zu behalten.

Die Tür fiel ins Schloss. Kasper legte den Kopf auf den Tisch und schlief ein.

2

Er erwachte vom Tageslicht, das durch die Gitterstäbe vor dem Fenster fiel, es gelang ihm, auf die Beine zu kommen. Aus dem ersten Stock sah er über den Fælledpark und das Freibad. Er lag in der Abteilung A des Reichskrankenhauses, einem geschlossenen Bettentrakt.

Er trug Krankenhausunterwäsche. Hemd und lange Unterhose. Auf dem Tisch lagen der Lottoschein, sein Füller und vier Kronen und fünfundsiebzig Öre in Münzen. Seine Schuhe hatten sie beschlagnahmt.

Er legte sich wieder hin, ganz still. Versuchte, mit seinem Nervensystem ins Gespräch zu kommen.

Aus den Lautsprechern des Pavilloncafés hörte er, wie ein Saxophonist die hoffnungslose Aufgabe anpackte, unser aller Schulden bei Coltrane abzustottern.

Aus dem Radio eines geparkten Autos sang Chet Baker, eine Aufnahme aus der Zeit, als er noch als Dean Martin lanciert wurde, mit Zähnen im Mund und Haaren auf dem Kopf. Es swingte, wie es sonst nur für die himmlischen Heerscharen swingen mochte, wenn sie Gottes Thron umkreisten, dachte Kasper.

Aus dem Planschteich erschallten Kinderstimmen und Gelächter und wurden zu Bruchstücken des zweiten *Brandenburgischen Konzerts*. Auch für Bach hatte es geswingt.

Er lauschte durch die Wand. Dem Klang zweier Männer, denen noch kein engerer Kontakt mit dem Weiblichen vergönnt gewesen war: der beiden Mönche.

Die Tür ging auf, die Blaue Dame trat ins Zimmer, dahinter die Mönche. Sie hob die Arme, sie tasteten sie ab, gingen hinaus und schlossen die Tür hinter sich.

Sie zog einen Stuhl an sein Bett, er setzte sich auf. So saßen sie eine Weile. Die Stille, die sie umgab, wurde dichter.

«Die Kinder sind in Sicherheit», sagte sie. «Stine ist in Sicherheit. Sie wurden vernommen, lustig war's nicht, aber jetzt ist Schluss. Jetzt haben sie ihre Ruhe.»

Er nickte.

«Benneweis hat sein Herbstprogramm verschickt, du bist dabei, es sind schon Plakate gedruckt, anscheinend hast du einen selbsternannten Agenten, eine Frau, sie hat sich im Fernsehen geäußert, sie habe eine bindende Zusage vom Innenministerium, dass du deine dänische Staatsbürgerschaft zurückbekommst. Ich habe mit dem Patriarchat in Paris gesprochen, es hat sich an den spanischen König gewandt, wegen der Begnadigung. Wir werden sehen.»

Die Frau stand auf.

«Ich will raus», sagte Kasper. «Ich will Stine und KlaraMaria sehen.»

«Sie wollen dich die große rechtspsychiatrische Untersuchung durchlaufen lassen. Der PND ist auch noch nicht mit dir fertig. Auch die Abteilung H noch nicht. Sie sagen, es dauere noch drei Monate. Du wirst im August entlassen.»

Er packte sie an der Schwesterntracht. Sanft entfernte sie seine Hände.

«Es kommt die Zeit», sagte sie, «in der die Gefühle zwischen Lehrer und Schüler eine Tiefe erreicht haben, die ewige Hilfe und ewigen Kontakt bedeutet. Aber man muss immer davor auf der Hut sein, dass man den Schüler verwöhnt.»

Wilde Wut stieg in ihm auf, unbeherrscht, blitzartig.

«Du musst mir mehr geben können!», meinte er. «Guck dir meine Lage an. Ich brauche Informationen. Trost und Segen!»

«Ich kann dir eine Buskarte geben.»

«Sie haben mir die Schuhe weggenommen», sagte er. «Das ist effektiver als Fesseln und Handschellen. Ohne Schuhe komme ich nicht weiter als bis zur Nørre Allee.»

«Bevor ich zu dir kam», sagte sie, «war ich auf der Toilette. Gleich hier auf dem Gang. Die Damentoilette. Da habe ich die Schuhe vergessen, die ich anhatte. Durch einen göttlichen Zufall waren es Joggingschuhe. Viel zu groß für mich. Größe 42. Fühlten sich wie Clownsschuhe an. Glücklicherweise hatte ich noch andere in der Tasche.»

Sie streckte ihm den Spann entgegen. Sie trug weiße Gymnastikschuhe.

Sie stand auf.

«Ich verrate dir jedenfalls nicht, dass Stine und KlaraMaria im Stift sind. Aber höchstens noch 24 Stunden.»

Sie war weg.

Er öffnete die Tür.

«Ich muss mal», sagte er.

Die Mönche nahmen ihn in die Mitte und hielten ihn am Oberarm fest.

«Könnte nicht einer von euch so lieb sein und mit reinkommen», sagte er. «Die letzten Tage haben an meinen Nerven gezehrt, und ich habe wenig Lust, ganz alleine zu scheißen.»

Er hatte schon damit gerechnet, dass sein Vorschlag sie wohl eher abstoßen würde. Als er hineinging, blieben sie vor der äußeren Tür stehen.

Er kannte die Toiletten. Er war mehrmals in der geschlossenen Abteilung gewesen, in den goldenen Zeiten, mit Schülern, Borderlinediagnosen und Schizophrenien, die im *Thought Disorder Index* auf 1,0 gekommen waren. Seinerzeit hatte er sich auf alles eingelassen, Hauptsache, die Eltern hatten Geld. Ab und zu, schon damals, war auch Mitgefühl dabei gewesen. Es war ein schöner Gedanke, dass dieses Mitgefühl nun zu ihm zurückkehrte, wie ein günstiger Wind, sanft und karmisch.

Sowohl Franz von Assisi als auch Ramana Maharshi hatten gesagt, dass der Erleuchtete die Welt als Irrenanstalt ansieht, während die geschlossenen Anstalten auf ihn erfrischend normal wirken können. Beide hatten sich «Gottes Clown» genannt.

Er ging auf die Damentoilette. Die Schuhe standen hinter dem Becken. Es waren seine. Sie musste sie in seinem Koffer gefunden haben.

Sie hatten einen himmlischen Klang. Er griff in sie hinein und fühlte die Banknoten. Es waren fünftausend Kronen in Fünfhundertkronenscheinen. Bohr sah gesünder aus als beim letzten Mal.

Die Spiegel über dem Waschbecken waren aus poliertem, rostfreiem Stahl. Eine von Kaspers Schülerinnen von damals hatte von einer Toilette aus das Weite gesucht, über die Dachböden, sie war unauffindbar geblieben. Was den Patienten gelingt, muss auch dem Therapeuten möglich sein. Er stieg auf den Spülkasten und weiter auf den Luftentfeuchter. Die Decke bestand aus schalldämpfenden Rockafon-Platten, schließlich führen viele psychische Störungen zu erhöhter Geräuschempfindlichkeit. Bei ihm zum Beispiel. Er drückte einen Abschnitt der Decke auf und zog sich in einen Entlüftungskanal hinauf.

Er verließ den Kanal vor einem leeren Büro am Henrik Harpestrengs Vej und sprang aus einem Fenster auf die Grünflächen gegenüber der Krankenhauswäscherei. Durch ein offen stehendes Fenster angelte er sich von einem Stapel eine blaue Arbeitshose.

Einer glücklichen Eingebung folgend, ging er zum Haupteingang zurück.

Am Empfang nannte er Lone Bohrfeldts Namen, er erfuhr die Etage, die Nummer der Abteilung und des Zimmers. Er nahm den Aufzug.

Das Zimmer lag im Bettentrakt der Chirurgie, es war ein Mehrbettzimmer. Am Fenster lag ein Mann mit verbundenem Kopf, aber Klang und Atmosphäre waren voller Vitalität, die schwarzen Haare ragten aus dem Verband wie die Borsten einer Kleiderbürste.

Neben dem Bett saß Lone Bohrfeldt. Sie stand kurz vor der Niederkunft, wenn Körper und Klang dem Bersten nahe sind.

«Ich habe eine Extraschicht eingelegt», sagte Kasper, «hier in meinem Nebenjob als Oberarzt, um den Gesundheitszustand zu überprüfen. Darf ich mal?»

Er legte das Ohr an ihren Bauch, den Mann im Bett durchzuckte ein Spasmus.

«Das hört sich doch stabil an», sagte Kasper. «Er ist ziemlich durchgeschüttelt worden, der Kleine. Aber er kommt damit klar. Kinder können unglaubliche Sachen aushalten. Das wird mal ein ausgewachsener Rabauke. Wie geht's dem Bräutigam?»

«Beim Sprechen muss er noch ein bisschen vorsichtig sein», sagte die Frau.

«Genieß es, solange es geht. Wir reden sowieso alle zu viel.»

«Und was machen die Kinder?»

«Sind wieder da. Bei Papa und Mama.»

Ihr traten die Tränen in die Augen.

«Kain ist verschwunden», sagte er. «Könntest du mir vielleicht einen Tipp geben, wo ich ihn finde? Im Hinblick auf einen höflichen Austausch unserer Standpunkte, die jüngsten Ereignisse betreffend.»

Sie schüttelte den Kopf.

«Das Einzige, worauf er stets Wert legte», sagte sie, «war, dass eine Sauna in der Nähe sein musste.»

Kasper zog sich zur Tür zurück.

«Wir möchten uns gern bedanken», sagte sie.

«Beethoven», sagte Kasper. «Wenn das Publikum flennte, entgegnete er: ‹Ein Künstler will keine Tränen. Er will Applaus.›»

«Wir möchten dich gern zur Taufe einladen.»

Die Patienten in den andern Betten folgten dem Wortwechsel mit Spannung.

«Ein Mensch wie ich», sagte Kasper, «muss sein Privatleben in der Regel vor seiner überwältigenden Popularität schützen. Aber in diesem Fall könnte ich eine Ausnahme machen. Also, ich komme. Wie die gute Fee. Als Patengeschenk werde ich unserm kleinen Nachwuchsgangster das allerfeinste Gehör mitbringen. Und die besten Manieren.»

«Im Gegenzug», sagte Lone Bohrfeldt mit Blick auf die Arbeitshose und das T-Shirt, «könnten wir dir vielleicht zu einer etwas tragbareren Kleidung verhelfen.»

Er ging den Blegdamsvej entlang, als er Sirenen hörte, zog er sich in den Fælledpark zurück. In seinem Innern fand er die Stelle, wo das Gebet sagt: Gottes der Herrin Wille geschehe, auch wenn das bedeutet, dass ich geschnappt werde. Und wo wir doch eh nur eine Stunde erflehen.

Eine Frau trabte an ihm vorbei. In Laufkleidung aus Sharkskin und Joggingschuhen.

Er spurtete los und schloss zu ihr auf. Es war Amtmännin Asta Borello.

«Ich bin weg, aus der geschlossenen Abteilung», sagte er.

Ohne das Tempo zu verringern, drehte sie den Kopf. Und sah das Krankenhaushemd.

Er hätte ihren Schritt nicht sehr lange mithalten können, war gottlob auch nicht nötig, sie bremste ab und fing an zu gehen. Mit starrem Blick. Er fühlte mit ihr, er kannte das. Die Hoffnung, vor einer Fata Morgana zu stehen. Und gleichzeitig zu wissen, dass es leider die Realität ist.

«Ich möchte dir gerne sagen, dass ich keinerlei Groll gegen dich hege», sagte er.

Sie wollte wieder laufen, die Beine gehorchten ihr nicht.

«Ich bezahle meine Steuern nicht nur mit Freude», sagte er. «Ich bezahle sie mit bebender Wonne. Aber ich will dir gerne weiterhelfen. In deiner persönlichen Entwicklung. Das Risiko, bei Steuerverwaltung und überzogener Sportausübung, ist der Verlust der natürlichen, fließenden weiblichen Spontaneität. Denk mal drüber nach!»

Er musste weiter. Er setzte sich in Trab. Lief zum Rosengarten vor, am Postamt Østerbro drehte er sich um und winkte. Sie beantwortete seinen Gruß nicht. Aber selbst auf die Entfernung konnte er hören, dass die Begegnung einen bleibenden Eindruck bei ihr hinterlassen hatte.

Er versteckte sich in den Büschen gegenüber der Treppe, die zum Eingang hinaufführte. Keine fünf Minuten später hielt ein Auto, ein Mann stieg aus, um einen Brief in den Kasten zu werfen, der Schlüssel steckte, der Motor lief.

Kasper setzte sich auf den Fahrersitz. Auf dem Beifahrersitz lagen eine Anzugjacke in einem Beutel und ein eingeschaltetes Mobiltelefon, Glück muss der Mensch haben. «Denn wer da hat, dem wird gegeben», wie es bei Markus heißt. Er schlug die Tür zu und drehte das Fenster ein wenig herunter.

Der Mann war der blonde Prinz Eisenherz, Professor Frank.

Kasper belauschte die Situation. Ihre göttliche Unwahrscheinlichkeit. Er wusste, wusste, ohne zu verstehen, dass er sich an der Grenze zu dem Ort aufhielt, an dem das Drehbuch seines Lebens geschrieben wurde.

«Ich bin ein ethischer Mensch», sagte er durch den Fensterspalt. «Tief gläubig. Aber ich brauche ein Auto. Ich habe das Gefühl, es ist kein Zufall, dass es ausgerechnet deins sein wird. Ich habe das Gefühl, wir beide erleben hier das kompensative Karma in Aktion. Eine Form schicksalhafter Heimzahlung. Und dennoch sage ich dir: Du kannst dein Auto morgen wieder abholen. Am Zeltplatz in Bellahøj. Die Schlüssel werden über der Sonnenblende liegen.»

Dann gab er Gas.

Er fuhr über die Langeliniebrücke und hielt am Toldboden. Sein gesunder Menschenverstand sagte ihm, dass die großen, ungelösten existenziellen Fragen ihn schier erdrücken müssten: Wo ist die Frau, wo ist das Kind, was wird aus der Rache? Nun ist der gesunde Menschenverstand nur eine von vielen Stimmen des inneren Knabenchors. Stattdessen vernahm er den Frühling. Er hörte das Leben rundum. Selbst wenn die Menschen schwer damit beschäftigt sind, auf der Hafenpromenade Geld zusammenzukratzen, und keine anderen Perspektiven haben, als einen übergewichtigen Lebensabend zu verbringen und den Kindern einen Sack voll Moneten zu hinterlassen, denen es sowieso nur schadet, größere Summen zu erben, selbst dann klingt es wunderbar. Und es ging nicht nur um die Menschen. Kasper hörte auch den Vogelzug Richtung Falsterbro, den Frühling, der sich nach Schweden hinaufarbeitete.

Er wählte die Nummer, die Kain auf den Lottoschein geschrieben hatte.

«Ja?»

Man sollte sich vorsehen, wenn man ans Telefon geht, eines Tages könnte ein großer Clown am anderen Ende sein. Kain hätte es klingeln lassen sollen, in dem Augenblick, als er den Hörer abnahm, war er geortet. Kasper lauschte kurz, dann trennte er die Verbindung.

Er fuhr zurück, an der englischen Kirche vorbei, an deren Stelle der russische Zar ursprünglich eine großzügig bemessene russische Kirche geplant hatte, wer weiß, womöglich wäre dann in Dänemark dem Hesychasmus – mit etwas mehr Rückenwind – ein etwas größerer Publikumserfolg beschieden gewesen.

Kasper parkte auf dem Platz vor der Marmorkirche. Zog die Jacke an. Am Kiosk an der Dronningens Tværgade kaufte er ein Kartenspiel. Vor der Newskikirche verharrte er einen Augenblick, genoss Bronikows Porträt von Alexander Newski, atmete tief durch, sprach ein Gebet und lauschte der Kirche. Ihrer Disziplin. Ihrem Mitgefühl. Ihrer Hartnäckigkeit. Ihrem tiefen Wissen, dass, wer das Göttliche erfahren will, üben muss. Wie im Zirkus, Luthers Idee, alles sei vorherbestimmt, schien Kasper immer mit unser aller täglichen Erfahrung in unmittelbarem Widerspruch zu stehen. Einst hatte ein Journalist Groucho Marx kurz vor seinem Tod um eine existenzielle Zusammenfassung gebeten, der große Komiker hatte die Ironie vom Gesicht gezogen wie eine Gummimaske, an der Schwelle zum Grab gab es für weniger als die Wahrheit keine Zeit mehr. «Die meisten von uns», hatte er gesagt, «müssen versuchen, ihre niedrige Intelligenz geflissentlich zu kompensieren. Es ist nur eine Frage der Übung.»

Er drückte auf die Klingel, der Diakon machte auf.

«Ich brauche dringend ein Bad», sagte Kasper.

Sie durchquerten die kleine Eingangshalle, der Diakon öffnete eine Tür, reichte Kasper ein großes, grobgewebtes Handtuch, Dampf schlug ihnen entgegen, dicht wie Rauch.

Es war eine russische Badestube. Kasper ging einen schmalen gefliesten Korridor entlang, er zählte fünf offene Türen zu kleinen Räumen mit tiefliegenden Badewannen, in einigen lagen Männer, treibend, schwerelos, sanft prustend wie Babywalrosse. Der Korridor mündete in einen Aufenthaltsraum mit einem kleinen kreisrunden Becken, sechs Männer saßen auf einer Stufe im heißen Wasser, drei hatten lange Bärte.

Kasper zog sich aus und legte seine Sachen auf einen Stuhl. Er öffnete eine Glastür und betrat das Dampfbad.

Die Wandmalereien zeigten Reinigungsmotive aus dem Neuen Testament. Jesu Taufe. Jesus besteht darauf, die Füße der Jünger zu waschen. Dafür wäscht Maria Magdalena seine Füße. Die Frau war mit abgewandtem Gesicht dargestellt, damit sie nicht in die Nacktheit der Badestube blickte.

Am Ende des Raums befanden sich Marmorstufen auf drei Ebenen, auf der untersten saß Kain. Kasper zog einen Stuhl heran und setzte sich vor ihn.

Kain musste schon eine ganze Weile hier gewesen sein, sein Gesicht war rot und feucht, die Adern in der Haut pulsierten.

«Ach, du warst das vorhin am Telefon», sagte er. «Wie hast du mich denn gefunden?»

Kasper machte eine ausholende Bewegung. Aus den Ventilen unter der Marmorstufe hörten sie das stille Zischen des Dampfes. Das Geriesel des Wassers in den Rohren. Etwas weiter entfernt hörte man Musik.

«Tschaikowskis *Liturgie und Vesper*», sagte Kasper. «Ich konnte weder die Themen noch die Worte hören. Aber der modale Charakter war zu erkennen. Und die Obertöne von den Glocken. Sie müssen Glocken haben. Ich habe sie nicht läuten hören. Aber sie schwingen mit, wenn gesungen wird.»

Er öffnete die Kartenschachtel, riss die Folie auf und mischte.

«Es gibt sechs Glocken», sagte Kain. «Ein Glockenspiel. Der letzte Glöckner, der die Technik beherrschte, verstarb 1962. Die Kirche und ihre Mysterien sind in Gefahr auszusterben. Ich bin ihre Rettung.»

Kasper teilte aus.

«Wieso», sagte er, «zeigt ein Ehrenmann wie du, der Bäder und Sanatorien besitzt, Interesse an einem kleinen russischen Dampfbad mit dazugehöriger Kapelle in der Bredgade?»

«Mutter Maria erzählte mir davon. Es ist ein Treffpunkt der religiösen Patriarchen. Die Priester der Sankt-Ansgar-Kirche kommen her. Der katholische Bischof. Der Oberrabbiner. Der königliche Hofprediger. Mutter Maria sagt, dass der Tag, an dem auch sie und die Imame eingeladen werden, dem religiösen Leben in Dänemark neue Perspektiven eröffnen wird.»

«Und woher kennst du Mutter Maria?»

«KlaraMaria hat uns einander vorgestellt.»

Kasper empfand einen plötzlichen, einen unerklärlichen und irrationalen Stich der Eifersucht. Männer wollen die Aufmerksamkeit der Frauen nicht mit anderen Männern teilen, ob die Frauen über siebzig oder unter zwölf sind, ist ohne Bedeutung, wir wollen sie ganz für uns.

«Nimm deine Karten auf», sagte Kasper. «Wir spielen *Hold'em*, zwei Karten auf der Hand, fünf auf dem Talon, drei Runden.»

Er deckte drei Karten auf dem Tisch auf, es waren Herzdame, Karokönig und Pikass.

Kain nahm die Karten auf.

«Worum spielen wir?», fragte er.

«Um dein Leben», sagte Kasper.

Kain sah ihn an. Wieder hörte Kasper seine Gefährlichkeit.

«Die Einsätze sind Teile der Wahrheit», sagte Kasper. «Aufrichtigkeit. Ich fange an, hörst du die Geräusche um uns herum? Das Echo vom Marmor der Wand? Eine Spur weicher als Granit.

Aber immer noch hart. Und doch vom Dampf abgemildert. Er schafft eine Intimität. Inmitten der Härte. Kannst du sie hören?»

Der Dampf schloss sie ein, die Wände des Raumes tauchten allmählich unter.

«In dieser Intimität», sagte Kasper, «sitzen du und ich. Wenn Männer nackt sind, entsteht ein besonderer, beinah glücklicher Klang. Man ist befreit von Frackkragen, Fliege und seinen Wickelgamaschen. Befreit von seiner Selbstdarstellung, Kleider machen Leute. Man ist sich selbst ein klein wenig näher. Einer fernen, glücklichen Erinnerung an den spielenden Nackedei am Strand, der man einst gewesen ist. Fröhlichen akustischen Souvenirs aus den Umkleideräumen des Fußballklubs, kannst du mir folgen, hörst du das? Man wird an Meister Eckhart erinnert: ‹Wen hat Gott erkannt, um so viele verschiedene Laute gebären zu können?› Und inmitten dieses Schlaraffenlands der Trommelfelle nun dein Klang. Deine Gier. Deine Gesetzesübertretungen und Manipulationen. Genug für lebenslängliche Haft. Und ganz am Ende: Misshandlung und Tötung eines Kindes. Du bietest. Dein *Blind* ist die Wahrheit über das Kind. Wo habe ich mich verhört?»

«Das mit dem Kind», sagte Kain, «das war Ernst. Das ist außer Kontrolle geraten. Er hat dafür bezahlt.»

Kain nahm drei Karten auf und legte sie auf den Tisch, Karokönig, Herzneun und Pikzwei.

«Du bist dafür verantwortlich», sagte Kasper.

«Ich bereue. Mutter Maria sagt, keine Sünde sei so groß, dass sie nicht bereut werden könnte.»

«Wo bleibt die Gerechtigkeit?»

«Du bist wütend. Wie ein ganzes Heer. Nimmst du nun Stellung zu meinem Gebot? Aber du bist ja wütend wie ein Einpersonenheer.»

Der Kartenfächer verschwamm vor Kaspers Augen.

«Was, bitte, hat eigentlich bei dir zu diesem lammfrommen Getue geführt?», fragte er.

«Die Begegnung mit dem Mädchen. Mit Mutter Maria. Ich verkaufe alles. Ich stelle alles dem Stift zur Verfügung. Ich bereue. Ich gehe in mich. Ich warte auf dein Gebot.»

«Hilf mir mal bei der Chronologie», sagte Kasper. «Im August letzten Jahres sind alle zwölf Kinder in Kopenhagen versammelt gewesen. Sie nehmen Kontakt zu dir auf. Du schlägst etwas vor. Hast du vorgeschlagen, die Erdbeben zu arrangieren? Können sie so was auslösen? Können sie die physische Welt manipulieren? Oder können sie es einfach nur vorhersehen?»

Er deckte eine Karte auf, es war die Pikzehn.

Kain zuckte die Schultern.

«Ich arbeite mit Optionen. Für mich gibt's dazwischen kaum einen Unterschied: die Dinge herbeizuführen und zu wissen, dass sie geschehen werden. Sie haben gesagt, die Erschütterungen würden stattfinden.»

«Sodass du auf die Idee kommst, wertlose Grundstücke aufzukaufen. Und bei potenziellen Käufern die – richtige oder falsche – Vorstellung zu wecken, dass die Erschütterungen und Erdrutsche beendet sind. Dazu benötigst du die Kinder. Ihr Lohn ist, dass du sie hierhertransportierst, verhält es sich so?»

Kain nickte.

«Aber das kann noch nicht alles sein», sagte Kasper.

«Ich soll ihnen dabei helfen, die Öffentlichkeit zu lenken. Und die Medien. Wenn die Kinder mit dieser Geschichte herauskommen.»

Kasper schüttelte langsam den Kopf.

«Sie wollen die Welt zu irgendwas zwingen. Indem sie damit drohen, dass sie Naturkatastrophen auslösen können. Das ist Vandalismus. Das ist Kinderterrorismus. Es sind Verbrecherkinder. Ist es wahr? Können sie das?»

Kain zuckte mit den Schultern.

«Und du wolltest dabei mitmischen?», sagte Kasper.

«Ich habe mich gewandelt. Ich habe das Licht gesehen.»

«Wo haben die Kinder gewohnt, wenn sie hier waren?»

«Im Stift. Das war einfach. Eine Mitarbeiterin wandte sich an das Stift.»

«Die Blondine», sagte Kasper. «Irene Pappas?»

Kain nickte.

«Das Stift organisierte den Transport. Aber wir haben sie aus dem Ausland geholt. In manchen Fällen haben die Eltern ihre Erlaubnis nicht gegeben. Deshalb die Anzeigen. Leider habe ich Ernst auf einen der Fälle angesetzt.»

«Warum hat Mutter Maria dich nicht durchschaut?»

Kain drehte eine Karte um. Die Karozwei.

«Simeon der Neue Theologe», sagte er, «schreibt, dass es wichtig sei, dem spirituellen Lehrer keine Allwissenheit zuzuschreiben. Selbst die größten sind nur Menschen.»

Kasper hatte Schmerzen beim Atemholen. Vielleicht war es der Dampf, vielleicht die Verbitterung, das Monopol verloren zu haben, Kirchenväter zu zitieren.

«Dann habt ihr eine Entführung vorgetäuscht», sagte er. «Warum nur von zwei Kindern?»

«Mehr musste nicht sein. Es reichte, um die Käufer zu überzeugen.»

«KlaraMaria hat eine Karte an eine Hydrologin geschickt. Eine Frau aus dem Laienorden. Die Karte zeigt den Kopenhagener Hafen nach dem Erdbeben. Warum wurde sie verschickt?»

Kains Klang veränderte sich. Ein Spiel von plötzlich entstehenden und verschwindenden Spannungen und Tics huschte über sein Gesicht.

«Diese Gören, die sind eine Höllenbrut. Sie zu entführen ist schon Strafe an sich, da ist Strafverfolgung gar nicht vonnöten. Sie wollten beweisen, dass sie vorher von den Erschütterungen wussten. Aber sie haben mich nicht unterrichtet.»

Er drehte eine Karte um. Kreuzsechs.

«Aber gerade meine Irrtümer», sagte Kain, «sind ein phantastischer Ausgangspunkt für einen spirituellen Wachstumsprozess. Ich werde den ganz großen Unterschied machen. Für die Frauen und die Kinder.»

«Erst mal», sagte Kasper, «musst du eine Runde ins Gefängnis gehen. Ich will die Karten sehen.»

Er legte seine Karten hin. Kain starrte auf die *Straße*. Er legte seine Karten hin. Es waren der Herzkönig und die Herzfünf.

«In der roten Farbe ist wenig Pigment», sagte Kasper. «Sie ist etwas leichter, etwas schneller als die schwarze. Dafür sind die Bildkarten etwas schwerer. Ich konnte deine Karten hören.»

Kain beugte sich vor.

«Ich habe ein Netzwerk wie ein amerikanischer Präsident. Ich lasse die Kirche wieder aufleben. Ich fördere das Stift. Ich bin ein kolossaler Bundesgenosse.»

«Aber ich habe die Kinder gerettet», sagte Kasper.

«Ich habe ein phantastisches spirituelles Potenzial», sagte Kain. «Hat Mutter Maria mir zu verstehen gegeben. Ich musste nur einen Umweg machen. Wie viele der Großen auch. Milarepa. Der Zöllner in der Bibel. Der reiche Mann. Paulus. Aber jetzt mache ich einen Kniefall. Tue Abbitte. Ich werde vorrücken wie ein Rennpferd.»

«Du wirst ins Staatsgefängnis Horsens einrücken. Ich bin hier der Star für die Schwestern.»

«Ich habe zur Demut gefunden», sagte Kain. «Tiefer Demut. Ich gebe alles der Kirche. Dem Stift. Ich knie nieder vor meinem Nächsten.»

«Meine Demut ist global», sagte Kasper. «Ich habe eine globale Karriere geopfert. Ich wasche allen Menschen die Füße. Sogar dir.»

Kasper mühte sich ab, um vom Stuhl und auf die Knie zu kommen. Aber er war geschwächt, und Kain war in dieselbe

Richtung unterwegs. Es war ein richtiggehender Demutswettbewerb. Aber der Dampf blendete sie. Voreinander kniend knallten ihre Köpfe zusammen, versehentlich, aber mit der Wucht eines gegenseitigen Kopfstoßes.

Das Problem für uns Anfänger ist, dass die guten Absichten so schnell dahinschmelzen, sobald wir in etwas angespannte Situationen geraten. Dass das Mitgefühl, wenn's drauf ankommt, sich oft genug als dünne Blattgoldschicht erweist, die ein reichlich gröberes Metall überdeckt. Kain legte Kasper die Hände um den Hals. Trotzdem blieb Kasper sitzen. Wenn sich ein leidenschaftlicher Pokerspieler erst einmal zurechtgesetzt hat, muss schon einiges passieren, damit er seine Stellung ändert.

Aber er fühlte, wie seine Sinne schwanden. Langsam drückte Kain ihn nach hinten, auf die Marmorplatte und die Düsen zu, aus denen der kochend heiße Dampf zischte.

Kasper registrierte das Gebet, es richtete sich nun an Dismas, den guten Schächer, am Kreuz neben dem Erlöser. Dismas war der Held aller Glücksspieler und aller Gefangenen, die eine längere Strafe absaßen.

Dann versetzte er dem Mann einen Kopfstoß.

Der Stoß schmetterte Kain rücklings zu Boden, sein Körper glitt über die dünne Wasserschicht und prallte gegen die Wand. Die Stirn war aufgeplatzt, das Gesicht blutüberströmt.

Die Glastür ging auf, in der Öffnung stand der Diakon.

«Die Badestube ist sakrosankt», sagte er. «Genau wie die Kirche.»

Er trat zur Seite, Kasper kam auf die Beine, langsam, taumelnd, er hob Kain hoch, halb trug er ihn, halb schleppte er ihn am Diakon vorbei.

Der wies auf eine Dusche, Kasper stellte Kain darunter und trat selbst unter die Nachbardusche, der Diakon drehte den Hahn auf.

Die Duschköpfe waren nicht nur groß, sie waren riesig wie

Mühlräder. Und das Wasser, das auf sie niederprasselte, war nicht einfach kalt, es war eisig wie das Schmelzwasser aus dem Kaukasus.

«Kalte Waschungen», sagte der Greis nachdenklich, «gehörten stets zu den tiefsten spirituellen Techniken.»

Kasper spürte, wie sich Millionen von Kapillaren zusammenzogen. Die Großmut des Herzens hingegen dehnte sich aus.

«Die Eifersucht nimmt proportional zur Nähe großer spiritueller Lehrergestalten zu», sagte er zu Kain. «Wenn man schließlich auf Berührungsabstand ist, konvergiert sie mit dem Wahnsinn. Ich bitte um Vergebung.»

Kains Blick war noch verschleiert. Kasper nahm eines der großen Badetücher von einem Heizkörper und ging auf den Geschäftsmann zu.

«Komm», sagte er, «lass dir von Kasper den Rücken abrubbeln.»

Kain wich zurück.

«Und dann», sagte Kasper, «will ich dich mit Feuchtigkeitscreme einreiben. Und dir die Füße massieren.»

Kain griff sich ein Handtuch auf einem Stuhl. Die Vollbärte am Beckenrand betrachteten sie stoisch.

Kain schwankte rückwärts. Ohne Kasper aus den Augen zu lassen, schlang er sich das Handtuch um den Leib. Er torkelte durch den Korridor. Kasper war gleich hinter ihm.

«Der Kopfstoß», rief er, «den ich dir verpasst habe. Ich nehm ihn zurück. Ich küsse dir die Stirn. Voll Tränen bin ich, dass ich wieder einmal die Fassung verlor.»

Kain bekam die Tür zur Straße auf. Er taumelte die Treppe hinunter auf den Bürgersteig.

Passanten blieben stehen. An der Treppe stand eine Frau. Einen phantastischen Augenblick lang dachte Kasper, es sei Asta Borello. Es wäre eine phänomenale Synchronizität gewesen.

Dann sah er, dass es eine Fremde war. An und für sich eine Erleichterung. Wenn der Kosmos schon mit glücklichen Zufällen aufwartet, ist man ihm doch dankbar, wenn er eine Überdosis vermeidet.

Kain schlängelte sich um die Frau herum und fing an, die Bredgade hinunterzurennen. Kasper winkte den Zuschauern zu. Mit zahlreichen Verbeugungen zog er sich rückwärts in die Garderoben zurück.

Er ging den Korridor entlang und zog sich dabei an. Auf dem Weg nach draußen blieb er vor einer der kleinen Kabinen stehen. Der Mann in der Badewanne hatte sich hinter einer Zeitung verschanzt. Kasper trat ein.

«Entschuldigen Sie die Störung», sagte er, «aber ich folge nur dem Geräusch. Ich werde von dem Verlangen getrieben, ein letztes Mal dem *Streithengst von Schaffhausen* zu lauschen. Und dann einen Blick in Ihre Zeitung zu werfen.»

Der Mann nahm die Zeitung beiseite, es war Weidebühl, beide blickten sie auf den Teakstuhl neben der Wanne, auf der sorgsam zusammengelegten Kleidung lag die Armbanduhr.

Der Anwalt reichte Kasper die Zeitung, Kasper schlug sie auf, die letzte Ziehung der Klassenlotterie stand auf der Rückseite. Er holte seinen Schein heraus, sein Finger glitt über die Zahlen, dann stieß er auf seine, die Zahl war gezogen worden. Er blieb schweigend stehen, vielleicht eine Minute.

«Meine Zahl ist rausgekommen», sagte er, «sechs Millionen, das hier ist ein Achtellos, das bedeutet, ich habe siebenhundertfünfzigtausend Kronen gewonnen. Und ich muss eingestehen, dass ich gerade vor ein paar Sekunden einen superkurzen Augenblick lang nicht von Dankbarkeit dem Göttlichen gegenüber erfüllt war, sondern von Verbitterung darüber, dass ich damals in der Kampmannsgade nicht zu meiner Lieblingspfandleiherin Asta gegangen bin und mir einen Tausender geborgt und ein ganzes Los gekauft habe – verstehen Sie eigentlich, was ich hier so von mir gebe?»

Der Anwalt schüttelte den Kopf.

«Gier», sagte Kasper, «ist eins der kniffligsten Hindernisse für den spirituellen Fortschritt. Gottlob merkte ich in der nächsten Sekunde, wie das Herzgebet angeworfen wurde, es läuft jetzt, ich bete zur heiligen Cäcilie, ich weiß nicht, ob Sie sie kennen, es ist die Schutzheilige der Musik.»

Kasper spürte hinter sich eine Bewegung, im Gang stand der Diakon.

«Ich bitte um Verzeihung für den Auftritt von vorhin», sagte Kasper, «aber was hat euch bitte geritten, als ihr einem Mandrill wie Kain die Tür geöffnet habt? Das will mir nicht in den Kopf.»

«Wenn ein Ort oder ein Ambiente im eigentlichen Sinne göttlich ist», entgegnete der Diakon, «kann niemandem der Eintritt verwehrt werden.»

Die drei Männer sahen sich an. Kasper merkte, dass er sich in der orthodoxen Kirche geirrt hatte. Vielleicht würde es ihr am Ende doch vergönnt sein, die moderne Welt mit einzubegreifen und zu überleben.

«Gilt das auch für unsere Freundin», sagte er, «Mutter Maria, die Metropolitin von Bagsværd?»

Der Diakon brauchte Zeit für seine Antwort.

«Wir arbeiten daran», sagte er.

Kasper faltete den Lottoschein zusammen.

«Auf diesem Schein stehen eine Menge Zahlen», sagte er. «Telefonnummern und andere. Auch eine Gewinnnummer. Ich brauche sie alle nicht mehr. Dort, wo ich hinwill.»

Er steckte dem Diakon den Schein in die Brusttasche des Rocks.

«Ein symbolischer Beitrag», sagte er. «Für die Arbeit des Christentums, mühsame Damen zu integrieren.»

Der Diakon begleitete ihn hinaus.

«Wie wär's mit dem kleinen Wörtchen danke?», sagte Kasper. «Immerhin handelt es sich um fast eine Million.»

«Pachomius», sagte der Alte, «empfing um das Jahr 307 herum in einer unmittelbaren Gottesvision einige Klosterregeln, die wir nach wie vor beherzigen. In der Vision hieß es auch, wofern jemand Almosen gibt den Brüdern und Schwestern, so ist es der Gebende, der ihnen danken muss.»

Kasper und der Diakon sahen sich an. Dann machte Kasper einen Diener.

«Danke», sagte er. «Dir. Der Ostkirche. Und der dänischen Klassenlotterie.»

3 |

Er parkte am Nybrovej. Wie beim letzten Mal. Aber diesmal fuhr er bis ans Seeufer heran, als die Bebauung aufhörte.

Er war zu schwach, um zügig zu gehen. Er musste fünfzehn Kilo verloren haben. Es war kein Fett mehr übrig, nicht einmal an den Hinterbacken. Als sie ihn verhörten, hatte er Blutergüsse allein vom Sitzen bekommen.

Er suchte sich eine Stelle vor der kleinen Kuppelkirche, aber die Aussicht aufs Kloster war durch Zweige versperrt. Irgendwie schaffte er es, sich über den Zaun zu wuchten. Auf der anderen Seite musste er zehn Minuten im Gras liegen bleiben, ehe er weitergehen konnte.

Durch eine Seitentür betrat er das Hauptgebäude. Die Flure waren leer. In weiter Entfernung hörte er eine Messe. Sie sangen etwas von Bach, eine der Osterkantaten, etwas mit «Erfreut euch, ihr Herzen».

Hinter der Musik hörte er das, wonach er suchte.

Er nahm den Fahrstuhl zum Gästeflügel. Sie waren in seiner alten Zelle untergebracht. Als er noch Nonne gewesen war.

Er klopfte an und trat ein. Stine und KlaraMaria saßen auf dem Bett und tranken Tee. Zwischen ihnen lag ein ganzer Berg von Puppen. Er nahm sich einen Stuhl, den Stuhl, auf dem die Blaue Dame gesessen hatte.

Der Klang, der sie umgab, war größer als der Raum, er war gewölbt, wie eine Kathedrale. Er hatte schon gehört, dass die Interferenz zwischen Eltern und Kindern diese Form annehmen konnte, wenn Liebe im Spiel war. Und wenn Mutter und Kind der griechischen Mythologie entsprungen zu sein schienen.

Er passte nicht ins Schallbild. Er hatte hier keinen Platz. Er war nicht qualifiziert. Er würde nie in ihre Gemeinschaft aufgenommen werden. Es war zu spät.

«Wie schön, dass du da bist», sagte das Mädchen. «Du musst mir Gutenachtgeschichten vorlesen. Und mir dann was vorspielen. Auf der Geige und auf dem Klavier. Von diesem Bach. Jeden Abend.»

Sie rückte näher.

«Ich will auf deinem Schoß sitzen. Und du musst mich knuddeln. Jeden Abend. Ich bin eine Schmusekatze.»

Sie fing an zu summen. *Bona Nox.*

Seine Achselhöhlen wurden feucht.

«Es wird lange dauern», sagte sie, «sehr, sehr lange, ehe du dafür bezahlt hast, dass du früher, als ich klein war, nicht da warst.»

Sie versetzte den Puppen einen Stoß.

«Zweihundert Bratz-Puppen. Dabei haben sie mir fünfhundert versprochen. Sie haben's mir versprochen!»

Sie stand auf.

«Tschüs», sagte sie. «Ich geh spielen.»

Sie blieb vor ihm stehen. Strich ihm mit den Fingerspitzen über die Wange. Wie eine reife Frau.

«Sie gehört mir», sagte sie. «Meine Mutter. Nur mir.»

Er nickte.

«Ich finde, du solltest ihr nichts sagen», fuhr sie fort, «was ich nicht auch hören dürfte.»

Er nickte wieder. Das Mädchen hatte eine Ausstrahlung, die unverrückbar war. Wie Karajan. Niemand hätte Karajan widersprechen können. Richter nicht. Nicht einmal Bergman.

Dann war sie weg.

Er wartete darauf, dass sich Stines Klang wiederherstellte. Auch er war ein Raum. Ein wenig anders geformt als zuvor, als sie mit dem Kind zusammen gewesen war. Er hatte diesen Raum von Beginn an gehört. Damals am Strand. Er hatte Lust gehabt, ihn zu betreten. Aber Lust war nicht das richtige Wort. Er hatte ihn in sich aufgesogen. Und dann hatte er nicht mehr hinausgefunden. Wollte es auch nicht mehr.

Es war ein freier Raum. Keine Möbel, auf denen man sich niederlassen konnte. Keine Fallen. Keine Vorsichtsmaßnahmen. Und doch. Es gab einen Bereich, zu dem ihm der Zutritt immer verwehrt gewesen war. Aber jetzt hatte er nichts mehr zu verlieren.

«Du hast zwei Jahre in Horsens gesessen», sagte er. «Bevor wir uns kennengelernt haben. Wegen eines Tötungsdelikts.»

Er hatte schon Delinquenten aller Art gegenübergesessen. So ist das im Zirkus. Eine umfassende Welt. Totschlag hatte einen besonderen Klang. Einen ultimativen Klang. Er machte sich jetzt bemerkbar. Es ist das Besondere an Worten. Allein ihre Lautqualität aktiviert einen Teil der Wirklichkeit, den sie benennen.

«Es war ein Liebhaber», sagte sie. «Er hat mich vergewaltigt. Als er es nochmal versuchte, ist es passiert.»

Er lauschte in ihr System.

«Wenn das der Grund war», sagte er, «will ich gar nicht weiterfragen.»

Sie erhob sich, ging auf ihn zu und stellte sich hinter ihn.

«Das freut mich», sagte sie. «Das freut mich sehr.»

Sie streichelte ihm den Nacken. Seine Relais versagten. Das Gehirn setzte aus. Die Synapsen hörten auf zu feuern. Sie konnte mit ihm machen, was sie wollte – gegen Abholung. Er war ihr wehrlos ausgeliefert. Draußen hörte er Kinderlachen.

«Wie lange sind sie hier?», fragte er. «Die Kinder.»

«Sie fliegen morgen nach Hause. Außer KlaraMaria.»

«Und was ist damit, dass sie das Beben verursacht haben?»

«Ich musste irgendwas erfinden. Um dir ihren und meinen Kontakt zu erklären.»

Ganz tief drinnen leuchtete ein Warnsignal auf. Aber es war zu weit weg. Er spürte die Wärme ihrer Handflächen. Sie glühten fast. Sein Gehör schaltete ab.

4

Er wachte auf und wusste, dass ihn Frau und Kind verlassen hatten.

Er hatte einen schweren Schlaf gehabt. Er wurde von Gesichten heimgesucht, wie in einem Opiumrausch. Der Körper schmerzte, die Augen waren verklebt vom Mohnleim des Schlafs. Er scannte das Gebäude, sie waren weg. Er taumelte auf den Gang und öffnete die Tür zur Zelle. Das Bett war unberührt. Die Puppen waren weg. Ihre Kleider auch.

Er klatschte sich kaltes Wasser ins Gesicht und betrachtete sein Spiegelbild. Für die Leserinnen der Frauenzeitschriften war es nicht mehr geeignet. Eher für eine Schönheitsoperation. Im Hospiz des Reichskrankenhauses.

Aus der Kirche konnte er eine Frühmesse hören. Gefiltert durch das Mauerwerk. Sechzig Frauen in Ekstase. Während er sich kaum auf den Beinen halten konnte.

Als er klein war und alle Zeltbesitzer Männer gewesen waren und alle Mütter Frauen, hatte er sich gewünscht, die Welt könne von einem weiblichen Prinzip beherrscht werden. Nun, da sein Wunsch allmählich in Erfüllung ging, beschlichen ihn Zweifel.

Er stolperte durch die weißen Flure. Er hatte den Eindruck, er krieche auf allen vieren. Vor dem Giebelzimmer blieb er stehen und lauschte.

Die Afrikanerin sprach.

«Es ist eine Kiste», sagte sie. «Mit dreihundert Puppen. Von *Fætter BR*. Die kann nicht verlorengegangen sein. Sie muss irgendwo stehen.»

Für Mystiker und Clowns funkelt jede Situation, die sich unversehens ergibt, im Sonnenschein. Wie ein visuelles und auditives Juwel. Er öffnete die Tür.

Sie saß am Schreibtisch der Blauen Dame. Ihr Bein war in Gips. Im dunklen Gesicht leuchteten rosa Schnittwunden. Sie waren schon gut verheilt.

Er konnte hören, dass sie die letzten 24 Stunden nicht geschlafen hatte. Und dass sie es durchhielt.

«Wo sind sie hin?», fragte er.

Seine Stimme war verstaubt und harzig, er hörte es selbst.

«Sie schreiben dir. Innerhalb eines Monats.»

Von jedem andern als ihr hätte er ein Geständnis erzwungen. Aber es war nicht die Zeit für Selbstkasteiungen.

Das Gebet fing an. Er spürte seine Atemzüge. Sein System bereitete sich auf das letzte Entree vor. Ihre Augen ruhten auf ihm. Er wusste, ein falscher Schritt, und sie würde ihn abservieren.

Er legte ihr die Wagenschlüssel hin.

«Ich musste gestern ein Auto stehlen, damit ich herkommen konnte. Es steht am Nybrogård. Königsblauer BMW. Ich habe Angst, wenn er gefunden wird, fällt es auf euch zurück. Immerhin bin ich aufgrund eures Attests entlassen worden. Er muss am Zeltplatz Bellahøj abgestellt werden. Meinst du, wir können eine von den kleinen Novizinnen dazu bringen, ihn mal kurz hinzufahren?»

Sie musterte ihn. Er ließ seinen Klang und seine Identität in die untersten Körperregionen absinken, bis in die Füße. Auf diese Art hatte er Europas Pokersalons abgeräumt. Er ließ den Klang nicht vom Herzen ausgehen. Keine Verstellung. Er hatte nur seinen Klang in die Füße sinken lassen.

Sie stand auf.

«Du siehst sie wieder», sagte sie. «Stine und KlaraMaria. Das kann ein Jahr dauern, die Dinge brauchen ihre Zeit. Aber du wirst sie wiedersehen.»

«Ich bin ganz ruhig», sagte er.

Sie stützte sich auf eine Krücke. Schwerelos. Einen Augenblick blieb er sitzen und genoss nur den Anblick. Hätte Bach auch getan. Selbst wenn er mitten im letzten Teil der *Kunst der Fuge* gesteckt hätte.

Er drehte sich zum Telefon um. Und lauschte in das Gebet. Nun sollte er zum letzten Mal eine Türschwellenwächterin überwinden. Sich zum letzten Mal an einer Barriere vorbeimogeln. Sich zum letzten Mal als Lügenbold durchlavieren. Er fühlte, dass es nicht ausschließlich um seiner selbst willen war. Dass etwas Größeres in ihm und durch ihn aktiv war. War es Gott die Herrin? Wir dürfen es hoffen. Aber können wir jemals vollkommen sicher sein?

Er rief die Zentrale der Spielwarenkette *Fætter BR* im Roskildevej an. Am Telefon begrüßte ihn eine junge Frau. Er hatte nichts vorbereiten können, er richtete sich direkt nach der Offenheit der Stimme. Ehe sie die dreißig erreicht haben, haben die Menschen den Glauben noch nicht aufgegeben, dass sich plötzlich das ganz Große einstellen kann.

«Hier ist der Hofmarschall», sagte er. «Wir möchten gern fünfhundert Bratz-Puppen bestellen. Mit allem Zubehör, Autos, Wechselkleidung und so weiter. Verpackt in einem Karton. Schaffen Sie das innerhalb einer Stunde? Es ist ein Diplomatenpräsent. Der Karton soll bitte an der Hinterseite der Dienstvilla des Staatsministers angeliefert werden, zwischen Bagsværd und dem Lyngbysee. Da gibt es einen diskreten Lieferanteneingang.»

«Das dürften zwei Kartons werden», sagte sie. «Auf einer Palette. In einem Gütertaxi. Unsere Wagen sind alle unterwegs. Und so viele Puppen haben wir nicht auf Lager, der Fahrer wird ein bisschen brauchen, weil er sie erst in den verschiedenen Geschäften einsammeln muss.»

«Schon in Ordnung», sagte Kasper. «Wir wappnen uns mit königlicher Geduld.»

«An wen darf ich die Rechnung schicken?»

Kaspers Bewusstsein hatte sich an seinen Füßen gesammelt. Das Gebet hatte sich fortgesetzt.

«Direkt nach Amalienborg. Die Postleitzahl brauchen Sie nicht. Ach, und wir pflegen zwanzig Prozent Rabatt zu bekommen.»

Er wartete am Seeufer auf das Auto. Es war Frühling. Der sich auf den Sommer zu bewegte.

Es kam nach einer Stunde. Groß wie ein veritabler Möbelwagen. Gelenkt von einem Klang, den Kasper kannte. Aus grauer Vorzeit. Er identifizierte das Gesicht. Es gehörte einem der jungen Messerstecher, die ihm zum Eintritt in die Konon verholfen hatten. Neben ihm saß der dunkelhaarige vierzehnjährige Junge.

Ihr Klang dehnte sich, sie waren geschockt. Aber ihre Züge verrieten nichts.

Er bat sie um ein Cuttermesser. Schlitzte den Karton auf. Er schüttete die verpackten Puppen im Wagen aus. Bis der Karton nur noch halbgefüllt war. Mit dem Messer schnitt er drei Löcher in die Pappe.

«Ich klettre jetzt rein», sagte er. «Ihr macht zu. Schön mit Klebeband, rundum.»

Auf der Ladefläche lagen zwei Montiereisen. Er nahm sie an sich. Wir werden gelenkt, wie Augustinus sagte und Ramana Maharshi nach ihm. Aber es kann ja nicht schaden, seine eigenen Maßnahmen zu treffen.

«Das ist ein Märchen», sagte der Jüngere. «Das kenne ich. Aus der Schule. Ein dänisches Märchen. Hinterher müssen wir dich in den Fluss werfen.»

«Um Himmels willen nein, das lasst ihr hübsch bleiben!»

Er beschrieb ihnen den Weg zum Kloster.

«Im Büro sitzt eine Afrikanerin. Sie hat Augen, so groß wie eins dieser Ungeheuer aus dem Koran. Aber ihr lasst euch nicht einschüchtern. Ihr sagt, ihr habt eine Lieferung Puppen. Schon vor einigen Tagen losgeschickt. Leider verspätet. Wo sie denn abgegeben werden soll? Sie gibt euch eine Adresse. Da fahrt ihr hin. Ihr ladet mich auf eine Sackkarre. Und schiebt mich rein.»

Kasper kletterte in den Karton. Die Jungen rührten sich nicht.

«Du bist dünner geworden», sagte der Kleinere. «Seit dem letzten Mal. Erstaunlich ist das nicht. Bei dem Leben, das du so führst.»

Kasper machte es sich zwischen den eingepackten Puppen gemütlich.

«Aber deine Finanzen dürften nach wie vor ganz in Ordnung sein», sagte der Junge.

Kasper leerte seine Taschen. Er fand die letzten fünftausend. Reichte sie ihnen.

«Du bist ein verzweifelter Mensch», sagte der Junge. «Man könnte durchaus versuchen, dich noch ein bisschen auszuquetschen. Wir kriegen auch noch was für die Montiereisen.»

Kasper stülpte die Taschen um, sie waren leer.

«Aber einen Füller hast du noch.»

Er gab ihnen den Füllfederhalter. Sie klappten den Karton zu. Verschlossen ihn mit Klebeband.

«Wir übergeben dich dem Empfänger persönlich», sagte die jüngere Stimme. «Und wenn die Adresse von Teufeln bewacht wäre. Ich schwöre beim Koran. Ich habe meine Versprechen immer gehalten.»

5 |

Er merkte, wie der Karton auf eine Sackkarre gehievt wurde. Er hörte die angestrengten Atemzüge der Jungen an einer Steigung. Er hörte die Hauptverkehrsstraßen. Das Echo offener Plätze und Parks. Das Rascheln des Windes in den Bananenpalmen. Sie waren am Botanischen Garten. Neben dem Geologischen Museum. Auf dem Weg zur Kopenhagener Sternwarte.

Offenbar hatten sie Schienen dabei, sie fuhren die Karre über eine Türschwelle und in einen Fahrstuhl. In den letzten Monaten war die Anzahl der Fahrstühle ins Unermessliche gestiegen. Dieser würde, so wusste er, gewissermaßen der letzte sein.

Er wurde einen Flur entlanggeschoben und durch eine Tür, er hörte, wie der Raum kuppelförmig wurde, oder war er es selbst? Der Karton wurde abgeladen. Die Schritte der Jungen entfernten sich, um ihn herum wurde es still.

Es war nicht die gewöhnliche Stille. Es war die Stille, an der Gott die Herrin modelliert haben musste, als sie den Mund öffnete und sagte: «Es werde Licht.»

Er sammelte seine letzten Kräfte, stemmte sich gegen den Deckel und sprengte ihn auf.

Der Raum war kuppelförmig. Er befand sich im Observatorium selbst, die Decke war eine vollkommene Halbkugel, aus doppelt gekrümmten Kupferplatten. Draußen an der Wand fing ein riesiges Teleskop aus Messing und Bronze an, poliert, auf eine Schiene montiert, die einen vollen Kreis an der Wand entlang beschrieb. Am Okular lehnte Josef Kain.

Unter dem Loch in der Kuppel, rund um Kaspers Karton, saßen die zwölf Kinder. Dann Stine und die Blaue Dame. Andrea Fink. Daffy. Die seefahrende rote Bete. Alle im Schneidersitz. Wie Bekloppte bei der Gruppentherapie. Wie morgenländische Nonnen bei der *Puja*.

Unmöglich, dreißig Jahre im Showbusiness zuzubringen, ohne etliche Male die geschmackvolle Gelegenheit zu haben, sich an Torten entsteigenden nackten Damen zu ergötzen. Aber nie hatte Kasper die Gelegenheit gehabt, sich in die Situation der Damen ganz hineinzuhorchen. Nun hatte er sie.

Er empfand tiefe Befriedigung. Einen Moment lang zeigten die Gesichter rundum bloß verdattertes Staunen. Einen Moment lang wich die Stille von diesen imponierenden Frauen und den phantastischen Kindern. Und volltönend klang die wehrlose Verblüffung. Der Begriff «aus allen Wolken gefallen» passte hier wie die Faust aufs Auge. Sogar für die Blaue Dame.

In diesem Moment merkte Kasper, merkte jeder unter der Observatoriumskuppel, dass Gott die Herrin sogar in den heiligsten Versammlungen noch einen Trumpf im Ärmel hat, den sie bis zur letzten Minute zurückhält. Ihr Trumpf ist der Clown.

Dann lebte die Stille wieder auf.

Die Blaue Dame erhob sich, nahm einen Stuhl, die Kinder machten Platz. Sie stellte den Stuhl in den Kreis.

«Kasper Krone», sagte sie. «Avanti. Herzlich willkommen!»

An den Wänden standen Reisetaschen, die schon die Anhänger von zwölf verschiedenen Fluggesellschaften trugen. Er war Zeuge eines Abschieds.

«Die Kinder sind nie entführt worden», sagte er. «Sie gingen freiwillig mit. Es gab Kollisionen. Aber alles freiwillig. Sie machten mit Kain einen Deal. In welcher Absicht?»

Scham war kein Wort, das er sonst in Verbindung mit den Kindern gebraucht hätte. Aber jetzt drängte es sich auf. Und dissonant, dass es eine Art hatte. Wie der Beginn des letzten Satzes von Beethovens Neunter. Allesamt glichen die Kinder zehn- bis vierzehnjährigen Sittenstrolchen, die auf frischer Tat ertappt worden waren und nun, wie wir alle, versuchen müssen zu verstehen, wie man weiterlebt und seine Würde bewahrt und den Glauben an den freien Willen, wenn man erst mal entdeckt hat, dass wir wie Sandhüpfer auf dem Rücken eines Wals von unterseeischen Kräften leben, die wir nicht steuern können.

«Sie wollten zusammengeführt werden», sagte die Blaue Dame. «Hier in Kopenhagen. Sie wollten sich wiedersehen. Es ist schwer und kostspielig, zwölf Kinder zu versammeln. Wir machen es einmal im Jahr. Unter großen Mühen. Sie haben Kain bewogen, sich darum zu kümmern.»

Kasper sah zu dem Mann am Fernrohr.

«Du», sagte er, «würdest nicht mal einer neunzigjährigen Greisin über eine Schnellstraße helfen, ohne vorher ihre Kreditwürdigkeit geprüft zu haben. Also, was hast du dafür gekriegt?»

Er merkte, wie die Frau ihre Worte abwägte.

«Er hat gedacht, die Kinder könnten etwas ausrichten. In der physischen Welt. Dass nämlich das Bewusstsein, wenn es einen Zustand erreicht, in dem die Wirklichkeit noch nicht Gestalt angenommen hat, die physische Realität beeinflussen kann. Selbstredend ein naiver Gedanke.»

«Selbstredend», sagte Kasper.

Alles, was verschwiegen wird, lagert sich an der Peripherie der jeweiligen Situation ab, wie ein Trauerrand unreinen Klangs. Der Raum erzitterte vom Ungesagten. Kasper wusste, dass Gott die Herrin jemanden ausersehen würde, um das Jetzt zu erlösen. Er hoffte nur, der Kelch werde an ihm vorübergehen.

Er ging zu dem stillen Mädchen.

KlaraMaria erhob sich.

«Josef», sagte sie. «Mutter Maria. Daffy. Andrea. Suenson. Ich möchte gern kurz mit euch reden. Allein. Draußen.»

Sie hatte es mit tiefem Ernst gesagt. Mit großer, unschuldiger Feierlichkeit. In manchen Fällen ist die Beharrlichkeit eines Kindes so stark, dass alle folgen müssen: der kleine Junge in *Des Kaisers neue Kleider*, der junge Jesus im Tempel. Die Blaue Dame stand auf. Ebenso Daffy. Andrea Fink. Der Seeoffizier. Auch Kain ging mit.

Sie hätten sitzen bleiben sollen. Von dem Moment an, in dem sie aufstanden, waren sie chancenlos.

Das Mädchen hielt ihnen die Tür auf. Sie gingen hinaus. Dann schloss sie die Tür von innen. Und verriegelte sie.

Die Tür schien aus der Zeit zu stammen, in der das Observatorium erbaut worden war. Massive Eiche. Schwer wie ein Kirchenportal.

Das Mädchen drehte sich zu den Kindern und Kasper um. Dann lächelte sie.

Es war ein Lächeln, dass Kasper Lust verspürte, in seinen Pappkarton zurückzukriechen. Aber es war zu spät. Deshalb sollte man reiflich darüber nachdenken, ob man sich ernsthaft auf eine Reise macht, die aus der eigenen Persönlichkeit herausführt. Häufig gibt es nämlich keinen gangbaren Weg mehr zurück.

«Ich weiß nicht, was du von Krieg hältst», sagte sie.

Kasper sagte nichts.

«Wir dachten, wenn man der Welt etwas zeigte, etwas ganz Unglaubliches, könnte man sie vielleicht dazu bringen zu verstehen. Erwachsene dazu bringen, etwas zu verstehen. Damit sie mit dem Krieg aufhören.»

Kasper bekam einen trockenen Mund. Aber gleichzeitig feuchte Augen.

«Das ist ein wunderschöner Gedanke», sagte er. «Und was wolltet ihr der Welt zeigen?»

«Wenn etwas Großes passieren würde», sagte sie. «Von dem die ganze Welt hört. In einer Stadt. Wobei keiner verletzt wird.

Aber wo sie sehen könnten, wie teuer es sie zu stehen kommen würde, wenn wir nicht aufhören. Das ist das Einzige, wovor die Leute richtig Angst haben. Geld zu verlieren. Nur dann kann man sich vielleicht Gehör bei ihnen verschaffen.»

«Und gleichzeitig fünfhundert Puppen abstauben», sagte Kasper.

Sie lächelte. So lächelt keine Tochter ihren Vater an.

«Das eine schließt das andere doch nicht aus», sagte sie.

Kasper nickte. Er hatte einen steifen Nacken. Als wäre eine Meningitis im Anzug.

«Das hätte Bach auch so formuliert», sagte er.

Sie trat dicht an ihn heran.

«Du und ich», sagte sie. «Wir werden noch viel Spaß miteinander haben.»

Er wich vor ihr zurück. Ihr Klang wurde todernst.

«Wir dachten. Wenn es wirklich wichtig ist, dann gibt es nichts, was man nicht versuchen sollte.»

«Dein Vater hat immer nach demselben Prinzip gearbeitet», sagte er. «Wenn man nur ihre Herzen erreicht.»

Sie setzte sich in den Kreis.

«Habt ihr die Erde abgesenkt?», fragte er. «Kann das Bewusstsein das Physische verändern?»

Vielleicht hatte sie ihn nicht gehört. Vielleicht drehte sie seinen Kanal leiser, er spürte einen Zorn, der ihm den Atem raubte.

«Du weißt doch, dass ich Pilotin werden wollte.»

Sie blickte Kasper in die Augen.

«Es gibt eine Checkliste, bevor man startet», sagte sie. «Noch vor den Motoren. Höhenmesser. Elektrische Anlagen. Ölsystem. Navigation. Strecke eingeben. Frequenz auf Funkfeuer. Ich hab darüber gelesen. Richtige Bücher. Willst du mir helfen, Pilot zu werden, wenn ich groß bin?»

Er rührte sich nicht.

«Wir starten die Motoren», sagte sie.

Die Gesichter der zwölf Kinder waren offen. Hellwach. Entspannt wie im Schlaf. Aber mit weitgeöffneten Augen.

«Habt ihr das arrangiert?», fragte Kasper. «Habt ihr die Absenkung bewirkt?»

Sie sah Kasper an.

«Vielleicht kam sie einfach», sagte sie. «Zufälligerweise. Und wir haben sie einfach vorher gespürt. Was denkst du denn?»

Er fühlte die Verdichtung des Raums. Die Haare sträubten sich ihm. Wie elektrisiert.

«Einiges war auf Englisch», sagte sie. *«Cabin ready. Doors released.»*

Sie sah in die Runde. Ein Kind nach dem anderen nickte zustimmend. Kasper hätte am liebsten das Weite gesucht. Aber er wusste, es war zu spät. Das Hirn hatte den Körper nicht mehr in seiner Gewalt.

«Ready for pushback», sagte das Mädchen. «Observatorium Kopenhagen mit Kasper Krone und Stine und Tochter und Freunden *cleared for pushback.*»

Sie hob die Daumen.

Einen Moment lang vibrierte das Gebäude. Nicht sehr heftig, aber sehr deutlich. Vielleicht zitterte er auch selbst.

Dann wurde das Beben zu Licht. Vielleicht täuschten ihn auch seine eigenen Augen.

Er fühlte, wie die Sternwarte abhob und die Schallmauer durchbrach. Er sah dem Mädchen in die Augen. Sie waren vollkommen ruhig.

Vielleicht stiegen sie senkrecht empor. Er blickte durch eine Erscheinung, welche die Lichtwand des Gebäudes sein konnte, vielleicht eine Halluzination, vielleicht eine neue Form visueller Wahrnehmung. Er hatte den Eindruck, dass Kopenhagen unter ihnen absackte. Als sänke die Stadt in den Abgrund. Doch können wir uns jemals sicher sein?

Er fühlte, wie sich ihm der Magen umdrehte. Er hatte gedacht, er habe sich mit dem Tod versöhnt. Nun, wo er in Gestalt eines Kindes vor ihm saß, merkte er, dass er sich keinesfalls mit ihm versöhnt hatte. Wenn's drauf ankommt, wollen wir alle leben.

«Bring uns zurück», sagte er. «Setz uns wieder auf die Erde.»

Seine Stimme war pelzig wie ein Pfeifenreiniger.

Das Mädchen lächelte wieder. Sie hatte einen Schneidezahn verloren. Oder er war ihr ausgeschlagen worden. Es war ein zahnloses Grinsen. Wie bei den großen Hexen.

«Könnte man dich eventuell überreden?», sagte sie. «Noch einen Versuch zu machen? Mit Mutter?»

Sein Gesicht war von einer Maske aus Schweiß bedeckt. Lichtschweiß.

«So was nennt man Erpressung», sagte er. «Spirituelle Erpressung.»

«Die ist am wirkungsvollsten», sagte sie.

Er hob die Hände.

«Gewonnen», sagte er.

«Schwöre. Bei Gott der Herrin.»

«Das ist Blasphemie. Das hieße den Namen des Herrn missbrauchen.»

«Kannst du dir das leisten, dich so zu zieren?»

Er hob die Hand zum Schwur.

Im selben Augenblick wurde die Tür eingetreten. Es war Kain.

Kasper empfand eine Art Respekt für den Mann. Zwar war die Tür nicht mehr das, was sie noch vor einer Minute gewesen war, sie schillerte wie ein Aquarell, vibrativ leuchtend. Aber sie war immer noch aus Eiche.

In der Türöffnung stand die Blaue Dame. Sie leuchtete wie ein Regenbogen. Nicht ganz. Der Teil, der übrig blieb, war sehr zornig.

Es war ein phantastischer Zorn. Kasper war sofort klar, dass er diesen Ton nun wirklich würdigen musste. Die Gelegenheit, ihn zu hören, böte sich kaum ein zweites Mal.

«KlaraMaria», sagte sie. «Du hörst sofort auf!»

Einen derartigen Tonfall hatte Kasper noch nie erlebt. Die Stimme war autoritativ wie eine wahrhaftige Weissagung des Jüngsten Gerichts. Dabei verlangte sie nichts. Sie etablierte schlicht eine neue Wirklichkeit.

Es gab keine Landung. Im ersten Augenblick schien der leuchtende Kolben vierhundert Meter über der Stadt zu schweben und gleichzeitig außerhalb von Zeit und Raum, in völliger Stille, fluoreszierend, transparent. Im nächsten Moment erstand die Wirklichkeit neu. Alles beim Alten. Nichts passiert. Und nichts ist mehr wie zuvor.

Währenddessen hatte sich Kaspers Kopf geleert. Nun rammte ihn seine eigene Psychologie wie eine Gezeitenwelle, die zurückgehalten worden war. Und sein erster Gedanke war: Könnte man doch bloß der Impresario dieser Kinder werden!

Ist es nicht das, wonach wir alle streben? Dass die Kinder uns versorgen, damit wir die Beine hochlegen können und den Abendjoint genießen, der sich mit unserm *Sundowner* vermählt? Im Bewusstsein, Leute engagiert zu haben, die unsere Ersparnisse am günstigsten zu verzinsen wissen.

Da machte sich das Gebet bemerkbar. Wenn man aufgebrochen ist, um mit Gott der Herrin vierhundert Kilometer in der Stunde zu fahren, und dabei nach den Bäumen am Straßenrand greift, um Obst zu pflücken, ist die Wahrscheinlichkeit beträchtlich, dass einem der Arm abgerissen wird.

Er begegnete dem Blick der Blauen Dame. Ihr Klang nahm zu. Ihm war, als blickte er in Wasser, das vor Juwelen klirrt.

«Was eben passiert ist», sagte sie, «müssen wir für uns behalten. Noch ein Weilchen.»

Kain stand neben ihr. Sie legte den Arm um ihn.

Der Schock, der Kasper traf, war in gewisser Weise größer als vorher. Vorsorglich ließ er sich rücklings in sein Gebet sinken. Es gibt nichts, was das Göttliche nicht ertrüge.

«Wenn das Christentum überleben soll», sagte sie, «muss eine entscheidende Veränderung eintreten.»

Sie hätte jeden haben können. Sie hätte einen der vierzehnjährigen Knaben haben können. Unter etwas anderen Umständen hätte sie womöglich ihn selbst haben können, Kasper Krone.

«Du hättest jeden haben können», sagte Kasper. «Warum dann ausgerechnet den Hinketeufel?»

Josef Kain drückte den Rücken durch.

«Ich befinde mich in einem unwiderstehlichen Prozess der Zerknirschung», sagte er. «Durch Reue zur Reinigung. Ich werde ein neuer Mensch. Ich habe mit Maria vereinbart, die Generalbeichte abzulegen.»

«Das wird 'n paar Jahre dauern», sagte Kasper. «In denen du ohne Unterbrechung 24 Stunden am Tag redest.»

Kain setzte zum Sprung an. Kasper wedelte mit den Montiereisen. Zärtlich, einladend, wie mit chinesischen Fächern.

Er spürte eine Hand, es war Stines. Er landete wieder in seinem eigenen Körper.

Sie stand hinter ihm. Wie damals, als er sich abschminkte. In einer Vergangenheit, die nicht mehr existierte. Die sich nie wiederholen würde. Und nach der er sich nicht mehr zurücksehnte. Die in seinem Einklebebuch aber trotzdem prima aussähe.

«Wenn man es recht bedenkt», sagte er, «habe ich nie geglaubt, dass eine Frau mich lieben könnte.»

Ihre Hände wurden warm auf seiner Haut, sie brannten fast.

«Das kann ich sehr gut verstehen», sagte sie, «ich hätt's ja selber nicht geglaubt. Aber entgegen aller Wahrscheinlichkeit und allen Naturgesetzen gibt es möglicherweise doch eine.»

Er schloss die Augen.

Der Moment hatte etwas vom Abschluss von BWV 565 an

sich, *Toccata und Fuge in d-Moll*, mächtige, schicksalsschwangere Säulen aus Musik, die sich provisorisch zurechtstellen, ehe der Vorhang sich wieder hebt.

Allein, es gab da eine leichte Neigung zum Romantischen. Und Kasper wusste, dass der Kosmos nicht sonderlich romantisch war. Die Romantik ist extrem, und Extreme werden ausgeglichen.

Er fühlte etwas an seinem Körper. Es war das Kind. Das stille Mädchen zwängte sich zwischen ihn und Stine. Sie lächelte ihn an. Mit einem Wolfslächeln.

Er entblößte seine Eckzähne und lächelte zurück. Er lauschte in die Zukunft. Er hörte sie nur portionsweise, stückweise und in Teilen.

Was er hörte, klang auf jeden Fall schön. Auf jeden Fall wie die ganz große Galavorstellung. Und auf jeden Fall sehr, sehr beschwerlich.

Dank an

Jes Bertelsen, Erik Høeg, Karen Høeg,
Nelly Jane, Jakob Malling Lambert und
Otto Moltke-Leth.

Der Übersetzer dankt für die Hilfe:
allen voran Niels Brunse,
sodann Jakob Malling Lambert, Hans-Christian Oeser,
Henry Werner,
schließlich Daniel Höft, Kristian Ditlev Jensen,
Martin Kämpchen, Reimer Kloppenburg und
Bernd Kretschmer.

Personenverzeichnis

Kasper Krone	Begnadeter Clown, Musiker und Pokerspieler, Bach-Verehrer, hat seit einem Unfall in seiner Kindheit eine besondere Begabung: Er hört jeden Menschen in seiner eigenen Tonart. Seitdem ist er ein Suchender nach Stille. Wegen Steuerschulden von der Ausweisung aus Dänemark bedroht
Maximillian Krone	Kaspers Vater, ursprünglich Artist, dann Jurist, liegt todkrank im Hospiz des Kopenhagener Reichskrankenhauses und hat Zugang zu vielerlei Informationskanälen
Stine Claussen	Ingenieurin, Geologin und Hydrologin, frühere Geliebte von Kasper mit unklarer Vergangenheit und die Frau, die er noch immer liebt
KlaraMaria	Das «stille Mädchen», entführtes Kind mit vollkommen harmonischem Klangbild
Josef Kain	Führender Kopf in der Wirtschaftskriminalität, will die besondere Begabung der stillen Kinder für sich ausbeuten
Mutter Maria	Die «Blaue Dame», Äbtissin und Metropolitin im Rabia-Stift, einem russisch-orthodoxen Frauenkloster, hat einen Pakt mit Kasper geschlossen

Schwester Gloria	Die «Afrikanerin», schwarze kampfsporterprobte Krankenschwester aus dem Rabia-Stift
Franz Fieber	Früher Stuntman, technisch hochbegabt, nach einem schweren Unfall Chauffeur fürs Rabia-Stift
Daffy	Früher Meisterdieb, jetzt Verwalter und Hausmeister
Vivian	«Die Schreckliche», Ärztin und Leiterin des Hospizes, Maximillians Freundin
Lone Bohrfeldt	Hebamme und Ärztin, Leiterin einer Geburtsklinik, war an der Studie über die stillen Kinder beteiligt, hochschwanger
Mørk	Der «Kardinal», hoher Beamter im Justizministerium mit großer Sehnsucht nach Gerechtigkeit
Asta Borello	Amtmännin im Finanzministerium, verfolgt Kaspers Ausweisung
Feodora Jensen	Alte Artistin mit berühmter Vogelnummer, unglaublichem Gedächtnis und einem Erinnerungsarchiv
Ernst	Der «Mann mit dem Hörgerät», brutaler Leibwächter Kains

Gert Suenson	Rotes Gesicht und türkisfarbene Augen, arbeitet beim Amt für Gewässer und Schifffahrt, Bootsführer
Professor Frank	Der «blonde Prinz Eisenherz», war an der Studie über die stillen Kinder beteiligt
Kejsa	Die «Aristokratin vom Strandvej», Polizistin
Sonja	Leitet eine Zirkusagentur, Vertraute, Agentin und frühere Freundin von Kasper
Bastian	Der verschwundene Junge
Weidebühl	Vertreter des Kirchenministeriums, Anwalt und Rechtsberater
Aske Brodersen	Entführer von KlaraMaria, arbeitet für Kain
Irene Pappas	Die «blonde Frau», Entführerin von Klara-Maria, Mitarbeiterin von Kain
Bobech Leisemeer	Inhaber und Küchenchef vom Restaurant *Copenhagen Dolce Vita*
Andrea Fink	Ist beim Polizeilichen Nachrichtendienst
Oberstleutnant Brejning	Der «Page», arbeitet beim Militärischen Nachrichtendienst
Die Chaconne	*Kaspers vornehme Lieblingsmusik, der fünfte Satz der Solo-Partita d-Moll für Violine von Johann Sebastian Bach (BWV 1004)*

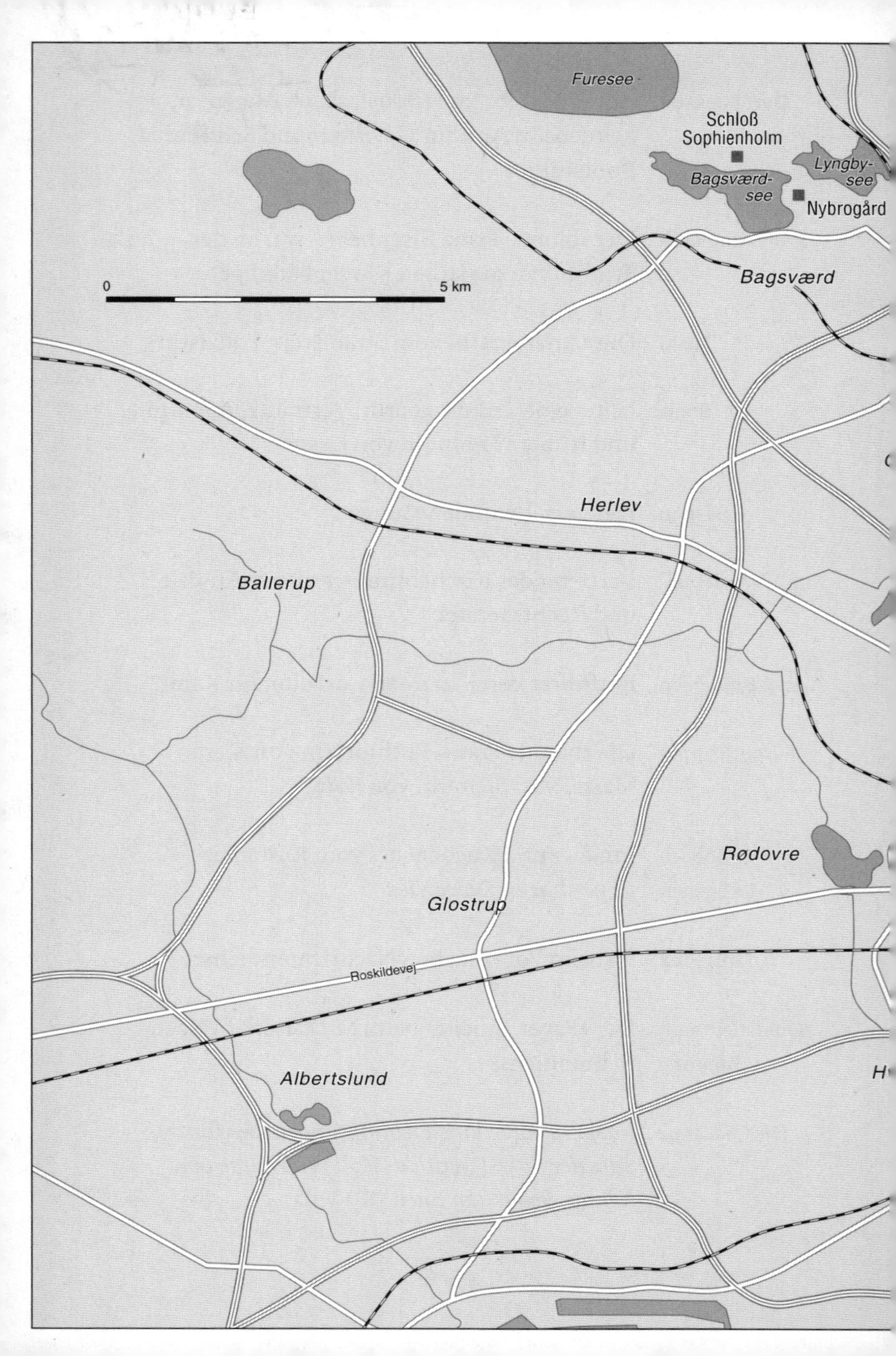

Furesee
Schloß Sophienholm
Lyngby-see
Bagsværd-see
Nybrogård
Bagsværd
0
5 km
Herlev
Ballerup
Rødovre
Glostrup
Roskildevej
Albertslund

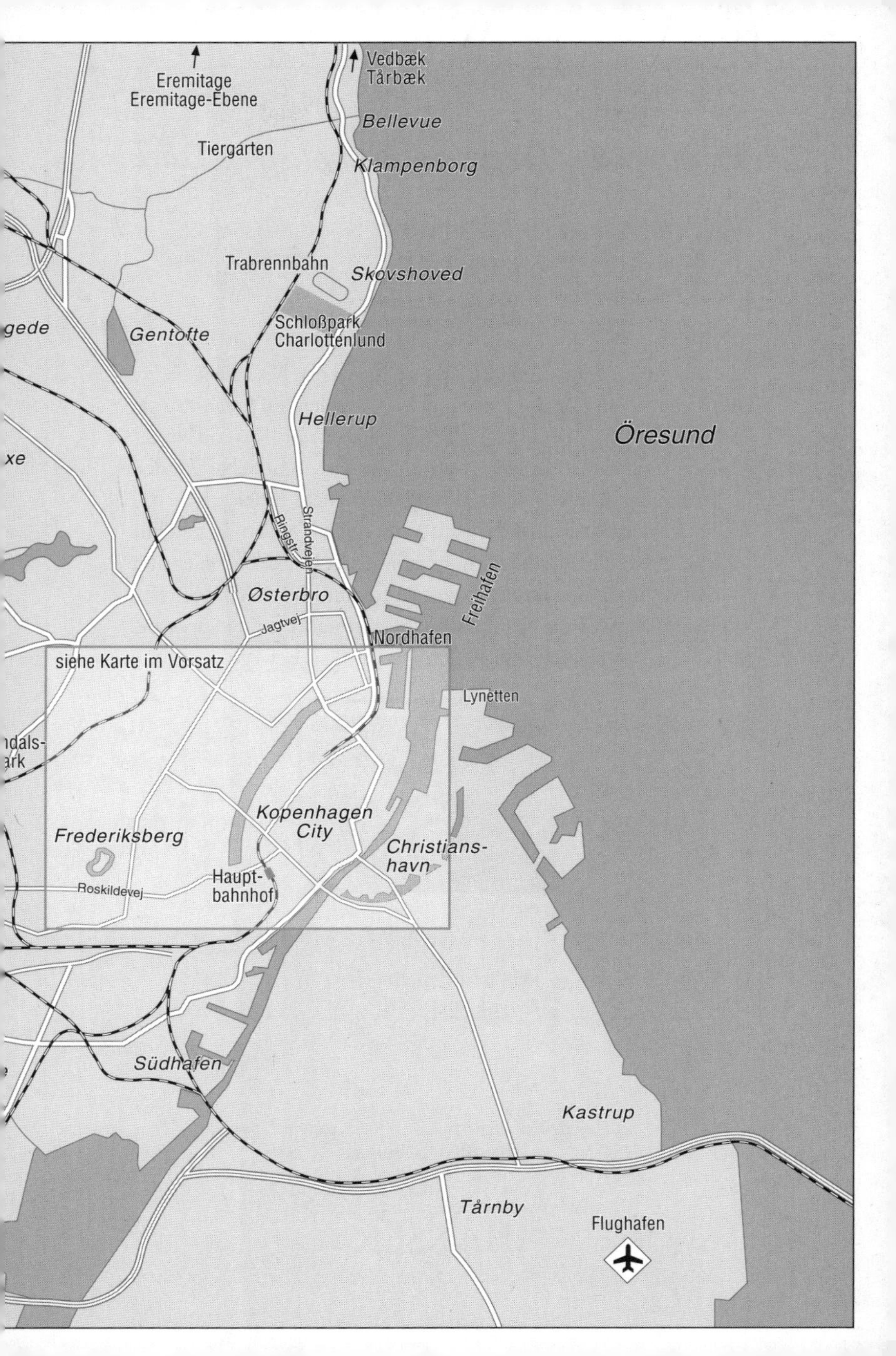
Eremitage
Eremitage-Ebene
Vedbæk
Tårbæk
Bellevue
Tiergarten
Klampenborg
Trabrennbahn
Skovshoved
Schloßpark
Charlottenlund
Gentofte
Hellerup
Öresund
Strandvejen
Ringstr.
Freihafen
Østerbro
Jagtvej
Nordhafen
siehe Karte im Vorsatz
Lynetten
Kopenhagen
City
Frederiksberg
Christians-
havn
Haupt-
bahnhof
Roskildevej
Südhafen
Kastrup
Tårnby
Flughafen